D1211005

INTERVENTION

Robin Cook

INTERVENTION

Traduit de l'américain
par Pierre Reignier

ÉDITIONS FRANCE LOISIRS

Édition originale : INTERVENTION

Édition du Club France Loisirs,
avec l'autorisation des Éditions Albin Michel

Éditions France Loisirs,
123, boulevard de Grenelle, Paris.
www.franceloisirs.com

ISBN : 978-2-298-04244-3

Ce livre est dédié à toutes les familles,
à tous les patients et à tous les chercheurs
qui contribuent aux progrès extraordinaires
du traitement des cancers infantiles.

Il y avait auparavant dans la ville un homme nommé Simon qui, se donnant pour un personnage important, exerçait la magie et provoquait l'étonnement du peuple de la Samarie. Tous, depuis le plus petit jusqu'au plus grand, l'écoutaient attentivement et disaient : « Celui-ci est la puissance de Dieu, celle qui s'appelle la grande. » Ils l'écoutaient attentivement, parce qu'il les avait longtemps étonnés par ses actes de magie. Mais, quand ils eurent cru à Philippe, qui leur annonçait la bonne nouvelle du royaume de Dieu et du nom de Jésus-Christ, hommes et femmes se firent baptiser. Simon lui-même crut et, après avoir été baptisé, il ne quittait plus Philippe, et il voyait avec étonnement les miracles et les grands prodiges qui s'opéraient. Les apôtres, qui étaient à Jérusalem, ayant appris que la Samarie avait reçu la parole de Dieu, y envoyèrent Pierre et Jean. Ceux-ci, arrivés chez les Samaritains, prièrent pour eux afin qu'ils reçussent le Saint-Esprit. Car il n'était encore descendu sur aucun d'eux ; ils avaient seulement été baptisés au nom du Seigneur Jésus. Alors Pierre et Jean leur imposèrent les mains et ils reçurent le Saint-Esprit. Lorsque Simon vit que le Saint-Esprit était donné par l'imposition des mains des apôtres, il leur offrit de l'argent en disant : « Accordez-moi aussi ce pouvoir, afin que celui à qui j'imposerai les mains reçoive le Saint-Esprit. » Mais Pierre lui dit : « Que ton argent périsse avec toi, puisque tu as cru que le don de Dieu s'acquérait à prix d'argent ! Il n'y a pour toi ni part ni lot dans cette affaire, car ton cœur n'est pas droit devant Dieu. »

Actes des Apôtres 8, 9-21

1

LUNDI 1er DÉCEMBRE 2008
04 h 20
NEW YORK

Jack Stapleton se réveilla en sursaut d'un sommeil très agité. Assis au volant d'une voiture qui dévalait une rue en pente raide, il fonçait vers un groupe d'écoliers en bas âge qui traversaient la chaussée deux par deux, main dans la main, sans se rendre compte du danger qui les menaçait. Il écrasait la pédale de freins, mais cela ne changeait rien ; la voiture semblait même prendre davantage de vitesse. Il hurla aux enfants de se disperser – et ferma la bouche, subitement, quand il se rendit compte qu'il regardait le plafond de la chambre de son appartement de la 106e Rue, à New York, dans l'Upper West Side. Il n'y avait ni voiture, ni rue en pente, ni bambins. Une fois de plus, il venait de faire un cauchemar.

Comme il n'était pas certain d'avoir crié pour de bon, il se tourna vers sa femme. La lumière de la rue qui filtrait par la fenêtre sans rideaux lui permit de constater que Laurie dormait paisiblement. Sans doute avait-il réussi à réprimer son hurlement d'effroi. Il se rallongea, les yeux au plafond, et frissonna en repensant à ce rêve affreux qu'il faisait de temps en temps et qui ne manquait jamais de le terrifier. Le rêve était apparu au début des années 1990, après que sa première femme et leurs deux filles, âgées de 10 et 11 ans, avaient trouvé la mort dans le crash de l'avion qui les ramenait de Chicago. Jack séjournait là-bas, à l'époque, pour se former à la médecine légale. Chirurgien ophtalmologiste, il avait décidé de changer de spécialité pour échapper à ce qu'il appelait les quatre cavaliers de l'Apocalypse médicale : l'attitude de plus en plus dirigiste des compagnies d'assurances santé, la marchandisation croissante des soins, l'aveuglement du gouvernement et l'apparente indifférence du public. En se détournant de la médecine clinique, paradoxalement, il nourrissait l'espoir de retrouver le sens de l'altruisme et le goût de l'investissement personnel qui l'avaient attiré, à l'origine, sur les bancs de la fac de médecine. S'il y était à peu près parvenu, il avait en revanche l'impression d'avoir tué comme par mégarde, en cours de route, sa femme et ses filles adorées. Après leur disparition, il avait sombré dans la culpabilité, la dépression et le cynisme. Le cauchemar de la voiture incontrôlable était un des symptômes de cette situation psychologique. Il avait disparu au bout de quelques années, mais, depuis plusieurs semaines, il faisait son grand retour.

Jack frissonna de nouveau et fixa son attention sur les lumières de la rue qui semblaient danser au plafond. Avant de pénétrer dans la chambre, les rayons des réverbères traversaient le branchage dénudé de l'arbre solitaire planté au bord du trottoir, devant l'immeuble. Et comme la brise nocturne l'agitait, la lumière vacillait et projetait sur le plafond des motifs instables, hypnotiques, qui évoquaient des taches de Rorschach. Ce spectacle donnait à Jack le sentiment d'être perdu, seul, dans un univers froid et impitoyable.

Il leva une main vers son visage. Il ne transpirait pas, mais sous ses doigts, dans son cou, il sentait le sang battre dans sa carotide. Son cœur cognait, sans doute à la cadence de 150 pulsations par minute, preuve que son système nerveux sympathique était en pleine réaction de lutte ou de fuite – une conséquence classique du rêve de la voiture sans freins.

La différence par rapport au scénario habituel, c'était l'apparition des enfants. Normalement, la terreur qu'il éprouvait ne concernait que lui : il se voyait sur le point de franchir une barrière fragile au bord d'un précipice, ou foncer vers un mur de briques, ou bien plonger dans une étendue d'eau peu profonde infestée de requins.

Il tourna la tête vers le réveil. 04 h 00 et des poussières. Jamais il ne réussirait à se rendormir si peu de temps avant l'aube. Il était trop nerveux. Écartant tout doucement la couette, pour ne pas déranger Laurie, il se redressa en pivotant sur lui-même et posa les pieds par terre. Le parquet en chêne était glacial.

Il se mit debout et étira ses muscles raides. Il avait passé la cinquantaine, mais il pratiquait encore le basket-ball de rue, en fin de journée, aussi souvent que la météo et son emploi du temps le lui permettaient. La veille, pour tenter d'endiguer son anxiété, il avait joué jusqu'à l'épuisement. Il savait qu'il paierait au matin le prix de cette petite folie, et il ne s'était pas trompé. Ignorant ses douleurs musculaires et le malaise général qu'il éprouvait des pieds à la tête, il inclina le buste en avant, bras tendus, pour poser les paumes à plat sur le parquet. Il resta dans cette position quelques secondes, puis il se redressa, s'étira encore et se dirigea vers la salle de bains en réfléchissant à la présence des enfants dans son cauchemar. Ce nouvel élément de torture mentale ne le surprenait guère, à vrai dire, puisque la source de son angoisse actuelle, et de la dépression qui le guettait, était un enfant. Son propre enfant : John Junior – ou « JJ », comme Laurie et lui le surnommaient. Le bébé était arrivé en août, quelques semaines avant terme, mais ils étaient prêts à l'accueillir. Laurie avait vécu les dix heures de son accouchement avec une sérénité remarquable. Jack, par contre, en était ressorti aussi épuisé que s'il avait lui-même fait le travail. Il avait assisté à la naissance de ses deux filles, autrefois, mais il avait oublié à quel point l'événement était difficile sur le plan émotionnel. Il avait poussé un énorme soupir de soulagement quand il avait eu la confirmation que la mère et l'enfant se portaient bien et n'avaient plus qu'à se reposer.

Pendant le premier mois, les choses s'étaient relativement bien passées. Laurie appréciait d'être en congé maternité, elle était heureuse de son nouveau rôle de mère et ne se souciait pas de l'agitation nocturne de JJ. Jack, de son côté, avait peu à peu vaincu ses craintes d'avoir un enfant touché par une malformation congénitale ou une maladie génétique. Il n'avait jamais avoué à Laurie qu'après l'accouchement, en dépit des paroles rassurantes qu'il avait reçues, il avait jeté un coup d'œil sur le bébé en l'absence du pédiatre.

Paniqué, il avait examiné minutieusement JJ et compté ses doigts et ses orteils. Il se sentait encore tellement coupable d'avoir perdu ses filles qu'il n'était pas sûr de pouvoir affronter un enfant handicapé. Déjà, il avait eu beaucoup de mal à accepter l'idée d'avoir un nouvel enfant ! Il s'était longuement interrogé pour savoir s'il serait capable d'endosser la responsabilité de la paternité et le sentiment de vulnérabilité que cette situation ferait naître en lui. Il avait même longtemps rechigné à se remarier. Sans la patience et le soutien indéfectible de Laurie, il ne s'y serait sans doute pas risqué. Au plus profond de lui, Jack avait toujours le sentiment qu'il était condamné, d'une façon ou d'une autre, à conduire tous ceux qu'il aimait au désastre.

Il attrapa son peignoir suspendu à une patère derrière la porte de la salle de bains et traversa l'appartement jusqu'au seuil de la chambre de JJ. Plusieurs veilleuses bleutées, disposées au niveau des plinthes, éclairaient très légèrement la pièce. Il ne put s'empêcher de sourire, comme souvent, amusé par l'aménagement et la décoration trop parfaits des lieux – cadeau de sa belle-mère, Dorothy Montgomery, qui avait sorti le grand jeu pour le petit-fils qu'elle avait craint de ne jamais avoir.

Jack entra dans la chambre sur la pointe des pieds et s'approcha du berceau tendu de coton blanc bordé de dentelle. Il ne voulait surtout pas réveiller John Junior ; Laurie avait eu toutes les difficultés du monde à le rendormir après sa dernière tétée. Comme la lumière des veilleuses ne pénétrait pas à l'intérieur du berceau, Jack dut se pencher pour regarder son fils. Il était sur le dos, les avant-bras pliés à 45° en direction des épaules, les doigts des deux mains serrés sur les pouces. Le haut de son petit front semblait luire dans l'obscurité. Ses yeux étaient invisibles, mais Jack les savait bordés de cernes sombres – un des premiers signes de sa maladie, apparu en l'espace de quelques semaines, que ni Jack ni Laurie n'avaient remarqué au début. C'était Dorothy qui s'en était étonnée la première. Et puis d'autres symptômes s'étaient déclarés. Le petit problème de l'« agitation » de JJ, terme employé par le pédiatre qui n'avait aucune raison de se méfier *a priori*, s'était rapidement transformé en nuits d'insomnie pour toute la maisonnée Stapleton.

Quand le diagnostic leur avait été annoncé, Jack avait eu l'impression de recevoir un coup de batte de base-ball en plein ventre. Il avait cessé de respirer. Le sang avait si brusquement reflué de son cerveau qu'il avait dû agripper les accoudoirs de son siège pour ne pas s'écrouler par terre. Ses pires angoisses se confirmaient. La terreur qui l'habitait à l'idée de porter la poisse à ceux qu'il aimait, ses enfants en particulier, n'était pas une simple phobie. John Junior était atteint d'un neuroblastome, une maladie responsable de 15 % des décès par cancer chez l'enfant. En plus, ce neuroblastome avait largement métastasé, pour se répandre à travers tout le corps du bébé – dans ses os et dans son système nerveux central. John Junior avait ce que l'on appelait un *neuroblastome de haut grade*, le pire de tous.

Au cours des semaines qui avaient suivi, Jack et Laurie avaient connu un véritable enfer. Le cancer faisait de plus en plus souffrir JJ, mais il fallait un certain temps pour déterminer le traitement médical le mieux adapté à son cas. Par chance, Laurie avait gardé la tête froide ; elle avait été merveilleuse de bout en bout. Jack, lui, avait lutté pour ne pas sombrer dans le gouffre qui l'avait happé, des années plus tôt, à la mort de sa première famille. Ce qui l'avait sauvé, c'était le fait de savoir que John Junior et Laurie avaient *absolument* besoin de lui. Au prix de très gros efforts sur lui-même, il avait refoulé la colère et la culpabilité écrasantes qui le rongeaient ; il avait réussi à les sublimer pour réagir de manière raisonnablement positive.

Enfin, les Stapleton avaient eu la chance d'être acceptés dans le programme neuroblastome du centre de recherche Memorial Sloan-Kettering. Ils s'étaient bientôt entièrement reposés sur le professionnalisme, l'expérience et la générosité de ses talentueuses équipes médicales. Pendant plus d'un mois, JJ avait subi de nombreuses séances de chimiothérapie personnalisée, dont chacune nécessitait une hospitalisation à cause de ses pénibles effets secondaires. Ensuite, une fois que la chimio avait atteint le résultat souhaité par les médecins, JJ avait entamé un traitement prometteur, relativement nouveau, qui nécessitait l'injection d'un anticorps monoclonal de souris sur les tumeurs de neuroblastome. L'anticorps, baptisé 3F8, détectait les cellules cancéreuses et aidait le système immunitaire du patient à les détruire. En théorie, du moins.

Le protocole de traitement établi supposait des injections quotidiennes, par cycles de deux semaines, sur plusieurs mois – peut-être même une année entière. Hélas, il avait fallu tout arrêter après seulement quelques injections. Malgré la chimiothérapie préliminaire, le système immunitaire de John Junior réagissait à la protéine murine par une allergie qui produisait un dangereux effet secondaire. À présent, le nouveau programme consistait à attendre un mois ou deux, puis à tester la sensibilité de l'enfant à la protéine murine. S'il y résistait mieux que la première fois, le traitement pourrait reprendre. Il n'y avait pas d'autre solution. La maladie de John Junior était trop avancée pour envisager une greffe de moelle autologue, une opération chirurgicale ou une radiothérapie.

— Il est tellement mignon quand il dort et qu'il ne pleure pas, murmura une voix dans l'obscurité.

Jack tressaillit. Plongé dans ses pensées, il ne s'était pas aperçu que Laurie l'avait rejoint.

— Excuse-moi, je t'ai fait peur, dit-elle en levant les yeux vers lui.

— Non, c'est moi qui suis désolé de t'avoir réveillée, répondit-il à voix basse.

La vie quotidienne avec JJ était à ce point éprouvante que Laurie était tout le temps épuisée.

— Je ne dormais déjà plus vraiment quand tu t'es réveillé. Tu respirais très fort. J'ai pensé que tu faisais encore un cauchemar.

— En effet. C'était mon vieux rêve de la voiture sans freins. Sauf que cette fois, je fonçais vers un groupe de petits enfants. C'était horrible.

— J'imagine, dit Laurie d'une voix compatissante. En tout cas, ce n'est pas un rêve bien difficile à interpréter.

— Ah ouais, tu crois ça ? répliqua Jack d'un ton sarcastique – il n'appréciait pas beaucoup d'être psychanalysé.

— Hé ! Ne te mets pas en rogne.

Elle se tourna et lui agrippa le bras pour ajouter d'un ton ferme :

— Pour la centième fois, Jack, tu n'es pas responsable de la maladie de ce bébé. Arrête de te faire du mal.

Il respira profondément et secoua la tête.

— Pour toi, c'est facile à dire.

— Mais c'est la vérité ! insista Laurie, remontant la main vers la nuque de Jack pour le caresser affectueusement. Bon sang, tu sais ce que les médecins du Memorial ont dit quand nous avons réclamé une analyse étiologique. Si JJ est malade à cause de l'un de nous deux, il est beaucoup plus probable que c'est à cause de *moi* – à cause de tous les produits chimiques auxquels je suis exposée dans mon métier, en salle d'autopsie. Quand j'étais enceinte, j'ai essayé d'éviter d'utiliser des dissolvants, mais bien sûr, c'était mission impossible !

— Il n'est pas du tout prouvé que les dissolvants favorisent l'apparition du neuroblastome.

— Ce n'est pas prouvé, mais c'est une hypothèse nettement plus probable que la malédiction surnaturelle avec laquelle tu ne cesses de te torturer.

Jack acquiesça d'un hochement de tête, sans enthousiasme. La conversation prenait une tournure un peu inquiétante pour lui. Il n'aimait pas parler de cette « malédiction », car il ne croyait pas aux phénomènes surnaturels. Il n'avait pas non plus de sentiment religieux – pour lui, religion et surnaturel relevaient d'un seul et même mode de pensée. Il préférait s'en tenir à la réalité immédiate, au monde qu'il pouvait toucher, percevoir pour de vrai et, de manière générale, évaluer avec les sens et la raison.

— Et le traitement contre l'infertilité que j'ai suivi ? reprit Laurie. Un des spécialistes du Memorial a laissé entendre que c'était une explication possible. Tu t'en souviens ?

— Bien sûr, oui, je m'en souviens, admit Jack avec une pointe d'irritation.

Il n'avait pas envie de parler de ça.

— La vérité, ajouta Laurie, c'est qu'on ne connaît pas l'origine du neuroblastome, point final. Allez, viens te recoucher…

Jack fit la moue.

— Hmm… Je ne réussirai pas à me rendormir. En plus, il est presque 05 h 00. Je préfère me doucher, me raser et aller au travail de bonne heure. J'ai besoin de m'occuper l'esprit.

— Excellente idée, acquiesça Laurie. J'aimerais pouvoir en faire autant.

— Nous avons déjà parlé de ça un certain nombre de fois, dit Jack en soupirant. Tu pourrais reprendre le travail. Tu *devrais* ! Nous engagerions des infirmières à domicile. Ce serait sans doute mieux pour toi.

Laurie secoua la tête.

— Tu me connais. Jamais je ne pourrais faire ça. Quoi qu'il arrive, je dois aller jusqu'au bout. Je ne me pardonnerais jamais d'être au travail alors que…

Elle se tut et se pencha vers le berceau. JJ semblait dormir paisiblement. Par chance, ses yeux cernés et légèrement bouffis étaient invisibles dans l'obscurité. Laurie respira un grand coup. Une vive émotion la saisissait, tout à coup, comme cela lui arrivait parfois. Elle avait tellement, tellement voulu avoir un enfant ! Jamais elle n'aurait pu imaginer qu'elle mettrait au monde un bébé qui souffrirait autant que JJ. Il n'avait pourtant que 4 mois ! Elle aussi, elle était accablée par la culpabilité. Contrairement à Jack, cependant, elle avait trouvé un minimum de réconfort dans la religion. Elle avait été élevée dans la foi catholique. Elle n'était plus pratiquante depuis longtemps, mais elle réussissait encore à se considérer comme chrétienne, elle voulait croire en Dieu et… elle y parvenait, plus ou moins. Elle priait parfois en secret pour JJ. D'un autre côté, elle n'arrivait pas à comprendre comment Dieu, ou n'importe quel être suprême, pouvait permettre l'existence d'un mal aussi abominable que le cancer infantile, en particulier le neuroblastome.

Jack comprit ce qui arrivait à Laurie. Refoulant ses propres larmes, il glissa un bras autour des épaules de sa femme et se pencha avec elle vers John Junior.

— Le plus dur, pour moi, au point où nous en sommes, bafouilla-t-elle en se séchant les yeux du bout des doigts, c'est d'avoir l'impression de faire du surplace. Tant que nous sommes obligés d'attendre que son allergie à la protéine de souris disparaisse, nous ne lui apportons aucun traitement. Nous ne faisons rien du tout. D'une certaine façon, la médecine nous a abandonnés. C'est tellement frustrant ! J'avais tellement d'espoir quand nous avons démarré le traitement à l'anticorps monoclonal ! Ça me paraissait beaucoup plus raisonnable, en plus, que l'artillerie lourde de la chimiothérapie. Surtout pour un nouveau-né. La chimio s'attaque à toutes les cellules en développement, tandis que l'anticorps ne vise que les cellules cancéreuses...

Jack aurait voulu répondre, mais il avait la gorge nouée. Il hocha la tête pour montrer à Laurie qu'il était d'accord avec elle. Il sentait que, s'il essayait de prononcer le moindre mot, sa voix s'étranglerait.

— L'ironie suprême de cette histoire, c'est qu'elle met au jour un des grands échecs de la médecine conventionnelle, reprit Laurie qui semblait reprendre le contrôle de ses émotions. Quand la médecine dite scientifique tombe sur un os, le patient et sa famille souffrent parce qu'ils sont laissés en plan. C'est classique !

Jack hocha de nouveau la tête. Hélas, Laurie avait tout à fait raison.

— As-tu pensé que nous pourrions avoir recours à la médecine non conventionnelle ? demanda-t-elle. Je veux dire… à l'une des médecines parallèles qui existent aujourd'hui ? Juste en attendant, bien sûr, que nous n'ayons plus les mains liées à cause du traitement à l'anticorps monoclonal…

Jack écarquilla les yeux. Surpris et choqué, il regarda sa femme :

— Tu plaisantes ?

Laurie haussa les épaules.

— Pour dire la vérité, je ne sais pas grand-chose au sujet de ces médecines. Je n'en ai jamais essayé aucune – sauf si on met les suppléments vitaminés au nombre des médecines parallèles. Je n'ai jamais beaucoup lu à ce sujet, non plus. Autant que je sache, toutes ces pratiques relèvent davantage du vaudou que de la médecine. Sauf en phytothérapie, quelques plantes possèdent un principe actif dont l'effet thérapeutique est prouvé.

— C'est aussi mon impression. D'après ce que je sais, toutes ces médecines sont fondées sur l'effet placebo. Je n'ai jamais eu envie de lire quoi que ce soit à leur sujet, moi non plus, et encore moins de les essayer ! Je crois qu'elles sont bonnes pour les gogos qui ont plus d'optimisme que de bon sens. Ou qui ne demandent qu'à se faire arnaquer. Ou alors pour les gens qui sont désespérés.

— Nous sommes désespérés, murmura Laurie.

Jack scruta son visage dans la pénombre. Il ne savait pas si elle avait dit cela sérieusement. Cependant… Oui, ils étaient désespérés. C'était clair. Mais étaient-ils désespérés *à ce point* ?

— Tu n'es pas obligé de répondre, ajouta Laurie. Je réfléchissais à voix haute. J'aimerais juste pouvoir faire quelque chose pour notre bébé. J'ai horreur de devoir me dire que les cellules de neuroblastome s'en donnent à cœur-joie, en ce moment même, dans son petit corps.

2

LUNDI 1er DÉCEMBRE 2008
MIDI
LE CAIRE
(05 h 00 À NEW YORK)

Shawn Daughtry ordonna au chauffeur du taxi de s'arrêter près du mausolée d'Al-Ghouri, le sultan mamelouk qui avait cédé l'Égypte aux Ottomans au début du XVIe siècle. Il y avait déjà dix ans que Shawn était venu pour la dernière fois en Égypte – avec sa troisième épouse. Il s'y trouvait en ce moment avec la cinquième Mme Daughtry, née Sana Martin, et il appréciait bien davantage ce séjour que le précédent. Sana avait été invitée au Caire pour participer à une conférence internationale de généalogie génétique. Doctoresse en biologie moléculaire et spécialiste de l'ADN mitochondrial, elle était déjà, bien que relativement jeune, une chercheuse respectée par ses pairs. Et comme elle comptait parmi les principaux intervenants de la conférence, elle avait eu droit à un voyage tous frais payés pour elle et pour son époux. Profitant de l'occasion, Shawn s'était arrangé pour assister à un colloque d'archéologie organisé au même moment dans la capitale égyptienne. Et aujourd'hui, dernier jour de la rencontre, il avait sauté le déjeuner de clôture pour s'offrir une excursion d'un genre un peu particulier.

Il descendit du taxi. La chaleur était écrasante. Il traversa la rue Al-Azhar en slalomant entre les véhicules quasi immobilisés, pare-chocs contre pare-chocs, sur la chaussée poussiéreuse. Comme lui, des dizaines de piétons et de charrettes à bras se frayaient un chemin au milieu des voitures, des bus et des taxis. Tous les conducteurs klaxonnaient sans relâche. La circulation au Caire était catastrophique. En dix ans, depuis sa dernière visite, la population de la métropole avait gonflé de façon hallucinante, pour atteindre 18,7 millions d'habitants.

Shawn obliqua vers la rue Al-Muizz Li-Din Allah, avant de s'engager dans les ruelles étroites du souk Khan el-Khalili. On trouvait de tout dans ce labyrinthe coloré et très animé qui existait depuis le XIVe siècle : articles ménagers, vêtements, meubles, alimentation, souvenirs bon marché et ainsi de suite. Cependant, rien de tout cela n'intéressait Shawn. Il s'enfonçait d'un pas résolu dans les profondeurs du bazar pour atteindre le secteur des antiquités. Il visait là une certaine boutique, baptisée Antica Abdul, dont il avait gardé un souvenir très précis depuis son précédent séjour.

Shawn était archéologue. Directeur du département de l'art du Moyen-Orient au Metropolitan

Museum of Art de New York, il était aujourd'hui, à 54 ans, au sommet de sa carrière. Son principal centre d'intérêt était l'archéologie biblique, mais il comptait aussi parmi les plus grands spécialistes mondiaux de toute la région du Moyen-Orient – de l'Asie Mineure à l'Iran en passant par le Liban, Israël, la Syrie et la Jordanie. Dix ans plus tôt, c'était son épouse d'alors, Gloria, qui l'avait traîné dans ce souk. Elle voulait acheter des babioles. Ils s'étaient trouvés séparés dans le dédale de ruelles, et Shawn était tombé par hasard sur Antica Abdul. À travers la vitrine poussiéreuse de la boutique, il avait aperçu un remarquable vase en terre cuite, datant apparemment de plus de six mille ans, de la période prédynastique égyptienne. *Intact !* À l'époque, il y avait un vase presque identique, très bien mis en valeur, dans la collection Égypte ancienne du Metropolitan. Mais celui de la vitrine d'Antica Abdul était dans un état de conservation incroyable. Non seulement ses ornements peints – des volutes dans le sens anti-horaire – étaient bien mieux préservés que ceux du vase du musée, mais, en plus, il était en un seul morceau ! Le vase du Met avait été découvert brisé ; il avait fallu beaucoup de travail pour en recoller les nombreux fragments et le restaurer. Bien entendu, Shawn avait immédiatement compris que la poterie qu'il voyait dans la vitrine d'Antica Abdul était un faux. Un faux d'excellente facture mais un faux quand même – comme la plupart des « antiquités » vendues dans les souks égyptiens. Fasciné par la beauté de l'objet, cependant, il était entré dans la boutique.

Il avait l'intention d'examiner rapidement le vase de plus près, puis de repartir à la recherche de Gloria. Mais il avait passé près de trois heures dans la boutique ! Sa femme, furieuse d'avoir été « abandonnée » et méfiante quant à la raison de la disparition de Shawn, était rentrée bien avant lui à l'hôtel. Quand il l'avait enfin rejointe, elle lui était tombée dessus à bras raccourcis. Elle s'était plainte comme une gamine, par-dessus le marché, qu'elle aurait pu être kidnappée dans le souk. En se remémorant cet incident, Shawn se disait qu'il n'aurait pas été fâché que Gloria passe à la trappe de cette façon. Cela lui aurait évité la pénible procédure de divorce qu'il avait engagée un an plus tard.

Si Shawn était resté si longtemps dans la boutique, c'était parce qu'il y avait découvert les charmes de l'hospitalité à l'égyptienne. La rencontre avec Rahul, le propriétaire, qui avait commencé par une âpre discussion sur l'authenticité du vase prédynastique, s'était transformée en un débat passionnant – arrosé de nombreuses tasses de thé – sur le marché mondial des fausses antiquités égyptiennes. Rahul était enchanté de bavarder avec un archéologue de la stature de Shawn. Tout en affirmant mordicus que la poterie de la vitrine n'était pas une copie, il avait accepté de partager avec lui tous les trucs de la profession d'« antiquaire ». Il lui avait même longuement parlé du commerce florissant des scarabées, ces talismans sculptés sur le modèle de l'insecte auquel les Égyptiens anciens attribuaient le pouvoir de régénération spontanée. Grâce à l'inépuisable source d'os dont ils disposaient dans divers cimetières de Haute-Égypte, les adroits sculpteurs de l'Égypte moderne recréaient ces scarabées « antiques » qu'ils faisaient même avaler et régurgiter à certains animaux domestiques pour leur donner une patine des plus convaincantes. Rahul affirmait que de nombreux scarabées pharaoniques exposés dans les plus grands musées du monde n'étaient en réalité que des contrefaçons.

Au terme de leur long tête-à-tête, Shawn avait acheté le vase pour remercier Rahul de son hospitalité. Ils s'étaient amicalement chamaillés sur le prix. Il avait fini par lâcher la moitié du montant que l'antiquaire lui réclamait au départ – tout en considérant que 200 livres égyptiennes, c'était encore deux fois plus que ce qu'il aurait dû payer. Mais une énorme surprise l'attendait à New York. Quand il avait apporté le vase à son amie Angela Ditmar, la directrice du département des Antiquités égyptiennes, elle avait affirmé qu'il ne s'agissait pas d'un faux, mais d'une véritable antiquité qui avait plus de 6 000 ans ! Elle-même n'en croyait pas ses yeux. La datation par le carbone 14 avait confirmé son jugement. Shawn avait fait don du vase au Met pour apaiser la culpabilité qu'il éprouvait à l'idée d'avoir, bien malgré lui, mais le plus illégalement du monde, sorti d'Égypte cet objet inestimable.

Shawn continua de s'enfoncer dans les profondeurs du souk. Des auvents et d'innombrables tapis tendus aux façades des bâtiments ou en travers des ruelles étroites bloquaient les rayons du soleil. Il passa devant une succession d'étals de bouchers. Les carcasses d'agneaux qui y étaient suspendues – têtes, yeux globuleux et essaims de mouches compris – dégageaient une odeur presque insoutenable. Il pressa le pas et perçut bientôt des arômes d'épices, puis, peu après, le parfum de grains d'arabica fraîchement torréfiés. Dans les marchés du Caire, les sens étaient assaillis autant par de bonnes que de mauvaises choses.

À un carrefour entre plusieurs ruelles, Shawn marqua une pause, désorienté comme il l'avait été dix ans plus tôt. Il entra chez un tailleur pour se renseigner auprès d'un vieux monsieur vêtu d'une djellaba marron et coiffé d'un calot blanc brodé. Deux minutes plus tard, il trouva Antica Abdul. Il n'était pas du tout étonné que la boutique existe toujours. Lors de leur première rencontre, Rahul lui avait expliqué qu'elle appartenait à sa famille depuis plus de cent ans.

Et elle semblait ne pas avoir changé du tout – hormis le fait que l'extraordinaire vase prédynastique n'était plus à sa place dans la vitrine. Comme la plupart des antiquités qu'il vendait étaient des contrefaçons, Rahul se réapprovisionnait auprès de ses fournisseurs à mesure qu'il les écoulait. Et les années passaient…

Apparemment, il n'y avait personne à l'intérieur de la boutique quand Shawn en franchit le seuil. Il fit un pas en avant et le rideau de perles en verre retomba en place derrière lui en cliquetant. Pendant deux secondes, il se demanda si Rahul n'avait pas quitté la profession. Mais son inquiétude s'évanouit quand il vit l'antiquaire franchir le rideau vert foncé qui, il s'en souvenait à présent, séparait la première salle d'un petit salon de réception situé à l'arrière de la boutique. Rahul le salua d'un léger hochement de tête et prit place derrière le comptoir vitré. C'était un ancien fellah solidement bâti, aux lèvres charnues, qui n'avait eu aucune difficulté à se transformer en excellent homme d'affaires. Sans un mot, Shawn fit deux pas dans sa direction et fixa ses yeux noirs.

Tout à coup, les sourcils de l'antiquaire s'arquèrent sur son front.

— Docteur Daughtry ?

L'air perplexe, il se pencha par-dessus le comptoir pour mieux regarder Shawn.

— Rahul ! Je suis stupéfait que vous me reconnaissiez. Et encore plus stupéfait que vous vous souveniez de mon nom après tant d'années !

— Comment pourrais-je vous avoir oublié ?

Rahul s'empressa de contourner le comptoir pour prendre la main de Shawn et la serrer avec chaleur entre les siennes.

— Je me souviens de tous mes clients, ajouta-t-il. Et en particulier de ceux qui travaillent dans les grands musées.

— Vous avez d'autres responsables de musées dans votre clientèle ? demanda Shawn.

La boutique était tellement modeste que cela paraissait peu probable.

— Bien sûr ! dit Rahul avec enthousiasme. Chaque fois que j'ai un objet un peu particulier - chose qui ne se produit pas très souvent, bien entendu –, j'adresse un message à celui ou celle qui me paraît le plus susceptible de s'y intéresser. C'est tellement facile, aujourd'hui, avec Internet !

Rahul se retourna tout à coup. Il écarta un rideau de perles, sur le mur le plus proche du comptoir, et disparut dans un couloir en aboyant des ordres en arabe. En son absence, Shawn s'émerveilla des conséquences de la globalisation. On aurait pu croire qu'Internet et l'antique souk Khan el-Khalili appartenaient à deux mondes antithétiques. Eh bien, non.

Quelques instants plus tard, Rahul revint et fit signe à Shawn de le suivre jusqu'au salon. Des tapis d'Orient couvraient le sol et les murs de la petite pièce. D'énormes coussins tendus de brocart en occupaient deux côtés. Un narguilé se trouvait près du troisième, ainsi qu'un amas de vieux cartons empilés de guingois. Une ampoule nue pendait à un fil au plafond. Sur une petite table en bois, il y avait quelques photographies encadrées aux couleurs passées. L'une d'elles montrait un homme imposant, en habit égyptien, qui ressemblait à Rahul.

Ce dernier, qui avait suivi le regard de Shawn, dit :

— C'est une photo de mon oncle que m'a récemment donnée ma mère. Il y a encore une vingtaine d'années, cette boutique lui appartenait.

— Il a un air de famille, observa Shawn avec le sourire. Mais alors… vous lui avez racheté le fonds de commerce, c'est ça ?

— Non, je l'ai racheté à sa femme. Cet oncle était le frère de ma mère. Il a été mêlé à un scandale assez regrettable. Une histoire d'antiquités précieuses retrouvées dans une tombe intacte. Ses liens avec les trafiquants lui ont coûté la vie. Il a été tué ici même, dans la boutique.

— Seigneur, murmura Shawn. Je suis désolé d'avoir parlé de lui.

— Dans le commerce des antiquités, on n'est jamais trop prudent. Grâce à Allah, je n'ai encore jamais eu ce genre de problème.

Le rideau vert s'écarta sur un adolescent aux pieds nus qui apportait deux verres de thé brûlant sur un plateau. Les verres étaient glissés dans des porte-verres à anse métallique. Sans un mot, il posa le plateau par terre entre les deux hommes, avant de battre en retraite. Pendant ce temps, Rahul continua de faire agréablement la conversation à Shawn. Il était ravi d'avoir sa visite.

— À vrai dire, expliqua Shawn, je suis venu aujourd'hui pour une raison un peu particulière.

— Ah oui ? fit Rahul d'un air interrogateur.

— Je dois vous faire un aveu. La première fois que je suis entré dans votre boutique, je vous ai acheté un vase en terre cuite de la période prédynastique.

— Je m'en souviens très bien ! Une des plus belles pièces que j'aie jamais eues.

— Nous avons eu une assez longue discussion au sujet de l'authenticité de cette antiquité.

— J'ai eu du mal à vous en convaincre. Je m'en souviens aussi.

— Pour être franc, je n'étais pas du tout convaincu quand je suis sorti d'ici. J'ai acheté le vase pour garder un souvenir de notre très intéressante conversation. Mais quand je suis rentré à New York, je l'ai fait examiner par une collègue spécialiste de l'Égypte ancienne. Elle était de votre avis. Le vase est une pièce d'époque. Absolument magnifique, d'après ma collègue. Il occupe aujourd'hui une place de choix au Metropolitan.

— Vous êtes très aimable d'admettre votre erreur, docteur Daughtry.

— Hmm… Depuis dix ans, ça me tracassait.

— La solution est simple. Si vous voulez avoir la conscience tranquille, il vous suffit de me donner davantage d'argent.

Déconcerté par cette suggestion hors de propos, Shawn regarda fixement Rahul. Pendant quelques instants, il crut que l'antiquaire était sérieux. Puis ce dernier sourit, dévoilant deux rangées de dents jaunes en mauvais état.

— Je plaisante, bien entendu ! déclara-t-il en riant. J'ai fait un bénéfice très correct sur ce vase que j'avais acheté directement aux enfants qui l'avaient découvert, je suis donc satisfait.

Shawn sourit à son tour, soulagé. L'humour arabe l'étonnait autant que l'hospitalité arabe.

— Votre aveu vient de me rappeler que j'ai ici un autre objet assez étonnant, reprit Rahul. Un ami fellah qui est agriculteur en Haute-Égypte me l'a apporté hier. Vous qui êtes spécialiste de la Bible, docteur Daughtry, vous devriez le trouver très intéressant. Je dois même reconnaître que vous en saurez bien davantage que moi à son sujet. Par conséquent, je vous fais confiance pour ne pas me tromper sur le prix à payer si vous décidez de l'acheter. Aimeriez-vous que je vous montre cet objet ?

Shawn haussa les épaules. Il ne savait pas à quoi s'attendre et il ne voulait pas nourrir de vains espoirs.

— Oui. Pourquoi pas ?

Après avoir farfouillé dans l'un des cartons empilés contre le mur, Rahul revint s'asseoir à sa place avec un paquet enveloppé dans une vieille taie d'oreiller tachée. Il l'ouvrit, en tira l'objet qu'elle contenait et se pencha en avant pour le déposer entre les mains de Shawn.

Pendant de longues secondes, le Dr Daughtry ne fit pas un geste. Il semblait stupéfait. Rahul se renversa en arrière pour s'installer confortablement sur les coussins. Il était à la fois fier de lui et intrigué. Il savait que l'archéologue reconnaîtrait l'objet sans difficulté. La question était de savoir s'il serait prêt à l'acheter. Pour cette transaction éminemment illégale, pour cet objet extrêmement particulier, il fallait un acquéreur qui soit non seulement un savant, mais qui dispose aussi de fonds assez importants.

Shawn, bien sûr, avait tout de suite reconnu l'objet. Comme la plupart des grands spécialistes de la Bible – en particulier ceux, comme lui, qui s'intéressaient à l'étude du Nouveau Testament et à l'histoire des débuts du christianisme –, il en avait déjà vu et manipulé des semblables. À présent, il devait se poser une question fondamentale : l'objet qu'il avait entre les mains était-il authentique ou s'agissait-il d'une contrefaçon comme les scarabées et la plupart des autres antiquités vendues dans la boutique de Rahul ? À première vue, Shawn ne savait que répondre. Mais après l'expérience qu'il avait eue avec le vase prédynastique, il était prêt à parier que l'objet provenait bel et bien du fond des âges. Et il voulait l'acheter. Si, par chance, il avait raison, cet objet serait peut-être la plus grande trouvaille de sa carrière – même s'il était obligé, ultérieurement, de le remettre aux autorités égyptiennes. C'était le genre d'objet dont la simple histoire le rendait mondialement célèbre. Il ne voulait pas qu'un autre client de Rahul, parmi ceux qu'il avait dans l'univers des grands musées internationaux, mette la main dessus. Or, le risque était bien réel : avec Internet, l'antiquaire n'avait qu'à envoyer quelques e-mails pour trouver un acquéreur.

Shawn regarda Rahul avec un grand sourire.

— Bien sûr, nous savons tous les deux que c'est un faux, dit-il, essayant de démarrer le marchandage du bon pied.

Le problème, c'était qu'en dépit de la modeste apparence de sa boutique, Rahul était un négociateur professionnel d'une grande habileté.

3

LUNDI 1er DÉCEMBRE 2008
06 H 05
NEW YORK
(13 h 05 AU CAIRE)

— Vous êtes médecin ? demanda le policier en uniforme avec un air exagérément étonné.

Sa voiture de patrouille était arrêtée au bord du trottoir sur la Deuxième Avenue. Son coéquipier, qui n'avait pas quitté le siège passager, sirotait un café. Sur la chaussée, les automobilistes du petit matin filaient en direction du centre de Manhattan. Le vélo de Jack, un Trek relativement récent, était couché dans le caniveau. Quand Laurie avait entamé son congé maternité, Jack avait repris l'habitude de faire à bicyclette, tous les jours, le trajet entre leur domicile et l'Institut médico-légal.

Jack acquiesça d'un hochement de tête. Il était déjà plus calme que quelques instants plus tôt, mais il se sentait encore fou de rage contre le chauffeur du taxi qui s'était immobilisé juste devant lui après avoir brusquement traversé l'avenue en diagonale pour prendre un client qui le hélait. Jack avait pilé et évité *in extremis* une collision dramatique : il avait juste légèrement heurté le pare-chocs du taxi, par chance sans se blesser. Aussitôt après, et avant même que le client n'ait eu le temps de prendre place sur la banquette arrière, il s'était précipité vers la portière du chauffeur. Il avait cogné dessus à coups de pied, faisant apparaître de petites bosselures dans la carrosserie, afin de convaincre le gars de quitter son siège pour qu'ils puissent avoir une bonne discussion. Heureusement pour tout le monde, la confrontation avait été interrompue par l'arrivée inopinée des flics – qui avaient été témoins d'une partie de la scène.

— Je pense que vous auriez intérêt à consulter quelqu'un pour apprendre à maîtriser votre colère, reprit le policier.

— Je prends note du conseil, répliqua Jack d'un ton sarcastique.

Il savait qu'il avait tort de jouer la provocation, mais c'était plus fort que lui. Le flic avait congédié le chauffeur de taxi sans même lui demander ses papiers. À croire qu'il jugeait Jack responsable de l'incident, puisque c'était lui qu'il avait retenu sur le trottoir !

— Vous circulez à *vélo*, pour l'amour du ciel ! s'exclama le policier d'un ton presque plaintif. Vous cherchez quoi – à vous faire tuer ? Si vous êtes assez dingue pour vous balader à vélo dans cette ville, attendez-vous à avoir de mauvaises surprises. En particulier avec les taxis !

— Je croyais pourtant que les taxis new-yorkais et moi, nous pouvions nous partager la rue.

Le policier leva les yeux au ciel et lui rendit ses papiers.

— C'est vous qui risquez votre peau, après tout, dit-il d'un ton qui prouvait qu'il se lavait les mains de toute l'affaire.

Exaspéré, Jack redressa son vélo, l'enfourcha et poussa sur les pédales avec force. Il s'éloigna très vite de la voiture de patrouille, avant même que le flic n'y soit remonté. Bientôt, les dangers de la circulation, le vent glacial et l'effort soutenu qu'il produisait lui remirent les idées en place. Sa colère reflua et il se concentra sur la conduite de son engin. Lancé à 30 km/h, sa vitesse optimale, il réussit à enchaîner les feux verts tout au long de l'avenue jusqu'à la 42e Rue. Là, pendant qu'il attendait au feu rouge et reprenait son souffle, il songea que le policier n'avait pas eu tort, il était bien obligé de le reconnaître. Les chauffeurs de taxi, à l'affût du client, ne manquaient jamais de s'arrêter pour prendre une course – sans la moindre considération pour leur environnement. Lorsqu'il cessait d'adopter une attitude défensive sur la chaussée, comme ce matin, Jack devait se demander s'il n'était pas en train de glisser vers le comportement autodestructeur pathologique qui lui avait fait courir de graves dangers à la suite des décès de sa première femme et de ses filles. Or, il savait pertinemment qu'il ne pouvait se permettre, aujourd'hui, d'avoir une attitude aussi égoïste. Laurie et John Junior avaient besoin de lui. S'ils voulaient avoir une chance, tous les trois, de vaincre le neuroblastome, ils devaient faire équipe.

Quand il arriva en vue de l'Institut médico-légal, au coin de la Première Avenue, Jack traversa la large chaussée avant de s'engager dans la 30e Rue. Il obliqua un peu plus loin vers les entrées de service du bâtiment. Si l'IML avait gardé à peu près le même aspect extérieur depuis sa construction dans les années 1960, il n'en avait pas moins connu quelques changements importants. En particulier côté 30e Rue et, surtout, depuis les attentats du 11-Septembre. Les anciens quais de déchargement avaient été remplacés par un large parking et par plusieurs rideaux de fer indépendants qui facilitaient les entrées et sorties des véhicules mortuaires. Disparu, aussi, le troupeau de fourgons marron, vieillissants, garés pêle-mêle un peu partout dans la rue : désormais, l'IML possédait une flottille de camionnettes blanches dont chacune avait sa place de stationnement. Et au lieu de devoir entrer dans la morgue avec son vélo sur l'épaule, Jack n'avait plus qu'à pédaler jusque dans les garages. Là, il le laissait sous la surveillance des agents du poste de sécurité rénové et agrandi.

À l'intérieur du bâtiment, les changements étaient encore plus importants. Le rôle de premier plan de l'IML ayant été souligné par le drame du World Trade Center, les législateurs avaient voté des crédits pour acquérir du personnel, du matériel et de l'espace. Quelques pâtés de maisons plus bas, sur la Première Avenue, un immeuble flambant neuf abritait aujourd'hui le département de biologie médico-légale de l'IML. Très étoffé, celui-ci comprenait entre autres un laboratoire de génétique – « le labo ADN », comme disait le personnel – dernier cri. Si, à une certaine époque, l'Institut médico-légal de la ville de New York avait connu des moments difficiles, à cause des restrictions budgétaires, et s'il avait pour ainsi dire perdu sa place de leader national, ce n'était plus du tout le cas.

Jack avait aujourd'hui plus de trente collègues médecins légistes à travers la ville. Le nombre d'enquêteurs du bureau de Manhattan avait lui aussi été augmenté – et le titre qu'ils avaient dans la pratique depuis quelques années avait été entériné : officiellement, ces hommes et ces femmes qui effectuaient un travail essentiel en aval de celui des médecins légistes n'étaient donc plus « assistants légistes », mais « enquêteurs médico-légaux ». Il y avait aussi huit nouveaux anthropologues légistes dans l'équipe, sans parler de la poignée d'odontologistes légistes que Jack et ses collègues pouvaient consulter pour tel ou tel cas particulier.

Jack avait lui aussi profité, sur le plan personnel, de tous ces changements et améliorations. Outre le département de biologie médico-légale, plusieurs autres services, dont les archives, une partie de l'administration, les ressources humaines et le service juridique, avaient été déménagés dans le nouvel immeuble de l'IML. Cela avait libéré beaucoup d'espace dans l'ancien bâtiment. Chaque médecin légiste avait maintenant son propre bureau au troisième étage. À côté de sa table de travail, Jack disposait désormais d'une paillasse de labo, ce qui signifiait qu'il pouvait y laisser tout le bazar qu'il voulait – son microscope, ses lamelles et tous les dossiers nécessaires – sans craindre qu'il ne soit dérangé.

Pendant qu'il attachait son vélo, il se jura de maîtriser ses émotions et de se concentrer sur son boulot. Très résolu, il monta au rez-de-chaussée par l'escalier, longea à grands pas les nouveaux bureaux du syndrome de mort subite du nourrisson, puis coupa par l'ancienne salle des archives qui abritait maintenant le labyrinthe de bureaux paysagers des enquêteurs médico-légaux. Ceux de l'équipe de nuit étaient en train de boucler leurs rapports avant de rentrer chez eux à 07 h 30. Jack salua au passage Janice Jaeger, une enquêtrice qu'il connaissait, et dont il appréciait le travail, depuis qu'il était à l'IML.

Enfin, il entra dans la salle commune où les médecins légistes démarraient leur journée. Il retira son blouson et le jeta sur le dossier d'un vieux fauteuil club. Sur la petite table, il y avait l'habituelle pile de dossiers des cas arrivés pendant la nuit et dont les enquêteurs médico-légaux estimaient qu'ils méritaient d'être pris en charge par l'IML : tous les cas de morts brutales, insolites ou suspectes, c'est-à-dire les suicides, les accidents inexpliqués, les crimes et certains décès étonnants – ceux, par exemple, de gens apparemment en bonne santé.

Jack s'assit et commença à examiner les dossiers. Il aimait bien faire sa sélection personnelle et prendre les cas les plus difficiles qui lui offraient souvent l'occasion d'apprendre quelque chose de nouveau. C'était ce qu'il appréciait le plus dans l'exercice de la médecine légale. Ses collègues toléraient son comportement pour la simple raison qu'il effectuait plus d'autopsies que n'importe lequel d'entre eux.

Chaque matin, le médecin légiste responsable du tri des dossiers pour la semaine devait arriver de bonne heure, en général vers 07 h 00 ou un peu avant, pour analyser les cas et désigner ceux qui nécessitaient effectivement une autopsie. Ensuite, il devait les répartir équitablement entre ses collègues. Jack écopait de cette mission beaucoup plus souvent que les autres légistes, mais ça ne le dérangeait absolument pas puisque, de toute façon, il arrivait toujours à l'IML de très bonne heure.

Très vite, il tomba sur un premier dossier intéressant : un adolescent, élève dans une école privée de l'Upper East Side, qui avait apparemment succombé à une méningite. Jack étant plus ou moins considéré comme le gourou des maladies infectieuses de l'IML – parce qu'il avait eu la chance, par le passé, de poser quelques diagnostics judicieux dans ce domaine –, il lut le dossier avec attention et le mit de côté. Sans doute ferait-il cette autopsie car bon nombre de ses collègues préféraient éviter les cadavres porteurs de germes infectieux. Lui, il s'en fichait.

Il prit aussi son temps pour examiner le dossier suivant. Encore une personne relativement jeune : une femme, cette fois, âgée de 27 ans. Elle avait été amenée aux urgences en état de confusion aiguë et de paralysie spastique. Là, elle avait rapidement sombré dans le coma, pour mourir peu après. La crise était survenue très soudainement, sans fièvre, ni malaise, ni le moindre symptôme annonciateur. D'après les amis qui l'avaient accompagnée à l'hôpital, la jeune femme menait une vie des plus saines dans laquelle ni la moindre drogue ni l'alcool n'avaient leur place. Les amis en question buvaient des cocktails alcoolisés au moment où elle avait commencé à se sentir mal, mais ils avaient bien précisé qu'elle n'avait consommé que des jus de fruits pendant toute la soirée.

Une voix plaintive s'éleva soudain au fond de la pièce et Jack sursauta.

— Oh merde !

Vinnie Amendola, un technicien de morgue, se tenait sur le seuil de la salle d'identification. Un journal sous le bras, il tenait la poignée de la porte comme s'il hésitait à faire volte-face et à prendre la fuite. Et il était clair, vu son expression, que c'était à cause de Jack qu'il avait poussé cette exclamation.

— Que se passe-t-il ? demanda Jack, perplexe.

Vinnie ne répondit pas. Il fusilla Jack du regard, un instant, avant de s'avancer dans la pièce en refermant la porte. Il s'approcha de la table et croisa les bras sur sa poitrine.

— Putain de merde ! grogna-t-il. Me dis pas que tu vas reprendre tes vieilles habitudes ? !

Jack sourit. Il comprenait pourquoi Vinnie feignait d'être en colère. Avant la naissance de John Junior, il venait toujours de très bonne heure à l'IML pour choisir à sa guise les cas les plus complexes. Et c'était toujours Vinnie qu'il entraînait avec lui en salle d'autopsie pour démarrer la journée vite et bien. En plus de ses attributions normales de technicien, Vinnie devait arriver à l'Institut très tôt pour faciliter la transition, si besoin était, entre l'équipe de nuit et celle de jour. En réalité, il préparait le café pour l'équipe des légistes et lisait les pages sports du *Daily News*.

Si Vinnie rouspétait de devoir commencer les autopsies encore plus tôt que ne l'exigeait le patron de l'IML, il n'en aimait pas moins bosser avec Jack. Ils se chamaillaient sans arrêt, mais ils formaient une équipe imbattable. Ensemble, ils étaient souvent capables d'effectuer une autopsie et demie, voire deux, quand les autres tandems n'en bouclaient même pas une seule.

— Hélas, t'as tout compris, mon pote, répondit Jack. Les vacances, c'est terminé ! Toi et moi, on se remet sérieusement à la tâche. C'est ma résolution pour la nouvelle année.

— La nouvelle année, c'est le mois prochain ! protesta Vinnie, dépité.

— C'est dur, je sais, admit Jack, amusé, et il tendit à Vinnie la fiche de la femme de 27 ans. Tiens, on commence par Mlle Keara Abelard.

— Pas si vite, monsieur le superdétective !

Ce surnom, Vinnie l'avait lui-même inventé pour Jack quelques années plus tôt. Il regarda sa montre avec ostentation, une moue dubitative sur les lèvres, comme s'il était le seul maître de son emploi du temps.

— Je pourrai *peut-être* te donner satisfaction dans… une dizaine de minutes. Après que j'aurai préparé le café pour la troupe, conclut-il en pouffant de rire.

Il faisait mine d'être mécontent, mais, en réalité, sa relation de travail avec Jack et leur franche camaraderie lui avaient manqué. La perspective de reprendre le collier de bonne heure lui faisait très plaisir.

— Ça roule, acquiesça Jack.

Ils se tapèrent dans les mains, puis Jack se remit à l'examen des dossiers tandis que Vinnie s'occupait de la cafetière.

— Comme tu avais cessé de venir de bonne heure à la naissance de ton gosse, je pensais que c'était un changement de rythme définitif, dit-il en versant du café moulu dans le filtre.

— Nan, c'était juste un ralentissement d'activité temporaire.

La plupart des employés de l'IML étaient au courant de la naissance de JJ, mais personne ne savait qu'il était malade. Jack et Laurie protégeaient jalousement leur intimité.

— Comment sais-tu que le Dr Besserman ne voudra pas garder cette Keara Abelard pour lui ? demanda Vinnie.

— Ferais-tu allusion, par hasard, au médecin légiste qui est responsable des dossiers cette semaine et qui devrait déjà être ici ? répliqua Jack avec humour.

— Ouais, ce gars-là.

— Ça m'étonnerait qu'il soit bouleversé d'être privé d'une autopsie, dit Jack sur le ton ironique qu'il affectionnait.

Il savait très bien que Besserman, un des plus vieux légistes de la maison, aurait complètement renoncé aux autopsies s'il avait pu. Il attendait la retraite. Par politesse, cependant, Jack rédigea une petite note à son intention pour l'informer qu'il avait pris le dossier Abelard et qu'il serait heureux de se charger d'une ou deux autopsies supplémentaires si nécessaire. Il colla le Post-it sur le premier dossier de la pile. Les pieds de sa chaise grincèrent quand il se leva.

Moins de vingt minutes plus tard, Vinnie et Jack étaient en salle d'autopsie. Celle-ci avait été en partie rénovée l'année précédente. Disparus, les antiques éviers en stéatite : à leur place il y avait de grands bacs modernes en matériau composite. Disparus, également, les immenses placards vitrés bourrés d'étranges collections de scalpels et autres ustensiles qui semblaient dater du Moyen Âge : un ensemble en mélaminé, sobre et fonctionnel, les remplaçait et apportait un gain de place substantiel pour le matériel des légistes.

— C'est parti ! dit Jack.

Pendant qu'il commençait à remplir la paperasse, Vinnie avait installé le cadavre sur la table et les radios sur le négatoscope. Le technicien avait aussi sorti tous les instruments nécessaires pour la dissection, y compris certains ustensiles dont il supposait que Jack aurait besoin : flacons à prélèvements, agents de conservation, seringues, et même des étiquettes à indices au cas où l'autopsie révélerait un élément de nature criminelle dans le décès de la jeune femme.

— Alors ? Qu'est-ce que tu cherches ? demanda Vinnie un peu plus tard.

Jack achevait l'examen externe du corps. Il accordait maintenant une attention particulière à la tête.

— Des signes de traumatisme, par exemple. La seule hypothèse que j'ai, pour le moment, c'est celle d'un choc ou d'un coup brutal. Et bien sûr, il s'agit peut-être d'une rupture d'anévrisme. D'après le rapport, elle s'est trouvée rapidement désorientée et en état de paralysie spastique. Et puis elle est tombée dans le coma avant de mourir.

Jack regarda dans les deux conduits auditifs externes. Il attrapa ensuite un ophtalmoscope pour examiner les fonds des yeux.

— Quand elle s'est sentie mal, elle était en train de prendre un verre avec des amis. Elle buvait du jus de fruits. Et apparemment, elle ne touchait jamais à la drogue.

— Elle a pu être empoisonnée, à ton avis ?

Jack redressa la tête pour regarder Vinnie qui se tenait en face de lui, de l'autre côté du cadavre.

— C'est une suggestion un peu étrange, au point où nous en sommes, mais… Pourquoi tu penses à ça ?

— Hier soir, à la télé, j'ai vu une émission qui parlait d'un cas d'empoisonnement.

Jack éclata de rire derrière son masque.

— Intéressante source de diagnostic différentiel, mon ami. Je dirais que l'empoisonnement n'est pas très probable mais, par précaution, nous aurons quand même besoin d'un screening toxicologique. Et nous vérifierons qu'elle n'était pas enceinte.

— Bravo pour l'idée de la grossesse ! s'exclama Vinnie. La clé de l'affaire, hier soir, c'était justement ça. La fille était enceinte. Le mec voulait se débarrasser d'un seul coup de sa petite amie et du bébé.

Jack ne répondit pas. Il venait d'entamer un examen minutieux du cuir chevelu de Keara. Ses épais cheveux longs le ralentissaient.

— Mais à part ça, heu…, reprit Vinnie. On ne risque pas de tomber sur un truc infectieux, avec cette nana ? Hmm… ?

Il n'aimait pas les microbes. À vrai dire, il les détestait. Qu'il s'agisse de bactéries, de virus ou de « tous les machins intermédiaires », comme il disait à propos de certains agents infectieux, il les avait toujours fuis dans son travail. Jusqu'à l'arrivée de Jack à l'IML. Comme Jack s'était chargé, au fil des années, d'un certain nombre de cas infectieux, Vinnie avait dû apprendre à lutter contre sa phobie. Aujourd'hui, par exemple, Jack et lui ne portaient que des tenues en Tyvek, des masques chirurgicaux et des calots, ainsi que des protections de vêtements en plastique moulé. Pendant quelques années, la direction avait imposé aux légistes et aux techniciens de travailler en toutes circonstances avec ce qu'ils appelaient les « combinaisons d'astronaute ». Mais ce n'était plus le cas ; chaque légiste pouvait porter la tenue qu'il voulait à condition qu'elle soit adaptée à la dangerosité supposée du cas traité. Les techniciens avaient eux aussi le choix.

— Il y a encore moins de chance de tomber sur un truc infectieux que sur un empoisonnement, répondit Jack.

Ayant terminé de regarder le crâne, il scruta le cou de la jeune femme. Il fut alors à peu près certain qu'il n'y avait aucun signe de traumatisme sur son corps. L'examen externe, en tout cas, n'avait rien révélé d'anormal. Il ne comprenait donc pas davantage la cause de ce décès qu'au début de la séance de travail. Comme il avait moins de patience que d'habitude, il éprouva une brève et absurde flambée d'irritation contre cette patiente qui refusait de livrer son secret.

Après avoir prélevé de l'humeur vitrée, de l'urine et du sang sur le cadavre pour les analyses toxicologiques, après avoir réexaminé les radios au cas où celles-ci auraient pu lui livrer un indice, Jack entama la partie interne de l'autopsie. Il effectua la classique incision en Y, des épaules au pubis, puis, avec l'aide de Vinnie, il retira les organes et les examina l'un après l'autre.

— Pendant que tu rinces les intestins, dit-il, je vais vérifier qu'il n'y a pas de thrombose veineuse profonde au niveau des membres inférieurs.

Il voulait couvrir toutes les hypothèses envisageables. Intrigué par le cas de cette femme, il était maintenant très concentré sur sa tâche et il essayait de trouver des solutions originales. Du coup, il avait laissé tomber l'humour noir et les taquineries dont il abreuvait en général Vinnie pendant les autopsies.

Lorsque ce dernier revint avec les intestins propres, Jack était déjà en mesure de l'informer qu'outre ses précédentes observations négatives, il n'avait trouvé aucun caillot sanguin susceptible d'avoir entraîné une embolie cérébrale. La cause de la mort de Keara Abelard demeurait mystérieuse - alors que, dans la plupart des cas, au stade où il en était, Jack avait déjà une assez bonne idée de la réponse qu'il cherchait.

Quand il eut terminé les phases de l'autopsie portant sur l'abdomen et la poitrine, Jack reporta son attention sur la tête de la défunte.

— C'est forcément là que nous allons trouver le bon filon ! dit-il, ironique.

Pendant que Vinnie découpait la calotte du crâne avec la scie à os, plusieurs techniciens de l'équipe de jour entrèrent dans la salle et se mirent au boulot pour être prêts à l'arrivée de leurs médecins légistes respectifs. Jack ne les remarqua même pas. Il regardait Vinnie travailler avec la scie, qui était assez bruyante, et il commençait à se sentir un peu mal à l'aise. Incapable d'envisager autre chose qu'une rupture d'anévrisme – hypothèse peu convaincante – pour expliquer la mort de cette femme, il avait le sentiment de plus en plus angoissant qu'il était en train de passer à côté de quelque chose d'important. Peut-être même de faire une erreur.

Vinnie posa la voûte crânienne sur la table, puis il libéra le cerveau ensanglanté et luisant. Jack se pencha aussitôt en avant. Son cœur fit un bond dans sa poitrine. Il y avait du sang noir à l'arrière de la tête, dans la fosse postérieure : il y en avait tellement qu'il se répandait sur la table d'autopsie !

— Ah, zut ! s'écria-t-il, dépité, et il donna un coup de poing sur le bord de la table.

— Qu'est-ce qui se passe ?

— J'ai fait une connerie ! répondit Jack, très mécontent de lui.

Il fit deux pas en arrière, le long de la table, se baissa et regarda dans les profondeurs de la poitrine, en direction de la tête, en soulevant la paroi antérieure du thorax.

— Nous devons faire une artériographie cérébrale, dit-il à voix haute, davantage pour lui-même que pour Vinnie.

Il était terriblement déçu.

— Tu sais bien que je ne peux pas remettre le cerveau à sa place, objecta le technicien qui craignait que Jack ne lui fasse un reproche voilé.

— Bien sûr ! répliqua Jack avec agacement. Nous ne pouvons pas revenir sur ce qui est fait, je sais bien. Je te parle d'une artériographie de la vascularisation précérébrale, pas de celle du cerveau lui-même. Va chercher du produit de contraste et une grosse seringue !

4

LUNDI 1er DÉCEMBRE 2008
14 H 36
LE CAIRE
(07 h 36 À NEW YORK)

Dans le taxi qui avançait à une allure d'escargot sur l'avenue encombrée, Sana Daughtry apercevait enfin la façade de l'hôtel Four Seasons à travers la brume de chaleur. C'était Shawn qui avait voulu loger là-bas. Normalement, elle aurait dû descendre à l'Intercontinental Semiramis où se tenait la conférence. Non seulement elle en était un des principaux intervenants, mais, de plus, elle avait été invitée à participer à plusieurs tables rondes. La rencontre durant quatre jours, il lui aurait été beaucoup plus commode d'habiter le Semiramis, car elle aurait eu la possibilité de monter de temps en temps à sa chambre.

Mais voilà, lorsque Shawn avait décidé de l'accompagner au Caire, il avait déclaré qu'il s'occupait de l'organisation du voyage. Et il avait utilisé le forfait alloué à Sana pour le Semiramis pour prendre une chambre au Four Seasons – un hôtel plus récent et, surtout, plus huppé. Quand Sana avait protesté contre le surcoût induit par ce changement, Shawn l'avait informée qu'il s'était trouvé un colloque d'archéologie aux mêmes dates que sa conférence ; la surcharge financière passerait donc en note de frais de son côté. Sana avait cessé de discuter. À quoi bon ?

Le taxi s'immobilisa bientôt devant les portes du palace. Sana se dépêcha de payer le chauffeur, heureuse de quitter ce bonhomme qui l'avait harcelée de questions ennuyeuses pendant la course. Sana était une femme très secrète et elle ne se confiait pas facilement aux gens qu'elle ne connaissait pas. Son mari, en revanche, était capable d'engager la conversation avec à peu près n'importe qui. Il n'avait pas l'air de se rendre compte que certaines choses devaient rester confidentielles et que d'autres pouvaient être lâchées dans l'espace public. Sana avait parfois l'impression qu'il s'efforçait d'épater ses interlocuteurs et, surtout, ses *interlocutrices* en faisant étalage des détails de leur mode de vie dispendieux à Manhattan. À commencer par le fait qu'ils possédaient l'une des dernières maisons tout en bois du quartier de West Village. Elle ne comprenait pas très bien pourquoi il éprouvait le besoin de se vanter de cette façon – même si elle pouvait supposer que, psychologiquement parlant, cette attitude était le reflet d'un certain sentiment d'insécurité.

Le portier la salua gentiment quand elle entra dans l'hôtel. Elle traversa le hall d'un pas énergique. Shawn se préoccupait assez peu du colloque auquel il était censé assister. Depuis leur arrivée au Caire, il avait bavardé, au bord de la piscine, avec deux ou trois femmes qui en savaient désormais bien davantage sur leur vie que Sana ne l'aurait souhaité. Mais elle était déterminée à ne pas laisser ce petit problème l'exaspérer comme avant. D'autant qu'elle se disait parfois que ce n'était peut-être pas Shawn, mais *elle*, qui avait tort. Peut-être était-elle trop introvertie, trop pudibonde, trop coincée, et elle devait essayer de changer d'attitude.

Un homme relativement jeune, très élégant, réussit à embarquer dans l'ascenseur à sa suite juste avant que les portes ne se referment. Il avait été obligé de courir sur les derniers mètres et il était légèrement essoufflé. Il lui sourit. Elle leva les yeux vers l'indicateur de l'étage. Il portait un costume de marque avec une pochette bouffante. Comme Shawn, il avait la prestance d'un homme habitué à voyager à travers le monde. Mais il était beaucoup plus jeune et beaucoup plus séduisant.

— Magnifique journée, n'est-ce pas ? dit-il tout-à-trac.

Il avait l'accent américain. Contrairement à Shawn, il ne se sentait pas obligé d'adopter un accent britannique quand il parlait à des inconnus.

Comme ils étaient seuls dans la cabine, Sana supposa qu'il s'adressait à elle. Elle reporta son attention sur lui et songea qu'il devait avoir à peu près le même âge qu'elle – 28 ans. Et à en juger par sa tenue, il gagnait très bien sa vie.

— Oui, la journée est agréable, lui répondit-elle sur un ton qui ne risquait pas de l'encourager à poursuivre la conversation.

Elle regarda de nouveau l'indicateur de l'étage. L'homme avait jeté un coup d'œil sur les boutons numérotés en entrant dans la cabine, mais il n'en avait pressé aucun. Cela signifiait-il qu'il avait une chambre au même étage qu'elle ? Et dans le cas contraire, devait-elle s'inquiéter ?

Elle regretta aussitôt de s'être posé cette question. Oui, elle était décidément trouillarde et pudibonde !

— Vous êtes de New York ? demanda l'homme.

— En effet.

Sana baissa les yeux. Si Shawn avait été dans l'ascenseur à sa place et si une femme lui avait adressé la parole, il se serait aussitôt lancé dans une courte autobiographie : son enfance à Columbus dans l'Ohio, les bourses d'études et les brillants diplômes qu'il avait décrochés, d'abord à Amherst puis à Harvard, son ascension dans l'organigramme du Met, jusqu'au poste de directeur du département de l'art du Proche-Orient. Tout ça entre le rez-de-chaussée et le huitième étage.

— Bonne journée, dit l'homme au moment où Sana sortait de la cabine.

Elle marcha lentement en direction de sa chambre sur la moquette épaisse du couloir. Quand elle entendit les portes de l'ascenseur se refermer, elle jeta un coup d'œil par-dessus son épaule. L'homme n'avait pas quitté l'ascenseur. Elle pressa le pas, mécontente d'avoir réagi de façon si paranoïaque. Peut-être vivait-elle à New York depuis trop longtemps. Si Shawn avait rencontré une femme dans l'ascenseur, ils auraient très bien pu finir par prendre un verre dans l'un des bars de l'hôtel !

Sana s'immobilisa. Tout à coup, la facilité qu'avait Shawn à nouer des liens avec son entourage l'irritait. Mais pourquoi ? Et pourquoi *maintenant* ? La meilleure explication qui lui venait à l'esprit, c'était que... elle s'énervait parce qu'il s'agissait, chez Shawn, d'un comportement nouveau. La conférence étant maintenant terminée, elle pouvait oublier l'anxiété qu'elle avait éprouvée durant ces quatre jours, et retrouver de l'espace mental pour réfléchir à des problèmes plus personnels. Autrefois, Shawn s'était toujours montré admirablement prévenant envers elle ; il accordait beaucoup d'attention à son bien-être – en particulier pendant les six premiers mois, torrides sur le plan sexuel, de leur relation. Mais depuis un an, à peu près, ce n'était plus le cas. Et ici, en Égypte, elle avait le sentiment qu'ils étaient presque des étrangers l'un pour l'autre. Quand elle avait fait la connaissance de Shawn, près de quatre ans plus tôt, à l'occasion d'un vernissage dans une galerie d'art new-yorkaise, elle s'apprêtait à soutenir sa thèse de doctorat sur l'ADN mitochondrial. Elle avait été charmée, étourdie, par l'affection et les petites attentions qu'il lui prodiguait. Elle avait également été soufflée, éblouie, par son érudition : il parlait couramment sept ou huit langues du Proche-Orient et il possédait des connaissances, en art comme en histoire, qu'elle aurait rêvé d'avoir. L'étendue du savoir de Shawn lui avait donné l'impression d'être le parfait stéréotype de la scientifique étroite d'esprit.

Tandis qu'elle marchait à petits pas en direction de la chambre, Sana se demanda si sa mère n'avait pas eu raison. Peut-être la différence d'âge entre Shawn et elle – vingt-six ans – était-elle trop importante. Dans le même temps, elle n'oubliait pas qu'elle n'avait jamais beaucoup apprécié les garçons de son âge, trop immatures à ses yeux, surtout quand ils portaient leur casquette de base-ball la visière sur la nuque et se comportaient comme de parfaits crétins. En outre, contrairement à la plupart de ses amies, elle n'avait jamais eu l'intention de procréer. Très tôt dans sa vie, elle avait compris qu'elle deviendrait chercheuse et, dans cette optique, qu'elle serait bien trop égoïste pour avoir des enfants. Aujourd'hui, ceux que Shawn avait eus de son premier et de son troisième mariage suffisaient bien à satisfaire le peu d'instinct maternel qu'elle possédait.

Elle sortit la clé magnétique de son sac et ses pensées bifurquèrent vers le départ pour New York, prévu le lendemain matin de bonne heure. Avant le voyage, elle avait été déçue que Shawn refuse de l'emmener à Louxor pour lui montrer les tombes des Nobles et la vallée des Rois. Avec un manque de considération absolu à son égard, il avait déclaré qu'il avait déjà vu ces sites et qu'il ne pouvait pas s'absenter trop longtemps du Met. Maintenant que la conférence de généalogie génétique était terminée, cependant, Sana se félicitait qu'ils n'aient pas programmé de détour avant de rentrer chez eux. Elle ne travaillait pas depuis assez longtemps au

Collège de médecine de l'université Columbia pour avoir l'esprit complètement tranquille quand elle s'absentait de son labo. Surtout en ce moment, car elle avait plusieurs expériences importantes en cours.

Elle entra dans le vestibule de la chambre et, avant même que la porte ne se soit refermée derrière son dos, commença à déboutonner son corsage en se dirigeant vers la salle de bains. C'est alors qu'elle aperçut Shawn : elle se figea tandis qu'il se levait en sursaut. Ils se dévisagèrent quelques instants. Puis elle remarqua qu'il avait une loupe dans la main droite et qu'il portait des gants en coton blanc.

— Qu'est-ce que tu fiches ici ? demanda-t-elle. Pourquoi n'es-tu pas à la piscine ?

— Tu aurais pu frapper, tout de même !

La porte se referma derrière Sana avec un déclic sourd.

— Je dois frapper pour entrer dans ma propre chambre d'hôtel ? répliqua-t-elle d'un ton à la fois agacé et ironique.

Shawn prit conscience de l'absurdité de sa remarque et pouffa de rire.

— Hmm... J'ai été bête de dire ça, ouais. Mais bon, tu n'étais pas non plus obligée de faire irruption ici comme s'il y avait le feu à l'hôtel ! Tu m'as fichu la trouille. J'étais concentré.

— Pourquoi tu n'es pas à la piscine ? insista-t-elle. C'est notre dernier jour au Caire, au cas où tu aurais oublié.

— Oh, je n'ai pas oublié, affirma Shawn d'un air quelque peu mystérieux. Mais... j'ai eu une journée bien chargée.

— C'est ce que je vois, dit Sana, reportant les yeux sur la loupe.

Elle continua à déboutonner son chemisier et entra dans la salle de bains. Shawn la suivit.

— Je viens de faire une trouvaille que j'ai d'abord cru être la plus grande découverte archéologique de ma carrière. Dans la boutique dont je t'ai déjà parlé, celle où j'avais déniché le vase égyptien prédynastique.

— Tu m'excuses, une seconde ?

Sana força Shawn à reculer sur le seuil de la salle de bains avant de lui fermer la porte au nez. Elle n'aimait pas se changer devant quelqu'un. Pas même devant son mari – et d'autant moins que, depuis plusieurs mois, ils n'avaient plus le même degré d'intimité qu'auparavant.

— Oui, je me souviens ! lança-t-elle à travers le battant. Est-ce à cause de cette trouvaille que tu as des gants et une loupe ?

— Absolument ! répondit Shawn d'un ton enjoué. C'est le concierge qui me les a procurés. Si c'est pas du service cinq étoiles, ça !

— Vas-tu enfin me parler de ta trouvaille, ou bien il faut que je devine ?

Sana était intéressée, bien sûr. Quand il évoquait son métier, Shawn n'exagérait rien. Au début de sa carrière, il avait fait un certain nombre de découvertes importantes sur plusieurs sites du Proche-Orient. C'était avant qu'il ne devienne un prestigieux conservateur de musée dont les responsabilités l'obligeaient à passer bien plus de temps à superviser ses collections et à trouver des fonds que sur les champs de fouilles.

— Sors de la salle de bains et je te montrerai ce que c'est ! dit-il d'un ton pressant.

— Mais cette trouvaille n'est pas aussi formidable que tu l'espérais, alors ? Tu as dit que tu avais *d'abord* cru qu'elle était…

Il l'interrompit :

— Quand j'ai commencé à l'examiner, j'ai été déçu, mais maintenant, je pense qu'elle est cent fois plus importante que je ne le supposais au départ.

— Quoi ? !

Sana s'immobilisa, la culotte de son maillot de bain à moitié relevée sur les cuisses. Là, Shawn aiguillonnait pour de bon sa curiosité. Qu'avait-il donc découvert pour lancer une affirmation aussi grandiloquente ?

— Tu sors de la salle de bains, oui ou non ? ! Je meurs d'envie de te montrer ce truc.

Sana gesticula pour remonter le maillot autour de ses fesses. Elle l'ajusta, puis elle se regarda dans le miroir qui recouvrait la porte. L'image qu'elle voyait lui convenait à peu près. Grâce au jogging, qu'elle pratiquait assidûment, elle avait une silhouette mince et athlétique. Ses cheveux blonds, coupés court, étaient éclatants de santé. Ayant enfilé un peignoir et rassemblé ses vêtements, elle sortit de la salle de bains. Elle déposa doucement ses affaires sur le pied du lit, puis rejoignit Shawn près de la table.

— Tiens, enfile ça, dit-il en lui tendant une paire de gants blancs immaculés. Je les ai demandés spécialement pour toi au concierge.

— C'est quoi, ce truc ? demanda-t-elle en enfilant les gants. Un livre ?

Sur le coin de la table, il y avait un gros volume relié de cuir qui semblait très ancien.

— Ça s'appelle un codex. Les *codices*, au pluriel, sont les premiers livres qui ont commencé à supplanter les rouleaux de papyrus, pour la bonne raison qu'on pouvait non seulement y mettre davantage de texte, mais aussi accéder beaucoup plus facilement aux différentes parties de l'ouvrage. La différence avec le véritable livre – le livre tel qu'il existe depuis la Bible de Gutenberg –, c'est que les codices étaient entièrement rédigés à la main. Manipule celui-ci avec beaucoup, beaucoup de précaution ! Il a plus de 1 500 ans. Il est en bon état parce qu'il a passé l'essentiel de ce millénaire et demi enfermé dans une jarre scellée enfouie dans le sable.

— Sans blague, murmura Sana.

Elle n'était pas sûre de vouloir toucher un objet aussi ancien. Elle avait un peu peur qu'il ne se désintègre entre ses doigts.

— Ouvre-le, dit Shawn d'un ton encourageant.

Avec hésitation, Sana souleva la couverture de l'ouvrage. La reliure, toute raide, poussa un grincement de protestation.

— De quoi est faite la couverture ?

— C'est une espèce de sandwich de plaques de cuir fourrées de plusieurs feuilles de papyrus.

— Et les pages, elles sont en quoi ?

— En papyrus.

— Et c'est écrit dans quelle langue ?

— Ça s'appelle le copte. C'est une espèce de version écrite de l'égyptien antique qui utilise un alphabet grec.

— C'est fou ! s'exclama Sana.

Elle était très impressionnée, mais elle se demandait pourquoi Shawn jugeait cet objet si extraordinaire. Pour sa part, elle trouvait beaucoup plus intéressantes certaines statues qu'il avait découvertes en Asie Mineure.

— As-tu remarqué qu'un gros morceau du livre avait été arraché ? demanda Shawn.

— Oui, je vois ça. C'est important ?

— Et comment ! Cinq textes complets de ce codex particulier ont été arrachés, dans les années 1940, pour être vendus en Amérique. Et d'autres pages ont disparu parce qu'elles ont servi à allumer des feux pour la cuisine dans la hutte en terre d'une famille de fellahs.

— C'est affreux.

— Je ne te le fais pas dire. C'est un sacrilège. Tous les spécialistes des codices en frémissent d'horreur.

— Je vois aussi que l'intérieur de la couverture a été tranché, le long du bord…

— Ça, c'est moi. Je m'y suis pris tout doucement, avec un couteau à viande, il y a une heure.

— Était-ce bien sage ? Je veux dire… Vu l'âge de ce truc, tout de même… Pour un travail pareil, je suppose qu'il y a des outils plus appropriés que le couteau à viande.

— Non, ce n'était sans doute pas très sage. Mais je l'ai fait parce que je ne pouvais pas m'en empêcher. À ce moment-là, j'étais horriblement déçu par ce que j'avais trouvé dans le codex. J'avais espéré tomber sur une mine d'or, mais… en réalité, j'avais récupéré l'équivalent de la production du premier photocopieur du monde.

— Je ne suis pas sûre de bien comprendre, admit Sana.

Elle tendit l'antique ouvrage à Shawn pour s'absoudre de toute responsabilité à son égard, puis elle retira les gants. L'enthousiasme et l'excitation de son mari l'intriguaient.

— Ça ne m'étonne pas, dit-il d'un ton compréhensif.

Il reposa le codex au centre de la table, sous les halos conjugués des deux lampes de bureau et d'une applique murale, Sana vit alors trois feuilles de papier tenues à plat par divers petits objets posés à chaque coin - dont une paire de boutons de manchettes de Shawn fabriqués avec des pièces de monnaie antiques. Les feuilles, pour être restées pliées des centaines et des centaines d'années, avaient des pliures très marquées. Elles semblaient être en papyrus, comme les pages du codex, mais elles avaient l'air encore plus anciennes ; leurs pourtours étaient noircis comme s'ils avaient été brûlés.

— C'est quoi, ça ? demanda Sana en désignant les trois feuilles. Une lettre ?

Elle avait remarqué, en haut de la première page, une courte ligne de salutations à quelque destinataire. Et, au bas de la dernière page, une signature.

— Ah ! L'esprit scientifique va droit à l'essentiel ! dit Shawn d'un ton approbateur.

Les doigts écartés, il passa les mains au-dessus des feuilles, lentement, comme si elles avaient quelque chose de sacré.

— C'est une lettre, en effet. Une lettre très particulière, écrite en l'an 121 de notre ère par un évêque septuagénaire de la ville d'Antioche qui s'appelait Satornil. Il répond à une lettre que lui avait écrite, un peu plus tôt, un évêque d'Alexandrie dénommé Basilide.

— Wouah ! fit Sana. 121 ? C'est… c'est le début du IIe siècle !

— Tout juste. Un siècle, à peu près, après la crucifixion de Jésus de Nazareth. C'était une période agitée pour la jeune Église chrétienne.

— Ces hommes sont-ils célèbres ?

— Bonne question. Basilide est bien connu des spécialistes de la Bible. Satornil beaucoup moins, bien que j'aie vu quelques références à son sujet en diverses occasions. Comme cette lettre le prouve, cependant, Satornil était un élève, ou un assistant, de Simon le Magicien.

— Ça, c'est un nom que j'ai entendu dans mon enfance.

— Sans le moindre doute. Dans le dogme chrétien, Simon a toujours été l'archétype du mauvais garçon. Le père de toutes les hérésies. C'est en tout cas, il faut le préciser, ce qui a été *décidé* par un certain nombre des premiers docteurs de l'Église. La plus vilaine action qu'on lui attribue – avoir essayé d'acheter le pouvoir de guérison de saint Pierre – est à l'origine du mot *simonie*.

— Et Basilide ?

— Basilide était un homme très actif, ici en Égypte – à Alexandrie, pour être précis – et un prodigieux écrivain. On lui attribue aussi d'être l'un des premiers penseurs du gnosticisme. Et, en particulier, d'y avoir imprimé une marque spécifiquement chrétienne en centrant sa théologie sur Jésus de Nazareth.

— Attends ! Aide-moi un peu, là. J'ai déjà entendu le terme *gnosticisme*, mais je ne saurais pas le définir.

— Pour dire les choses simplement, il s'agit d'un mouvement qui a précédé le christianisme et qui a, au bout du compte, rassemblé certains aspects des religions païennes qui existaient à l'époque, certains aspects du judaïsme, puis, plus tard, certains éléments du christianisme, pour constituer une secte à part entière. Le mot « gnosticisme » vient du grec *gnosis*, qui signifie la connaissance. Pour les gnostiques, le but suprême de l'existence, c'était la connaissance de l'être divin. Et ceux qui parvenaient à cette connaissance considéraient parfois qu'ils avaient l'étincelle du divin. Simon le Magicien, par exemple, d'après ce qu'on raconte, se croyait au moins partiellement divin.

— Et tu te plains que ma science de l'ADN est compliquée, dit Sana d'un air amusé.

— Ce n'est pas si compliqué que ça. Mais revenons-en à Basilide. Lui, c'est un des premiers gnostiques à avoir été également chrétien – même si le mot *chrétien* n'existait pas encore à ce moment-là. Basilide pensait simplement que Jésus de Nazareth était le Messie attendu. Contrairement à la plupart des chrétiens de son temps, cependant, il ne croyait pas que le Christ était venu sur terre pour racheter l'humanité de ses péchés en souffrant sur la croix. Lui, il considérait que la mission de Jésus était une mission d'enseignement ou de gnose. Il estimait que

Jésus était venu montrer aux hommes comment se libérer du monde physique et atteindre le salut. Les gnostiques du genre de Basilide étaient très versés dans la philosophie grecque et la mythologie perse. Mais ils critiquaient le monde matériel dont ils pensaient qu'il piégeait l'homme et qu'il était à l'origine de tous les péchés.

Sana se pencha vers la lettre pour l'examiner. À une certaine distance, l'écriture semblait très uniforme, comme celle d'une machine. Mais de près, quand on voyait les légères ondulations des caractères et des lignes, il était clair que la missive avait été rédigée à la main.

— C'est du copte, ça aussi ?

— Non. C'est du grec ancien. Et ça n'a rien d'étonnant. Le grec, plus encore que le latin, était la langue véhiculaire de l'époque. Surtout en Méditerranée orientale. Comme son nom l'indique, Alexandrie était l'un des grands centres du monde hellénistique tel qu'il avait été défini par les victoires militaires d'Alexandre le Grand.

Sana se redressa pour regarder Shawn.

— Faisait-elle partie du codex, cette lettre, ou bien quelqu'un a eu l'idée de la fourrer un beau jour à l'intérieur de la couverture ?

— Elle n'a sûrement pas été « fourrée un beau jour » dans le codex, comme tu dis. Elle a été placée là de façon délibérée, au contraire, mais pas pour la raison que tu pourrais imaginer, précisa Shawn de manière quelque peu énigmatique. Tu te souviens de la description que je t'ai donnée de la couverture du codex, n'est-ce pas ? Ce sont des feuilles de papyrus prises en sandwich entre deux tranches de cuir. Le résultat est ce que nous appellerions aujourd'hui une couverture reliée. La lettre était glissée à l'intérieur, entre deux feuilles de papyrus. D'autres volumes de cette série particulière de codices contenaient des documents dans leurs couvertures…

— Tu avais déjà découvert un codex de ce genre-là ?

— Ah non ! Je n'ai trouvé que celui-ci, bien sûr. Mais je l'ai aussitôt reconnu pour ce qu'il était. Viens, assieds-toi. Je dois t'expliquer certaines choses. D'autant que nous ne rentrons pas à la maison demain.

— Qu'est-ce que tu racontes ? rétorqua Sana. Je dois absolument rentrer à New York. J'ai plusieurs expériences à sauver et…

— Tes expériences vont devoir t'attendre une journée de plus, affirma calmement Shawn. Deux jours au maximum.

Il posa une main sur l'épaule de Sana pour essayer de la faire asseoir sur le canapé. Elle s'écarta de lui – elle refusait de se laisser mener à la baguette.

— Tu peux rester si tu veux. Mais moi, je rentre !

Pendant quelques secondes, mari et femme se fixèrent d'un regard noir. Puis ils capitulèrent, baissant les yeux.

— Tu as changé, observa Shawn d'un ton qui trahissait davantage d'étonnement que de mécontentement.

— Je crois qu'il n'est pas trop risqué de dire que, toi aussi tu as changé.

Sana faisait l'effort, très consciemment, de parler d'une voix calme, sans laisser paraître son irritation. En ce moment précis, elle n'avait aucune envie de se lancer dans une discussion pénible. En outre, Shawn avait raison : elle avait changé. Pas de façon très visible, peut-être, mais *en profondeur*. En réaction, sans doute, aux changements qu'elle avait perçus en lui.

— Je crois que tu n'as pas compris, dit Shawn. Cette lettre va peut-être me conduire à l'apothéose de ma carrière. Pour en tirer tout le parti possible, j'ai besoin de ton aide pendant un jour. Deux à tout casser. Je dois m'assurer que son auteur, Satornil, dit la vérité. Je ne vois pas pourquoi il aurait menti, mais je dois quand même vérifier. Et pour ça, nous devons prendre l'avion pour Rome demain matin de bonne heure.

— Tu as besoin de mon aide au sens propre, ou métaphoriquement ?

Pour elle, la différence était importante.

— Au sens propre !

Sana inspira profondément et dévisagea son mari. Il avait l'air sincère. Cela changeait pas mal de choses. C'était la première fois, depuis qu'ils se connaissaient, qu'il lui demandait de l'aide.

— Très bien, dit-elle, et elle s'assit sur le canapé. Je ne te donne pas encore mon accord, mais je veux bien écouter ton explication.

Avec enthousiasme, Shawn attrapa une chaise, la posa face à Sana, s'assit et se pencha en avant, les yeux brillants.

— As-tu déjà entendu parler des Évangiles gnostiques trouvés ici, en Égypte, à Nag Hammadi, en 1945 ?

Sana secoua la tête.

— Et le livre d'Elaine Pagels qui s'intitule *Les Évangiles secrets*[1] – tu connais ?

Sana secoua de nouveau la tête et réprima une pointe d'agacement. Shawn lui demandait tout le temps si elle avait déjà lu ceci ou cela et, chaque fois, elle était obligée de répondre non. Pendant ses études de biologie moléculaire, elle n'avait jamais eu beaucoup de temps pour se consacrer à la culture. Du coup, elle avait souvent un désagréable sentiment d'infériorité vis-à-vis de Shawn.

— Ça m'étonne, dit-il. Le livre d'Elaine Pagels a été un véritable best-seller. C'est *le* succès commercial qui a fait connaître le gnosticisme.

— Il date de quand, ce livre ? demanda Sana d'une voix monocorde.

— Je ne sais plus. 1979, je crois.

— Shawn, je suis née en 1980. Lâche-moi les baskets !

— Ouais ! Excuse-moi ! J'oublie toujours ça. Quoi qu'il en soit, ce livre met en lumière l'importance de la découverte des treize codices de Nag Hammadi – dont le codex sur lequel je suis tombé aujourd'hui ! Car il faisait bel et bien partie, à l'origine, de ce trésor littéraire qui a doublé d'un seul coup la taille de la bibliothèque dont le monde disposait jusqu'alors sur la pensée gnostique. Par bien des aspects, la découverte de Nag Hammadi est du même calibre que celle des manuscrits de la mer Morte, en Palestine, deux ans plus tard.

1. *Les Évangiles secrets*, Elaine Pagels [titre original *The Gnostic Gospels*]. Éditions Gallimard. *(Toutes les notes sont du traducteur.)*

— J'ai entendu parler des manuscrits de la mer Morte.

— Eh bien… il y a des gens qui considèrent que les textes de Nag Hammadi sont tout aussi importants pour comprendre la pensée religieuse à l'époque du Christ.

— D'accord. Le livre que tu as trouvé aujourd'hui est donc un des codices découverts en 1945.

— Exact. C'est le treizième de la série. Par conséquent, on l'appelle tout bêtement le Treizième Codex.

— Où sont les autres ?

— Ici, au Caire, au musée copte. Le gouvernement égyptien a récupéré la plupart d'entre eux, à l'époque, avant qu'ils ne disparaissent au marché noir. Certains ont été vendus et sont partis à l'étranger, mais ils ont fini par retrouver la place qui est la leur.

— Comment le numéro treize s'est-il trouvé séparé des autres ?

— Avant que je ne réponde à cette question, permets-moi de te raconter, au moins dans les grandes lignes, l'histoire de la découverte de la bibliothèque de Nag Hammadi. Elle est fascinante ! Deux jeunes fellahs qui s'appelaient Khalifa et Mohammed Ali se trouvaient en bordure du désert, pas loin de la ville actuelle de Nag Hammadi, à la recherche d'un engrais agricole naturel qu'on appelle ici le *sabakh*. Plus précisément, ils étaient au pied d'une montagne particulière, baptisée Jabal al-Tarif, qui est criblée de grottes naturelles et de grottes creusées par l'homme il y a très, très longtemps. Pour repérer le *sabakh*, la méthode consistait à sonder le sol sableux, ici et là, un peu au hasard je crois, avec des pioches. Ce jour-là, à sa grande surprise, l'un des frères a entendu un son creux, très étrange, quand il a commencé à frapper le sol. Il a aussitôt creusé le sable et il a mis au jour une jarre en terre cuite, scellée, d'un mètre de hauteur. Évidemment, les deux paysans se sont dit qu'elle contenait un trésor – des antiquités égyptiennes ou quelque chose comme ça. C'était ce qu'ils espéraient. Mais à l'intérieur, il y avait les codices.

— Se doutaient-ils de la valeur de leur découverte ?

— Absolument pas, malheureusement ! Ils ont rapporté leur butin chez eux, mais ils l'ont déposé à côté du four de la hutte. Si bien que leur mère a utilisé certaines pages des codices pour allumer le feu et faire la cuisine.

— Quelle horreur !

— Comme je le disais, cette pensée donne encore des sueurs froides à bien des chercheurs. Par chance, quelques amis et voisins des deux garçons, dont un imam qui était aussi professeur d'histoire, ont deviné que les codices avaient de la valeur et sont rapidement intervenus. Le codex sur lequel je suis tombé aujourd'hui a voyagé à travers l'Égypte *via* tout un chapelet d'antiquaires. Au Caire, les cinq textes qui lui manquent aujourd'hui – les plus extraordinaires de l'ensemble, d'après ce que je peux constater maintenant – ont été arrachés et envoyés clandestinement aux États-Unis. À ce moment-là, par chance, le gouvernement égyptien avait déjà été alerté. Il a réussi à acheter ou à confisquer les autres codices, ainsi que huit des pages qui avaient été arrachées au treizième. Ce treizième codex proprement dit, cependant, n'a jamais été retrouvé. D'une façon ou d'une autre, il s'est égaré dans l'inventaire d'un antiquaire qui attendait sans doute des jours meilleurs pour le revendre. Il a de nouveau voyagé, sans doute. Et il a été oublié... jusqu'à ce qu'il refasse surface, il y a peu de temps, et que mon ami Rahul ne mette la main dessus. Ma visite d'aujourd'hui à la boutique est un énorme coup de chance. Rahul est en contact avec plusieurs conservateurs de musée à travers le monde. Il n'aurait eu aucun problème à vendre le codex.

— Mais... N'est-ce pas illégal de vendre ce genre d'objet ? Ou même de le posséder ?

— Évidemment !

— Ça ne t'inquiète pas ?

— Pas vraiment. Je me considère comme le sauveteur de ce codex, pas comme son voleur. Il n'est pas dans mon idée de le garder. Et mes intentions étaient très claires dès le départ. Je voulais juste être le premier à publier les textes qu'il contient, et en tirer tous les bénéfices possibles sur le plan professionnel. Malheureusement, ce n'est plus vraiment le problème.

— Pourquoi ? Combien de textes y a-t-il encore dans le codex ?

— Un certain nombre.

— De quoi parlent-ils, au juste, ces textes de Nag Hammadi ?

— Ce sont des copies, en copte, de textes grecs qui sont intitulés l'Évangile selon Thomas, l'Évangile selon Philippe, l'Évangile de la vérité. Ou encore « Fragment du discours parfait », ou bien

Apocalypse de Pierre, l'Épître apocryphe de Jacques, l'Apocalypse de Paul, la Lettre de Pierre à Philippe, et ainsi de suite.

— Et comment sont intitulés les textes qui restent dans le treizième Codex ?

— C'est ça le problème. Les textes qui sont là-dedans ne sont que des copies de textes déjà retrouvés dans les douze premiers codices, dit Shawn en désignant l'ouvrage posé sur le coin de la table. Même parmi les cinquante-deux textes qui sont dans les douze premiers volumes, d'ailleurs, seuls quarante sont des textes indépendants, originaux. Dans les manuscrits de la mer Morte, il y a aussi un certain nombre de redites.

— Ce qui nous amène à la lettre que tu as trouvée prise en sandwich dans la couverture, enchaîna Sana.

— Tout à fait, approuva Shawn.

Il se leva, saisit délicatement les trois feuilles de papyrus et revint s'asseoir devant sa femme.

— Veux-tu que je te la lise en entier ? Mais je te préviens que ma traduction ne sera pas folichonne ! Ou bien tu te contentes d'une paraphrase ? De toute façon, cette lettre sera un jour considérée comme l'un des textes les plus importants, sur le plan historique, de l'histoire du monde !

Sana arrondit les lèvres, feignant l'étonnement. Puis elle leva les yeux au ciel.

— C'est nouveau, chez toi, cette tendance à l'hyperbole ? demanda-t-elle d'un ton ironique. Tout à l'heure, tu disais que ta découverte d'aujourd'hui était cent fois supérieure à ta précédente découverte archéologique la plus importante, ou quelque chose comme ça. Maintenant, cette lettre a réussi à grimper au rang de texte le plus important, *sur le plan historique, de l'histoire du monde* ? Tu ne pousses pas le bouchon un peu loin ?

— Je n'exagère pas, affirma Shawn, l'air exalté.

— D'ac' ! En ce cas, je crois que tu ferais mieux d'essayer de me lire le texte en entier. Je ne veux pas en manquer en seul mot. Tu as parlé de Jésus de Nazareth. La lettre y fait-elle référence ?

— Oui, mais de façon indirecte, répondit Shawn, puis il s'éclaircit la voix et entama sa lecture.

Sana laissa son regard glisser vers la fenêtre de leur chambre d'hôtel. Le Nil miroitait au soleil au premier plan ; plus loin, les célèbres pyramides de Gizeh, dominées par celle de Khéops, se découpaient sur le ciel. Même si l'antique lettre n'était qu'à moitié aussi importante que Shawn le prétendait, Sana ne pouvait imaginer meilleur endroit au monde pour en écouter la lecture.

5

LUNDI 1er DÉCEMBRE 2008
08 H 41
NEW YORK
(15 h 41 AU CAIRE)

— Vinnie, bon sang ! grommela Jack Stapleton.

Il se tenait du côté gauche du cadavre de Keara Abelard. Penché sur sa nuque depuis plus de vingt minutes, il coupait précautionneusement avec des pinces, fragment par fragment, les épines transverses des vertèbres cervicales. Son objectif était de mettre au jour les deux artères vertébrales qui grimpaient à travers le cou en perçant les bords latéraux de chaque vertèbre avant de faire une boucle autour de l'atlas, la première cervicale.

— Excuse-moi, dit Vinnie sans beaucoup de remords dans la voix.

— Nom de Dieu, tu ne comprends pas ce que je suis en train d'essayer de faire ? !

— Si, je sais bien. T'essaies de libérer les deux artères vertébrales.

Le cou de la femme était posé sur une sorte de billot de bois, visage tourné vers le sol, et sa boîte crânienne vide était inclinée vers la porte de la salle d'autopsie. Son cerveau patientait sur une planche à découper sur la paillasse.

Vinnie était posté au pied de la table. Les mains plaquées sur les tempes de la morte, il s'efforçait de la maintenir parfaitement immobile pendant que Jack découpait les os de la nuque. C'était un travail lent et délicat ; il fallait extirper les artères sans les abîmer. Jack enregistrait ses progrès en prenant de temps en temps des photos numériques.

— Si tu n'arrives pas à tenir sa tête en place, je vais devoir trouver quelqu'un d'autre. Je n'ai pas envie de passer ma vie sur ce truc !

— D'accord, d'accord, j'ai compris ! protesta Vinnie d'un ton plaintif. Lâche-moi ! Pendant une seconde ou deux, j'ai pensé aux Giants. Ils risquent de ne pas se qualifier pour le Super Bowl. Et encore moins de le gagner, évidemment !

Jack ferma les yeux et compta en silence jusqu'à dix. Il savait qu'il était trop sévère avec Vinnie. Tenir un cadavre de cette façon, pendant que le légiste faisait de la dentelle sur les vertèbres cervicales, c'était un boulot de sous-fifre dont il aurait détesté devoir se charger. Néanmoins, il fallait bien aller au bout de cette autopsie. Le vrai problème, hélas, c'était que son instabilité psychologique actuelle le rendait moins patient que d'habitude.

— Essaie de rester concentré encore un tout petit moment, dit Jack en faisant l'effort de parler sur un ton plus agréable. Finissons-en.

— Bien, chef, répondit Vinnie, et il resserra son étreinte sur les tempes du cadavre.

À présent, la salle d'autopsie bourdonnait d'activité ; les huit tables étaient occupées par les légistes et leurs assistants. Mais Jack n'y prêtait aucune attention. Il tenait enfin un diagnostic préliminaire pour expliquer la mort de Keara Abelard, et il se concentrait sur sa tâche. L'artériographie avait révélé une occlusion presque complète des deux artères vertébrales, lesquelles assuraient l'essentiel de l'apport sanguin au cerveau. L'occlusion semblait s'être produite en un laps de temps assez court. Mais pourquoi ? S'agissait-il d'un événement naturel, une sorte d'embolie, ou d'un événement accidentel, par exemple suite à une blessure ? Le plus difficile à expliquer, peut-être, c'était la symétrie quasi parfaite de l'occlusion dans les deux artères. Ça, c'était une vraie nouveauté pour Jack. Du coup, il s'en voulait déjà moins de ne pas avoir pensé à l'artériographie des vertèbres avant de retirer le cerveau. Il avait commis une erreur, oui, mais une erreur sans conséquence.

Vingt minutes plus tard, Vinnie se pencha vers la nuque de la défunte pour examiner le résultat du patient ciselage de Jack.

— Ça a de la gueule, dit-il d'un ton approbateur.

Jack se redressa en hochant la tête. Il était satisfait. Dans l'ouverture du champ, il y avait maintenant un résultat de dissection qui aurait pu servir d'illustration pour un livre d'anatomie sur le parcours des artères vertébrales à la base du crâne.

— Tu vois la coloration bleuâtre et le gonflement autour des boucles de l'atlas, de chaque côté ? demanda-t-il. Attends, fais le tour pour mieux voir.

Les deux hommes échangèrent leurs places. À présent, Vinnie pouvait observer sans difficulté ce dont Jack lui avait parlé : sur chaque artère vertébrale, il y avait un segment enflé et bleuâtre de six ou sept centimètres de long – un peu plus marqué sur l'artère droite que sur la gauche.

— Et c'est quoi, à ton avis ? demanda Vinnie.

Jack haussa les épaules.

— Ça ressemble à une blessure, mais comme il y avait zéro ecchymose sur le cou, c'est un peu bizarre. À vrai dire, la morte n'avait pas la moindre trace de traumatisme. Et ça, en plus, précisa-t-il en pointant deux doigts vers les deux artères, c'est vraiment étrange à quel point c'est symétrique.

— Ça ne pourrait pas s'expliquer par un coup du lapin, ou quelque chose comme ça ?

— Je suppose que c'est possible, ouais, mais dans ce cas nous devrions avoir entendu dire qu'elle a eu un accident de voiture ou un truc équivalent. Il n'y a rien de ce genre dans le rapport de l'enquêteur médico-légal. Bref, je crois que je vais devoir faire ma petite enquête de mon côté. Il doit bien y avoir une explication !

— On fait quoi, maintenant ?

— D'autres photos, répondit Jack, et il attrapa l'appareil numérique au bout de la table d'autopsie. Ensuite, nous retirons les artères pour en examiner l'intérieur.

Dix minutes plus tard, il déposait les deux vaisseaux sanguins sur la planche à découper, à côté du cerveau. Ils ressemblaient à deux petits serpents rouges décapités après avoir avalé une proie bleue plus grosse qu'eux. La coloration semblait encore plus prononcée que lorsque les artères étaient à leur place dans le cou de Keara Abelard.

— Jusque-là, rien de neuf, dit Jack.

Tenant l'un des vaisseaux entre le pouce et l'index de la main gauche, il l'incisa avec précision sur toute sa longueur. Il répéta l'opération avec le second, puis il les ouvrit tous les deux et les étala sur la planche à découper.

— Hé, regarde un peu ça ! s'exclama-t-il.

— Regarde quoi ? demanda Vinnie, perplexe.

— Ça s'appelle une dissection, dit Jack. Une dissection bilatérale des artères vertébrales. C'est la première fois que j'en vois une en autopsie.

Avec le manche du scalpel, Jack désigna un point situé juste avant le virage en S des artères – l'endroit où elles passaient par-dessus la première vertèbre cervicale.

— Vois-tu cette déchirure dans la paroi interne, qu'on appelle l'intima ? Regarde : dans les deux artères, il y a la même déchirure au point de jonction entre l'atlas et l'axis, la première et la seconde vertèbre cervicale. Ce qui s'est passé, c'est que la pression artérielle a poussé le sang dans la déchirure et a fait enfler la paroi interne en l'écartant de la paroi fibreuse extérieure. Ce qui a fini par bloquer la circulation du sang dans la lumière du vaisseau. Le cerveau a alors été privé d'une grande partie de son approvisionnement en oxygène – et rideau, fin du spectacle.

— Tu veux dire… baisser de rideau pour la victime ?

Jack acquiesça :

— Hélas oui !

La pathologie étant déterminée, l'autopsie put se conclure sans délai. Vingt minutes plus tard, Jack sortit de la salle d'autopsie pour apprendre que le Dr Besserman lui avait assigné un deuxième cas, celui de la méningite dans une école privée. Pendant qu'il attendait que Vinnie prépare le cadavre, il retira sa combinaison en Tyvek souillée, la jeta, puis emporta le dossier de Keara Abelard dans le vestiaire.

Il s'assit et relut attentivement le rapport rédigé par Janice Jaeger. Comme il l'avait remarqué la première fois qu'il avait parcouru le document, Keara Abelard avait été amenée aux urgences par les amis avec lesquels elle était en train de prendre un verre dans un bar, victime d'une soudaine crise de confusion et de paralysie spastique qui l'avait bientôt rendue inconsciente. D'après la tournure des phrases du rapport, Jack comprit que Janice ne s'était pas directement entretenue avec les amis en question ; elle avait trouvé ses informations d'une part dans la feuille d'admission de la victime à l'hôpital Saint Luke, et d'autre part en interrogeant une infirmière et un médecin. Comme toujours avec Janice, le rapport était très complet – et il ne faisait mention d'aucun accident de voiture.

Sur la fiche de renseignements, Jack découvrit que c'était la mère de Keara Abelard qui était venue à l'IML identifier le corps. Elle habitait à

Englewood dans le New Jersey. Son numéro de téléphone commençait par le code régional 201.

Il se mit debout et se dirigea à grands pas vers l'escalier. Il fallait qu'il dégote davantage de renseignements sur cette patiente. Au rez-de-chaussée, il traversa les bureaux du syndrome de mort subite du nourrisson pour rejoindre le nouveau domaine, plus vaste et mieux aménagé qu'autrefois, des enquêteurs médico-légaux. Il trouva Bart Arnold, le chef du service, assis à sa table dans le premier bureau paysager. Ils entretenaient d'excellentes relations professionnelles, car Jack était l'un des rares légistes de la maison à vanter le travail des enquêteurs et à admettre sans réserve qu'il n'aurait pu se passer de leur aide.

— Bonjour, docteur Stapleton. Y a-t-il un problème ? demanda Bart en désignant le dossier que Jack tenait sous le bras.

— Hmm… Je me demandais si ce matin, pendant la réunion de changement d'équipe, Janice vous avait dit quelque chose d'important au sujet de Keara Abelard ?

Bart consulta la liste des cas arrivés pendant la nuit.

— Nan, fit-il. Pas dans mon souvenir. Le dossier Abelard méritait une autopsie, à son avis, mais… il n'avait rien de très particulier.

— Elle avait raison. Cependant, les données de fond sont tout de même assez succinctes. Et j'ai du mal à expliquer le décès.

— Ah, oui ! s'exclama Bart comme s'il se rappelait tout à coup quelque chose. Janice a dit que les médecins des urgences ne comprenaient pas ce qui lui était arrivé. Et ils ont demandé à être tenus au courant. Ils veulent savoir ce que vous aurez trouvé.

— Ah ? fit Jack, étonné. L'hôpital demande un suivi ? Le dossier ne parle pas de ça…

— C'est sans doute parce que Janice connaît l'urgentiste à rappeler. Elle doit avoir noté de s'en charger elle-même plutôt que de vous obliger à le faire.

— D'accord. Savez-vous si elle a parlé avec la mère, quand celle-ci est venue identifier le corps ?

— Ça, je l'ignore. Je suppose que non, parce que Janice est toujours très précise. Si elle avait parlé à la mère, elle l'aurait dit dans son rapport. Mais pourquoi ne lui téléphonez-vous pas pour lui poser vous-même la question ? Quel est le problème, au juste ? Vous voulez davantage d'informations, c'est ça ?

— Ouais. C'est un cas assez étrange. La femme est morte d'une occlusion des artères vertébrales. À moins qu'on ne lui trouve une maladie du tissu conjonctif, genre syndrome de Marfan, ce dont je doute fort, elle a dû subir un sérieux traumatisme. Ses vaisseaux se sont disséqués, ce qui signifie que la paroi interne s'est détachée et a bloqué le passage du sang. Vinnie a pensé à un coup du lapin provoqué par un accident de voiture. C'est peut-être une bonne idée. Je pense que les amis ou la mère de cette jeune femme devraient avoir des choses à nous dire. Ça pourrait être important. Si quelqu'un a heurté Keara Abelard par-derrière, par exemple, il ou elle pourrait risquer une inculpation pour homicide involontaire - voire *volontaire* si la morte et cette personne étaient en conflit. Je téléphonerais bien à la mère, mais ça m'ennuierait de la déranger si Janice lui a déjà parlé.

— Je vous le répète : appelez Janice !

De la main gauche, Jack attrapa sa montre attachée à la ceinture de son pantalon de bloc.

— Il est déjà 09 h 45. Ce n'est pas trop tard, pour elle ?

— Janice est une perfectionniste. Elle sera contente de vous aider, affirma Bart, et il tendit à Jack la carte de visite de sa collègue. Appelez-la ! Faites-moi confiance !

Empruntant à nouveau l'escalier, Jack monta rapidement à son bureau. Il laissa sa porte ouverte, comme il le faisait le plus souvent, s'assit dans son fauteuil et posa la carte de Janice devant lui sur le sous-main. Il décrocha le téléphone. Avant de joindre l'enquêtrice, il appela Vinnie.

— Je suis en train d'installer le corps du gosse, dit le technicien. Dans cinq minutes, nous serons parés. Calvin, notre directeur adjoint adoré, veut que nous fassions ça dans la salle putride.

La « salle putride » était une petite pièce indépendante qui ne contenait qu'une seule table de dissection. Elle servait aux autopsies des cadavres dangereux ou en état de décomposition avancée.

— N'oublie pas de sortir tout un tas de tubes de culture, dit Jack. À tout de suite.

Il coupa la communication. Il allait composer le numéro de Janice, lorsque la photo de Laurie et de John Junior qui se trouvait au coin de la table attira son regard. C'était la photo d'une époque heureuse – prise le jour où Laurie et le bébé avaient quitté l'hôpital, quelques jours après l'accouchement. À ce moment-là, il n'y avait aucun symptôme, pas le moindre signe de la tragédie qui les attendait.

Saisi par une violente émotion, Jack attrapa la photo et la fourra au fond du tiroir inférieur de la table. Il referma sèchement celui-ci d'un coup de pied.

— Nom de Dieu ! murmura-t-il.

La vitesse à laquelle il replongeait parfois dans ses pensées les plus déprimantes était vraiment embarrassante. Il avait d'autant plus honte que c'était Laurie qui encaissait 99 % du poids du drame qu'ils affrontaient. Il se demandait comment elle faisait pour tenir le coup. Lui, au moins, il avait la chance de quitter la maison et de travailler pour se changer les idées - pour ne pas avoir en permanence à l'esprit la réalité de ce désastre.

Jack se frotta les yeux ; ses paupières étaient humides. Les coudes sur la table, il se massa vigoureusement le cuir chevelu avec les deux mains. Pour la énième fois depuis le début de la maladie de JJ, il se rendait compte qu'il avait constamment besoin de trouver quelque chose, ici, au travail, pour occuper son cerveau et tenir en laisse ses émotions.

Il ouvrit les yeux, décrocha le combiné d'un geste énergique et composa le numéro de Janice. Quand elle répondit, il s'annonça sur un ton qui pouvait donner l'impression qu'il était en colère. Avant même que Janice ne réagisse, il ajouta :

— Pardon ! Je ne voulais pas m'exprimer de cette façon. Je m'excuse.

— Y a-t-il un problème ? demanda Janice.

Consciencieuse comme Jack la connaissait, elle devait supposer qu'elle avait commis une erreur et qu'il appelait pour se plaindre.

— Non ! Pas du tout ! En fait, je… j'avais l'esprit ailleurs. J'espère que je ne vous dérange pas ?

— Pas du tout. Quand je reviens du travail, il me faut au moins trois ou quatre heures avant de pouvoir me mettre au lit.

— J'essaie de trouver des infos complémentaires sur Keara Abelard.

— Ça ne m'étonne pas. Il n'y avait pas grand-chose dans le dossier, n'est-ce pas ? Quelle triste affaire ! Une femme si jeune, si séduisante, apparemment en bonne santé…

— Avez-vous pu parler à ses amis ? Ceux qui l'ont conduite aux urgences ?

— Non, je n'en ai pas eu l'occasion. Ils étaient déjà repartis quand je suis arrivée là-bas. J'ai juste réussi à avoir le nom et le téléphone de l'un d'entre eux. Robert Farrell. Je l'ai inscrit au bas de mon rapport.

— Et avez-vous parlé à la mère quand elle est venue pour l'identification ?

— J'en avais bien l'intention, mais j'ai été appelée à l'extérieur pour un autre cas juste avant qu'elle n'arrive. À mon retour, elle était déjà partie. Je suis sûre que Bart ne demanderait pas mieux que de la recontacter, si vous voulez.

— Je pense que je vais l'appeler moi-même. Cette affaire titille ma curiosité.

— Si vous changez d'avis, un des enquêteurs de l'équipe de jour pourra s'en occuper.

— Merci de votre aide, dit Jack.

— Aucun problème, répondit Janice.

Gardant le combiné au creux de l'épaule, Jack coupa la communication d'une main et attrapa de l'autre la fiche de renseignements de Keara Abelard. À l'instant où il posait les yeux sur les coordonnées de la mère, la sonnerie du téléphone retentit. C'était Vinnie qui voulait l'informer qu'il l'attendait dans la salle putride.

Après quelques instants d'hésitation, Jack reposa le combiné sur sa base. Il n'avait pas besoin d'appeler Mme Abelard tout de suite – d'autant que cette conversation ne l'enchantait pas vraiment. Il ferait ça plus tard, après sa seconde autopsie.

S'il avait pu deviner ce que cette femme devait lui dire, cependant, il n'aurait pas attendu une seconde de plus pour la contacter. Car elle allait lui révéler une chose qu'il n'aurait jamais pu deviner.

6

LUNDI 1er DÉCEMBRE 2008
17 H 05
LE CAIRE
(10 h 05 À NEW YORK)

— Voilà, je t'ai tout lu, dit Shawn. Désolé que ça ait pris deux plombes. Le grec n'était manifestement pas le fort de Satornil. Et comme je te l'ai dit à la fin de la première lecture, la lettre porte sa signature et la date du 6 avril 121.

Shawn dévisagea sa femme assise sur le canapé. Elle ne faisait pas le moindre geste. Elle ne clignait pas des yeux. Elle n'avait même pas l'air de respirer.

— Hé ! Dis quelque chose. N'importe quoi ! Qu'est-ce que t'en penses ?

Il se leva et retourna au bureau pour y étaler délicatement les trois feuilles de papyrus. Il reposa sur leurs coins les petits objets qu'il avait utilisés auparavant pour les garder à plat. Après s'être débarrassé de ses gants blancs, il se rassit sur la chaise. Sana le regardait fixement ; elle était encore sous le choc des révélations qu'elle avait entendues au cours des deux dernières heures. Quand Shawn avait terminé sa première lecture, laborieuse, de la lettre, elle avait paru tout aussi abasourdie ; elle avait juste réussi à balbutier qu'elle avait besoin de réécouter l'intégralité du texte.

— Je me rends compte que ma traduction n'était sûrement pas brillante, dit Shawn. Surtout la première fois. Et je te le répète, je suis désolé d'avoir été si long. Mais la syntaxe et l'orthographe de Satornil sont vraiment compliquées et bancales. Il est clair que le grec n'était pas sa langue maternelle. Lui, il parlait l'araméen, puisqu'il était originaire de Samarie. Vu le sujet très sensible de la missive, cependant, il ne pouvait pas en confier la rédaction à un secrétaire.

Sana poussa un profond soupir.

— Quelles sont les probabilités que cette lettre soit un faux ? demanda-t-elle. Peut-être un faux du IIe siècle, mais un faux tout de même ?

— C'est une bonne question. Si la lettre était adressée à l'un des pères de l'Église orthodoxe, il faudrait sérieusement envisager cette hypothèse. Ne serait-ce que parce que le texte pourrait avoir eu pour but de discréditer les hérétiques gnostiques en établissant un lien direct entre eux et le scélérat Simon le Magicien. Mais elle a été envoyée à un des premiers enseignants de la pensée gnostique, et par quelqu'un qui penchait, sur le plan théologique, dans cette direction. Il s'agit un peu d'une correspondance « entre initiés », si tu veux. C'est un dialogue entre des gens qui donnent des réponses spécifiques à des questions bien précises. Il n'y a donc quasiment aucune probabilité que la lettre soit un faux. Surtout si on prend en compte, par-dessus tout, le fait qu'elle était cachée dans la couverture du codex. Manifestement, elle n'était pas destinée à être retrouvée.

— À quelle date le codex a-t-il été fabriqué, à ton avis ? Ou plutôt, quand cette lettre a-t-elle été glissée entre les feuilles de papyrus de la couverture ?

— Je dirais que ça a dû se passer... vers l'an 367, à peu près.

Sana sourit.

— Vers l'an 367 *à peu près* ? ! Cette date me paraît bien précise, au contraire. Non ?

— Eh ben... C'est qu'en 367, il s'est passé quelque chose de précis.

— Ça signifie donc que la lettre a été conservée pendant plus de deux cents ans avant d'être mise dans le codex. Elle était quelque part, et puis... Et puis quoi ? Tout à coup, il a fallu la planquer, c'est ça ?

— Ouais, ça doit être ça. Mais c'est quelque chose, franchement, que je ne peux pas expliquer.

— Que s'est-il passé en 367 ? Et comment se fait-il que ces codices se soient retrouvés scellés dans une jarre et enfouis dans le sable ?

— En 367, le mouvement gnostique avait déjà atteint son apogée, il était sur le déclin, et l'Église orthodoxe faisait tout pour l'achever. Athanase, le très influent évêque d'Alexandrie, a donné l'ordre aux monastères de sa juridiction de se débarrasser de tous les écrits hérétiques. Parmi eux, il y en avait un qui se trouvait près de la ville actuelle de Nag Hammadi. On suppose que certains moines qui appréciaient la pensée gnostique se sont rebellés. Au lieu de détruire les textes, ils ont décidé de les cacher. Sans doute pour les récupérer un jour ou l'autre. Malheureusement pour eux, ils n'ont pas eu cette chance. Et… ce qu'ils ont perdu, c'est devenu un trésor pour nous.

— Penses-tu réellement que la lettre soit une réponse à une précédente lettre de Basilide à Satornil ?

— Vu la teneur du texte, il n'y a aucun doute là-dessus. Satornil n'y va pas de main morte dans la description qu'il donne de son ancien maître et professeur, Simon le Magicien. Je suis convaincu que Basilide lui avait très précisément demandé si Simon était divin, s'il était un vrai Christ marchant dans les pas de Jésus de Nazareth, et s'il possédait ou non l'immense pouvoir qu'il prétendait avoir. Dans sa réponse, Satornil laisse entendre que Simon *se croyait* divin - ou croyait, au minimum, avoir une étincelle du divin. Mais de son côté, Satornil ne pensait pas ça du tout. Il écrit sans ambiguïté que la magie de Simon n'était que supercherie. Et que lui, Satornil, il l'avait aidé à mettre cette supercherie en œuvre - avec Ménandre, l'autre élève de Simon. Il écrit aussi sans tourner autour du pot que Simon était extrêmement jaloux des soi-disant pouvoirs de guérison des apôtres. Surtout ceux de Pierre. C'est un fait canonique qui apparaît dans la Bible. Dans les Actes des Apôtres, il est écrit que Simon essaie d'acheter le pouvoir de Pierre.

Shawn marqua une pause pour reprendre son souffle, puis il ajouta avec un petit rire narquois :

— Grâce à Satornil et à cette lettre, nous savons maintenant que Simon n'a pas renoncé après le premier refus de Pierre.

— Ce qui me paraît assez ironique, c'est que la vénalité de cet homme nous permet de connaître aujourd'hui les informations extraordinaires qui sont dans la lettre.

— Tu as raison ! acquiesça Shawn d'un ton joyeux. Et moi, ce que je trouve encore plus ironique, c'est que cette même vénalité a toutes les chances de me projeter dans la stratosphère de l'archéologie. Belzoni, Schliemann et Carter ne m'arriveront même pas à la cheville !

Sana ne put s'empêcher de lever les yeux au ciel. Si elle avait été impressionnée, au début de leur relation, par l'immense confiance en lui-même que semblait avoir Shawn, elle la jugeait désormais puérile et vaine. Et à cet instant elle y voyait la preuve, une fois encore, que son mari nourrissait peut-être un profond sentiment d'insécurité qu'elle n'avait pas détecté auparavant.

Se méprenant sur le sens de sa réaction, Shawn ajouta :

— Tu ne crois pas que ça va être un événement important ? Tu te trompes ! Ça va être colossal. Et sais-tu à qui ça va me faire le plus plaisir d'annoncer la nouvelle ?

— Non, je ne vois pas, répondit-elle d'un air las.

Elle préférait continuer de parler de cette lettre stupéfiante qu'essayer d'évaluer ses effets sur la carrière de Shawn.

— Son Éminence ! s'exclama Shawn avec une moue mi-amusée, mi-dédaigneuse. Son Éminence le cardinal James O'Rourke, évêque de l'archidiocèse de New York !

Il pouffa de rire ; il savourait d'avance la scène.

— J'ai vraiment hâte de rendre visite à mon vieux copain de beuveries d'Amherst College, aujourd'hui le plus grand dignitaire de la hiérarchie catholique que je connaisse à titre personnel, qui ne cesse de me sermonner pour que je me réforme. Je vais beaucoup, beaucoup m'amuser à lui brandir cette lettre sous le nez et à lui prouver, lui *prouver*, qu'un de ses grands bêcheurs de papes, qui se croyait infaillible, se gourait en réalité sur toute la ligne. Ça sera un sacré spectacle !

— Oh, pitié, dit Sana d'un air agacé.

Bien trop souvent à son goût, elle avait vu son mari et l'archevêque se disputer à n'en plus finir, parfois jusque tard dans la nuit, sur divers sujets liés aux dogmes de l'Église - et, en particulier, sur la question de l'infaillibilité pontificale.

— Vous deux, vous ne serez jamais d'accord sur rien, marmonna-t-elle.

— Maintenant, grâce à Satornil, j'ai la preuve de ce que j'avance !

— Eh bien… j'espère que je ne serai pas là pour vous entendre.

Elle n'avait jamais beaucoup apprécié ces soirées et, récemment, elle avait cessé d'y participer. Dans l'espoir de calmer l'ardeur de leurs discussions, elle avait demandé à ce qu'ils aillent tous les trois au restaurant au lieu de dîner soit à la résidence du cardinal, soit chez eux dans le West Village, mais ni Shawn ni James n'avaient accepté cette solution. Ils adoraient leurs débats interminables, bruyants, venimeux seulement en apparence, et ils ne voulaient pas avoir à refréner leurs propos en public.

Sana avait eu de la peine à croire Shawn, peu après leur rencontre, la première fois qu'il lui avait dit qu'il était très copain avec l'archevêque de New York. Cet homme était tout de même le prélat le plus puissant du pays, sinon des Amériques. Il était extrêmement célèbre. On le disait susceptible d'être appelé un jour par ses pairs au premier poste du Vatican.

L'amitié qui unissait Shawn et James O'Rourke paraissait des plus improbables, et pas seulement parce qu'ils avaient des opinions très divergentes sur certaines questions fondamentales. Le contraste qui existait entre leurs personnalités ne laissait pas d'étonner Sana : d'un côté, il y avait Shawn, l'extraverti sophistiqué qui recherchait en permanence des occasions, réelles ou imaginaires, de se mettre en valeur ; de l'autre, il y avait James O'Rourke le prêtre paroissial, profondément modeste, que le destin avait entraîné malgré lui à assumer des responsabilités toujours plus importantes. Le plus drôle, peut-être, c'était que chacun niait ce qui le différenciait de l'autre. Shawn se moquait de l'humilité apparente de James, qu'il accusait de posséder, au contraire, une ambition démesurée servie par un pragmatisme et une sagacité exceptionnels, ainsi que par une très grande capacité pour la flatterie. James jugeait les fanfaronnades de Shawn des plus suspectes ; il était persuadé que son ami était un homme profondément anxieux – une opinion que Sana partageait de plus en plus. James, en outre, ne se lassait pas de rappeler à Shawn que Dieu et l'Église pouvaient l'aider.

Du point de vue de Sana, même leurs différences physiques rendaient leur amitié improbable. Shawn était un athlète complet qui avait eu sa place dans plusieurs équipes sportives à l'université. Avec son mètre quatre-vingt-dix et ses 90 kg, il était très imposant. Il avait d'épais cheveux bruns et les traits anguleux et virils. Aujourd'hui encore, il gardait la forme en jouant régulièrement au tennis. James était petit et grassouillet. Il avait les cheveux roux. Sa peau, crémeuse et presque translucide, était couverte de taches de rousseur. Enveloppé de la tête aux pieds, comme il l'était souvent, dans les habits pourpres de sa fonction, il avait l'air d'une créature étrange et délicate.

Sana avait fini par comprendre que ce qui avait attiré ces deux hommes l'un vers l'autre, puis cimenté leur amitié, c'était d'abord un simple concours de circonstances, puis, surtout, leur amour du débat. En première année de fac, ils s'étaient retrouvés par hasard dans la même chambre. À leur duo, il fallait ajouter un troisième étudiant, dénommé Jack Stapleton, qui occupait la chambre située juste en face de la leur. Lui aussi vivait aujourd'hui à New York. Les Trois Mousquetaires – c'était le surnom qu'ils s'étaient donné à la fac – habitaient dans la même ville tout en appartenant à des univers professionnels sans rapports les uns avec les autres.

Sana voyait James assez régulièrement. Par contre, elle n'avait rencontré Jack Stapleton que deux fois. À chaque occasion, il lui avait fait l'effet d'être un homme tellement discret qu'elle s'était demandé comment il avait pu se lier d'amitié avec les deux autres. Peut-être était-ce justement son caractère apparemment méditatif, son grand calme, sa façon d'être là sans jamais chercher à se mettre en avant, qui avaient permis au trio de rester soudé pendant leurs années estudiantines.

— James va péter un câble, poursuivit Shawn qui continuait de se réjouir d'avoir bientôt une nouvelle discussion à couteaux tirés avec son ami. Et moi, je vais prendre un pied monumental ! Là, j'ai de quoi le griller pour de bon. Il va carrément dérouiller. J'ai hâte, surtout, de reparler avec lui de la question de l'infaillibilité. Ah ! C'est une question sur laquelle nous nous sommes disputés cent fois. Quand on pense à toutes les manigances auxquelles se sont livrés les papes du Moyen Âge et de la Renaissance…

— Comment peux-tu être si sûr de toi ? l'interrompit Sana pour ramener la conversation dans le droit chemin. Qu'est-ce qui te fait croire que la découverte de cette lettre va être du même acabit que celle du tombeau du Toutankhamon par Carter ?

Elle n'était pas certaine de connaître les travaux des deux autres archéologues cités par Shawn – même si le nom de Schliemann lui disait effectivement quelque chose.

— Toutankhamon était un petit pharaon, un enfant-roi sans intérêt. Sa vie n'a même pas fait une ride dans le sable du temps, répliqua Shawn. La Vierge Marie, par contre, c'est sans doute l'être humain le plus important qui ait jamais vécu sur terre après l'enfant auquel elle a donné naissance. À vrai dire, ils sont peut-être même aussi importants l'un que l'autre. C'est la mère de Dieu, pour l'amour du ciel !

— Pas la peine de râler, dit Sana d'un ton apaisant.

Shawn réagissait de plus en plus souvent avec irritation quand il avait l'impression qu'elle le contredisait dans son domaine. C'était dommage. Et le plus triste en l'occurrence, c'était que Sana ne niait en aucune façon l'importance historique de la Vierge Marie. Surtout par rapport à l'adolescent fade qu'avait été Toutankhamon. Cependant, Carter avait découvert un immense et fabuleux trésor. Pour le moment, Shawn n'avait que trois feuilles de papyrus à l'authenticité douteuse qui faisaient allusion à la dépouille de la Vierge Marie. D'un autre côté… Sana comprenait la position de son mari. Elle-même, elle était encore sous le choc. Lorsqu'il lui avait lu, dans la lettre de Satornil, le passage qui portait sur le devenir du squelette de Marie, elle avait eu l'impression de recevoir un électrochoc.

— Je ne râle pas ! Je suis juste stupéfait que tu ne voies pas la portée incroyable de cette lettre.

— Mais si ! Si, bien sûr, je la vois !

— Ce qui est arrivé, je pense, c'est que Basilide a interrogé Satornil pour avoir son opinion sur l'éventuelle divinité de Simon. Pour savoir, aussi, si Simon avait écrit quoi que ce soit d'important - et, en ce cas, où ces écrits étaient susceptibles de se trouver. Basilide avait peut-être des soupçons à ce sujet. C'est pour ça, je crois, que Satornil décrit l'Évangile selon Simon en même temps qu'il explique qu'il l'a placé à l'intérieur de l'ossuaire avec l'aide de Ménandre. Ça m'étonnerait que Basilide ait su que Simon avait rapporté les os de la Vierge Marie à Rome. Et de toute façon, je pense qu'il se fichait de cette question. Lui, il s'intéressait avant tout à la théologie de Simon.

— C'est quoi, déjà, précisément, un *évangile* ?

— Un évangile, c'est un message qui porte sur le Christ. La plupart des gens associent le mot aux quatre premiers livres canoniques du Nouveau Testament, qui relatent les enseignements de Jésus-Christ. Mais, de manière plus générale, un évangile, c'est le message d'un maître religieux. Voilà pourquoi l'Évangile selon Simon sera tellement fascinant et instructif ! J'ai hâte de découvrir s'il porte sur le christ Jésus, sur le christ Jésus *et* sur le christ Simon ensemble, ou uniquement sur le christ Simon. Je dis les choses de cette façon, parce que la plupart des gens, quand ils disent « Jésus-Christ », supposent que *Christ* était le nom de famille de Jésus, quelque chose comme ça. Pas du tout ! Christ vient du mot grec *khristos*, qui signifie messie. C'est de lui qu'a été dérivé le mot *chrétien.* Si Simon se considérait comme un messie, il a très bien pu se coller lui-même l'étiquette « christ ». Sauf que bien sûr, nous savons déjà une chose : il n'y a pas de résurrection associée à son nom. Il est mort, et tout à fait mort, en se jetant du haut d'une tour sur l'ordre de Néron, dans le forum romain, pour essayer de prouver sa divinité ou, à tout le moins, ses liens étroits avec le monde divin.

Sana dévisagea Shawn. Elle savait ce qu'il pensait. Il estimait avoir d'excellentes chances de trouver cet Évangile selon Simon. Elle savait aussi pourquoi. Cinq ans plus tôt, il avait persuadé James d'user de son influence sur le pape Jean-Paul II pour être autorisé, en tant qu'archéologue américain, à accéder à la nécropole souterraine de la basilique Saint-Pierre du Vatican afin d'y effectuer une étude complète, et définitive, de la tombe de saint Pierre. Sur une période de six mois, assisté d'une équipe d'architectes et d'ingénieurs, Shawn avait examiné le site et passé en revue deux mille ans d'archives pontificales pour écrire *le* livre de référence sur cette tombe – en y incluant la découverte, faite en 1968, d'un squelette d'homme sans crâne que le pape Paul VI avait décrété être celui de l'apôtre. Par conséquent, Shawn était aujourd'hui l'un des meilleurs experts mondiaux, sinon le meilleur, de la sépulture de saint Pierre. Si Satornil et Ménandre avaient enfoui en l'an 65, à l'endroit décrit par Satornil dans sa lettre, l'ossuaire de la Vierge Marie qui contenait l'Évangile selon Simon, et si cet ossuaire n'avait pas été déplacé depuis lors, Shawn saurait où le trouver.

— J'ai déjà entendu parler des Sadducéens et des Pharisiens, mais jamais des Esséniens ni des Zélotes, dit Sana pour revenir à une question qui l'intriguait depuis que Shawn lui avait traduit la lettre. Qui étaient tous ces gens auxquels Satornil fait allusion ?

— Ce sont différentes sectes juives de l'époque. Les Sadducéens et les Pharisiens étaient de loin les plus importants, ne serait-ce que par leur nombre. Les Esséniens formaient une petite communauté très pieuse, austère, qui considérait que le Temple de Jérusalem avait été profané. Il y avait des cellules esséniennes dans la plupart des villes de Palestine, mais leurs chefs et leurs adeptes les plus stricts s'étaient installés dans le désert, sur les rives de la mer Morte, à Qumrân. C'est à eux qu'on attribue la rédaction des manuscrits de la mer Morte, et ce sont eux qui les ont cachés pour éviter qu'ils ne tombent entre les mains des Romains.

» Les Zélotes se définissent davantage par leur action politique. Leur premier objectif, c'était de débarrasser la terre juive de l'oppresseur romain. Leurs éléments les plus fanatiques étaient appelés les « sicaires ». Pour comprendre ce qui se passait dans cette région au Ier siècle, tu dois garder à l'esprit que tout le monde, ou presque, voulait que les Romains quittent la Palestine. Sauf les Romains eux-mêmes, bien entendu. C'était sur ce problème que portait une bonne partie des prophéties messianiques de l'époque. Les Juifs attendaient un messie pour se débarrasser des Romains. D'ailleurs, c'est une des raisons pour lesquelles une bonne partie d'entre eux n'ont pas été satisfaits de Jésus et lui ont refusé le statut de messie. Non seulement il n'avait pas évincé les Romains, mais en plus il avait trouvé le moyen de se faire crucifier !

— J'ai pigé. D'accord. Mais pourquoi les Zélotes et les Esséniens auraient-ils comploté pour voler le corps de la Vierge Marie ? Ça, c'est quand même bizarre – non ?

— Satornil n'est pas très explicite à ce sujet, c'est vrai. Mais voilà ce que, à mon avis, il sous-entend : quand la Vierge Marie meurt en 62, comme il le dit, et quand elle est ensevelie dans une grotte du mont des Oliviers, peut-être même à l'endroit où son tombeau est censé se trouver aujourd'hui, certains Zélotes, probablement les sicaires, voient là une belle occasion de souffler sur les braises de la haine des Romains envers les Juifs. Leur objectif, c'est d'enclencher un mouvement de révolte. Ils se fichent de savoir quel camp en est l'instigateur. Jusqu'alors, ils se sont surtout efforcés de renforcer la haine des Juifs envers les Romains. Cela explique pourquoi ils ont consacré une bonne partie de leur temps et de leur énergie à assassiner les Juifs qui, de leur point de vue, collaboraient avec les Romains. Ou qui étaient même simplement trop conciliants. Leur raisonnement était simple : il fallait pousser les Juifs à se battre.

» C'est alors que la mort de Marie leur ouvre une nouvelle piste. Elle leur donne l'occasion de mettre les Romains au comble de l'exaspération vis-à-vis du problème des dissensions religieuses qui minent la région. À ce moment-là, tu vois – nous sommes donc au milieu du Ier siècle –, les Juifs qui étaient partisans de Jésus de Nazareth étaient considérés comme des Juifs, pas comme les adeptes d'une nouvelle religion. Mais ils ne s'entendaient pas avec les Juifs traditionnels. À vrai dire, les uns et les autres se chamaillaient en permanence sur des problèmes que les Romains considéraient comme ridicules et insignifiants. Par-dessus le marché, il y avait aussi des luttes intestines parmi les Juifs chrétiens. C'était l'anarchie religieuse la plus complète. Les Romains étaient furibards.

— Je ne vois toujours pas ce que la Vierge Marie vient faire là-dedans.

— Essaie d'imaginer l'agacement des Romains. Satornil précise qu'ils croyaient avoir résolu le problème Jésus de Nazareth, une bonne fois pour toutes, en crucifiant le bonhomme. Mais ils s'étaient gourés. Et pourquoi ? Parce que Jésus n'est pas resté mort comme tous les autres prétendus messies que les Romains condamnaient à la crucifixion – et il y en avait un certain nombre ! Jésus est revenu au bout de trois jours, ce qui a eu pour conséquence d'amplifier le problème qu'il posait aux Romains. Satornil laisse entendre que les Zélotes comptaient sur la disparition de Marie, trois jours après son décès, pour faire croire qu'elle avait elle aussi défié la mort et rejoint son fils. Ce qui aurait confirmé, une fois encore, en passant, le caractère messianique de Jésus. Par conséquent, ils volent le corps de la Vierge, le troisième jour exactement, dans le but de terrifier les Romains en leur faisant croire qu'ils doivent s'attendre à une flambée de ferveur religieuse semblable à celle qui a suivi la résurrection de Jésus. Bien sûr, les Romains vont essayer d'empêcher ça avec des mesures de répression draconiennes. L'idée des sicaires, c'est que cette répression, vu l'atmosphère très tendue qui règne dans la région, doit déclencher un nouveau cycle de violence, lequel entraînera encore plus de répression, et ainsi de suite. Comme le précise Satornil dans la lettre, il ignore si c'est la disparition, ou plutôt le *vol* du corps de Marie qui a effectivement servi de déclencheur, mais, peu après, on assiste bel et bien à de nouvelles poussées de violence qui prennent de l'ampleur au fil des mois. Quelques années plus tard, la poudrière qu'est alors la Palestine explose dans la guerre décisive qu'on appelle la Grande Révolte. Tous les Juifs s'unissent pour reprendre Jérusalem et Massada aux Romains.

— C'était facile, à ton avis, de voler le corps de la Vierge ?

— En fait, je pense que oui. Après la crucifixion de Jésus, apparemment, les gens se sont désintéressés de Marie. Et d'après Satornil, sa mort est pour ainsi dire passée inaperçue. Aucun des quatre évangélistes du Nouveau Testament ne parle beaucoup d'elle après la mort et la résurrection de Jésus. Paul ne lui fait pas une place particulière dans le récit des débuts de l'Église. Pour être précis, il ne la cite qu'une seule fois, rapidement, dans l'Épître aux Galates – et sans même citer son nom. Ce n'est qu'à la fin du Ier siècle que le rôle de Marie a commencé à être pris en considération. Aujourd'hui, son importance historique ne fait plus aucun doute. C'est la raison pour laquelle cette lettre est tellement significative.

— Le texte de Satornil ne m'a pas vraiment donné l'impression que Simon le Magicien avait été impliqué dans le vol proprement dit de la dépouille de Marie.

— Je suis de ton avis. Je pense que Simon s'est intéressé à Marie uniquement parce qu'il était motivé par son désir d'acquérir le pouvoir de guérison qu'on attribuait à Jésus de Nazareth. Mais il ne partageait pas les idées politiques des Zélotes. Satornil n'explique pas comment Simon a pu apprendre que les Esséniens avaient caché le corps dans une grotte de Qumrân. Il ne dit pas non plus comment il a réussi à s'approprier son squelette.

Peut-être qu'à ce moment-là, tout simplement, personne ne se souciait plus de Marie ! Toujours est-il que Simon a d'abord été très déçu que les os de la Vierge n'aient aucun pouvoir de guérison – ce qui était manifestement la raison pour laquelle il se les était appropriés. Et ce n'est qu'après coup qu'il a eu l'idée de suivre Pierre, d'abord à Antioche, puis à Rome, dans l'idée de les lui échanger contre son pouvoir de guérison.

— Mais Pierre l'a rembarré une seconde fois.

— Voilà. Et d'après Satornil, avec autant de vigueur que lorsque Simon lui avait offert de l'argent.

— Pourquoi, à ton avis, Satornil et Ménandre ont-ils décidé d'enfouir les os de Marie avec Pierre ?

— Pour la raison qu'il donne dans la lettre, tout simplement. Ils étaient tous les deux très impressionnés par Pierre, qui avait le pouvoir de guérir les gens par l'imposition des mains. Nous sommes sûrs qu'ils étaient très impressionnés, puisqu'ils ont tous les deux fini par adopter le christianisme. Satornil est même devenu l'évêque d'une importante ville romaine.

— Je me demande ce qui est arrivé au cadavre de Simon. Ce serait sacrément ironique s'il avait abouti, lui aussi, à côté de la sépulture de Pierre.

— C'est vrai, acquiesça Shawn avec un sourire. Mais franchement, j'en doute. Satornil l'aurait écrit dans la lettre, si Ménandre et lui avaient placé les os de Simon au même endroit.

— Quelles sont tes intentions, maintenant ? demanda Sana. Laisse-moi deviner. Tu veux aller à

Rome pour voir si l'ossuaire se trouve là où Satornil dit l'avoir enfoui ?

— Exactement ! répondit Shawn avec enthousiasme. Le martyre de Pierre a dû se produire à peu près au moment où Simon a trouvé la mort en essayant de monter au ciel. Quand les fidèles de Pierre lui ont bâti un tombeau, Satornil et Ménandre ont compris qu'ils avaient là une occasion idéale d'ajouter l'ossuaire de Marie aux restes de l'un des plus proches apôtres de son fils. Je pense que c'était un geste très respectueux de leur part, et qui prouve qu'ils avaient beaucoup d'estime pour Marie.

— Je n'ai pas compris le passage de la lettre qui décrit l'endroit où ils ont mis l'ossuaire. Et toi ?

— Moi, je sais où il est. Le tombeau est en forme de caveau voûté. Il se constitue, si tu préfères, de deux murs de fondation parallèles qui soutiennent une voûte. Pour le construire, il a fallu creuser un trou assez important pour avoir la place d'édifier ces murs. Satornil explique que Ménandre et lui ont placé l'ossuaire à la base du mur nord, à peu près au milieu, à l'extérieur du tombeau. Et ils l'ont recouvert de terre. Ça colle très bien avec ce que je sais du tombeau de Pierre, dont les murs de fondation courent d'est en ouest.

— Pourquoi avoir placé l'ossuaire à l'extérieur du tombeau, et non pas à l'intérieur avec Pierre ?

— Ils n'avaient pas le choix ! Ils étaient bien obligés de planquer ce fichu ossuaire à l'extérieur, répliqua Shawn avec impatience, comme s'il jugeait la question de Sana parfaitement idiote. Ils ont agi de façon clandestine, pour ainsi dire, sans que personne ne soit au courant.

— Ne deviens pas condescendant ! Je fais de mon mieux pour comprendre les tenants et les aboutissants de cette histoire incroyable.

Shawn baissa un instant les yeux. Il savait que s'il voulait obtenir l'aide de Sana, il devait se montrer plus conciliant.

— Pardon, dit-il. Pour en revenir à l'emplacement de l'ossuaire, je dois ajouter que les choses ne pourraient pas mieux se goupiller pour nous, et pour deux raisons. La première, c'est que je pense que cette portion du tombeau n'a jamais été touchée. La seconde, c'est que la dernière fois qu'il y a eu des fouilles dans le tombeau, dans les années 1950, les archéologues ont creusé un tunnel sous les murs, c'est-à-dire en passant sans doute juste en dessous de l'ossuaire de Marie, pour entrer à l'intérieur du tombeau. Ça signifie que tout ce que nous aurons à faire, c'est gratter une petite épaisseur de terre et de débris comprimés dans le plafond du tunnel… et pouf, l'ossuaire nous tombera entre les mains !

— À t'entendre, ça a l'air super-facile, marmonna Sana d'un ton dubitatif.

— Je crois que ce sera facile. Juste avant que tu n'arrives, j'ai téléphoné à Claire Dupree, mon assistante au Metropolitan. Elle m'envoie tout de suite, par courrier express, mon dossier sur le tombeau de saint Pierre. Elle l'envoie à Rome, pour être précis. À l'hôtel Hassler. J'ai encore l'autorisation d'accès à la nécropole que m'a délivrée la Commission pontificale d'archéologie sacrée suite à l'intervention de James auprès du pape Jean-Paul II. Le dossier contient aussi ma carte d'identité du Vatican et, plus important, les clés des Scavi - le Bureau des fouilles. Avec la clé du site proprement dit.

— Ça fait cinq ans, tout de même…

— Ouais, mais je serais très étonné que quoi que ce soit ait changé là-bas. L'Italie n'évolue pas très vite, tu sais - en particulier sa bureaucratie. C'est une des grandes sources de frustration de ce pays… en même temps, en l'occurrence, qu'un de ses grands avantages.

— Et si les clés n'ouvrent plus les serrures ? Et si ton autorisation a été révoquée ?

— Je te dis que je ne vois pas pour quelle raison ça se serait produit. Mais même si c'était le cas… nous trouverons une solution le moment venu ! Au pire, j'appellerai James. Il nous fera entrer. Ça entraînera juste un délai supplémentaire d'une journée.

— Tu crois vraiment que James ferait ça pour toi ? S'il savait ce qu'il y a dans la lettre de Satornil, je veux dire ? Je présume que si tu lui demandais de l'aide, il te réclamerait des explications. Moi, ça m'étonnerait qu'il accepte… D'accord, admettons que nous réussissions à entrer là-bas et imaginons que nous trouvions l'ossuaire. Au nom du ciel, Shawn, qu'est-ce que tu comptes en faire à ce moment-là ?

— Je l'emporterai en secret à New York. Ce projet est une véritable aubaine et je ne veux prendre aucun risque. Avant de le faire connaître, je veux avoir étudié le squelette et traduit entièrement tous les textes qui se trouveront dans l'ossuaire. En particulier l'Évangile selon Simon.

— Sortir des antiquités d'Italie, c'est illégal.

Shawn regarda sa femme avec irritation. Depuis un an, à peu près, elle se montrait de plus en plus indépendante vis-à-vis de lui. Elle avait aussi tendance, de façon assez exaspérante, à réagir négativement à tout ce qu'il disait - comme à l'instant. D'un autre côté... Shawn savait que depuis son retour d'Antica Abdul, excité et enthousiaste comme il l'était, il avait oublié de réfléchir à certains détails assez enquiquinants. Par exemple, trouver le moyen de ramener l'ossuaire à New York. Il savait mieux que personne que l'Italie protégeait étroitement ses trésors historiques.

— J'enverrai le colis du Vatican, décida-t-il tout-à-trac. Pas d'Italie.

— Qu'est-ce qui te fait croire que ce sera différent de l'envoyer du Vatican ? D'une façon ou d'une autre, il faudra bien qu'il passe la douane.

— Je l'enverrai non pas à moi-même, mais à James. À sa résidence à New York. Et j'étiquetterai le colis « affaires personnelles de l'archevêque ». Certes, ça signifie que je devrai l'appeler avant de faire l'envoi, mais... je lui dirai qu'il s'agit d'une surprise ! Là, je ne mentirai pas, tu es d'accord ? Et je lui dirai d'attendre mon retour pour l'ouvrir.

Sana hocha lentement la tête. Elle n'avait pas pensé à cette solution plutôt judicieuse.

— Ah, bon sang ! s'exclama Shawn pour justifier sa décision. De toute façon, je rendrai le tout au Vatican après avoir terminé mon travail !

— Mais le Vatican, justement… Ne t'autoriserait-il pas à travailler sur l'ossuaire à Rome ? Pourquoi l'emporter à New York ?

— Je ne suis pas sûr que le Vatican me laisserait agir librement, répondit Shawn sans hésitation. En plus, un certain nombre de gens exigeraient de participer aux travaux, d'en partager les fruits. Franchement, je ne veux pas de ça. Je me ferai sans doute incendier pour avoir sorti l'ossuaire de la nécropole et l'avoir expédié à New York, mais le positif supplantera de loin le négatif, j'en suis certain. Pour arrondir les angles, je donnerai même le codex et la lettre de Satornil au Vatican. Il pourra alors les conserver ou les renvoyer en Égypte. À lui de décider.

— J'ai le sentiment que l'Église catholique ne va pas beaucoup aimer cette affaire.

— Elle sera bien obligée de s'adapter, répliqua Shawn avec un sourire narquois.

— L'adaptation, pour une institution comme l'Église, c'est un processus assez difficile. Les catholiques considèrent que la Vierge Marie est montée au ciel corps et âme, comme son fils, puisqu'elle a enfanté en étant vierge, c'est-à-dire libre du péché originel.

Sana avait grandi dans la foi catholique jusqu'à la mort de son père, lorsqu'elle avait 8 ans. Ensuite, elle était passée sous l'aile de l'Église anglicane, à laquelle appartenait sa mère.

— Eh bien…, fit Shawn qui souriait encore. Comme on dit, la balle sera dans le camp de l'Église. Elle résoudra le problème comme elle le voudra.

— Je ne prendrais pas ça à la légère, si j'étais toi, dit Sana d'un ton grave.

— Je ne prends pas du tout ça à la légère, affirma Shawn, catégorique, avant d'ajouter avec une certaine ferveur : Je vais beaucoup m'amuser, Sana ! Tu as raison de faire remarquer que, pour les catholiques, les os de Marie ne sont pas censés être sur terre. Mais n'oublie pas que ce dogme est relativement nouveau. Pendant des siècles, l'institution a tout bonnement éludé la question et laissé les gens croire ce qu'ils voulaient croire. Ce n'est qu'en 1950 que le pape Pie XII a décrété *ex cathedra* le dogme de l'assomption. Et il l'a fait en invoquant l'infaillibilité pontificale, chose qui est à mon avis, comme tu le sais, une absurdité complète. Je me suis bagarré mille fois avec James à ce sujet. L'Église veut jouer sur les deux tableaux. Elle donne un fondement divin à l'infaillibilité pontificale, pour ce qui concerne les affaires de l'Église et son interprétation de la morale, en se basant sur le lien qui existe entre les papes et saint Pierre et, juste avant lui, le Christ lui-même. Mais dans le même souffle, elle fait passer certains papes médiévaux à la trappe en disant qu'après tout, ces gars-là n'étaient que des hommes !

— Calme-toi ! ordonna Sana.

Shawn avait progressivement élevé la voix.

— Toi et moi, ajouta-t-elle, nous ne sommes pas en train de mener un débat de théologie. Nous bavardons.

— Pardon ! Je suis sur les nerfs depuis l'instant où Rahul a placé le codex entre mes petites mains brûlantes. Excuse-moi !

— D'accord, j'accepte tes excuses. J'ai une autre question au sujet de la lettre de Satornil. Quand il parle de l'ossuaire de Marie, il dit qu'il est *scellé*. À ton avis, qu'est-ce qu'il entend par là ? Comment l'ossuaire est-il scellé ?

— *A priori*, je dirais qu'il fait allusion à un joint d'étanchéité à la cire. Les rites funéraires de l'époque consistaient à laisser les cadavres se décomposer à l'air libre, dans une grotte, pendant un an ou deux, puis à rassembler les os pour les enfermer dans une boîte en pierre calcaire qu'on appelle un ossuaire. Si la décomposition du corps n'était pas achevée, la boîte risquait de puer de tous les diables si elle n'était pas scellée. Et le produit utilisé, donc, c'était en général de la cire.

— Satornil dit que le corps de Marie se trouvait dans une grotte de Qumrân. C'est sec, par là-bas ?

— C'est *très* sec.

— Et dans la nécropole, sous la basilique Saint-Pierre, quel est le degré d'humidité ?

— C'est variable. Il y a des endroits où c'est relativement humide. À quoi penses-tu ?

— Je me demande dans quel état pourrait être le squelette, si l'ossuaire est effectivement resté scellé depuis tout ce temps. Si l'humidité n'y a jamais pénétré, je pourrais peut-être récolter un peu d'ADN dans les os.

Shawn poussa un petit rire ravi.

— Je n'avais pas pensé à ça. Récupérer de l'ADN, ça ajouterait une dimension entièrement nouvelle à cette histoire. Le Vatican pourrait peut-être s'en mettre plein les poches en créant Bible Land – un truc dans le genre de Jurassic Park, tu vois, où il ferait revivre certains personnages originaux du bouquin. À commencer par Marie !

— Je suis sérieuse, objecta Sana, un peu vexée, car elle croyait que Shawn se moquait d'elle. Je ne te parle pas d'ADN nucléaire, mais simplement de mon domaine d'expertise, l'ADN mitochondrial.

Shawn leva les mains, faisant mine de capituler.

— Heu, je sais que tu m'as déjà expliqué ça, mais je ne me souviens pas tout à fait de la différence entre les deux sortes d'ADN.

— L'ADN nucléaire, c'est celui du noyau de la cellule. Il contient toute l'information nécessaire pour produire une cellule et lui permettre de se différencier - en cellule cardiaque, par exemple -, puis de fonctionner. Chaque cellule de notre corps possède un ensemble complet d'ADN nucléaire, les chromosomes, sauf les globules rouges qui n'ont pas de noyau. Les mitochondries, ce sont de microscopiques organelles énergétiques qui ont été absorbées il y a très, très longtemps, au tout début de la vie, par les organismes unicellulaires primitifs. Après avoir acquis les mitochondries, ces organismes unicellulaires ont pu se développer, sur des millions et des millions d'années d'évolution, pour créer des organismes multicellulaires de toutes sortes, et de plus en plus complexes. Y compris nous, les êtres humains. Comme les mitochondries étaient à l'origine des entités indépendantes, elles possèdent leur propre ADN. Et chez l'homme, cet ADN existe sous forme circulaire et relativement stable. Et comme chaque cellule individuelle possède jusqu'à une centaine de mitochondries, elle contient donc une centaine de copies de l'ADN mitochondrial. Ce qui augmente nos chances de pouvoir récupérer cet ADN, même dans des os très anciens.

— D'accord, dit Shawn. Faisons comme si j'avais tout compris. Penses-tu réellement que tu serais en mesure d'isoler cet ADN mitochondrial ? Ce serait… fascinant.

— Ça dépend. Si les os étaient bien secs au moment où ils ont été mis dans l'ossuaire, si l'ossuaire a été relativement bien protégé de l'humidité depuis lors, et s'il est encore scellé, oui, c'est envisageable. Ensuite, si nous retrouvons pour de bon l'ADN de Marie, nous n'aurons plus qu'à regretter qu'elle n'ait pas eu une divine petite fille à la place de son divin petit garçon.

Une moue perplexe plissa les lèvres de Shawn.

— Quelle étrange remarque… Pourquoi une fille au lieu d'un fils ?

— Parce que l'ADN mitochondrial se transmet de génération en génération par voie matrilinéaire. *Mitochondrialement parlant*, précisa Sana avec un sourire, les mâles sont des impasses génétiques. Le sperme contient peu de mitochondries, et celles-ci meurent après la conception. À l'inverse, les ovules en sont gorgés. Si Marie avait eu une fille, et si celle-ci avait eu une fille, et ainsi de suite jusqu'à notre époque, il pourrait y avoir une personne en vie, aujourd'hui, quelque part dans le monde, qui posséderait le même génome mitochondrial que la Vierge. En plus, drôle de coïncidence, l'ADN mitochondrial a une demi-vie mutationnelle de deux mille ans. Ça signifie qu'aujourd'hui, statistiquement parlant, il y aurait 50 % de chances pour que la séquence de l'ADN mitochondrial de cette descendante soit la même que celle de Marie.

— En fait, il est tout à fait possible que Marie ait eu une fille. Et pas une seule, en réalité, mais trois.

— Ah bon ? ! dit Sana, étonnée. Je me souviens pourtant d'avoir entendu dire qu'elle n'avait eu qu'un seul enfant - Jésus ! C'est ce qu'on nous serine au catéchisme.

— Le fils unique, c'est le credo catholique influencé par la doctrine de l'Église orthodoxe. C'est aussi ce que professent certaines Églises protestantes. Mais il y a beaucoup de gens qui pensent autrement. Même le Nouveau Testament, dans la Bible, laisse entendre que Marie a eu d'autres fils. Certains commentateurs affirment que l'expression « frère de Jésus » désigne un autre parent proche - un cousin, par exemple. C'est un débat qui a commencé à faire rage dès les premières traductions des textes araméens et hébraïques en grec et en latin. Pour ce qui me concerne, je considère qu'un frère, c'est un frère. En outre, il me paraît très plausible qu'elle ait eu plusieurs enfants. C'était une femme mariée. Et avoir des tas de gosses par la voie classique, ça ne l'empêche pas d'avoir eu le premier par la voie divine, si c'est effectivement ce qui s'est passé. Je n'invente rien. Dans de nombreux textes apocryphes du début du christianisme, des textes qui n'ont pas été choisis pour entrer dans le corpus canonique du Nouveau Testament, il est écrit qu'elle aurait eu jusqu'à onze enfants, Jésus compris, dont trois seraient des filles. Alors tu vois… Il pourrait bel et bien y avoir une femme, quelque part, aujourd'hui, dotée de son ADN mitochondrial.

— Wouah… Ça, ça boosterait drôlement la réputation de ma discipline à travers le monde !

Sana ne put s'empêcher de s'imaginer signant un article sur l'ADN mitochondrial de Marie dans un prestigieux journal scientifique comme *Nature* ou *Science*. Une seconde plus tard, elle se dit qu'elle était ridicule. Aussi ridicule et absurde que Shawn qui mettait la charrue avant les bœufs et commençait à avoir la folie des grandeurs. Peut-être même avait-elle encore plus tort que Shawn : lui, au moins, il avait déjà une certaine célébrité dans sa propre spécialité. De son côté, elle n'était qu'une jeune chercheuse inconnue.

— Pour en revenir à des choses plus terre à terre, dit Shawn, notre vol Egyptair décolle à 10 h 00 demain matin. Atterrissage à Rome à 12 h 30. Pour fêter cette aventure comme il se doit, nous logerons au Hassler. Alors, qu'en penses-tu ? Tu m'accompagnes ? Si tout va bien, le détour ne prendra qu'une journée et les retombées seront extraordinaires. Cette histoire m'excite énormément. Ce sera ma salve d'adieu aux recherches de terrain, et ça me donnera un sacré coup de pouce, au Met, pour obtenir des fonds.

— As-tu *réellement* besoin de moi, ou bien je serai juste là-bas pour te faire bien voir et te tenir compagnie ?

Sana réprima une grimace en entendant ces mots franchir ses lèvres – ces mots qui trahissaient son inquiétude. Depuis quelque temps, à cause de l'attitude de Shawn à son égard, à cause aussi de son manque d'appétit sexuel, elle se demandait parfois s'il ne l'avait pas choisie davantage pour avoir une jeune et belle épouse à exhiber comme signe extérieur de sa propre réussite, que pour avoir une véritable compagne avec qui partager sa vie. C'était une question désagréable, et qui envahissait son esprit depuis bientôt un an. En outre, les succès qu'elle rencontrait dans sa propre carrière, bien qu'encore modestes, n'arrangeaient pas la situation : elle se sentait s'éloigner de Shawn presque autant qu'il semblait s'éloigner d'elle.

Cependant, jamais elle n'avait exprimé ses doutes aussi clairement qu'elle venait de le faire. Et elle regrettait ses paroles. Certes, elle avait l'intention d'aborder le sujet un jour ou l'autre. Mais pas maintenant. Elle ne voulait surtout pas se disputer avec lui ici, en Égypte.

— J'ai besoin de toi ! affirma Shawn avec emphase. J'ai *réellement* besoin de toi !

S'il avait compris le sens implicite des propos de Sana, il gardait son opinion pour lui.

— Je ne serai pas capable de réussir cette opération tout seul, ajouta-t-il. Je suppose que l'ossuaire pèsera entre 10 et 15 kg, selon sa taille, et je n'ai pas du tout envie qu'il tombe littéralement du plafond. Je pourrais engager quelqu'un, bien sûr, mais je préférerais ne pas avoir à le faire. Je ne veux pas devoir quoi que ce soit à quiconque tant que je n'aurai pas publié les résultats de mes travaux.

Soulagée de constater que son aveu malencontreux semblait avoir échappé à Shawn, Sana répliqua du tac au tac par une autre question :

— Quels sont les risques ? N'aurons-nous pas de sérieux problèmes quand nous nous introduirons comme des voleurs dans la nécropole, sous la basilique ?

— Nous n'entrerons pas là-bas comme des voleurs, pas du tout ! Nous serons obligés de passer les contrôles des Gardes suisses. Je devrai montrer ma carte d'identité du Vatican et l'autorisation permanente d'accès à la nécropole que m'a délivrée la Commission pontificale d'archéologie sacrée. Notre présence là-bas sera parfaitement légale.

— Alors tu peux me regarder droit dans les yeux et me promettre que nous ne serons pas obligés de passer la nuit dans une prison italienne ?

Lentement, Shawn se pencha en avant. Ses yeux bleu clair se fixèrent, imperturbables, sur les yeux marron de Sana.

— Tu ne seras pas obligée de passer une seule heure dans une prison italienne. Garanti ! Quand nous aurons terminé notre travail, si tu veux savoir, nous nous offrirons un excellent souper, avec la meilleure bouteille de Prosecco que le sommelier du Hassler pourra nous dénicher !

— D'accord, je viens ! dit Sana avec détermination.

Tout à coup, l'idée de s'embarquer avec Shawn dans cette quête audacieuse lui plaisait. Et l'aventure aurait peut-être un effet positif sur leur relation.

— Mais là, tout de suite, ajouta-t-elle, je veux descendre à la piscine et profiter un peu du soleil avant que nous ne retrouvions l'hiver new-yorkais.

— Je t'accompagne, dit Shawn, enthousiaste.

De fait, il était très, très content. Il avait craint que Sana ne refuse de l'aider. Il avait laissé entendre qu'il aurait pu engager quelqu'un pour l'aider à retirer l'ossuaire sous le tombeau de saint Pierre, mais il savait qu'en réalité cette solution était exclue. Car le projet qu'il avait en tête, en dépit des assurances qu'il venait de donner à Sana, était bel et bien totalement illégal.

En même temps, il était convaincu d'être sur le point de faire le coup le plus brillant de sa carrière.

7

LUNDI 1er DÉCEMBRE 2008
11 H 23
NEW YORK
(18 h 23 AU CAIRE)

— Fais bien gaffe à désinfecter l'extérieur des tubes de culture et des flacons de prélèvement pour le labo, dit Jack quand ils eurent terminé le cas de méningite. Je suis très sérieux. Je ne veux pas m'apercevoir plus tard que ça n'a pas été fait et t'entendre raconter que tu as oublié. Compris ?

— D'accord ! répliqua Vinnie d'un ton plaintif. Tu m'as déjà dit la même chose il y a cinq minutes. Tu crois que je suis complètement con, ou quoi ?

Vinnie surprit l'expression de Jack derrière son masque en plastique. Il s'empressa d'ajouter :

— Ne réponds pas à cette question !

Avant l'autopsie, Jack n'avait pas envisagé d'utiliser la combinaison antibactérienne équipée d'une capuche intégrale et d'un filtre HEPA. Mais quand il était entré dans la salle putride, il avait senti que Vinnie ne serait pas à l'aise sans cette protection. Et Vinnie était trop fier pour la porter seul. Aussi, Jack avait changé d'avis pour lui faire plaisir. En général il n'aimait pas utiliser cette combinaison, assez encombrante, qui le gênait dans ses mouvements. Au cours de l'autopsie, cependant, il s'était félicité de la porter. La virulence de cette souche particulière de méningocoque était impressionnante ; les dégâts qu'elle avait causés aux méninges et au cerveau lui-même le prouvaient sans l'ombre d'un doute.

Comme ils avaient travaillé dans la salle putride et comme il n'y avait pas d'autre technicien dans les parages, Jack aida Vinnie à mettre le corps dans une housse mortuaire, puis sur un brancard. Après lui avoir rappelé de prévenir l'entreprise de pompes funèbres qui se chargerait du jeune mort qu'il s'agissait d'un cas infectieux, il se dirigea vers les vestiaires pour se changer. Enfin, il monta à son bureau.

Son premier coup de téléphone fut pour l'école privée de l'adolescent décédé. Normalement, c'était le bureau des relations publiques de l'IML qui se chargeait de toutes les communications officielles avec l'extérieur. Mais Jack prenait parfois sur lui de bousculer le protocole. Il voulait être sûr que certaines choses étaient bien faites et, parmi elles, il y avait la nécessité d'alerter l'école. Les images du pouvoir destructeur de la bactérie qu'il venait de découvrir dans le cerveau du mort étaient bien fraîches dans sa mémoire : il en parla au directeur de l'établissement sans tourner autour du pot. Le directeur lui assura qu'il prenait le problème très à cœur. L'épidémiologiste de la ville était déjà passé le voir, d'ailleurs, et avait lancé une procédure complète de décontamination et de mise en quarantaine des cas suspects. Il précisa qu'il appréciait beaucoup que Jack ait pris la peine de le contacter.

Jack appela ensuite Robert Farrell, l'un des amis de Keara Abelard. L'homme répondit au bout d'une douzaine de sonneries et commença par s'excuser d'avoir été si long. Il devint méfiant quand Jack annonça qu'il était médecin légiste.

— Que voulez-vous ? demanda-t-il d'un ton brusque.

— Je crois savoir que vous étiez hier soir avec Mlle Abelard. En compagnie de plusieurs autres personnes, précisa Jack. Vous étiez aussi parmi ceux qui l'ont conduite aux urgences de l'hôpital Saint Luke.

— C'est ça, répliqua Farrell. Elle était vraiment malade. On s'en est tous rendu compte.

— Savez-vous comment ça s'est terminé ?

— Comment ça s'est terminé aux urgences, vous voulez dire ?

— Voilà.

— J'ai appris qu'elle était morte peu après notre départ.

Farrell ne paraissait guère ému. Mais peut-être Jack était-il cynique. Il demanda encore :

— Sa mort vous a-t-elle étonné ?

— Bien sûr ! Elle était jeune.

— Les jeunes gens ne meurent pas, en général.

— Ben oui. C'est la raison pour laquelle j'étais étonné.

Jack s'éclaircit la voix pour se donner le temps de réfléchir. Son interlocuteur lui paraissait bizarrement sur la défensive. Comme pour souligner cette impression, Farrell ajouta tout à trac :

— Nous ne lui avons rien fait prendre, si c'est ce que vous sous-entendez. Elle ne buvait même pas d'alcool !

— Je ne sous-entendais rien du tout, objecta Jack.

En même temps, il se félicita en son for intérieur d'avoir prélevé un large éventail de liquides corporels pour les analyses toxicologiques. La découverte de la dissection bilatérale des artères vertébrales ne laissait aucun doute sur la cause immédiate de la mort, mais il se demandait si Keara avait pu faire une chute, ou un mouvement un peu spécial, qui lui aurait brusquement tordu ou vrillé le cou.

— Combien étiez-vous pour l'accompagner aux urgences ?

— Trois.

— Et tous les trois vous aviez bu, mais pas elle ?

— Je pense qu'il vaut mieux que je consulte un avocat avant de répondre à d'autres questions.

Jack insista :

— Combien de personnes y avait-il dans votre groupe, avant l'hôpital ?

— Nous étions une douzaine. Des garçons et des filles. Nous prenions des verres dans un bar de nuit du West Village. Pourriez-vous me dire de quoi elle est morte ?

— Nous cherchons encore la réponse à cette question. Avez-vous eu l'impression que le comportement de Mlle Abelard a changé pendant que vous étiez tous ensemble ?

— Ah oui ! Ç'a été très clair. Elle était assise avec nous, son cocktail sans alcool à la main, tout allait très bien, elle riait et elle discutait avec les uns et les autres - et paf, tout à coup elle s'est mise à parler d'une voix bizarre, comme si elle n'arrivait plus à articuler, et elle a eu l'air de ne plus savoir où elle était. Et puis elle s'est levée, elle a fait deux pas et elle est tombée. J'étais juste à côté d'elle à ce moment-là et je l'ai rattrapée de justesse. C'est pour ça que je l'ai accompagnée à l'hôpital avec les deux autres gars.

— Pourquoi n'avez-vous pas appelé une ambulance ?

— Pour vous dire la vérité, on a cru qu'elle était saoule. C'est seulement après coup que j'ai appris qu'elle n'avait pas bu d'alcool de la soirée. Et qu'elle n'en buvait jamais, d'ailleurs.

En pensée, Jack vit la paroi interne des artères vertébrales de Keara Abelard se déchirer, enfler et interrompre peu à peu la circulation du sang en direction du cerveau.

— Auriez-vous l'obligeance de me fournir les noms et numéros de téléphone des autres personnes qui étaient dans votre groupe ?

— Ça, m'sieur, je sais pas trop, répondit Farrell d'un ton sec. Je ne suis pas sûr d'avoir envie d'être davantage impliqué dans cette histoire, vous voyez ?

— Écoutez, dit calmement Jack. Je n'accuse personne d'avoir commis une faute. Et à vous en particulier, je ne fais aucun reproche. Le travail du médecin légiste, c'est de parler pour les morts. C'est juste ce que j'essaie de faire pour Keara Abelard. Je veux qu'elle nous dise ce qui l'a tuée, afin que nous puissions tenter d'éviter à d'autres de connaître le même sort. Dans cette histoire, il nous manque manifestement une information déterminante. Dites-moi une chose : avez-vous discuté avec elle pendant la soirée ?

— Ouais, quelques minutes, mais pas plus qu'avec la plupart des gens du groupe. Je veux dire… Keara c'était une bombe. Et elle était célibataire. Tous les mecs avaient envie de lui parler.

— Vous a-t-elle dit si elle avait eu un accident de voiture au cours des deux ou trois derniers jours ?

— Non, elle n'a pas parlé de ça.

— Et une chute ? Se pourrait-il qu'elle ait fait une chute – peut-être même hier soir ? Dans les toilettes du bar, par exemple ?

Jack aurait été surpris qu'une chute ait causé la mort de la jeune femme, dans la mesure où elle n'avait aucune blessure externe, aucune ecchymose sur le corps, mais il ne voulait écarter aucune possibilité.

— Elle n'a rien dit à ce sujet non plus.

Pour finir, Jack réussit à convaincre le jeune homme de lui établir une liste des noms et coordonnées des autres personnes qui se trouvaient dans son groupe la veille au soir. Farrell promit même de la lui envoyer par mail d'ici la fin de l'après-midi.

Jack raccrocha. Calé au dossier de son fauteuil, il pianota du bout des doigts sur l'accoudoir. L'hypothèse de l'acte criminel, qu'il avait vaguement gardée en tête jusqu'à présent, ne semblait avoir aucun fondement. Cependant, il restait persuadé qu'il lui manquait un morceau du puzzle de l'histoire de cette jeune femme. Comme il n'avait plus aucune excuse pour remettre à plus tard le coup de téléphone qu'il devait passer à la mère, il décrocha le combiné et composa son numéro. Il ne connaissait que trop bien la souffrance que devait éprouver cette femme.

Elle répondit dès la première sonnerie. D'une voix tranquille et polie. Jack devina qu'elle était sans doute dans la phase de déni : il y avait encore une petite part d'elle-même qui espérait recevoir un coup de fil de quelqu'un qui lui dirait que tout cela n'était qu'une abominable erreur – non, non, sa fille allait très bien.

— Je suis le Dr Jack Stapleton, de l'Institut médico-légal.

— Bonjour, docteur Stapleton, dit Mme Abelard d'un ton à la fois agréable et un peu intrigué, comme si elle ne voyait pas du tout pourquoi un légiste de la morgue de New York l'appelait au téléphone. Y a-t-il quelque chose pour votre service ?

— Oui, répondit Jack qui se demandait encore comment entrer dans le vif du sujet. Mais... Avant tout, je voudrais vous présenter mes plus sincères condoléances.

Mme Abelard ne répondit pas. Jack eut soudain peur qu'elle ne se lance dans une tirade larmoyante – signe avant-coureur de la seconde phase du deuil, celle de la colère. Mais il n'entendait que le silence, entrecoupé par la respiration de son interlocutrice, au bout du fil. Il hésita à reprendre la parole, de peur d'aggraver la situation.

— J'espère que je ne vous dérange pas trop, dit-il au bout de quelques secondes, lorsqu'il fut évident que Mme Abelard ne serait pas la première à poursuivre la conversation. Je regrette de devoir vous importuner de la sorte. Je sais que vous êtes venue à la morgue hier soir. Et je suis certain que cela a été très difficile. Je ne veux pas vous perturber davantage, car je comprends votre chagrin. Mais je voulais vous faire savoir que nous avons examiné votre fille, Keara, ce matin, avec beaucoup de soin, et je puis vous assurer qu'elle repose paisiblement.

Jack fit la grimace en s'entendant prononcer cette phrase mièvre. Il eut envie de raccrocher, de reprendre ses esprits et de rappeler plus tard. L'idée qu'un cadavre éviscéré pût « reposer paisiblement » était tellement absurde, tellement tordue, qu'il avait honte d'avoir laissé ces mots franchir ses lèvres. Il s'en voulait de s'abaisser à ce point dans la manipulation verbale. Cependant, il continua sur sa lancée comme il l'avait fait avec le très réticent Robert Farrell.

— Ce que j'essaie de faire, madame Abelard, c'est de parler pour votre fille. Je suis certain qu'elle a quelque chose à dire qui pourrait aider d'autres personnes à l'avenir. Mais j'ai besoin de certains renseignements. Pouvez-vous m'aider ?

— Vous dites qu'elle est tranquille ? demanda son interlocutrice d'une voix un peu étonnée, comme si elle imaginait sa fille confortablement allongée sur un lit après un léger malaise.

— Elle est en paix. Mais je me pose une question : a-t-elle été blessée, récemment, au niveau du cou ?

— Blessée au niveau du cou ? Que voulez-vous dire ?

— A-t-elle eu une blessure ? N'importe quelle sorte de blessure, dans la région du cou ?

Jack avait l'impression d'être un avocat, au cours d'un procès, qui essaie d'éviter de poser des questions orientées au témoin.

— Non, je ne me souviens d'aucune blessure au cou... Par contre, c'est vrai qu'elle est tombée d'une balançoire quand elle avait 11 ans et elle avait des ecchymoses partout. Y compris dans le cou.

— Je pensais à une blessure récente, survenue dans les huit derniers jours, précisa Jack.

— Seigneur, non !

— Keara pratiquait-elle le yoga ? demanda Jack pour être sûr d'explorer toutes les pistes.

— Non, je ne crois pas.

— Et un accident de la circulation ? A-t-elle eu un accident de voiture, ou quelque chose comme ça, la semaine dernière ?

— Seigneur, non ! répéta Mme Abelard avec emphase.

— Jusqu'à hier, donc, tout allait parfaitement bien. Elle n'avait ni douleurs dans la nuque, ni maux de tête...

— Ah si ! Maintenant que vous le dites, en effet, ces derniers temps elle se plaignait de maux de tête. Elle était très stressée par son nouveau travail.

— Quel genre de travail ?

— Elle était dans la publicité. Rédactrice pour une nouvelle agence qui est en pleine expansion. Mais la situation était stressante. Comme elle avait perdu son ancien travail peu de temps avant, elle se sentait obligée de faire le maximum.

— Vous avait-elle dit où se situaient ses maux de tête ? Au niveau du front, par exemple, ou bien dans la nuque… ?

— Elle disait qu'elle avait mal derrière les yeux.

— Faisait-elle quelque chose pour les soulager ?

— Elle prenait de l'Ibuprofène.

— Et ? L'Ibuprofène la soulageait ?

— Pas vraiment. Mais je me souviens qu'elle a demandé conseil à une de ses amies, qui lui a recommandé son chiropraticien.

Jack se redressa tout à coup dans son fauteuil. Des tréfonds de sa mémoire lui remontait le souvenir d'un article, dans une revue de médecine légale, qui parlait d'accident vasculaire cérébral et de chiropratique. Il essaya de retrouver les détails du cas exposé, tout en demandant :

— Keara s'est-elle rendue chez ce chiropraticien ?

L'article, il s'en souvenait maintenant, parlait justement de dissection des artères vertébrales – le problème qu'il avait découvert ce matin sur le cadavre de la jeune femme.

— Oui, répondit Mme Abelard. Elle y est allée jeudi ou vendredi dernier, me semble-t-il.

— La consultation a-t-elle soulagé ses maux de tête ?

— Oui. Au début, en tout cas.

— Comment ça ?

— Je crois que les douleurs qu'elle avait derrière les yeux ont disparu, mais elle a commencé à avoir mal à l'arrière du crâne.

— Dans la nuque, vous voulez dire ?

— Elle m'a parlé de l'arrière du crâne. Et maintenant que je repense à notre discussion, je me rappelle qu'elle avait aussi d'affreuses crises de hoquet dont elle avait toutes les peines du monde à se débarrasser. Ça la rendait folle.

— Connaîtriez-vous le nom de ce chiropraticien, par hasard ?

Jack avait coincé le combiné au creux de son épaule pour avoir les mains libres. Il fit apparaître la page d'accueil de Google et tapa les mots *dissection* et *artères vertébrales* au clavier de l'ordinateur.

— Non, je ne le connais pas. Par contre, je peux vous donner le nom de l'amie qui lui a recommandé ce docteur.

— Ce chiropraticien, vous voulez dire, rectifia Jack machinalement.

Il regretta aussitôt ses propos. Il ne voulait pas bouleverser davantage la mère de Keara Abelard. Si le bonhomme était diplômé – voire « docteur » – en chiropratique, il n'était pas pour autant docteur en médecine. Jack se méfiait des chiropraticiens. D'un autre côté, il devait bien admettre qu'il ne savait pas grand-chose à leur sujet.

— Elle s'appelle Nichelle Barlow, dit Mme Abelard sur qui la remarque de Jack semblait avoir glissé.

— Merci de vous être montrée si coopérative, dit-il après avoir noté le numéro qu'elle lui dictait. C'est très généreux de votre part, surtout dans la situation tellement difficile qui est la vôtre.

Jack reposa le récepteur et regarda fixement le mur devant lui. Il se souvenait que dix-sept ans plus tôt, au moment de la mort de sa première femme et de ses filles, il avait été longtemps dans le déni. Ses amis et sa famille l'appelaient, mais il ne leur répondait pas. Il secoua la tête pour chasser ces pensées morbides et reporta son attention sur l'écran de l'ordinateur. Mais il fut incapable de se concentrer. Il revoyait tout à coup une scène qui s'était produite chez lui l'avant-veille au soir : John Junior pleurait toutes les larmes de son corps – sans doute, supposaient Laurie et Jack, à cause des douleurs que les tumeurs faisaient naître dans la moelle de ses os longs. Ses minuscules mains semblaient se tendre vers ses jambes et il regardait ses parents comme pour les supplier de le soulager… Mais bien sûr, ils ne pouvaient rien faire.

— Merde ! cria Jack en direction du plafond, exaspéré de se surprendre encore une fois à s'apitoyer sur lui-même.

À cet instant, une tête apparut dans l'embrasure de la porte : celle du Dr Chet McGovern, le collègue avec lequel Jack partageait auparavant son bureau.

— Ce cri, c'était juste un reflet de ton état d'esprit ? demanda-t-il d'un air amusé. Ou ton opinion sur la tendance actuelle de la Bourse ?

— Les deux. Entre donc et dis-moi que ça va s'arranger !

Bien que préoccupé, Jack était content d'avoir l'occasion de se changer les idées.

— Pas le temps, dit Chet d'une voix chantante. J'ai rencontré une femme, samedi soir, et je dois la retrouver pour le déjeuner. C'est peut-être la bonne, mon ami ! Elle est géniale.

Jack lui fit signe de passer son chemin. Il était convaincu, désormais, que Chet ne trouverait jamais la « bonne » : il aimait trop le plaisir de la conquête pour s'établir avec une femme.

Chet disparut dans le couloir.

— Hé, attends une seconde ! cria Jack. As-tu déjà eu des cas de dissection des artères vertébrales ?

Chet se pencha de nouveau à la porte.

— Ouais, une fois, mais il y a bien longtemps. J'étais à Los Angeles en formation à la pathologie médico-légale. Pourquoi ?

— J'en ai eu un ce matin. Il n'y avait aucun antécédent médical et pas de traumatisme apparent. Je séchais complètement sur la cause de la mort, jusqu'au moment où j'ai ouvert le crâne.

— Quel âge ?

— 27 ans. Une femme.

— Vérifie si elle n'avait pas été chez un chiropraticien au cours des deux ou trois derniers jours.

— Je crois qu'elle a fait ça, justement, dit Jack, très impressionné par la suggestion de Chet. Elle en a consulté un jeudi ou vendredi dernier. Elle est morte hier soir.

— Ouais, c'est peut-être ça. Dans le cas que j'ai eu, le lien était facile à établir, parce que les symptômes sont apparus presque aussitôt après la manipulation cervicale. Mais quand je me suis renseigné sur le problème, j'ai appris que les symptômes de dissection des vertébrales peuvent ne survenir que plusieurs jours plus tard.

Chet tapota le montant de la porte et esquissa un sourire embarrassé.

— Écoute, j'aimerais beaucoup continuer à bavarder, mais je dois aller retrouver ma nouvelle chérie.

— Tu m'épates, tu sais ! dit Jack en se levant précipitamment pour suivre Chet dans le couloir. Je me souviens vaguement d'avoir lu quelque chose sur le sujet, mais je n'avais jamais vu ce genre de cas.

— À l'époque, j'ai trouvé ça très intéressant, expliqua Chet tandis qu'ils marchaient côte à côte. Je me suis même dit que c'était une bonne occasion de me faire bien voir de mon chef et j'ai fait des recherches sur la dissection des vertébrales et sur la chiropratique. Mais là... *Primo*, j'ai découvert que les légistes ne s'étaient jamais beaucoup intéressés au lien qui pouvait exister entre ces deux choses. *Secundo*, j'ai appris que mon chef consultait le même chiropraticien que celui qui était impliqué dans mon cas – et par-dessus le marché, qu'il ne jurait que par lui ! Enfin bref. On m'a gentiment donné l'ordre de boucler le dossier en question en mettant « complication thérapeutique » comme cause de la mort.

— Dans la chiropratique, c'est quoi le truc qui peut entraîner la dissection des vertébrales ? Tu le sais ?

— Je suppose que c'est la force mise par les chiropraticiens dans ce qu'ils appellent la « technique d'ajustement ». Ils ont aussi un nom plus compliqué pour la chose : « Poussée cervicale à haute vitesse et de faible amplitude ». Ça n'arrive pas souvent, mais la manipulation peut entraîner une déchirure interne de l'artère vertébrale. Ensuite, la pression artérielle fait le reste du travail. Dans certains cas, la dissection peut s'étendre et remonter jusqu'à l'artère basilaire.

— Ça veut dire quoi, « pas souvent » ? demanda Jack. Quelle est la fréquence de ces accidents ?

— Je ne m'en souviens pas, admit Chet. Ça remonte à loin, tu sais. Dans les dossiers de la morgue de L.A., je crois que je n'ai trouvé que quatre ou cinq cas de dissection des vertébrales indiscutablement consécutive à une consultation chez un chiropraticien.

Chet entra dans l'ascenseur.

— Écoute, Jack, je dois vraiment y aller. Je suis déjà en retard. Nous reparlerons de tout ça à un autre moment, si tu veux.

Les portes se refermèrent. Chet disparut. Jack resta quelques instants immobile devant l'appareil, songeur. Il était intrigué, à présent, et il lui semblait qu'il venait de tomber par hasard sur le sujet de distraction dont il avait besoin. Si Keara Abelard avait consulté un chiropraticien pour ses maux de tête, il était possible que la manipulation cervicale pratiquée par le bonhomme soit à l'origine de la dissection de ses artères vertébrales. Simple hypothèse, mais qui méritait d'être vérifiée.

Jack fit volte-face et regagna son bureau en continuant de réfléchir. D'abord, il avait déjà lu quelque chose sur un cas de dissection des artères vertébrales provoquée par une manipulation cervicale. Ensuite, Chet en avait eu lui-même un cas – puis il en avait trouvé quatre ou cinq autres dans la base de données de la morgue de Los Angeles. Et aujourd'hui, le cas de Keara Abelard s'ajoutait peut-être aux précédents… Tout cela donnait à penser que la consultation d'un chiropraticien, dans certaines circonstances, n'était pas nécessairement une expérience anodine.

Jack devait bien admettre qu'il ne connaissait pas grand-chose à la chiropratique, une des formes de ce que l'on appelait la médecine parallèle, ou médecine non conventionnelle. En revanche, il savait que son efficacité était sujette à caution. Il avait toujours plus ou moins mis dans le même sac la chiropratique, l'acupuncture, l'homéopathie, la tradition ayurvédique, la phytothérapie chinoise, la méditation transcendantale et une centaine d'autres médecines dites « douces ». Et il avait toujours considéré qu'il s'agissait de thérapies douteuses, davantage fondées sur l'espoir des patients et sur l'effet placebo que sur toute autre chose. La médecine parallèle, ce n'était pas de la science – ça, c'était une certitude. Mais si les gens pensaient en avoir pour leur argent, il n'y trouvait rien à redire. D'un autre côté... si ces diverses thérapies pouvaient avoir des conséquences fatales, là c'était différent. Et lui, en tant que médecin légiste, il avait le devoir de tirer la sonnette d'alarme.

Stimulé par cette nouvelle croisade, Jack se rassit dans son fauteuil devant l'ordinateur. Il repensa tout à coup à la conversation qu'il avait eue avec Laurie le matin même. Elle avait laissé entendre qu'elle était prête à essayer n'importe quoi pour sauver JJ.

— Je crois qu'on va quand même laisser la chiropratique de côté, dit-il à voix haute en posant les mains sur le clavier.

8

LUNDI 1er DÉCEMBRE 2008
12 H 05
NEW YORK
(19 h 05 AU CAIRE)

Après avoir ouvert la page d'accueil du site de référence eMedicine, Jack trouva un article qui traitait de la dissection des artères vertébrales. Dans le premier paragraphe, il apprit que ce problème était à l'origine de 20 % des accidents vasculaires cérébraux chez les personnes de moins de 45 ans, et qu'il touchait trois fois plus de femmes que d'hommes. Un peu plus bas, il lut que le symptôme annonciateur typique était un mal de tête occipital, c'est-à-dire situé à l'arrière du crâne. Il fit défiler l'article jusqu'à sa dernière page pour trouver les causes de la dissection des vertébrales : le premier facteur de risque cité était la manipulation cervicale.

Curieux de découvrir dans quelle mesure, précisément, la manipulation cervicale était susceptible de provoquer une dissection des artères vertébrales, Jack retourna à son moteur de recherche. Quelques secondes plus tard, il avait pléthore d'articles sous les yeux. Il en repéra un au titre prometteur et cliqua dessus. La lecture de ce papier se révéla beaucoup plus troublante que celle du document d'eMedicine. Il s'agissait de l'analyse systématique de 35 cas d'accidents vasculaires cérébraux consécutifs à des manipulations du rachis cervical et recensés dans la littérature médicale entre 1995 et 2001. Pour la grande majorité d'entre eux, l'accident était spécifiquement lié aux œuvres d'un chiropraticien. Et la plupart des lésions observées étaient des dissections des artères vertébrales. Pour les conséquences de ces accidents vasculaires cérébraux, on avait un rétablissement complet pour 6 % des patients et, pour les 94 % restants, la mort ou divers degrés de déficits neurologiques permanents. Une des patientes citées – et décédée – était une petite fille de 3 mois.

Jack se laissa aller en arrière dans son fauteuil et leva les yeux vers le plafond. Il s'interrogea : quel sorte de symptôme pouvait bien conduire des parents à supposer que leur bébé serait guéri par la manipulation de ses vertèbres – c'est-à-dire en lui vrillant subitement le cou, avec force, au-delà de ses points de résistance normaux ? Et le « thérapeute », qui donc était-il pour avoir l'audace de faire une chose pareille ? Jack n'était pas seulement horrifié : il était en colère.

Dans la partie discussion de l'article, il lut que les 35 cas cités ne représentaient, selon toute vraisemblance, qu'*une petite partie* des accidents de ce genre. Pour la simple raison que la très grande majorité d'entre eux n'étaient pas signalés. Pour preuve, l'auteur citait un sondage effectué auprès de médecins spécialistes rassemblés en congrès par le Comité sur les accidents vasculaires cérébraux de l'Association américaine de cardiologie. Ce sondage avait permis de comptabiliser environ 360 cas d'accidents vasculaires cérébraux consécutifs à des manipulations cervicales – mais non recensés en tant que tels. *Comment est-ce possible ?* se demanda Jack.

Il secoua la tête, les mains sur les tempes, stupéfait. Pourquoi ce problème n'était-il pas davantage connu ? Il réfléchit quelques secondes, ne trouva pas de réponse satisfaisante et décida de reporter son attention sur le cas de Keara Abelard.

Furax, il farfouilla brutalement dans les documents étalés sur sa table pour retrouver le bout de papier sur lequel il avait noté le numéro de l'amie qui, d'après Mme Abelard, avait recommandé son chiropraticien à Keara. Il décrocha le combiné, composa le numéro et s'efforça de se calmer pendant que la communication s'établissait. Il savait que s'il intimidait son interlocutrice, il n'obtiendrait pas grand-chose. Quand elle répondit, il se présenta d'un ton posé, en citant son titre professionnel officiel.

En réponse, il n'obtint qu'un long silence.

— Allô ? Vous êtes toujours là ? demanda-t-il. Vous vous appelez bien Nichelle Barlow, n'est-ce pas ?

— Vous travaillez à la morgue ? demanda la jeune femme d'une voix anxieuse.

— En effet. Et vous êtes bien Nichelle Barlow, n'est-ce pas ? répéta Jack.

— Heu… oui.

Jack comprit qu'elle s'efforçait de se préparer à entendre de mauvaises nouvelles.

— C'est Mme Abelard qui m'a communiqué votre numéro. J'espère que je ne vous dérange pas.

— Ce n'est pas grave. Vous… Vous appelez au sujet de Keara ?

— Voilà. Je suppose qu'hier soir, vous n'étiez pas avec elle et ses amis…

— Non. Mais ne me dites pas…

Nichelle fut incapable de terminer sa phrase.

— Malheureusement, Keara est décédée peu après être arrivée à l'hôpital, dit Jack. Je regrette de vous annoncer sa mort.

— Qu'est-ce qui lui est arrivé ?

— Elle a eu un accident vasculaire cérébral.

— Un accident vasculaire cérébral ? répéta Nichelle d'un ton incrédule. Mais… Keara avait le même âge que moi. 27 ans !

— Les accidents vasculaires cérébraux sont plus courants chez les personnes plus âgées, c'est juste. Mais ils peuvent même frapper les enfants.

— Je n'arrive pas à y croire, répliqua la jeune femme, et elle poursuivit d'un ton presque agressif : C'est une sale blague, ou quoi ?

— Je regrette, mademoiselle Barlow, votre amie est décédée, dit Jack sans perdre son calme. Si je vous appelle maintenant, c'est parce que j'essaie de comprendre ce qui a pu provoquer cet accident vasculaire cérébral. Quand une personne en bonne santé meurt subitement et sans raison apparente, l'Institut médico-légal a le devoir de trouver une explication. J'ai donc besoin d'informations complémentaires. Vous étiez au courant, je crois savoir, que Keara avait des maux de tête ?

— Oui ! Elle m'en avait parlé. Mais je n'avais pas l'impression que c'était si grave que ça, dit Nichelle d'un ton perplexe, comme si elle croyait les maux de tête en question directement responsables de la mort de son amie. Ça la dérangeait, mais elle n'était pas vraiment malade…

— Vous les a-t-elle décrits, ces maux de tête ?

— Plus ou moins. Elle m'avait dit qu'elle avait mal derrière les yeux, davantage du côté droit. Mais ce n'était pas nouveau. Elle avait mal comme ça chaque fois qu'elle était stressée. Et avec son nouveau boulot, elle était hyperstressée.

— Sa mère m'a dit que vous lui avez suggéré de consulter un chiropraticien.

Jack s'efforçait encore de parler d'une voix neutre ; il ne voulait pas donner l'impression à la jeune femme de lui faire le moindre reproche.

— Elle m'avait dit que l'Ibuprofène ne la soulageait plus du tout. Alors oui, je lui ai conseillé d'aller voir mon chiropraticien.

— A-t-elle suivi ce conseil ?

— Je crois qu'elle en avait l'intention, mais je ne suis pas sûre qu'elle ait donné suite. La dernière fois que je lui ai parlé, c'était mercredi.

— Comment s'appelle ce chiropraticien ?

— C'est le Dr Ronald Newhouse. C'est un merveilleux docteur !

— Quand vous dites « docteur », vous savez qu'il n'est pas docteur en médecine, n'est-ce pas ?

— Oh si, il est docteur ! affirma Nichelle avec candeur. C'est juste qu'il ne peut pas opérer ou prescrire des médicaments.

Jack sentit sa colère se raviver. Il la refoula. Il ne parviendrait pas à faire évoluer Nichelle sur cette question. Cependant, il ne pouvait pas la laisser dans l'erreur sans la contredire un minimum.

— Votre chiropraticien se déclare docteur, dit-il d'un ton ferme, mais il est docteur en chiropratique, pas docteur en médecine. Auriez-vous l'obligeance de me donner l'adresse de son cabinet ?

— Il est sur la Cinquième Avenue, entre la 64e et la 65e Rue. Attendez, je vais vous trouver son numéro de téléphone.

Quelques instants plus tard, Nichelle revint en ligne. Après avoir noté les chiffres qu'elle lui dictait, Jack demanda :

— Depuis combien de temps consultez-vous ce chiropraticien ?

— Depuis huit ans, à peu près. C'est mon sauveur. Je le vois pour presque tout.

— C'est-à-dire ? Pour quelles affections, précisément ?

— Pour tout ce qui ne va pas ! Et surtout pour mes sinusites. Et les reflux gastriques, aussi. Je serais perdue, si je n'avais pas le Dr Newhouse.

— Mademoiselle Barlow…

Jack s'interrompit. Il se demanda un instant ce qu'il voulait dire.

— Je serais curieux de savoir comment un chiropraticien traite votre sinusite.

— Il m'ajuste. En général, il travaille sur mes vertèbres cervicales, mais parfois aussi sur les lombaires. J'ai une hanche plus haute que l'autre et le dos dans un sale état, mais ça va vraiment en s'arrangeant. Vous devriez voir les progrès sur les radios. C'est remarquable.

— Le chiropraticien fait-il souvent des radios de votre colonne vertébrale ? demanda Jack, horrifié.

Le degré de radiations nécessaires pour une radio de la colonne vertébrale était très élevé.

— Presque à chaque consultation, dit Nichelle d'un ton fier, comme si elle estimait que plus il y avait de radios, mieux cela valait pour sa santé. C'est un docteur très, très consciencieux. Le meilleur que j'aie jamais eu, vraiment.

Jack grimaça. Il n'en revenait pas d'entendre un tel dithyrambe au sujet d'un bonhomme qui traitait une sinusite - une sinusite évidemment due à une prolifération de bactéries - par une manipulation cervicale potentiellement dangereuse qu'il couronnait par-dessus le marché de radiations injustifiées ! Même s'il utilisait un appareil de radiologie numérique, la dose de rayons accumulés au fil du temps finissait par compter.

Cependant, Jack s'interdit de contredire la jeune femme. Qu'à l'époque moderne, une personne éduquée et apparemment intelligente pût nourrir des opinions aussi abracadabrantes, pour lui c'était un véritable mystère. Mais il ne devait pas s'attarder là-dessus.

— Je vous remercie de votre collaboration, mademoiselle Barlow, dit-il simplement. Bonne journée !

Il tendit la main vers la base du téléphone pour couper la communication. C'était préférable. Sinon, il aurait fini par sermonner Nichelle Barlow pour qu'elle utilise un peu mieux sa matière grise. En définitive, elle avait admis utiliser ce chiropraticien comme médecin généraliste. C'était invraisemblable.

Le combiné toujours à l'oreille, il commença à composer le numéro du cabinet de Ronald Newhouse. Au cinquième chiffre, il s'interrompit et, le doigt au-dessus du clavier, réfléchit quelques instants. Puis il raccrocha. Il était très en colère. Et dans cet état d'esprit… il devinait qu'il serait incapable d'avoir une conversation digne de ce nom. Le seul fait de savoir que le chiropraticien s'imaginait pouvoir traiter une infection des sinus par un ajustement de la colonne vertébrale le mettait hors de lui. Ce type était forcément un charlatan !

Pour reprendre ses esprits, Jack rédigea un courrier électronique pour demander à ses 30 et quelques collègues légistes de la ville de New York s'ils avaient déjà eu des cas de dissection des artères vertébrales, en particulier des dissections provoquées par les manipulations d'un chiropraticien. Il allait envoyer le message, lorsqu'il décida d'étendre sa requête aux décès provoqués par tous les autres types de médecine parallèle, comme par exemple l'homéopathie, l'acupuncture ou la phytothérapie chinoise.

Il se rendit ensuite sur le site web du libraire Barnes & Noble pour y chercher des ouvrages sur la médecine parallèle. Le nombre de références qui apparut à l'écran le stupéfia. Il passa un moment à lire les notices de beaucoup d'entre eux et remarqua qu'il semblait y avoir nettement plus de livres *en faveur* de la médecine parallèle que l'inverse. Cette découverte ne fit qu'aiguiser sa curiosité. Pourquoi ces diverses thérapies, qui reposaient à son avis sur des bases plutôt fragiles, étaient-elles à ce point plébiscitées ? C'était vraiment très étonnant – d'autant qu'aujourd'hui, la médecine conventionnelle favorisait plus que jamais les traitements validés par la méthode scientifique.

Un titre en particulier retint son attention : *Trick or Treatment*[1]. Il appela une des boutiques Barnes & Noble située non loin de chez lui, dans le West Side, et demanda au vendeur de lui mettre un exemplaire du livre de côté. Il avait très envie de corriger sa regrettable ignorance sur le sujet de la médecine parallèle.

Enfin calmé, Jack reprit le combiné pour téléphoner chez Ronald Newhouse. Mais une fois encore, il raccrocha après avoir composé la moitié du numéro : il venait subitement de décider qu'une visite de ce cabinet de chiropratique s'imposait. Certes, il savait que les patrons de l'IML n'appréciaient guère que les médecins légistes se chargent eux-mêmes de ce genre de déplacements qui étaient l'apanage des enquêteurs médico-légaux… sauf quand certaines circonstances extraordinaires exigeaient la présence d'un spécialiste de pathologie sur le lieu de l'investigation. Jack se doutait que ni le directeur ni son adjoint ne verraient de telles

1. *Trick or Treatment* (*Trucage ou traitement*), de Edzard Ernst et Simon Singh. Livre non traduit à la publication de ce roman.

« circonstances extraordinaires » dans l'affaire Keara Abelard, mais il voulait suivre son impulsion. Il éprouvait un besoin irrésistible de regarder le chiropraticien droit dans les yeux quand le bonhomme lui expliquerait comment la manipulation des vertèbres permettait de guérir la sinusite. Il voulait aussi voir sa tête lorsqu'il apprendrait qu'il avait tué Keara Abelard alors qu'il la traitait pour une banale migraine due à la tension nerveuse.

Il y avait un bon moment que Jack ne s'était pas offert ce genre de promenade. Jadis, peu de temps après avoir été engagé à l'IML, il avait été confronté à plusieurs cas compliqués de décès provoqués par des maladies infectieuses, et il avait fait de nombreuses visites sur site. Et il s'était pris de sérieux savons. Le directeur, le Dr Harold Bingham, avait même été à deux doigts de le licencier pour désobéissance.

Pendant qu'il attendait l'ascenseur, il songea que si Keara Abelard avait été traitée par une manipulation cervicale douteuse, il ne serait pas obligé d'écrire « complication thérapeutique » comme cause du décès sur le certificat – ce qui était en général la solution privilégiée par tout le monde, à commencer par Bingham, dans ce genre de cas. Il n'aurait même pas besoin d'écrire « accident », terme utilisé par les légistes avant l'apparition de l'étiquette « complication thérapeutique » au milieu des années 1990. Il pourrait tout simplement inscrire le mot « homicide ». Et puis transmettre le dossier aux autorités compétentes pour qu'il soit traité comme une affaire criminelle classique.

— Ça, ça ferait un sacré raffut, dit Jack à mi-voix, avec un sourire espiègle, tandis qu'il embarquait dans l'ascenseur.

Dans le même esprit, il songea qu'une telle « bombe médiatique » serait peut-être nécessaire pour attirer l'attention du public sur les dangers de la manipulation cervicale.

9

LUNDI 1er DÉCEMBRE 2008
12 H 55
NEW YORK
(19 h 55 AU CAIRE)

Lorsque Jack arrêta son vélo devant le cabinet de Ronald Newhouse, sur la Cinquième Avenue, il se sentait mieux qu'il ne s'était senti depuis des mois. Il était très motivé, car il avait trouvé par hasard – grâce à Keara Abelard, à vrai dire – la chose dont il avait besoin pour se distraire de ses problèmes personnels : une croisade destinée à faire connaître les dangers de la médecine parallèle. Il avait hâte de parler d'homme à homme au chiropraticien.

Il attacha la série de cadenas nécessaires pour protéger son Trek dans les rues de New York. Au moment où il bouclait le dernier, quelqu'un lui tapota l'épaule.

Jack leva les yeux vers le visage peu amène d'un portier d'immeuble en uniforme. Avec son manteau bleu marine garni d'une double rangée de boutons cuivrés, il semblait tout droit sorti d'un classique du cinéma.

— Désolé, dit l'homme d'un ton qui prouvait qu'il n'était pas désolé du tout. Vous ne pouvez pas laisser votre vélo ici. Le règlement l'interdit.

Jack reporta son attention sur le dernier cadenas et acheva de le verrouiller.

— Hé, mon brave, dit le portier comme s'il s'adressait à un demeuré. Vous m'avez entendu ? Vous ne pouvez pas laisser votre foutu vélo ici. Propriété privée !

Sans un mot, Jack se redressa et plongea la main dans la poche arrière de son pantalon pour en tirer son portefeuille. Il brandit son insigne de médecin légiste de la ville de New York sous les yeux du portier. La plupart des gens, qui ne le regardaient pas de trop près, y voyaient un insigne de flic.

— Oh pardon ! s'exclama le portier.

— Il n'y a pas de mal, dit Jack d'un ton amène. Ce vélo ne restera pas longtemps ici.

— Aucun problème. Je vais le surveiller. Y a-t-il autre chose pour votre service ?

— Je viens voir Ronald Newhouse.

Jack ne pouvait se résoudre à accoler le titre « Docteur » au nom du bonhomme. Il ne précisa pas non plus s'il venait au cabinet à titre officiel ou en tant que patient.

— Par ici, dit poliment le portier, la main tendue vers l'entrée de l'immeuble.

Il précéda Jack dans le hall, ouvrit la porte intérieure avec une clé et pointa un index pour préciser :

— Le cabinet du Dr Newhouse est au fond du couloir, première porte à gauche.

— Merci, dit Jack en se demandant si l'homme se serait montré aussi gracieux envers lui s'il avait été au courant de sa véritable profession.

Sur la porte, une inscription en lettres dorées accueillait les visiteurs : DR RONALD NEWHOUSE & ASSOCIÉS. Jack la franchit et comprit aussitôt que le cabinet était florissant. Non content d'avoir de quoi s'offrir un loyer, sans doute très conséquent, sur la Cinquième Avenue, Newhouse avait aussi fait décorer le hall et la salle d'attente sans regarder à la dépense. Les tableaux d'art moderne accrochés aux murs n'avaient pas l'air de reproductions, le mobilier était somptueux et un tapis d'Orient couvrait l'élégant parquet de bois sombre. Un détail, en outre, différenciait vraiment cette salle d'attente de toutes celles des riches médecins auxquels Jack avait déjà rendu visite : elle possédait trois exemplaires d'un tabouret dont l'assise ergonomique était reliée à son pied par une articulation mobile. Une femme d'une vingtaine d'années occupait l'un d'eux. Jambes écartées – sa robe longue faisant un pli entre ses genoux –, mains sur les cuisses, elle effectuait des mouvements circulaires et ondulatoires, au niveau des hanches, qui ravivèrent dans la mémoire de Jack le souvenir de ses filles quand elles jouaient au cerceau. La femme s'aperçut qu'il l'observait. Elle sourit. Elle semblait très à l'aise. Jack en déduisit que l'activité assez étonnante à laquelle elle se livrait était probablement normale dans cet environnement.

— Je peux vous renseigner, peut-être ? proposa une agréable voix féminine sur sa droite.

Jack pivota et découvrit une jeune femme vêtue, coiffée et maquillée comme pour un magazine de mode. Chaque mèche de ses cheveux semblait impeccablement positionnée. Jack était impressionné. Même ses ongles étaient splendides.

— Sans doute, dit-il, faisant un pas vers son interlocutrice. Pour être honnête, c'est la première fois que je visite le cabinet d'un chiropraticien.

— Bienvenue !

La réceptionniste portait son nom sur un petit insigne de poitrine : LYDIA.

— Il est curieux, ce siège, observa Jack en désignant la femme qui continuait de se déhancher sur le tabouret.

— Ah oui ! dit Lydia avec un grand sourire. Vous avez remarqué que cette patiente utilise un de nos tabourets articulés. C'est un outil idéal pour les vertèbres lombaires du bas du dos. Il suscite la lubrification des disques intervertébraux. Nous encourageons nos patients à s'en servir quelques minutes avant leur séance d'ajustement.

— Très intéressant. Le Dr Ronald Newhouse est-il disponible ?

Jack, contraint d'accorder le titre de « docteur » au chiropraticien, réprima une grimace.

— Il est ici, en effet, répondit Lydia d'un air hésitant, et elle pointa un index vers la femme juchée sur le tabouret articulé. Il a une patiente à 13 h 25. Aviez-vous déjà pris rendez-vous ?

— Pas encore.

— Voulez-vous prendre rendez-vous, en ce cas ?

— Je souhaiterais voir le docteur, répondit Jack, volontairement ambigu. Je ne connais pas la chiropratique aussi bien que je le souhaiterais.

— Le Dr Newhouse est toujours heureux de faire la connaissance de nouveaux patients. Peut-être pourra-t-il vous parler quelques minutes avant de voir Mme Chalmers. Si vous voulez bien patienter, je vais lui poser la question. Qui dois-je annoncer, s'il vous plaît ?

— Jack Stapleton.

— Très bien, monsieur Stapleton. Je reviens tout de suite.

— Je vous remercie.

La réceptionniste s'éloigna. Jack jeta un coup d'œil vers Mme Chalmers qui poursuivait consciencieusement sa gymnastique des hanches. Elle avait maintenant la tête penchée en arrière, les yeux clos, les lèvres entrouvertes. Jack la contempla quelques instants, fasciné. Elle semblait presque être en transe.

La voix de Lydia s'éleva derrière lui :

— Le docteur peut vous recevoir.

Il se tourna et la suivit dans un couloir bordé de portes closes. Enfin, elle poussa un battant entrouvert et, souriant gentiment, lui fit signe d'entrer.

Le bureau de Newhouse donnait sur la Cinquième Avenue et Central Park. Deux hommes l'occupaient : l'un assis derrière la grande table de travail, l'autre en face dans un fauteuil. Le premier, que Jack supposa être Ronald Newhouse, se leva d'un bond et se pencha par-dessus la table en tendant vers lui une main potelée.

— Bienvenue, monsieur Stapleton ! dit-il avec l'enthousiasme d'un concessionnaire automobile.

Jack se laissa vigoureusement secouer la main pendant quelques secondes. Newhouse mesurait sans doute près d'1 m 90, soit 8 cm de plus que lui, et il devait peser au moins une fois et demie les 80 kg de Jack. Il semblait avoir 45 ans. Il avait la peau très mate et des sourcils épilés avec soin sur des arcades sourcilières proéminentes. Ses yeux étaient sombres et perçants. L'élément le plus étonnant de son physique, cependant, c'était son style de coiffure ou, plus précisément, son absence de style de coiffure : ses cheveux bruns luisaient comme s'ils étaient enduits de gel, mais ils étaient complètement désordonnés - des mèches hirsutes se dressaient dans tous les sens autour de son crâne.

— Permettez-moi de vous présenter un de mes associés, Carl Fallon, dit Newhouse en désignant l'homme assis dans le fauteuil.

Comme s'il avait reçu le signal d'entrer en scène, Fallon se mit debout et, avec un empressement identique à celui de Newhouse, offrit à Jack une poignée de main très énergique.

— Enchanté de faire votre connaissance, monsieur Stapleton ! s'exclama-t-il.

Il récupéra, au bord de la table, les restes d'un sandwich au bœuf fumé et un gros cornichon à moitié entamé, puis il dit à Newhouse :

— À plus tard.

Il sortit du bureau.

— Il est formidable, observa le chiropraticien tandis que la porte se refermait, puis il désigna le fauteuil libéré par son associé. Je vous en prie, installez-vous ! Vous vous intéressez à la chiropratique, n'est-ce pas ? Je ne demande pas mieux que de vous en exposer les grandes lignes avant de recevoir ma prochaine patiente. Mais avant cela, j'aimerais vous demander comment vous m'avez trouvé ? Par mon nouveau site web ? Nous avons beaucoup travaillé sur ce portail et je suis curieux de savoir s'il plaît à la clientèle.

— C'est quelqu'un qui m'a adressé à vous.

Jack était bien conscient de ne pas dire tout à fait la vérité, mais il voulait voir ce qui allait se passer.

— Splendide, répondit Newhouse d'un air faraud. Puis-je me permettre de vous demander le nom du patient ? C'est *tellement* gratifiant, vous savez, d'avoir le feed-back positif d'un patient satisfait.

— Nichelle Barlow.

— Ah oui ! Nichelle Barlow ! Une jeune femme tout à fait charmante.

— Ce qui m'intéresse, c'est de savoir quelles affections vous vous sentez apte, en tant que chiropraticien, à traiter ?

Le sourire de Newhouse s'élargit. Pendant quelques instants, il sembla se demander par où il devait commencer. Jack fixa son regard sur une étagère de livres, juste derrière le thérapeute, rassemblés entre des serre-livres cuivrés en forme de caducée. Les titres en disaient long : *Comment gagner plus d'un million par an avec la chiropratique*, ou bien *Comment un E-meter et la kinésiologie appliquée peuvent doubler le revenu de votre cabinet*. Jack se souvenait d'avoir entendu parler de l'E-meter, un appareil qualifié de bidon par les autorités sanitaires, quelques années plus tôt, et dont un certain nombre d'exemplaires avaient été confisqués. Il avait aussi entendu parler de la kinésiologie appliquée : une méthode discréditée par de nombreux essais contrôlés ; elle n'avait aucun intérêt thérapeutique.

— Je suis obligé de vous répondre que la chiropratique – la chiropratique telle que je l'exerce, en tout cas – est capable de traiter à peu près n'importe quelle affection connue de l'homme. Bon, attention ! Pour être tout à fait franc, je dois nuancer cette affirmation en admettant d'entrée de jeu que la chiropratique ne peut pas vaincre absolument toutes les maladies. Par contre, elle soulage à coup sûr les symptômes des problèmes qu'elle ne peut guérir.

— Wouah ! fit Jack comme s'il était impressionné.

En réalité, il était impressionné par le toupet du bonhomme.

— Tous les chiropraticiens partagent-ils votre sentiment ? demanda-t-il. Je veux dire… en ce qui concerne l'étendue du champ d'application de votre spécialité ?

— Mon Dieu, non, répondit Newhouse dans un soupir. Il s'est même produit un regrettable schisme, au sein de la profession, depuis que l'extraordinaire fondateur de notre discipline, Daniel David Palmer, a découvert les méthodes chiropratiques, au XIXe siècle, avant de fonder l'École Palmer de chiropratique à Davenport, dans l'Iowa.

— Davenport dans l'Iowa, répéta Jack. N'est-ce pas dans cet État qu'est basé le Mouvement de méditation transcendantale ?

— En effet. Mais pas dans la même ville. L'université Maharishi se trouve à Fairfield. Je suppose qu'on peut dire que l'Iowa est l'État le plus fertile de notre pays pour ce qui concerne le développement de la médecine parallèle. Quoi qu'il en soit, la découverte la plus importante de toutes reste bien entendu celle du mouvement chiropratique.

— Voulez-vous m'expliquer en quelques mots sur quelle base scientifique reposent les effets thérapeutiques de votre discipline ?

— Dans la chiropratique, tout est fondé sur le flux de l'*intelligence innée*, qui est une sorte de force vitale ou d'énergie fondamentale.

— Intelligence innée, répéta Jack pour être certain d'avoir bien entendu.

— Tout à fait, approuva Newhouse en levant les mains, paumes vers l'avant, doigts écartés, comme un prédicateur qui s'apprête à faire une déclaration importante. L'intelligence innée a besoin de se mouvoir librement à travers le corps. C'est la force régulatrice fondamentale. Elle assure le fonctionnement coordonné et, pour le bien de l'ensemble, de tous les organes et de tous les muscles du corps.

— Et quand ce... quand le flux de l'intelligence innée est perturbé, la maladie apparaît.

— Exactement ! dit Newhouse, ravi.

— Et les bactéries, les virus et les parasites ? relança Jack. Comment explique-t-on leur présence et les maladies qu'ils provoquent ? Comme ça se passe pour la sinusite, par exemple ?

— C'est très simple. Dans le cas de la sinusite, il y a une baisse brutale du flux de l'intelligence innée au niveau des sinus. Du coup, le fonctionnement physiologique normal des cavités est amoindri. Et les bactéries qui s'y trouvent à ce moment-là, ou les champignons, ou tout ce que vous voulez d'autre, ont le champ libre pour se développer.

— Je veux être sûr de bien comprendre. Le processus pathologique commence par le blocage du flux de l'intelligence innée, ou de la force régulatrice fondamentale, et la multiplication des bactéries est une conséquence, pas une cause, de la sinusite. Je ne me trompe pas ?

Newhouse hocha la tête.

— Vous avez tout compris.

— Le boulot du chiropraticien, ou de la chiropraticienne, c'est donc de restaurer le flux de la force régulatrice fondamentale ? Et dès que c'est fait… les microbes fichent le camp, c'est ça ?

— Vous êtes pile sur la vérité.

— J'ai dit « chiropraticien » ou « chiropraticienne », mais j'ai l'impression que dans votre profession, il y a davantage d'hommes que de femmes.

— Je crois qu'on peut dire ça, oui.

— Comment vous expliquez ce déséquilibre ?

Newhouse haussa les épaules.

— S'il y a moins de femmes que d'hommes chez nous, c'est sans doute pour la même raison qu'il y a davantage de chirurgiens que de chirurgiennes. La chiropratique réclame une certaine force physique. C'est plus facile pour les hommes.

Jack hocha la tête, songeant à la déchirure des artères vertébrales de Keara Abelard. Il ne pouvait contredire Newhouse. Il fallait « une certaine force physique » pour provoquer ce genre de blessure. Après s'être éclairci la voix, il demanda :

— Pourquoi l'intelligence innée se bloque-t-elle ?

— L'un des tout premiers patients de Daniel David Palmer avait un grave problème d'audition qui était apparu dix-sept ans plus tôt, juste après qu'il avait soulevé une très lourde charge. Quand le Dr Palmer l'a examiné, il s'est aperçu qu'une de ses vertèbres cervicales avait été déplacée pendant l'effort. Il l'a remise en place et le patient a retrouvé une ouïe normale. Pour dire simplement les choses, la vertèbre déplacée faisait pression sur les nerfs des oreilles. Quand la pression a disparu, le flux a été rétabli et la fonction auditive est réapparue.

— Cela veut donc dire que le flux de l'intelligence innée passe par les nerfs, c'est ça ?

— Bien sûr, répondit Newhouse comme si Jack avait énoncé une évidence.

— Et par conséquent, le coupable, c'est l'épine dorsale. Enfin, en ce qui concerne le blocage de l'intelligence innée, si je comprends bien.

— Voilà, acquiesça Newhouse. Vous devez vous rendre compte que la colonne vertébrale n'est pas qu'un empilement d'os. C'est un organe très complexe dont chaque vertèbre est capable d'influer sur sa voisine comme sur le groupe dans son ensemble. C'est la colonne vertébrale qui nous soutient, assure la cohésion de tous nos membres, l'intégrité générale de notre corps. Malheureusement, elle a une fâcheuse tendance à sortir de son axe. Et c'est ce problème, en un mot, que nous réglons - nous, les chiropraticiens. Notre travail consiste à diagnostiquer les irrégularités de la colonne - ses *subluxations*, comme nous les appelons - et à remettre la ou les vertèbres impliquées dans leur position normale. Et puis, par la suite, de nous assurer qu'elles ne bougent plus !

— Tout ce travail s'accomplit par la manipulation de la colonne, n'est-ce pas ?

— En effet. Sauf que nous, les spécialistes, nous avons un mot particulier. Nous appelons ça l'*ajustement*.

— Estimez-vous être en mesure de faire office de médecin généraliste pour vos patients ?

— Sans le moindre doute ! D'ailleurs, je crois bien être celui de votre amie Nichelle Barlow. Et je suis sûr qu'elle vous dira qu'elle est en parfaite santé. Je l'ajuste régulièrement, parce que sa colonne a en permanence besoin d'être surveillée.

— Je présume que vous n'êtes pas très favorable aux antibiotiques.

— De manière générale, on peut s'en passer. Quel que soit le malade, dès que je rétablis le flux normal de l'intelligence innée, toutes les infections présentes dans le corps s'éliminent sans délai. De plus, les antibiotiques sont dangereux. Dans ce cabinet, voyez-vous, nous proposons une *guérison* à nos patients – pas des cachets.

— Et les vaccinations ?

— Inutiles et dangereuses, affirma Newhouse sans une seconde d'hésitation.

— Toutes les vaccinations ? Pour tous les enfants ?

— Toutes les vaccinations et pour tous les enfants, répondit Newhouse avec sérénité. Les vaccins sont encore plus dangereux que les antibiotiques. Regardez la tragédie de ces enfants autistes. Je vous le dis, c'est une véritable honte, et pour le pays tout entier ! Si ces gamins étaient passés par mon cabinet avant d'être vaccinés, à l'heure qu'il est ils seraient parfaitement normaux[1].

Jack fut obligé de se mordre la langue – au sens propre – pour résister à l'envie de contredire cet étrange charlatan. Apparemment, Newhouse croyait tout ce qu'il racontait. Jack n'arrivait pas encore à comprendre si ce type était un thérapeute bien intentionné mais naïf, ou un marchand de poudre de perlimpinpin du XXIe siècle.

— Et la colique du nourrisson ? demanda-t-il – après quelques secondes d'hésitation, car la question touchait une corde sensible chez lui. Êtes-vous capable de traiter ça ?

— Aucun problème, dit Newhouse avec aplomb.

— Vous... vous traiteriez un nourrisson par la méthode de la manipulation vertébrale ?

Jack réprima une grimace. Il ne pouvait s'empêcher d'imaginer JJ entre les mains du tortionnaire assis en face de lui.

— Eh bien..., fit Newhouse avec hésitation. D'abord, il faudrait établir un diagnostic.

— Diagnostic qui supposerait quoi, au juste ?

— Un examen à l'œil nu, une palpation minutieuse, une observation des mouvements du corps et, bien entendu, une radio.

— Vous feriez une radio complète du dos d'un nourrisson ? demanda Jack pour être certain de ne pas se tromper.

---

1. Allusion à une controverse qui fait rage depuis plus de dix ans aux États-Unis, selon laquelle certains vaccins rendraient de nombreux enfants autistes.

Une colère sourde l'envahissait. À présent, il se demandait combien de bébés Newhouse avait déjà exposés à la quantité de radiations nécessaire pour les clichés de la colonne vertébrale – même si son matériel de radiologie était numérique.

— Bien sûr ! C'est une composante fondamentale de la chiropratique, autant pour le diagnostic très précis que nous cherchons toujours à établir avant les soins, que pour le processus thérapeutique lui-même. Les radios nous servent à faire le diagnostic, à suivre le traitement, et à vérifier ensuite que les vertèbres problématiques restent à leur place. Et comme les radios occupent un rôle central dans notre mission, nous possédons un système numérique dernier cri. Aimeriez-vous le voir ?

Jack ne répondit pas. Il essayait d'assimiler le fait que des bébés étaient bombardés de radiations ionisantes dans le seul but de justifier des diagnostics farfelus au sujet de leurs jeunes – et parfaitement normales – colonnes vertébrales.

Prenant son silence pour un acquiescement, Newhouse se leva avec entrain et lui fit signe de le suivre. Jack quitta son fauteuil pour sortir du bureau. La sérénité qu'il éprouvait au terme de sa balade à vélo s'était complètement dissipée. Il éprouvait maintenant de la colère, une colère de plus en plus forte, contre Newhouse et tous les soi-disant médecins de son acabit. Et, de façon étrange, il avait un peu honte – comme s'il était lui-même responsable de l'existence de ces gens.

Dans le couloir, le chiropraticien ouvrit une des portes que Jack avait vues fermées auparavant. Ils entrèrent dans une grande pièce. Jack haussa les sourcils. L'unité de radiologie était ultramoderne, en effet, et très impressionnante. Connaissant le coût approximatif de ce genre de matériel, Jack n'avait pas beaucoup de mal à comprendre pourquoi Newhouse et ses associés l'utilisaient autant qu'ils semblaient le faire : il fallait bien le payer ! Jack n'écouta pas Newhouse lorsque, comme un père fier de sa progéniture, il se lança dans l'énumération des qualités de son appareil.

Pendant ce laïus, Lydia passa la tête par l'embrasure de la porte pour rappeler à Newhouse que Mme Chalmers l'attendait en salle de traitement numéro 1.

Il s'interrompit pour répliquer :

— Dites à Fallon de la prendre !

— Je ne crois pas qu'elle sera très contente, objecta Lydia d'un air embarrassé.

Tout à coup, Newhouse perdit sa jovialité. Son visage se rembrunit. Il dit d'un ton hargneux et péremptoire :

— Fallon se chargera d'elle, c'est compris ?

— Comme vous voudrez, répondit Lydia avant de battre en retraite.

Newhouse prit une profonde inspiration. En un éclair, la tempête se dissipa et le soleil perça les nuages. Son visage se décrispa ; un grand sourire lui revint aux lèvres. La transformation stupéfia Jack.

— Bien ! Où en étais-je ? demanda le chiropraticien, scrutant le clavier et le moniteur de l'unité de radiologie comme s'ils pouvaient lui répondre.

— Vous suivez les gens qui viennent ici avec des radios, dit Jack.

— Oui ! En permanence ! Nous tenons beaucoup à enregistrer l'amélioration progressive de la santé de nos patients. Et les patients, je ne vous le cache pas, trouvent cela très rassurant.

— Auriez-vous un exemple de ce… de cette… amélioration à me montrer ?

— Sans problème. À vrai dire, nous avons une série de radios d'illustration pour nos futurs patients, comme vous-même, car notre première passion, c'est de vous donner entièrement satisfaction pour l'ensemble de vos problèmes de santé ! Retournons à mon bureau, si vous voulez bien. Les clichés sont sur l'ordinateur.

Jack était époustouflé par les efforts que Newhouse était prêt à consentir pour gagner un client supplémentaire. Jusqu'à cette seconde, il s'était demandé pourquoi le chiropraticien lui accordait si généreusement son temps.

Dans le bureau, Jack fit le tour de la table pour se placer à côté de Newhouse et regarder le moniteur avec lui. Le chiropraticien fit apparaître une radio de profil du cou d'un homme qu'il affirma être un de ses patients. On avait tracé sur le film un certain nombre de lignes droites, rouges, qui s'entrecroisaient en formant divers angles mesurés avec soin. À première vue, ça paraissait assez convaincant – comme s'il s'agissait d'un système d'analyse complexe du cliché. Plus Jack scrutait le film et son foisonnement de traits rouges enchevêtrés, cependant, moins il comprenait leur signification. La chose qu'il savait sans l'ombre d'un doute, par contre, c'était qu'au moment où la radio avait été prise, le patient se tenait la tête complètement inclinée en avant, le menton touchant presque la poitrine.

— Sur ce film préliminaire, expliqua Newhouse, la courbe du rachis cervical de cet homme très symptomatique est contraire à la normale. Comme vous pouvez le voir, le rachis sort du crâne non en virant vers l'avant, comme il devrait, mais plutôt vers l'arrière. Mais il s'agit là de la radio de diagnostic réalisée *avant* le début de la thérapie ! Maintenant, je vous montre les radios suivantes pour le même patient. Vous allez pouvoir observer comment le rachis cervical se modifie à mesure que le processus thérapeutique avance.

Jack observa les clichés successifs et se rendit très bien compte, en effet, que la courbure du rachis cervical changeait. En même temps, il voyait que le changement n'était le résultat d'aucun processus thérapeutique, mais la conséquence, tout simplement, du fait que le patient relevait la tête, petit à petit, d'une radio à l'autre.

— Spectaculaire, n'est-ce pas ? gazouilla Newhouse.

Jack quitta le moniteur des yeux pour regarder ce type qui contemplait la dernière image de sa présentation comme une œuvre d'art. En réalité, tout cela n'était qu'une supercherie fabriquée avec quelques radios bidons et destinée à abuser de la confiance du public. Newhouse et les gens de son espèce donnaient une fausse légitimité à la chiropratique en utilisant un appareil qui était un véritable outil de travail entre les mains des médecins conventionnels. Et non seulement c'était une tromperie, mais c'était une tromperie *dangereuse*, car elle impliquait de soumettre les patients à des radiations nuisibles.

Newhouse parut étonné quand il s'aperçut que Jack le dévisageait en silence, l'air médusé. Il crut que Jack était émerveillé.

— Lydia est à votre disposition pour vous programmer un premier rendez-vous. Je suis sûr que nous aurons un créneau pour vous ce mois-ci, si vos symptômes ne sont pas trop pressants. Nous sommes surchargés de consultations, car nous suivons régulièrement nos patients. En plus, tenez compte du fait que la première visite peut être assez longue, car il faut bien suivre toute la procédure de diagnostic, de l'examen externe jusqu'aux radios. Le grand calme que vous pouvez observer au cabinet aujourd'hui n'a rien de typique. Les lundis après-midi, nous prenons très peu de rendez-vous car nous consacrons en général cette demi-journée à la formation continue. Lundi matin et les autres jours, par contre, ça n'arrête pas !

Jack n'arrivait pas à croire ce qui se passait dans ce cabinet. Cela aurait pu être drôle, peut-être, si cela n'avait été si pathétique. Et horripilant. Comprendre Newhouse, en outre, c'était une chose. Mais les patients ? Nichelle Barlow lui avait fait l'effet d'une jeune femme éduquée et intelligente. Comment pouvait-elle avoir la bêtise de faire confiance à cet homme qui lui fourguait une thérapie en toc fondée sur des idées abracadabrantes d'« intelligence innée » ?

— Monsieur Stapleton ? demanda Newhouse, et il poussa un petit rire gêné. Revenez parmi nous ! Je ne voulais pas vous impressionner à ce point. Est-ce que ça va ?

Jack se força à s'arracher à sa stupeur.

— Tout à l'heure, au début de la conversation, vous avez dit qu'il y avait eu un schisme entre chiropraticiens. N'est-ce pas ? Nous avons divergé et vous n'avez pas terminé ce que vous étiez en train de dire.

— Vous avez raison. Nous nous sommes éloignés de Daniel David Palmer, le fondateur de la chiropratique, pour parler de Davenport, dans l'Iowa, où il avait établi la première école médicale de chiropratique.

— À quel genre de schisme faisiez-vous allusion ?

— Oh, c'est assez simple. Dans les années 1990, un nombre assez important de chiropraticiens renégats se sont laissés intimider – par les médecins traditionnels – et persuader de se limiter à ne traiter que les problèmes de dos.

— Vous voulez dire qu'ils ont renoncé à traiter des choses comme les sinusites aiguës.

— Exactement. L'American Medical Association a toujours été opposée à la chiropratique. Elle n'a jamais cessé de nous accabler de procédures judiciaires. Les médecins traditionnels avaient peur que nous leur volions leurs patients. Et c'est exactement ce qui se passe, bien sûr, parce que les patients ne sont pas stupides !

Jack n'était pas très sûr de la justesse de cette dernière affirmation, mais il n'objecta pas.

— Quoi qu'il en soit, continua Newhouse, vers 1990 la Cour suprême a enfin réduit l'AMA au silence. Elle a arbitré en faveur des chiropraticiens en déclarant haut et clair que la médecine conventionnelle, par le biais de l'AMA, avait essayé de discréditer la chiropratique dans le but de maintenir son monopole sur les soins de santé à travers le pays.

Jack prit note mentalement de se renseigner sur cette décision de la Cour suprême. Après tout ce qu'il venait de découvrir au sujet de la chiropratique, il lui paraissait inconcevable que la plus haute autorité du pays ait rendu un jugement favorable à cette profession. D'un autre côté, sans doute ce jugement ne portait-il que sur la question du monopole de la médecine conventionnelle ; il ne disait rien sur l'efficacité de la chiropratique.

— Normalement, cette décision aurait dû donner un gros coup de pouce à notre discipline, enchaîna Newhouse. Mais, de façon assez étrange, elle nous a divisés. Un certain nombre de médecins conventionnels, manifestement séduits par nos revenus, ont commencé à travailler avec nous - ou plutôt, devrais-je dire, avec les chiropraticiens qui étaient prêts à limiter le champ de leur travail. Depuis quelques années, nous appelons ces traîtres les « mixtes », parce qu'ils se sont laissé berner et persuader de ne traiter que les problèmes de dos. En faisant cela, bien sûr, ils ont trahi le mouvement chiropratique !

Newhouse marqua une pause, avant d'ajouter d'un air narquois :

— En définitive, ce ne sont pas de vrais chiropraticiens.

— Et vous, les chiropraticiens loyaux et patriotes, comment faut-il vous appeler ? demanda Jack sur le ton sarcastique qu'il affectionnait.

Pendant une seconde, Newhouse le regarda comme s'il l'avait giflé. Clairement, l'ironie de la question ne lui avait pas échappé. Mais il semblait davantage confus que vexé. Il ignora l'affront et répondit :

— Nous sommes appelés les « réguliers », comme il se doit, car nous sommes fidèles aux engagements de nos origines.

Pour la énième fois depuis le début de la conversation, Jack dut réprimer son envie de livrer son opinion à Newhouse. S'efforçant de maîtriser sa voix, il dit :

— J'aimerais vous parler d'une autre de vos patientes. Mlle Keara Abelard.

— Keara Abelard ! s'exclama le chiropraticien, retrouvant tout à coup son expression des beaux jours. Oui, je vois très bien. Encore une jeune femme de grande classe. Vous a-t-elle elle aussi convaincu de venir me voir ?

— Au bout du compte, hélas, je suis obligé de vous répondre oui.

Newhouse perdit de nouveau son sourire. Il était perplexe. La réponse de Jack lui paraissait bizarre.

— Mlle Abelard est une nouvelle patiente, reprit-il. Vous a-t-elle parlé de sa consultation ici ?

— De façon indirecte, répondit Jack pour se montrer quelque peu mystérieux et intriguer davantage Newhouse. Mlle Barlow m'a dit qu'elle lui avait suggéré de venir vous voir. Mais elle ignorait si Keara avait donné suite.

— Mlle Abelard est venue, en effet. Vendredi dernier. Nous lui avons trouvé une petite place dans notre planning parce qu'elle souffrait beaucoup.

— Vous vous rappelez bien d'elle, alors ?

— Oh, oui ! Très bien.

— Comment faites-vous, avec tout le travail que vous avez ? Pour couvrir vos frais généraux et payer les traites de votre matériel de radiologie numérique, vous voyez sans doute de très nombreux patients. Les uns à la suite des autres. Non ?

Newhouse tourna légèrement la tête, regardant Jack de biais. Il semblait se dire que sa remarque, encore une fois, était bien étrange – ou très déplacée.

— J'ai la mémoire des noms, dit-il. J'ai très bonne mémoire.

— En ce cas, vous devez aussi vous souvenir de ce dont Keara Abelard se plaignait.

— Absolument. Elle avait une grave migraine frontale que les antalgiques n'arrivaient pas à soulager. Elle en souffrait depuis plusieurs semaines.

— Mais vous, vous avez pensé pouvoir la soulager ?

— Bien entendu. Et c'est ce que j'ai fait ! Selon ses propres mots, sa migraine s'est dissipée comme par magie.

— Avez-vous fait des radios ?

Newhouse hocha la tête. Il sentait que quelque chose clochait dans la conversation, mais il ne comprenait pas de quoi il s'agissait et il ne savait pas à quel moment le problème avait surgi. Jack Stapleton, qui s'était jusqu'alors montré attentif et dûment impressionné, devenait tout à coup étrangement provocant.

— Où se trouvaient les subluxations de Mlle Abelard ?

— Elle en avait d'un bout à l'autre de la colonne vertébrale.

Newhouse se crispait. Il n'aimait pas être questionné de cette façon. Surtout sur le sujet de la chiropratique.

— J'ai découvert que sa colonne était en bien mauvais état, ajouta-t-il. Conséquence, bien sûr, d'avoir été ignorée pendant si longtemps ! Mlle Abelard n'avait jamais consulté de spécialiste.

— Et ses vertèbres cervicales ? C'était le foutoir, là aussi ?

— Toute la colonne, je vous dis, y compris les cervicales.

— Après avoir établi le diagnostic, donc, vous avez estimé qu'elle avait besoin d'un ajustement.

— De *nombreux* ajustements, rectifia Newhouse. Nous avons établi un programme de traitement complet. Je la reverrai deux fois cette semaine, deux fois aussi pendant les quatre prochaines semaines, et puis nous passerons à une consultation par semaine pendant un mois.

— « Ajustement », si je me souviens bien, c'est une autre façon de dire manipulation vertébrale. Je me trompe ?

Newhouse leva le bras pour regarder ostensiblement sa montre.

— Je regrette, il est tard. J'ai des patients à voir. Hélas, je vais devoir vous demander de quitter le cabinet.

— J'aimerais que vous ayez la courtoisie de répondre à ma question, répliqua Jack.

Un sourire désabusé monta aux lèvres de Newhouse. Il considérait à présent que ce visiteur imprévu était un emmerdeur, susceptible de lui causer des problèmes, et qu'il devait être mis à la porte. Cependant, il hésitait encore car il éprouvait une pointe d'inquiétude : Jack n'était peut-être pas un simple excentrique, mais un inspecteur de la ville qui travaillait incognito. Newhouse le dévisagea avec attention. Oui, ce type trop curieux avait l'aplomb, l'assurance tranquille d'un représentant des autorités. Le cabinet n'avait encore jamais été inspecté, mais il fallait bien une première fois. Et si cela se produisait tout de suite… Newhouse risquait de gros ennuis. Il savait, car c'était un fait irréfutable, que le plafond de sa salle de radiologie ne possédait pas le bouclier isolant réglementaire.

Il se racla la gorge et demanda :

— Quelle était votre question, déjà ?

— Je veux savoir si vous avez traité Keara Abelard avec une manipulation vertébrale.

— En général, nous ne divulguons pas ce genre d'informations confidentielles au sujet de nos patients, dit Newhouse, de plus en plus méfiant.

— Conservez-vous une trace écrite des gestes que vous effectuez pendant les consultations ?

— Évidemment ! Chaque patient a un dossier qui est mis à jour à chaque consultation. Pour suivre l'évolution du traitement, nous devons en enregistrer toutes les étapes. Pourquoi cette question ?

— Je peux faire saisir vos archives par un juge. Vous feriez aussi bien de me répondre.

— Non, vous ne pouvez sûrement pas faire saisir mes archives ! répliqua Newhouse.

Mais son intonation trahissait le désarroi qui l'envahissait. Maintenant, il s'inquiétait pour de bon. Jack Stapleton n'était décidément pas l'homme qu'il avait cru accueillir un moment plus tôt : un nouveau patient qui envisageait de prendre rendez-vous.

— Vous disiez que le mal de tête de Keara Abelard avait disparu grâce à votre intervention. Saviez-vous qu'il était revenu peu de temps après ?

— Ah ? Non, je l'ignorais. Elle ne m'a pas téléphoné. Sinon, je l'aurais reçue immédiatement.

— Son mal de tête est bel et bien revenu, dit Jack. Et il ne lui a laissé aucun répit. Maintenant, j'ai besoin de savoir si vous avez ajusté ses vertèbres cervicales.

— Et pourquoi avez-vous besoin de savoir cela, monsieur Stapleton ? Qui êtes-vous, d'ailleurs ?

— Je suis le Dr Jack Stapleton, médecin légiste de la ville de New York, répondit Jack d'un ton sec, et il brandit son insigne devant le visage du chiropraticien. Keara Abelard est décédée subitement, hier soir, sans raison apparente. Elle a donc été amenée à l'Institut médico-légal pour que la cause de sa mort soit élucidée. Je suis chargé de son dossier. J'ai besoin de savoir si vous avez manipulé son cou quand vous l'avez reçue vendredi dernier. Si vous ne me répondez pas, j'appelle la police pour vous faire arrêter.

Jack savait qu'il se donnait des pouvoirs qu'il n'avait pas. Et même, il délirait carrément. Il n'avait absolument pas les moyens de faire arrêter Newhouse. Mais il était tellement furieux que son coup de bluff lui paraissait justifié : ce charlatan avait tué une jeune femme promise à un bel avenir ! La véritable raison de l'attitude quasi démentielle de Jack cependant – et il s'en serait rendu compte s'il avait pris une minute pour réfléchir –, c'était le désarroi et la colère que lui inspirait la maladie de son fils. Et sa propre incapacité à changer le cours des choses.

Newhouse, stupéfait par la nouvelle de la mort de Keara, se ressaisit au bout de quelques instants pour crier :

— D'accord ! Si vous voulez ! J'ai manipulé ses vertèbres cervicales comme je l'ai fait, au cours de ma très longue carrière, avec des milliers d'autres patients. Et vous savez quoi ? Ça a marché ! Ça a très bien marché, parce que j'ai remis en place sa quatrième vertèbre cervicale qui était subluxée. Quand Mlle Abelard est sortie d'ici, c'était une jeune femme éclatante de santé, qui ne souffrait plus pour la première fois depuis des semaines et qui était pleine de reconnaissance envers son thérapeute. Si elle est morte, c'est pour une autre raison. À cause de quelque chose qui lui est arrivé pendant le week-end – sûrement pas à cause de mon traitement, si c'est ce que vous sous-entendez.

— Bien sûr que je sous-entends que votre traitement l'a tuée ! hurla Jack. Et voulez-vous savoir comment vous avez réussi votre coup ? Votre « ajustement », comme vous dites, a provoqué un décollement de la fragile paroi intérieure de ses artères vertébrales, lequel a entraîné une dissection bilatérale des vertébrales et, pour finir, un blocage de la circulation sanguine. Je suppose que vous savez ce que sont les artères vertébrales ?

— Naturellement ! répondit Newhouse en se mettant à son tour à hurler. Maintenant, sortez de mon bureau ! Vous n'avez aucune preuve que j'aie pu faire la moindre erreur, pour la simple raison que je n'ai fait aucune erreur. Il est invraisemblable que vous m'accusiez de cette façon. Et vous ne manquez pas de culot, pour débarquer ici sous un faux prétexte. Vous allez avoir des nouvelles de mon avocat, je vous le promets !

— Et vous, vous aurez des nouvelles du juge, beugla Jack. Je vais écrire sur le certificat de décès qu'il s'agit d'un homicide. « Intelligence innée », mon cul ! C'est la plus énorme connerie que j'aie jamais entendue. Vous disiez que vous autres, les chiropraticiens réguliers, vous traitez de *mixtes* ou de *traîtres* vos collègues qui restreignent leur champ d'action aux problèmes de dos. Comment les mixtes vous appellent-ils, vous autres - des *charlatans* ?

— Sortez ! brailla Newhouse en faisant un pas vers Jack, l'air menaçant.

Tout à coup, ce fut comme si une ampoule s'allumait dans la tête de Jack. Il prit conscience qu'il se tenait à 20 cm d'un homme ivre de rage - et qu'ils étaient à deux doigts de se taper dessus. Que faisait-il ici ? Qu'avait-il donc à l'esprit ?

Jack recula d'un pas. Il n'était pas inquiet - Newhouse n'avait pas vraiment le physique d'un boxeur. Il voulait juste éviter d'envenimer une situation déjà bien mauvaise. Ce qu'il fallait, c'était se tirer d'ici en vitesse. Et pour cela, une pointe de sarcasme ne manquerait pas de l'aider :

— Maintenant que nous sommes sur la même longueur d'onde, je crois que je vais vous laisser, dit-il, et il agita la main. Non, non, c'est gentil mais ne vous donnez pas la peine de me raccompagner. Je me débrouille.

Jack sortit du bureau. Il traversa le couloir à grands pas et déboucha dans le hall d'entrée. Lydia et deux patients assis dans la salle d'attente avaient manifestement entendu la dispute. Tous trois se tenaient droits comme des i sur leurs chaises, l'air soucieux, prêts à décamper pour se mettre à l'abri quelque part. Bouche bée, les yeux écarquillés, ils le regardèrent gagner la porte du cabinet et l'ouvrir. Jack sourit à Lydia avant de sortir.

Dans la rue, il marcha droit jusqu'à son vélo. Il en ouvrit rapidement les cadenas en jetant de temps en temps un regard nerveux par-dessus son épaule. Il n'arrivait pas à croire le comportement qu'il venait d'avoir chez Newhouse. C'était insensé ! Il avait complètement perdu les pédales. Maintenant qu'il pouvait prendre un minimum de recul, bien sûr, il comprenait que tout était lié à la maladie de John Junior. Cela montrait à quel point il était important qu'il se ressaisisse face à ce problème ! Il comprenait aussi, après tout ce qu'il venait de voir chez le chiropraticien, que sa croisade contre la médecine parallèle était malgré tout susceptible de l'aider à se concentrer et à maîtriser ses émotions. Mais il devait penser à la forêt dans son ensemble, pas à un seul arbre. Il devait se concentrer sur la médecine parallèle en général, pas uniquement sur la chiropratique, ou sur Newhouse, à cause du dépit que lui inspirait la mort tragique de Keara Abelard.

Jack enfourcha son vélo et se dirigea vers le sud. Poussant sur les pédales pour prendre de la vitesse, il commença à songer, non sans inquiétude, aux répercussions possibles de cette visite inconsidérée chez Newhouse. Si Bingham ou Calvin entendaient parler de cet épisode… la nouvelle croisade du Dr Stapleton connaîtrait peut-être une fin prématurée. Les chefs trouveraient peut-être aussi la situation assez grave pour le suspendre de ses fonctions le temps de régler l'affaire. Du point de vue de Jack, ces deux conséquences potentielles étaient très problématiques.

10

MARDI 2 DÉCEMBRE 2008
12 H 53
ROME
(06 h 53 À NEW YORK)

Shawn regarda par le hublot tandis que le Boeing 737-500 d'Egyptair descendait vers l'aéroport Leonardo Da Vinci-Fiumicino. Il vit un bout de l'aile… et pas grand-chose d'autre. Le brouillard semblait aussi dense que dans la région de San Francisco. Avant de se poser, l'avion avait tourné en rond dans le ciel pendant une demi-heure.

Shawn et Sana étaient nerveux, mais jusque-là le voyage avait été aussi facile qu'agréable. En Égypte, ils avaient passé sans problème les contrôles de sécurité. Shawn avait un peu tremblé à l'approche du scanner, car le codex se trouvait dans son bagage à main, enveloppé dans une serviette et dans une taie d'oreiller du Four Seasons. Il aurait été terriblement déçu que l'antique livre soit découvert. Cependant, il ne craignait pas d'avoir des ennuis avec la justice italienne. Il s'était tenu prêt à dire la vérité – il avait acheté ce codex dans une boutique de souvenirs – et à prétendre qu'il était convaincu d'avoir acquis un faux – comme étaient faux la plupart des objets vendus chez les antiquaires de Khan el-Khalili.

La lettre de Satornil, c'était une autre histoire. Shawn avait précautionneusement enveloppé les trois feuilles de papyrus avec un rouleau de film plastique transparent que lui avait fourni la cuisine du Four Seasons. Ensuite, il les avait glissées entre les pages d'un imposant livre de photographies de monuments égyptiens qu'il avait acheté à la boutique de souvenirs de l'hôtel. Pour passer la sécurité, il avait gardé le livre à la main, comme s'il n'avait aucune raison de le cacher. Si la lettre avait attiré l'attention des agents… Là, oui, il aurait sans doute eu des problèmes. Mais il avait fait le pari que le risque était extrêmement réduit. Devant Sana, il avait nié avoir la moindre crainte ; il avait même affirmé avoir fait ce genre de choses dix fois par le passé. « Du moment que le bouquin passe par le scanner, ils sont contents », avait-il dit pour la rassurer.

Une brusque secousse fit sursauter Shawn. L'avion était passé sous la couverture nuageuse. À travers le hublot dégoulinant de pluie, il aperçut des champs verts et des routes encombrées de véhicules qui roulaient tous phares allumés alors que c'était le début de l'après-midi. Vers l'avant, il distingua vaguement l'aéroport et ses pistes. Trois minutes plus tard l'appareil se posa et les moteurs inversèrent leur poussée.

Shawn poussa un petit soupir de soulagement et tourna la tête vers Sana. Elle sourit.

— La météo n'a pas l'air fameuse, dit-elle en se penchant vers lui pour jeter un œil par le hublot.

— L'hiver romain peut être très pluvieux.

— Hmm, tant pis ! dit Sana, et elle lui fit un clin d'œil. Ça ne devrait pas beaucoup nous déranger là où nous allons.

— Tu as bien raison.

Shawn prit la main de sa femme et l'étreignit. Elle replia les doigts autour des siens. Ils étaient tous les deux excités et ils avaient hâte de passer à l'action.

— Tu sais ce que je te propose ? dit Sana. Moi, je récupère les bagages au tapis et toi, tu t'occupes de la location de la voiture. Ça nous fera gagner du temps.

— C'est une excellente idée.

Shawn était aussi surpris que content. D'habitude, Sana le laissait s'occuper de toute la logistique. Aujourd'hui, elle prenait les devants et lui proposait de l'aider. Pour le plus grand plaisir de Shawn, en plus, elle semblait aussi passionnée que lui par leur aventure. Elle l'avait harcelé de questions, pendant le vol, sur le début du christianisme, sur le judaïsme, et même sur les religions païennes du Proche-Orient.

— À ton avis, reprit Sana, comment devons-nous nous organiser après avoir quitté l'aéroport ?

— D'abord, nous prenons notre chambre à l'hôtel, ensuite nous sortons manger un morceau quelque part, et troisièmement nous trouvons un magasin d'outillage. Nous avons besoin de quelques fournitures. Quand nous aurons fait tout ça... je crois que nous devrions aller à la nécropole sous la basilique Saint-Pierre. Je veux être certain de ne pas avoir de mauvaises surprises quand nous y retournerons ce soir, après la fermeture, pour dénicher l'ossuaire. Si j'ai bonne mémoire, les visites sont ouvertes jusqu'à 17 h 30, quelque chose comme ça.

— Quelles fournitures veux-tu acheter, au juste ?

— Un marteau, un burin et deux lampes électriques. Sans doute une perceuse, aussi, pour être tranquille.

— Une perceuse ? répéta Sana, perplexe. Pour percer quoi ?

— La roche tendre ou les briques dans lesquelles l'ossuaire sera enchâssé. Mais j'espère quand même que nous pourrons nous en passer. Au moment des dernières fouilles qui ont été réalisées là-bas, le pape avait interdit l'usage des outils électriques. Pour éviter d'endommager le site. Mais ne nous tracassons pas trop pour ça. S'il faut y aller à la perceuse, je n'hésiterai pas. À l'endroit où nous allons travailler, de toute façon, la seule chose que nous risquons d'endommager, c'est l'ossuaire lui-même.

— Ne m'avais-tu pas dit qu'il te suffirait de gratter un peu de terre pour libérer l'ossuaire ? demanda Sana.

Le projet lui paraissait beaucoup plus intimidant s'il s'agissait de s'attaquer à une paroi rocheuse à coups de perceuse.

— Oui et non, dit Shawn, un peu gêné. En fait, il s'agit d'une sorte de grès argileux composé d'un mélange très compact de sable et de petits cailloux qui donne l'impression d'une roche tendre. Comme je te l'ai déjà expliqué, le tombeau que les disciples de Pierre lui ont bâti sur le *mons Vaticanus*, à côté du cirque de Néron, est un caveau voûté. Ils ont creusé un grand trou dans lequel ils ont érigé deux murs de fondation en briques, parallèles, orientés est-ouest. D'après la lettre de Satornil, l'ossuaire a été placé au pied du mur nord, à peu près au milieu, et dissimulé avant que le trou d'excavation ne soit comblé.

— Et c'est donc là, au pied du mur nord, que nous allons retrouver l'ossuaire ?

— Tout juste. Lors des dernières grandes fouilles menées sur le site, il y a plus de cinquante ans, les archéologues ont creusé un tunnel sous ce mur pour pénétrer dans la chambre intérieure du tombeau. Ils ont fait ça pour éviter d'abîmer le méli-mélo de tombes, d'autels et de reliques précieuses entassés autour de la sépulture de Pierre. Tu dois savoir qu'après sa mort, et pendant très longtemps – jusqu'à un passé relativement récent, à vrai dire –, pas mal de gens ont voulu se faire enterrer auprès de lui. Quoi qu'il en soit, c'est dans le plafond de ce tunnel que nous trouverons l'ossuaire.

— J'ai un peu de mal à visualiser le truc.

— C'est normal, dit Shawn d'un ton rassurant. Tu n'as jamais vu le tombeau. Et puis les Scavi sont un vrai labyrinthe. Peu après la mort de Pierre, la colline est devenue non seulement le cimetière d'innombrables générations de papes, mais aussi une nécropole romaine très populaire, qui s'est peu à peu remplie de tombes et de mausolées. Aujourd'hui, comme elle est pour ainsi dire engloutie sous la basilique Saint-Pierre, seule une petite partie en a été fouillée. Rien que dans les environs immédiats du tombeau de Pierre, il y a un fatras de constructions antiques invraisemblables. Tu n'en croirais pas tes yeux. Au Ier siècle, pour compliquer encore plus les choses, un monument qu'on appelle le Tropaion de Pierre, du mot grec qui signifie *trophée*, a été érigé juste au-dessus de sa tombe. Ensuite, au IVe siècle, Constantin a fait construire sa basilique autour de ce monument qu'il a utilisé comme autel. Plus tard, pendant la Renaissance, l'actuelle basilique Saint-Pierre a été bâtie par-dessus celle de Constantin. L'autel principal est situé directement au-dessus de celui de Constantin. C'est-à-dire quelque 12 m au-dessus du tombeau originel de Pierre.

— C'est une espèce de mille-feuille, quoi, dit Sana.

— Ouais, l'analogie n'est pas mauvaise.

Dans le terminal, après le contrôle des passeports, Shawn et Sana se séparèrent. Elle alla aux tapis à bagages tandis qu'il se dirigeait vers les bureaux des locations de voitures. Une demi-heure plus tard, ils étaient sur la route.

La première partie du trajet ne posa aucun problème. Mais aux portes de Rome, la pluie infernale, les embouteillages et leur méconnaissance de la ville les ralentirent considérablement. Comme ils n'avaient pas de plan à leur disposition, ils ne purent que prier pour tomber sur un monument célèbre et s'orienter à partir de là.

Enfin, après s'être énervés un bon quart d'heure, ils aperçurent le Colisée. Shawn se rangea au bord du trottoir et ils hélèrent un passant pour lui demander comment gagner la Piazza di Spagna qu'ils savaient proche de l'hôtel Hassler.

Ils se remirent en route et longèrent bientôt le Forum romain jusqu'au « gros gâteau d'anniversaire » du monument à Victor-Emmanuel II. Là, ils prirent vers le nord sur la très fréquentée Via del Corso.

— Ben dis donc, fit Sana d'un ton mi-perplexe, mi-ennuyé. Rome n'a pas du tout la même allure en hiver qu'aux beaux jours.

Elle observait les piétons filer au pas de course sur les trottoirs, abrités sous leurs parapluies noirs.

— Les nuages sombres… la pluie… toutes ces ruines… C'est sinistre, ajouta-t-elle. Ça ne colle pas du tout avec l'image hollywoodienne de la ville de l'amour.

Enfin, ils débouchèrent dans la Via Sistina et parvinrent à leur hôtel. Le voiturier accourut vers Shawn muni d'un parapluie.

— Avez-vous une réservation ? demanda-t-il d'un ton amène.

Shawn hocha la tête. L'homme fit signe à un portier qui s'approcha aussitôt avec un autre parapluie pour protéger Sana. Un troisième employé prit leurs bagages.

À la réception, une séduisante jeune femme s'occupa d'eux avec autant de grâce que d'efficacité. Shawn fut enchanté de se voir remettre le paquet que son assistante du Metropolitan Museum avait envoyé à Rome en express.

Il ne manqua pas, en outre, d'engager la conversation avec la réceptionniste.

— Vous n'êtes pas italienne, me semble-t-il. Vous avez un accent tout à fait charmant.

— Je suis hollandaise.

— Ah, très bien ! Amsterdam est une de mes villes préférées.

— Et vous, je vois que vous êtes de New York.

Oh, pitié ! songea Sana. Elle se dandina avec impatience d'un pied sur l'autre. La réceptionniste cherchait sans doute à détourner la conversation pour éviter de parler d'elle-même – mais à présent Shawn risquait de se lancer dans le récit de l'histoire de sa vie.

Par chance, la jeune femme avait de l'expérience : elle contourna le comptoir en annonçant qu'elle les accompagnait elle-même à leur chambre. Dans l'ascenseur, elle leur décrivit les différents services de l'hôtel et, en particulier, le restaurant d'où l'on jouissait d'une vue spectaculaire sur la ville.

La chambre était située au troisième étage. Shawn s'avança jusqu'à la fenêtre, qui donnait sur les marches de la Piazza di Spagna.

— Viens voir ça ! s'exclama-t-il.

Sana était allée jeter un coup d'œil dans la salle de bains, aussi luxueuse que la chambre. Elle rejoignit Shawn.

— C'est splendide, non ? dit-il.

Ils contemplèrent le vaste escalier sur lequel, malgré la pluie, des touristes se prenaient en photo.

— Nous ne le voyons pas à cause du mauvais temps, reprit Shawn, mais le dôme de Saint-Pierre est juste en face de nous. Si le ciel ne se dégage pas d'ici demain matin, nous devrons revenir un autre jour, quand il fera beau, pour que tu puisses admirer le spectacle.

Le sourire aux lèvres, Sana posa leurs valises sur le lit pour les vider. Shawn ouvrit le paquet arrivé de New York. Il en vida le contenu sur le bureau.

— Ah, merci, Claire ! s'exclama-t-il, ravi.

Sana s'approcha pour regarder par-dessus son épaule.

— As-tu tout ce dont tu as besoin ?

— Oui. D'abord, voilà ma carte d'identité du Vatican, dit Shawn en lui tendant une carte plastifiée.

— Tu as une tête de criminel, sur cette photo, observa-t-elle avec humour.

— Te fiche pas de moi, dit-il en riant.

Il reprit la carte et lui montra son autorisation d'accès à la nécropole souterraine du Vatican, les Scavi - les Fouilles -, en italien. C'était un document d'allure très officielle, qui portait le cachet de la Commission pontificale d'archéologie sacrée.

— Voilà les deux trucs qui nous permettront de passer les Gardes suisses à l'entrée du Vatican, commenta-t-il.

— Très impressionnant, dit Sana. Super ! Tout a l'air de se mettre en place comme il faut. Et les clés ?

Shawn attrapa le porte-clés tombé de l'enveloppe. Il l'agita un instant sous les yeux de son épouse, puis il l'empocha avec sa carte d'identité du Vatican et l'autorisation des Scavi.

— Nous sommes parés, dit-il. La machine est lancée.

Quelques minutes plus tard, ils descendirent dans le hall et s'approchèrent du bureau des concierges pour s'enquérir d'un endroit, à l'extérieur de l'hôtel, où ils pourraient manger un morceau rapidement.

— Essayez donc le Caffè Greco, dit sans hésitation l'un des deux concierges.

Son collègue l'approuva d'un vigoureux hochement de tête et ajouta :

— Vous descendez les marches et vous allez tout droit sur la Via Condotti. C'est un peu plus loin à droite.

— Pourriez-vous aussi me dire où trouver une quincaillerie ? demanda Shawn.

Les concierges se consultèrent du regard. Ça, c'était une requête inédite.

Après quelques mots d'explication et la consultation d'un dictionnaire, Shawn et Sana se virent donner l'adresse d'une *ferramenta* relativement proche de l'hôtel, Via del Babuino.

Armés d'un plan de la ville et de deux parapluies du Hassler, ils se rendirent d'abord au Caffè Greco. Ils déjeunèrent sans perdre de temps, puis ils déplièrent le plan pour repérer la Via del Babuino. Un moment plus tard, ils arrivèrent devant la *ferramenta* « Gino ». Ils en examinèrent quelques instants la devanture avec des yeux étonnés. Les outils et les articles de maison exposés dans les vitrines poussiéreuses semblaient ne pas avoir bougé de là depuis des lustres. Quand ils entrèrent et refermèrent la porte sur eux, un silence presque palpable les enveloppa. L'intérieur de la boutique était aussi rétro que ses vitrines. À la caisse, quelques clients attendaient patiemment d'être servis. Personne ne disait le moindre mot. Apparemment, il n'y avait qu'une seule employée, qui feuilletait sans hâte un épais catalogue.

Shawn et Sana furent quelques instants déroutés par le silence – pesant, presque mystérieux, comme celui d'une église. Tous les bruits semblaient absorbés par les innombrables marchandises disposées sur les étagères – dont une bonne partie était empilée dans des cartons de tailles diverses. Un chat blanc et noir dormait roulé en boule sur un humidificateur. L'atmosphère de la boutique était sans rapport avec celle des quincailleries du Midwest où Shawn avait passé son enfance. Là-bas, il s'agissait en général de lieux bruyants, très animés, où les gens se rendaient autant pour chercher du matériel de bricolage que pour se promener et voir du monde.

Shawn fit signe à Sana de le suivre dans les profondeurs de la boutique.

— Faisons nos emplettes nous-mêmes, murmura-t-il.

— Pourquoi tu parles à voix basse ?

— Je ne sais pas, répondit-il en continuant de murmurer, puis il ajouta un ton plus haut : C'est idiot, c'est vrai. Mais... je suppose que je respecte malgré moi le vieil adage : « À Rome, fais comme les Romains ! »

Ils commencèrent par l'allée où se trouvaient les produits et ustensiles de nettoyage : Shawn sélectionna deux seaux en plastique qu'il tendit à Sana emboîtés l'un dans l'autre. Il passa ensuite dans le rayon des lampes électriques et choisit deux torches de bonne taille – avec plusieurs jeux de piles pour chacune. Au moment où il déposait le tout dans les seaux, son regard tomba sur des casques de chantier en plastique jaune équipés de lampes frontales.

— Je n'avais pas pensé à ça, dit-il. Ces machins-là nous seront bien utiles. Les lampes frontales, surtout.

Il saisit un casque et l'essaya. Sana l'imita.

Ils se regardèrent et pouffèrent de rire comme des conspirateurs.

— Prenons-les ! dit Shawn d'un ton enjoué.

Sana acquiesça d'un sourire. Gardant les casques sur la tête, ils gagnèrent l'allée des outils. Shawn choisit un marteau de maçon et deux burins de tailles différentes. Ensuite, il vit trois autres choses qu'il n'avait pas songé à acheter et qui leur seraient indiscutablement utiles : des lunettes de protection en plastique transparent, des gants de chantier et des genouillères. Le dernier objet qu'il sélectionna fut une perceuse Black & Decker sans fil accompagnée d'un bel assortiment de forets et d'autres accessoires. Ils payèrent les articles et retournèrent à l'hôtel. Dans la chambre, Sana rangea leur équipement dans un placard tandis que Shawn mettait la batterie de la perceuse en charge.

— Il est déjà tard, observa Sana. Nous n'avons plus qu'une heure avant la fermeture des Scavi, n'est-ce pas ?

— Ça va être juste, en effet, acquiesça Shawn qui regardait sa montre.

— Si nous y allons maintenant... Le temps d'arriver sur place, les visites seront terminées. Peut-être vaudrait-il mieux prévoir de passer une journée supplémentaire à Rome. Qu'en penses-tu ?

Shawn regarda sa femme d'un air étonné. La veille, elle voulait rentrer à New York le plus vite possible. Maintenant elle suggérait d'elle-même de prolonger le voyage.

— Et ton travail au labo ? Les expériences pour lesquelles tu te faisais tant de souci ?

— Tu m'as convaincue de l'importance du projet que tu veux entreprendre ici.

— Je suis très heureux de t'entendre dire ça. Mais essayons quand même d'aller tout de suite aux Scavi. Pour te dire la vérité, je suis tellement excité que je ne peux pas attendre. J'insisterai peut-être même pour que nous tentions de récupérer l'ossuaire dès ce soir. Que nous ayons fait notre mission de reconnaissance ou pas, je veux dire.

— O.K., fit Sana. Essayons.

C'était l'heure de pointe, mais le portier du Hassler leur trouva un taxi en trois minutes. Shawn et Sana se laissèrent conduire en silence à travers la ville, trop nerveux pour se faire la conversation.

Le chauffeur, peut-être parce qu'il avait remarqué que Shawn regardait sa montre d'un air soucieux, se mit à conduire comme sur un circuit de formule 1. Il se lança dans un slalom effréné sur les avenues romaines et atteignit en moins de vingt minutes l'Arco delle Campane, ou arc des Cloches, une des entrées du complexe de la basilique Saint-Pierre. La pluie tombait drue. Serrés sous l'unique parapluie qu'ils avaient emporté, Shawn et Sana coururent se mettre à l'abri de la colonnade. Il y avait là deux Gardes suisses vêtus de leur uniforme à rayures verticales bleues et orange, coiffés de grands bérets noirs. L'un d'eux prit la carte d'identité du Vatican que lui tendait Shawn. Il l'examina, compara la photographie au visage de Shawn, puis il la lui rendit, le salua et lui fit signe de passer. Ils n'avaient pas échangé un seul mot.

De l'autre côté de l'Arco delle Campane, Shawn et Sana coururent à travers la place pavée qui jouxtait le flanc sud de la basilique Saint-Pierre. En plus de la pluie et du vent, ils devaient affronter les torrents d'eau qui jaillissaient des gargouilles de l'édifice, ainsi que les éclaboussements des véhicules qui passaient à toute allure à côté d'eux pour quitter la Cité du Vatican.

Pointant un index, Shawn demanda :

— Tu vois cette dalle noire, sur le sol, à côté de nous ?

— Ouais, répondit Sana sans enthousiasme - elle avait hâte de se mettre à l'abri.

— Rappelle-moi de t'en parler quand nous serons au sec.

Heureusement, ils n'avaient plus beaucoup de chemin à parcourir. Quelques instants plus tard, ils se réfugièrent sous l'entrée du bureau des Scavi. Trempés, ils tapèrent des pieds sur le sol et secouèrent tant bien que mal leurs vêtements.

— Cette pierre noire, là-bas, reprit Shawn, est censée marquer le centre du cirque de Néron. C'est là que de nombreux chrétiens des premiers temps, y compris saint Pierre, furent martyrisés. L'obélisque égyptien qui se trouve aujourd'hui au centre de la place Saint-Pierre s'est longtemps dressé à l'emplacement de cette dalle.

— Entrons, dit Sana.

Les commentaires touristiques de Shawn ne l'intéressaient pas beaucoup. Elle était mouillée et frigorifiée. En plus, la nuit était tombée.

Les bureaux de la Necropoli Vaticana n'avaient pas bonne mine. Sana eut l'impression d'entrer dans un service administratif d'un quartier défavorisé de New York. Mais cela n'avait pas d'importance. Elle était contente de ne plus avoir à pâtir du mauvais temps. Ils s'avancèrent dans une pièce chauffée par un gros radiateur, très ancien, qui sifflait et produisait d'étranges bruits sourds. Au centre, il y avait un comptoir d'accueil et une table de travail en bois qui semblaient être là depuis la construction de la basilique. L'homme assis derrière le comptoir redressa la tête. Il n'avait pas l'air content d'être dérangé.

— Les Scavi sont fermés, dit-il avec un fort accent italien. La dernière visite guidée a commencé il y a une demi-heure.

Sans un mot, Shawn lui tendit sa carte d'identité du Vatican et son autorisation d'accès aux Scavi. L'homme examina ce dernier document avec attention. Quand il vit le nom qu'il portait, ses yeux s'arrondirent. Un large sourire lui vint aux lèvres.

— Professeur Daughtry ! *Buona sera !*

Il expliqua qu'il se souvenait très bien de Shawn – il l'avait vu travailler sur le site cinq ans plus tôt. Puis il se présenta : Luigi Romani.

Shawn hocha la tête en lui rendant son sourire. Ce nom lui évoquait quelque chose, en effet...

— Avez-vous l'intention de descendre à la nécropole ? demanda Luigi.

— Oui, mais juste un petit moment. Nous sommes arrivés à Rome cet après-midi et nous repartons dès demain. Je veux montrer quelques détails du site à mon épouse. Nous ne serons pas longs.

— Vous ressortirez par ici ou par la basilique ? Je dois m'en aller bientôt.

— En ce cas, nous sortirons par la basilique avec le groupe de la visite guidée qui est en bas.

— Et pour descendre, avez-vous besoin de moi ?

— Non. J'ai mes clés. À moins que les serrures n'aient été changées…

— Changées, les serrures ? s'exclama Luigi, et il éclata de rire. Ces choses-là, professeur Daughtry, elles ne changent jamais !

Shawn et Sana lui souhaitèrent une bonne soirée et quittèrent le bureau. Shawn entraîna Sana dans un long couloir dallé de marbre, complètement désert, qui descendait en pente douce.

— Maintenant, dit Shawn, nous sommes à peu près trois mètres sous le rez-de-chaussée de la basilique.

— C'est ennuyeux, à ton avis, que M. Romani t'ait reconnu ?

— Aucun problème, répondit Shawn d'un ton catégorique, et il baissa la voix pour ajouter : Toi et moi, nous sommes les seuls à connaître l'existence de l'ossuaire. Si nous le trouvons et si nous l'emportons, personne n'en saura rien.

Ils arrivèrent devant une volée de marches en marbre qui s'enfonçait profondément dans le sous-sol. Shawn s'y engagea.

— Le couloir, jusqu'où va-t-il ? demanda Sana en pointant un doigt.

Shawn s'immobilisa un instant pour répondre :

— Il remonte vers une crypte qui est plus récente que la nécropole, mais qui est elle aussi sous Saint-Pierre.

Au pied de l'escalier, il y avait un étroit passage dont l'accès était fermé par une grille métallique verrouillée.

— C'est l'heure de vérité ! dit Shawn en sortant le trousseau de clés de sa poche.

Il sélectionna la bonne clé, qui pénétra sans problème dans la serrure.

— Jusque-là, tout va bien…

Après un instant d'hésitation, il s'arma de courage et tourna la clé. Il faillit pousser un cri de joie quand la serrure cliqueta.

Après avoir franchi une porte spéciale qui protégeait la nécropole de l'humidité extérieure, puis descendu une autre volée de marches, ils arrivèrent à l'entrée du site proprement dit. Shawn expliqua que le sol sur lequel ils marchaient désormais était le sol que foulaient les Romains de l'Antiquité.

— C'est tout de même assez humide, dit Sana d'un ton quelque peu dépité.

— Ça t'ennuie ?

— Si la cire qui scelle l'ossuaire a souffert, il pourrait y avoir de l'humidité à l'intérieur. Et ça pourrait m'empêcher de faire mon travail.

— Ah oui, c'est vrai !

Shawn se souvenait tout à coup que sa femme s'intéressait à l'ossuaire parce qu'elle espérait y retrouver de l'ADN.

— Pourquoi ça n'est pas mieux éclairé, par ici ? relança Sana d'une voix plaintive. Cette espèce de pénombre, ça me rend claustrophobe.

Shawn fit la moue. L'éclairage, assez limité en effet, provenait de spots encastrés au niveau du sol.

— Question d'atmosphère, je suppose. À vrai dire, je ne sais pas vraiment pourquoi ils ont aménagé l'endroit de cette façon. Et je te préviens, ça devient encore plus oppressant près du tombeau de Pierre. Penses-tu pouvoir tenir le coup ?

— J'espère que ça ira, marmonna Sana. Où sommes-nous, maintenant ?

— Nous sommes au milieu de la nécropole romaine que Constantin a fait combler au IVe siècle pour créer les fondations de sa basilique. Les fouilles se sont limitées à cet unique couloir est-ouest qui est bordé, comme tu le vois, de deux rangées de tombeaux. La plupart sont des sépultures païennes qui datent des quatre premiers siècles après Jésus-Christ. Mais on a aussi retrouvé quelques mosaïques et des inscriptions chrétiennes.

— Franchement, cet endroit me donne la chair de poule. Où se trouve le tombeau de Pierre ? Allons-y, finissons-en avec la mission de repérage, et fichons le camp d'ici.

Shawn pointa un doigt, sur sa gauche, vers le *mons Vaticanus* de l'Antiquité. Une quinzaine de mètres plus loin, il désigna un sarcophage romain dans un recoin obscur.

— J'ai pensé que si nous avions des débris à évacuer, nous pourrions les cacher ici. Tu es d'accord ?

— Heu… oui, répondit Sana, étonnée qu'il lui demande son avis.

— As-tu envie de voir de plus près l'une ou l'autre de ces sépultures romaines ? Certaines possèdent des décorations très intéressantes.

— Non merci ! Je veux juste voir le tombeau de Pierre et l'endroit où nous allons travailler.

Le bas de son pantalon était trempé jusqu'aux genoux et elle était frigorifiée.

— Voici ce qu'on appelle le « mur rouge », expliqua Shawn tandis qu'ils passaient à proximité d'une paroi en brique à moitié écroulée. Nous sommes tout près du but. Ce mur fait partie de ce qu'on appelle le complexe du tombeau de Pierre.

Sana hocha vaguement la tête. Le site ne lui paraissait pas très intéressant. Quelque part devant eux, elle entendait un guide touristique débiter son laïus.

— Arrête-toi ici, dit Shawn, et il désigna une ouverture dans le mur rouge. Regarde par ce trou. Vois-tu la colonne en marbre blanc qui est là-bas ?

Sana l'aperçut sans difficulté : elle était bien éclairée et elle semblait faire au moins 15 cm de diamètre.

— Cette colonne fait partie du Tropaion de Pierre dont je t'ai déjà parlé, bâti au-dessus du tombeau de saint Pierre, expliqua Shawn. Cela veut dire que nous sommes maintenant au niveau du rez-de-chaussée de la basilique de Constantin.

— Et au-dessus du tombeau de Pierre.

— Tu as tout compris. Il est juste là, précisa Shawn en agitant la main. Dessous et sur notre gauche.

— Où faudra-t-il chercher l'ossuaire ?

— Nous sommes du côté sud de la structure. Nous devons passer du côté nord.

— Allons-y !

Ils contournèrent le complexe et tombèrent sur le groupe de touristes dont ils entendaient le guide depuis quelques minutes. Il y avait une douzaine d'adultes de tous âges. Le seul vrai point commun de tous ces gens, apparemment, c'était qu'ils parlaient l'anglais. La plupart écoutaient le guide avec attention, d'autres déambulaient ici et là. Trois d'entre eux avaient l'impolitesse de bavarder entre eux à voix basse.

Quand le guide s'interrompit et demanda à ses ouailles de le suivre jusqu'au prochain centre d'intérêt, Shawn fit signe à Sana d'avancer. Trois mètres plus loin, sur leur droite, ils virent un pan de mur blanc bleuté qui portait un très grand nombre d'épigraphes gravées en tous sens et les unes par-dessus les autres. Il y en avait tellement qu'il était difficile de les lire.

— On appelle ça le mur des graffitis, expliqua Shawn à voix basse. Pendant les dernières fouilles, comme je te l'ai déjà expliqué, pour pénétrer dans le tombeau de Pierre sans rien abîmer – et surtout pas le mur des graffitis –, les archéologues ont creusé un tunnel sous ce mur et sous le mur de soutien de la voûte du tombeau. L'ossuaire devrait se trouver entre les deux parois, là-bas, près du mur rouge qui leur est perpendiculaire.

— Mon Dieu, murmura Sana. Je n'y comprends rien.

Elle secoua la tête. Ces explications lui donnaient le tournis.

— Je sais, dit Shawn d'un ton compatissant. C'est très compliqué. Pendant près de deux mille ans, le site n'a cessé de subir des transformations et de se développer. En plus, je ne te décris peut-être pas très bien les choses. Mais je sais de quoi je parle. Le seul truc qui m'inquiète, c'est qu'au moment où ils ont bâti le mur rouge, à la fin du Ier siècle, les Romains sont peut-être tombés par hasard sur l'ossuaire. Et dans ce cas... ils l'ont peut-être déplacé ou détruit ! Quoi qu'il en soit, je suis absolument sûr que son emplacement d'origine était près de ce mur rouge, qui se trouve juste derrière nous.

Sana regarda autour d'elle.

— Où commence le tunnel ?

— Juste en dessous de nous. Ici, nous sommes au niveau du sol de la basilique de Constantin. Nous devons descendre au niveau du sol du tombeau de Pierre. Et pour y parvenir, il faut passer dans la salle suivante. Es-tu prête à continuer ?

— Tout à fait prête, marmonna Sana.

En réalité, elle était très mal à l'aise. Elle voulait voir l'endroit où ils travailleraient dans la soirée, et puis ficher le camp aussitôt. Dans les circonstances actuelles, les explications patientes et minutieuses de Shawn sur le plan du site ne trouvaient guère leur chemin jusqu'à son cerveau.

Shawn l'entraîna, par un escalier en métal, jusqu'à une salle relativement grande dans laquelle s'étaient rassemblés les touristes et leur guide. Celui-ci était en train d'expliquer que les boîtes en

Plexiglas que l'on voyait à travers la petite ouverture, dans le mur, qui donnait sur le tombeau de Pierre, contenaient les os du saint.

— C'est vrai, ça ? murmura Sana.

— Le pape Pie XII a déclaré qu'il s'agissait de ses os, répondit Shawn à voix basse. Ils ont été trouvés dans le tombeau, à l'intérieur d'une niche en forme de V dans le mur rouge. Ce qui a fait pencher la décision du pape, je crois, c'est qu'il n'y avait pas de crâne. La tête de saint Pierre, d'après la légende, serait dans la basilique Saint-Jean-de-Latran.

— Je vois. Où est le tunnel ? demanda Sana avec impatience.

Elle avait suffisamment entendu d'éléments historiques pour la journée.

— Suis-moi !

Ils passèrent derrière le groupe et s'approchèrent d'une sorte de terrasse à laquelle on accédait par quelques marches. Elle se constituait d'une charpente métallique couverte de grandes dalles de verre de 2 cm d'épaisseur. Quand on se tenait debout sur cette terrasse, on découvrait dessous, environ 1 m 50 plus bas, un sol en terre inégal.

— Ici, c'est le niveau du tombeau de Pierre, expliqua Shawn. Pour accéder au tunnel, nous devrons passer sous la terrasse et marcher jusque sous l'emplacement où nous nous trouvions quand nous regardions le mur des graffitis.

— Sous la terrasse ? Comment ? demanda Sana, regardant autour d'elle. Je ne vois pas d'ouverture.

— Le carreau de verre du coin, là-bas, est mobile. Il est très lourd, mais à deux nous n'aurons pas de problème pour le soulever. Qu'en penses-tu ? Seras-tu capable de faire tout ça avec moi ?

La simple idée de ramper à l'intérieur d'un tunnel donnait la frousse à Sana. Elle était un peu claustrophobe. Et le fait de savoir qu'elle se trouvait déjà 12 ou 15 m sous terre n'arrangeait rien.

— Tu n'en es pas sûre ? insista Shawn. Pourquoi tu ne réponds pas ?

— La lumière sera-t-elle allumée ? demanda Sana dans un murmure rauque.

Elle avait la gorge sèche, tout à coup. Elle passa sa langue sur ses lèvres pour essayer de produire un peu de salive.

— Nous ne pourrons pas allumer la lumière, répondit Shawn. D'abord, l'installation fonctionne avec une minuterie automatique. Ensuite, si quelqu'un ouvre les portes de la nécropole et voit la lumière, il saura tout de suite qu'il se passe quelque chose d'anormal. Et nous avons intérêt à laisser la lumière éteinte pour avoir une sorte de système d'alarme. Si quelqu'un traverse la basilique au moment où j'utiliserai le burin, il risque d'entendre le bruit en dépit de l'épaisseur du sol. N'oublie pas que le marbre transmet très bien les sons. Si ce quelqu'un descend ici pour voir ce qui se passe, il allumera la lumière et nous serons prévenus. C'est logique, non ?

Sana hocha la tête avec réticence. C'était logique, oui, complètement logique, mais ça ne lui plaisait pas du tout.

— Dis quelque chose ! insista Shawn. Penses-tu, oui ou non, être capable d'aller au bout de cette histoire ?

Sana hocha de nouveau la tête.

— Réponds ! dit Shawn avec une pointe d'agacement. J'ai besoin d'être sûr de pouvoir compter sur toi !

— D'accord, d'accord ! Je suis avec toi. Et j'irai jusqu'au bout.

Elle fit la moue, embarrassée. À quelques pas, deux ou trois touristes les regardaient d'un air intrigué.

— Ça ira. Ne t'inquiète pas ! murmura-t-elle à Shawn.

Si elle avait pu deviner ce qui devait se produire quelques heures plus tard, elle n'aurait pas été aussi affirmative.

11

MARDI 2 DÉCEMBRE 2008
11 H 34
NEW YORK
(17 h 34 À ROME)

— Comment s'est passé ton déjeuner, hier ? demanda Jack.

Il venait de s'arrêter devant la porte ouverte du bureau de Chet. Penché sur le microscope, son collègue examinait des lames. Il redressa la tête et poussa des deux mains sur la paillasse pour faire reculer son tabouret à roulettes.

— Pas aussi bien que je ne l'espérais, répondit-il avec une moue désabusée.

— Pourquoi ?

— Je ne sais pas ce que j'avais dans la tête samedi soir, dit Chet en secouant la tête. Je devais être complètement saoul, ou avoir des hallucinations, quelque chose comme ça. Cette femme, c'était… C'était un mastodonte !

— Désolé d'entendre ça, mon vieux. Alors je suppose que ce n'est pas la bonne, tout compte fait ?

Chet agita la main comme pour signifier à Jack de passer son chemin – et pouffa de rire.

— Fous-toi de ma gueule, ouais ! Je le mérite.

— Je voulais te demander des détails sur ton cas de dissection des vertébrales. Celui dont tu m'as parlé hier…

Jack savait qu'il ne devait pas s'enthousiasmer trop vite pour sa croisade contre la médecine parallèle et la popularité absurde dont elle jouissait. Il était plus convaincu que jamais que cette médecine n'avait, de manière générale, absolument aucune efficacité en dehors de son effet placebo. Il savait qu'elle coûtait très cher. Et, comme si ces deux mauvais points ne suffisaient pas, il savait aussi qu'elle pouvait être dangereuse. Maintenant, à vrai dire, il avait honte de constater que la médecine légale n'avait jamais adopté de position responsable vis-à-vis de la médecine parallèle.

L'opinion de Jack s'était d'abord trouvée confortée par la visite au cabinet de Ronald Newhouse qu'il avait effectuée la veille dans l'après-midi – même si, avec le recul, il reconnaissait qu'aller là-bas avait été une grossière erreur. Nerveux, fragilisé par l'angoisse dans laquelle le plongeait la maladie de JJ, il s'était laissé dominer par ses émotions face au chiropraticien. Plus tard dans la journée, il avait repris ses recherches sur le Web et découvert une énorme quantité d'informations qui auraient pu lui éviter sa confrontation insensée avec Newhouse. Il ignorait jusqu'alors que des milliers d'études avaient été conduites pour prouver ou réfuter l'efficacité des diverses formes de médecine non conventionnelle. Sa quête avait également souligné à ses yeux ce qu'il estimait être le plus gros défaut de la Toile : elle recélait trop de données dont il était difficile de connaître la qualité, les sources et les écoles de pensée de leurs promoteurs.

Il était tombé par hasard sur un certain nombre de citations du livre intitulé *Trick or Treatment* qu'il avait réservé chez Barnes & Noble. Intrigué, il avait cherché des renseignements sur les auteurs de cet ouvrage. Il avait alors été encore plus favorablement impressionné. L'un des deux cosignataires avait écrit un livre, *Le Roman du Big Bang*[1], que Jack avait beaucoup apprécié quand il l'avait lu quelques années auparavant. Cet homme possédait une fabuleuse connaissance des sciences, en particulier la physique. Les opinions qu'il exprimait sur la médecine parallèle dans *Trick or Treatment* étaient sans doute aussi réfléchies qu'intéressantes. Le second auteur, médecin classique de formation, avait pris le temps et fait l'effort d'ajouter plusieurs formes de médecine parallèle à son arc ; il les avait toutes pratiquées conjointement. Difficile de trouver meilleur tandem, avait songé Jack, pour évaluer et comparer avec honnêteté les deux types de médecine. Il avait décidé de laisser tomber l'ordinateur et il avait quitté l'IML de bonne heure pour passer prendre le livre à la librairie.

Quand il était arrivé à la maison, un peu plus tard, il avait eu la déception de trouver Laurie et JJ

---

1. Simon Singh, *Le Roman du Big Bang : la plus importante découverte scientifique de tous les temps*, Éditions Lattès.

endormis. Un petit mot l'attendait sur la console dans l'entrée : « Très vilaine journée, beaucoup de larmes, pas une minute de sommeil. Il dort enfin et moi je dois roupiller quand je peux. Soupe sur la cuisinière. Bisous, L. »

Jack s'était senti très seul. Il avait éprouvé de la culpabilité, également, car il n'avait pas appelé Laurie dans la journée : il craignait de les réveiller, JJ et elle, comme cela s'était parfois produit au cours des mois précédents. D'un autre côté, il avait beau encourager Laurie à lui téléphoner quand elle en avait l'occasion, elle ne le faisait jamais. Il espérait que ce n'était pas parce qu'elle lui en voulait, même inconsciemment, d'aller au travail alors qu'elle était obligée de rester à la maison avec le bébé. Si c'était le cas, hélas… elle refusait malgré tout de changer de système.

Sa culpabilité avait une autre cause : pendant la journée, à vrai dire, il ne voulait pas savoir ce qui se passait à la maison. Certains jours, il ne voulait même pas rentrer chez lui le soir – et là, être inévitablement confronté à la tragique maladie de son fils. Et à sa propre impuissance. Il ne l'avait jamais avoué à Laurie, mais le simple fait de tenir leur enfant souffrant dans ses bras lui procurait de très pénibles émotions. Des émotions auxquelles il se détestait de succomber. En même temps, il comprenait ce qu'il y avait derrière tout cela : vainement, confusément, il essayait de ne pas trop s'attacher à l'enfant. Car la pensée inavouable qui rôdait dans les profondeurs de son esprit, c'était que JJ ne survivrait pas à sa maladie.

Jack avait profité de la tranquillité de l'appartement pour se plonger dans son livre, *Trick or Treatment*. Quand Laurie s'était réveillée, quatre heures plus tard, il était tellement absorbé par sa lecture qu'il avait oublié de dîner.

Laurie lui avait raconté sa journée. Comme presque chaque soir, il s'était dit que cette femme était une sainte, et lui tout le contraire. Il l'avait écoutée jusqu'au bout sans l'interrompre. Ensuite, ils étaient passés à la cuisine où elle avait insisté pour réchauffer la soupe.

« Ce matin, tu as évoqué la possibilité d'essayer la médecine parallèle pour JJ, avait-il dit pendant qu'ils mangeaient. Eh bien, je peux te dire une chose : nous sommes peut-être désespérés, mais nous n'aurons jamais, *jamais* recours à aucune forme de médecine parallèle. »

Il lui avait alors parlé de Keara Abelard et de la décision qu'il avait prise d'enquêter à fond sur la médecine parallèle. Physiquement et psychologiquement épuisée comme elle l'était, Laurie n'avait écouté son petit topo que d'une oreille. Jusqu'à ce qu'il cite le cas du bébé de 3 mois mort à cause d'une manipulation cervicale effectuée par un chiropraticien. À partir de là, elle avait été captivée par tout ce qu'il disait. Jack lui avait expliqué comment *Trick or Treatment* lui ouvrait les yeux sur toutes les principales médecines dites parallèles – dont l'homéopathie, l'acupuncture, la médecine chinoise et, bien sûr, la chiropratique.

Pour finir, Laurie l'avait félicité d'avoir trouvé un but intéressant pour s'occuper l'esprit pendant que la famille piétinait en ce qui concernait le traitement de JJ. Elle avait même reconnu éprouver une pointe de jalousie à son égard, mais sans aller plus loin. Quand Jack, pour la énième fois, lui avait proposé de reprendre le travail et d'engager des infirmières à domicile à temps complet, elle avait refusé tout net. Elle ne faisait que ce qu'elle devait faire, avait-elle ajouté. Puis elle lui avait cité les quelques cas qu'elle avait eus, de son côté, à l'IML, de décès liés à la médecine parallèle. Un adepte de l'acupuncture était mort parce que l'acupuncteur lui avait malencontreusement empalé le cœur avec une aiguille – en plein sur le nœud auriculo-ventriculaire. Deux autres personnes avaient succombé à des empoisonnements aux métaux lourds après avoir consommé des préparations chinoises à base de plantes contaminées.

Jack avait été ravi de prendre connaissance des cas de Laurie. Il lui avait précisé qu'il avait envoyé un mail à tous leurs collègues légistes, dans les différentes morgues de la ville, pour tenter d'évaluer la prévalence des décès liés à la médecine parallèle.

— Hé ! cria Chet en agrippant le bras de Jack. Qu'est-ce qui t'arrive ? Tu me fais une crise d'épilepsie, ou quoi ? Réponds !

Jack secoua la tête et écarquilla les yeux.

— Heu... Excuse-moi. J'avais l'esprit ailleurs.

— Quels trucs voulais-tu me demander au sujet de mon cas de dissection des vertébrales ? relança Chet qui avait attendu un bon moment que son ami précise sa pensée avant de se lever pour le secouer.

— Pourrais-tu me trouver le nom et la référence du dossier ? Je voudrais, si possible, le consulter.

Jack n'écouta pas la réponse de Chet. Son cerveau continuait de carburer. Il repensa à la nuit étrange qu'il venait de passer. Il s'était réveillé à 05 h 30, tout habillé, assis sur le canapé du salon. *Trick or Treatment* était posé sur ses genoux, ouvert sur les dernières pages.

Ce livre passionnant avait confirmé l'*a priori* négatif qu'il avait contre la médecine parallèle. Il lui avait aussi donné envie de creuser la question. En dehors de quelques passages qu'il avait parcourus un peu plus rapidement, il avait lu l'ouvrage avec attention, un crayon à la main pour en souligner un certain nombre de phrases clés. Le message des auteurs collait bien avec son point de vue sur la médecine parallèle. Et les arguments qu'ils avançaient étaient aussi clairs qu'impartiaux. À vrai dire, Jack estimait qu'ils s'étaient même donné un certain mal pour essayer de voir si la médecine parallèle n'était pas *défendable*. En conclusion, néanmoins, ils étaient bien obligés de faire un certain nombre de constats : l'homéopathie n'avait strictement aucun effet, hormis l'effet placebo ; l'acupuncture, outre l'effet placebo, avait peut-être un effet sur certains types de douleurs et de nausées, mais un effet *limité* – aussi bien dans son intensité que dans sa durée ; la chiropratique, outre l'effet placebo, avait montré qu'elle pouvait être efficace pour les douleurs du dos, mais les traitements conventionnels étaient en général tout aussi bénéfiques et beaucoup moins chers ; la phytothérapie n'avait qu'un effet placebo, la qualité des produits vendus était peu ou pas du tout contrôlée, et, pour les plantes qui avaient effectivement un intérêt pharmacologique, les médicaments qui contenaient juste leur principe actif étaient indiscutablement plus sûrs et plus efficaces.

Comme il n'avait dormi que deux heures, Jack avait craint d'être incapable de se mettre en route. Mais il n'avait pas souffert de la fatigue - en tout cas pas en début de journée. Après une vivifiante douche froide et un petit déjeuner léger, il avait fait le trajet en vélo jusqu'à l'IML en un temps record.

Surexcité par ses découvertes sur la médecine parallèle, il s'était mis au travail avec enthousiasme. Il avait d'abord bouclé quelques dossiers en souffrance, puis il était descendu attraper Vinnie par le col pour l'entraîner de très bonne heure en salle d'autopsie, malgré ses protestations amicales. Avant de monter au bureau de Chet, Jack avait effectué trois dissections : un homme tué par balle au cours d'une fusillade dans l'East Village, puis deux suicides dont l'un lui avait paru résolument suspect. Il avait déjà passé un coup de fil à son pote, le commissaire Lou Soldano, pour le prévenir.

— Hé ! cria Chet pour la seconde fois. Il y a quelqu'un ? Là, Jack, ça devient ridicule ! J'ai l'impression de causer à un zombie. Je viens de te donner le nom de mon cas de dissection des vertébrales et tu as encore l'air de me faire une absence. Tu n'as pas dormi cette nuit, ou quoi ?

— Je suis désolé…

Jack ferma les yeux, se frotta les paupières et soupira en regardant de nouveau son collègue.

— C'est exactement ça. Je n'ai pas beaucoup dormi cette nuit et je carbure à l'énergie nerveuse. Redonne-moi le nom, s'il te plaît !

Chet se tourna vers sa table ; il gribouilla quelque chose sur un bout de papier qu'il tendit à Jack.

— Pourquoi il t'intéresse tant, ce cas ?

— J'enquête sur la médecine parallèle en général, et sur la dissection des vertébrales provoquée par les manipulations chiropratiques en particulier. Qu'as-tu découvert, toi, à l'époque, quand tu t'es renseigné sur la dissection des vertébrales ?

— Tu veux dire... qu'ai-je découvert en dehors du fait que personne ne voulait en entendre parler ? répliqua Chet d'un ton ironique.

— Ah ouais ? Ton chef était un adepte de la chiropratique, tu l'as dit, mais...

— Quand j'ai parlé de ce truc en présentation générale de cas cliniques, l'interrompit Chet, ça a déclenché un débat assez houleux. En gros, une moitié de mon public était pour la chiropratique, et l'autre était contre. Et ceux qui étaient pour étaient *vraiment* pour. Ça soulevait beaucoup d'émotion. Moi, ça m'a carrément surpris. Surtout quand je me suis aperçu que mon chef, en effet, était un fervent défenseur de ce truc.

— Tu as dit que tu avais rassemblé quatre ou cinq cas. Penses-tu pouvoir retrouver aussi ces noms-là ? Ce serait intéressant de comparer la prévalence de la dissection des artères vertébrales à New York et à Los Angeles.

— Retrouver le nom de mon cas, c'était assez facile. Pour les autres... Là, tu me demandes un peu un miracle. Mais je vais vérifier. Comment vas-tu faire, ici, pour mener ton enquête ?

— As-tu lu tes mails, récemment ?

— Nan, fit Chet. Ni hier ni aujourd'hui.

— Ouvre ta boîte de réception. Tu as un mail de moi. Je l'ai envoyé à tous les légistes de la ville pour expliquer que je cherche des cas de décès liés à la médecine parallèle. Cet après-midi, j'ai l'intention d'aller aux archives pour voir ce que je trouverai là-bas.

Soudain, le BlackBerry de Jack se mit à bourdonner. Comme il craignait toujours que Laurie ne l'appelle pour lui donner de mauvaises nouvelles au sujet de JJ, il s'empressa de le sortir de son étui et regarda l'écran.

— Oh !

Ce n'était pas Laurie. C'était le directeur de l'IML, Harold Bingham, qui l'appelait de son bureau au rez-de-chaussée.

— Que se passe-t-il ? demanda Chet, perplexe.

— C'est le patron.

— Et alors ? Ça t'ennuie ?

— Hier j'ai fait une visite à l'extérieur, expliqua Jack, un peu penaud. Au cabinet du chiropraticien impliqué dans mon cas de dissection des vertébrales. Je n'ai pas été aussi diplomate que d'habitude. À vrai dire, nous avons presque fini par nous taper dessus.

Chet, qui connaissait bien Jack, fit la grimace.

— Bonne chance, mon pote !

Jack hocha la tête et cliqua pour prendre l'appel. Il trouva la secrétaire de Bingham, Mme Sanford, au bout du fil :

— Le directeur vous veut dans son bureau immédiatement ! dit-elle, aussi revêche que d'habitude, et elle raccrocha aussitôt.

— J'ai entendu, dit Chet, et il se signa avec une moue ironique.

Son geste était simple à comprendre : il estimait que Jack était dans de sales draps et qu'il n'y avait plus qu'à prier pour lui.

— Merci pour tes encouragements, dit Jack, sarcastique.

Tout en se dirigeant vers l'ascenseur, Jack songea que cette convocation avait forcément un rapport avec sa visite chez le chiropraticien – ce bon vieux Ronald Newhouse. Certes, il s'était attendu à devoir répondre de cet épisode, mais… pas si tôt. Et si Bingham l'appelait ainsi, ce n'était sans doute pas simplement parce qu'il avait eu le chiropraticien en colère au téléphone. Il devait avoir parlé avec un avocat. Les conséquences, pour Jack, pouvaient aller de la simple remontrance… à la longue et pénible procédure judiciaire.

Arrivé au rez-de-chaussée, Jack prit une décision. Il savait qu'il aurait beaucoup de mal à se défendre devant Bingham. Par conséquent, il avait plutôt intérêt à passer à l'offensive.

— Entrez, vous êtes attendu, dit Mme Sanford d'un ton sec, sans même lever les yeux de son ordinateur quand il se présenta devant elle.

Elle avait eu le même comportement dix ans plus tôt – la dernière fois qu'il avait été mis sur la sellette par le chef.

Il entra dans le bureau de Bingham qui brailla aussitôt d'un ton péremptoire :

— Fermez la porte et approchez !

Le directeur de l'IML était assis à son immense table de travail, sous de hautes fenêtres masquées par des stores vénitiens. Calvin Washington, le directeur adjoint, était installé au bout de la table de bibliothèque qui se trouvait dans la partie gauche du bureau, le dos aux vitrines de livres.

Les deux hommes dévisageaient Jack. Il s'exclama avec ferveur :

— Merci de m'avoir appelé !

Il marcha droit jusqu'à la table de Bingham et y abattit le poing, pour marquer le coup, avant d'enchaîner d'un ton ferme :

— L'IML doit absolument adopter une position responsable sur le problème de la médecine parallèle. Et en particulier sur la chiropratique. Hier, nous avons eu un décès causé par une dissection bilatérale des artères vertébrales consécutive à une manipulation cervicale inutile.

Bingham le regardait d'un air confus. Jack lui avait coupé l'herbe sous le pied.

— Mais j'ai pris les devants ! enchaîna-t-il. Hier après-midi, je me suis obligé à effectuer une visite au cabinet du chiropraticien responsable de ce décès. Pour vérifier s'il avait bien effectué la manipulation cervicale que je soupçonnais. Comme vous pouvez vous en douter, la tâche n'a pas été des plus faciles. J'ai dû user de mon autorité pour obtenir cette information.

Le visage de Bingham, couvert de marbrures, pâlit légèrement. Ses yeux chassieux se plissèrent. Il retira ses lunettes pour les nettoyer – et se donner le temps, sans doute, de répondre. Le tac au tac, ce n'était pas son fort.

— Asseyez-vous ! ordonna Calvin de sa voix de stentor.

Jack prit place sur une chaise en face de Bingham. Il s'interdit de tourner la tête vers Calvin qui, comme il l'avait craint, ne se laissait pas avoir par sa tactique.

La silhouette impressionnante du sous-directeur apparut à la lisière de son champ de vision. Il s'était levé pour se rapprocher. Il s'immobilisa près de lui, les mains sur les hanches. Jack leva le menton. Calvin avait l'air furieux ; ses yeux lançaient des éclairs. Il se pencha, très menaçant, pour crier :

— Arrêtez vos conneries, Stapleton ! Vous savez pertinemment que vous n'êtes pas censé vous balader en ville et brandir votre insigne au nez des gens comme un mauvais flic de série télé.

— Avec le recul, je me rends compte que je n'ai pas aussi bien géré la situation que j'aurais dû, dit Jack d'un air contrit.

— Que s'est-il passé ? demanda Bingham, impérieux. S'agit-il d'une vendetta personnelle contre la chiropratique ?

— Oui. J'en fais en quelque sorte une affaire personnelle.

— Auriez-vous l'obligeance de vous expliquer ? répliqua Bingham qui semblait de nouveau très en colère.

— Vous voulez dire… expliquer que les chiropraticiens ne devraient en aucun cas s'arroger le droit de traiter des maladies qui n'ont aucun rapport avec la colonne vertébrale ? Expliquer que leur soi-disant thérapie est basée sur un concept, l'« intelligence innée », qui n'a jamais été ni vérifié, ni mesuré, ni même expliqué – qui n'est en réalité qu'une vieille idiotie de gens superstitieux ? Ou quoi encore ? Expliquer le fait que le traitement chiropratique consiste en manipulations cervicales qui peuvent entraîner la mort, comme chez la femme de 27 ans que j'ai autopsiée hier ? !

La déclaration enflammée de Jack médusa un instant Bingham et Washington. Ils échangèrent un regard consterné.

— Tout cela est peut-être vrai, grogna Bingham. Ou faux ! Mais quelle raison avez-vous d'en faire une affaire personnelle ?

— Je préfère ne pas entrer là-dedans.

Jack songea qu'il devait absolument se ressaisir. Une fois de plus, il était à deux doigts de craquer. De se laisser dominer par ses émotions.

— C'est une longue histoire, ajouta-t-il. Et le lien de cause à effet est… est… Je veux dire… Vous le jugeriez assez flou.

— Vous préférez ne pas entrer là-dedans, dit Bingham avec une pointe de mépris dans la voix. Mais nous, voyez-vous, nous pensons qu'il est impératif que vous nous donniez des explications ! Et si vous ne le faites pas, ce sera à vos risques et périls. Vous n'avez pas encore reçu d'assignation à comparaître, mais j'ai le désagréable devoir de vous informer que nous sommes attaqués en justice, l'IML et vous, par un certain Dr Ronald Newhouse…

— Il n'est pas docteur, nom de Dieu ! protesta Jack. C'est un chiropraticien.

Bingham et Washington se regardèrent de nouveau. Le directeur semblait exaspéré, comme un parent en présence d'un enfant récalcitrant. Son adjoint était moins généreux : il était juste furax et il avait visiblement de la peine à se retenir d'incendier Jack.

— Pour le moment, votre opinion sur la chiropratique n'a aucune espèce d'importance, asséna Bingham. C'est l'attitude que vous avez eue hier qui est en jeu. En outre, le monsieur en question est très probablement docteur en chiropratique. Vous êtes personnellement attaqué pour calomnie, diffamation, agression…

— Je n'ai pas levé la main sur ce type ! l'interrompit Jack, outré.

Il avait beaucoup de mal à suivre le conseil qu'il venait de se donner en ce qui concernait la maîtrise de ses émotions.

— Vous n'avez pas besoin de toucher réellement la personne pour être inculpé pour agression. Il suffit au plaignant d'estimer que vous étiez sur le point de l'assaillir d'une façon ou d'une autre. Quand vous étiez dans son bureau, avez-vous hurlé contre lui ?

— Je suppose que oui, admit Jack.

— L'avez-vous menacé de le faire arrêter pour avoir tué sa patiente ?

— Je suppose que oui, répéta Jack, penaud.

— Vous supposez que oui !

Bingham leva les mains vers le plafond en poussant un profond soupir d'exaspération. Puis il reprit d'une voix tranchante :

— Voilà ce que je pense : vous avez ignominieusement abusé de votre autorité professionnelle. J'ai très envie de vous éjecter de cet établissement et de vous suspendre de vos fonctions, sans salaire, jusqu'à ce que cette affaire merdique soit réglée.

Un frisson glacial saisit Jack. S'il était suspendu, il perdrait la seule chose qui lui permettait de ne pas devenir fou : son travail. Il serait obligé de rester à la maison et Laurie devrait venir à l'IML à sa place. Il devrait garder John Junior, jour après jour… *Oh mon Dieu !* pensa-t-il, horrifié. Un profond désespoir l'envahit, encore plus intense que celui qui l'accablait depuis des semaines. La dernière fois qu'il avait dû affronter la colère de Bingham dans des circonstances similaires, il s'était bien moqué de son propre sort. Mais aujourd'hui, il ne pouvait pas avoir ce genre de comportement autodestructeur. Sa famille avait besoin de lui ! Il ne devait surtout pas sombrer dans la dépression. Bingham avait bien raison : l'affaire était vraiment merdique.

Le directeur inspira bruyamment, puis il expira, les lèvres pincées. Il tourna la tête vers son adjoint qui dévisageait toujours Jack d'un air très mécontent.

— Qu'en pensez-vous, Calvin ? demanda-t-il d'une voix plus posée.

— À quel sujet ? Vous voulez savoir si nous devrions tabasser ce connard jusqu'au sang plutôt que de le suspendre, c'est ça ?

— C'est vous qui avez parlé à l'avocate principale de l'IML. Comment voit-elle le problème de l'indemnisation du plaignant ? Est-elle sûre que notre assurance couvrira cet incident - et ce, aussi bien dans le cas d'un règlement à l'amiable qu'en cas de procès ?

— D'après elle, ça devrait être possible. Après tout, précisa Calvin en toisant Jack d'un air mauvais, ce n'est quand même pas un procès au pénal !

— Et si Stapleton était accusé d'avoir eu l'intention de nuire au plaignant ? Qu'a-t-elle dit à ce sujet ?

— Là, elle ne savait pas trop quoi penser pour le moment.

Jack regarda tour à tour Bingham et Calvin. Ils parlaient comme s'il n'était plus dans la pièce. Après quelques échanges supplémentaires avec son adjoint, Bingham reporta son attention sur lui.

— Nous essayons de déterminer si l'assurance vous protégera. D'après votre contrat, l'IML vous couvre en cas de faute professionnelle, sauf si la faute est de nature criminelle et sauf si vous avez eu l'intention de nuire à l'autre partie. Cela signifie que vous auriez agi comme vous l'avez fait non pas de façon accidentelle, mais parce que vous le *vouliez*.

— Je ne suis pas allé au cabinet de ce chiropraticien pour agresser qui que ce soit, si c'est ce que vous voulez dire, marmonna Jack.

Il était de plus en plus embarrassé. Il avait l'impression que la situation lui échappait complètement.

— C'est rassurant, répliqua Bingham d'un ton ironique. N'empêche, nous devons décider si nous vous défendrons ou pas. Bien sûr, cela aura pour conséquence que notre assurance couvrira, ou ne couvrira pas, les frais d'un éventuel procès contre vous. Et si l'assurance n'intervient pas en votre faveur, vous devrez probablement vous défendre vous-même. Ce qui pourrait, hélas, vous coûter très cher.

— Mes motivations n'avaient rien de malveillant, c'est certain, dit Jack d'une voix sourde.

L'idée de devoir se défendre avec ses propres moyens l'accablait. Laurie était en congé maternité et le traitement de JJ coûtait cher. Il n'avait pas d'argent pour payer un avocat. Il soupira et ajouta :

— Quand je me suis rendu chez ce chiropraticien, je n'avais qu'un seul objectif : découvrir s'il avait reçu en consultation la jeune femme que j'ai autopsiée hier, et découvrir s'il avait manipulé ses vertèbres cervicales.

— Quelle est la cause du décès, déjà ?

— Dissection bilatérale des artères vertébrales.

— Tiens donc ! s'exclama Bingham, l'air étonné, comme s'il entendait le diagnostic pour la première fois.

Tout à coup, ses yeux parurent s'assombrir. C'était un réflexe physiologique, chez lui, chaque fois que son cerveau passait au crible les milliers d'autopsies qu'il avait réalisées au cours de sa longue carrière.

Si Bingham avait parfois des difficultés à se souvenir de certains détails du passé proche – comme la cause de la mort de Keara Abelard, que Jack venait tout juste de lui rappeler –, sa mémoire à long terme, en revanche, était encyclopédique. Trois secondes plus tard, il cligna des yeux et ses épaules frémirent comme s'il revenait à lui.

— J'ai eu trois cas de dissection des artères vertébrales, annonça-t-il.

— Liés à des manipulations chiropratiques ? demanda Jack d'un ton plein d'espoir.

À présent, il comprenait qu'il ne pouvait continuer de séparer sa vie privée de sa vie professionnelle s'il voulait éviter d'être suspendu temporairement de ses fonctions. Ou d'affronter seul un procès coûteux. Il se rendait compte qu'il devait parler de la maladie de JJ et de ses propres difficultés à affronter cette situation. Il n'avait pas le choix. C'était à cette seule condition que Bingham et Calvin excuseraient son comportement absurde de la veille.

— Deux de ces cas étaient liés à la chiropratique, en effet, dit Bingham. L'autre était idiopathique. Nous n'avons jamais pu l'expliquer. Laissez-moi donc vous raconter ça…

Pendant quelques minutes, Jack et Calvin écoutèrent patiemment Bingham narrer ses trois cas de dissection des vertébrales. Jack était très impressionné, en général, par la masse de détails dont Bingham était capable de se souvenir, mais cette fois il trouva l'exercice plutôt fastidieux. La prudence lui conseilla néanmoins de ne pas l'interrompre.

Maintenant qu'il acceptait l'idée de leur révéler que John Junior avait un cancer, il voulait le faire sans tergiverser.

Dès que Bingham eut terminé son récit, Jack entama l'espèce de *mea culpa* qu'il avait en tête :

— Tout à l'heure, je vous ai dit que je ne voulais pas vous expliquer les vraies raisons de mon attitude chez le chiropraticien. J'aimerais revenir là-dessus. Il y a certaines choses, assez personnelles, qui m'ont poussé…

— Je ne suis pas certain de vouloir entendre que vous aviez des relations *personnelles* avec la jeune femme qui est morte à cause de cette dissection des vertébrales, l'interrompit Calvin d'un ton bourru.

— Non, non ! objecta Jack, étonné que le sous-directeur puisse penser ce genre de chose. Je n'avais aucun lien d'aucune sorte avec la défunte. Je ne l'avais jamais vue ou rencontrée, et je ne savais absolument rien à son sujet. Ce que je veux vous dire, c'est que la vraie raison de tout ce bazar, c'est… c'est le bébé que nous venons d'avoir, Laurie et moi.

Jack garda le silence quelques instants, attendant que ses propos fassent leur chemin dans les cerveaux de ses interlocuteurs. Il vit leurs expressions se radoucir. En particulier celle de Calvin qui le dévisagea d'un air intrigué et un peu inquiet.

— J'ai certaines révélations à vous faire, ajouta-t-il. Mais avant, j'aimerais vous demander de ne jamais parler de ça à personne. C'est une affaire très ennuyeuse, et qui ne concerne que Laurie et moi.

— Vu la situation, malheureusement, je pense que vous devrez nous laisser décider ça *après* que vous aurez parlé, dit Bingham. Si les poursuites ne sont pas abandonnées, nous serons peut-être amenés à témoigner. En ce cas, vous comprendrez que nous ne pourrons peut-être pas honorer la promesse que vous nous demandez de vous faire.

— Je comprends très bien cela. À moins que vous ne deviez témoigner, donc, j'aimerais que vous gardiez le secret sur ce que je vais vous dire maintenant.

Bingham regarda Calvin, qui hocha la tête et demanda :

— Le bébé va bien ?

— Malheureusement non, répondit Jack.

Il inspira profondément. Sa voix s'enrouait déjà.

— Comme vous le savez, Laurie n'a pas arrêté son congé maternité à la date qui était prévue.

— Oui, nous sommes au courant ! dit Bingham avec une pointe d'impatience, comme si Jack s'amusait inutilement à faire durer le suspense.

— Notre… notre bébé est gravement malade.

Jack n'avait jamais parlé à personne du cancer de JJ car il craignait que le simple fait d'évoquer ce problème ne le rende encore plus réel. Il savait bien, en même temps, que cette attitude était une forme de déni qui l'aidait à affronter son chagrin.

Bingham et Calvin patientèrent tandis qu'il respirait profondément. Ils le voyaient trembler et se rendaient compte qu'il luttait contre les larmes. Ils voulaient en entendre davantage, mais ils voulaient aussi lui laisser le temps de se ressaisir.

— Je sais que je n'ai pas vraiment été moi-même, ces trois derniers mois, bafouilla Jack. Et que mon travail à l'Institut en a sans doute pâti.

— De notre côté, nous ne savions rien du tout, observa Bingham qui était gêné d'avoir été si dur quelques minutes plus tôt. Jamais nous n'aurions pu penser que vous aviez des problèmes avec votre bébé…

— Bien sûr, acquiesça Jack. Nous n'en avons parlé à personne, sauf aux parents de Laurie.

— Pouvez-vous nous dire de quelle maladie il souffre ? demanda Calvin. Cela ne nous regarde pas, mais… j'aimerais que vous nous répondiez. Vous savez l'estime que j'ai pour Laurie. Je la considère comme une petite sœur.

— Il a un neuroblastome, bredouilla Jack – et il dut à nouveau respirer profondément avant d'ajouter : un neuroblastome de haut grade.

Un silence embarrassé régna sur le bureau tandis que Bingham et Calvin assimilaient cette révélation.

— Où est-il soigné ? demanda doucement Calvin.

— Au Memorial. Il a été admis dans un programme de traitement qui… pourrait être prometteur. D'abord une chimio, puis des injections d'anticorps monoclonal murin. Mais manque de chance, il a fallu tout arrêter parce que JJ a eu une réaction négative à l'anticorps. Nous attendons qu'il récupère. En ce moment, donc, il n'est plus traité. Comme vous pouvez l'imaginer, Laurie et moi nous avons certaines difficultés à… à vivre tout ça.

Il y eut de nouveau un long silence entre les trois hommes. Puis Bingham reprit :

— Eh bien… Ceci change bien entendu notre point de vue sur la situation actuelle. Peut-être avez-vous besoin d'un arrêt de travail, mais en touchant votre salaire. Peut-être avez-vous besoin d'être à la maison avec votre femme et votre enfant.

— Non ! J'ai besoin de travailler ! Sincèrement, l'arrêt de travail, c'est vraiment la dernière chose qu'il me faut. Vous ne pouvez pas savoir à quel point c'est frustrant de voir son enfant souffrir et de ne rien pouvoir faire pour l'aider. C'est parce que vous menaciez de me suspendre que j'ai décidé de vous parler de ce problème.

— D'accord, convint Bingham. Pas d'arrêt de travail. Mais en contrepartie, vous devez me promettre de ne plus faire de visites à l'extérieur. En particulier chez les chiropraticiens.

— C'est promis, dit Jack.

De son point de vue, ce n'était pas une bien grande concession.

— Je ne comprends toujours pas bien votre comportement au cabinet de ce chiropraticien, reprit Bingham. Aviez-vous une raison particulière d'agir de la sorte, ou bien... est-ce simplement que vous n'aimez pas cette spécialité ? Il est assez clair, d'après ce que vous disiez tout à l'heure, que vous ne tenez pas la chiropratique en très haute estime. Avez-vous eu une mauvaise expérience dans un cabinet de chiropratique ?

— Absolument pas. Je n'ai jamais consulté de chiropraticien et, jusqu'à hier, je ne savais pas grand-chose au sujet de cette activité. Mais à cause de mon cas de dissection des vertébrales, j'ai décidé de me renseigner sur la chiropratique, et sur la médecine parallèle en général, pour m'occuper l'esprit. La maladie de JJ m'obsède, surtout en ce moment où il n'est pas soigné. Avant de tomber sur ce cas de dissection des vertébrales, je n'avais jamais vraiment réfléchi à la question des dangers de la médecine parallèle. J'ai commencé à me renseigner et... un des premiers articles que j'ai lus décrivait le cas d'un bébé de 3 mois mort à cause d'une manipulation des cervicales effectuée par un chiropraticien. J'étais horrifié. John Junior a presque le même âge. Mais je ne me suis pas attardé là-dessus. En tout cas... pas jusqu'au moment où j'ai parlé avec Ronald Newhouse. Quand je l'ai entendu me débiter les absurdités que les chiropraticiens avancent pour justifier le fait qu'ils se permettent de traiter des choses comme les allergies, les sinusites, ou même des trucs aussi bénins que la nervosité infantile - et pour tuer les gosses en cours de route, par-dessus le marché ! –, là, j'ai perdu les pédales. Qu'un adulte soit assez stupide pour se mettre en danger entre les mains d'un charlatan, bon, c'est une chose. Mais un enfant ! Un enfant dans les griffes de ces escrocs, c'est un crime.

La voix de Jack s'étrangla de nouveau. Après quelques instants de silence, Bingham déclara :

— Calvin et moi, nous sommes terriblement désolés d'apprendre la maladie de JJ. Et si je ne peux évidemment pas fermer les yeux sur votre comportement chez le chiropraticien, je le comprends mieux. En outre, je vous encourage vivement à poursuivre votre enquête sur la médecine parallèle. Du point de vue de la médecine légale, ce sera bon pour les raisons que vous avez avancées... et bon pour la médecine légale ! Je peux déjà imaginer la publication d'un article dans l'un de nos principaux journaux de pathologie légale. Ce serait une excellente contribution au débat sur la médecine parallèle. Pendant votre enquête, cependant, j'insiste pour que vous ne fassiez aucune visite chez les prestataires de médecine parallèle. Je veux aussi que vous vous interdisiez toute déclaration de votre cru devant la presse. Les communiqués, s'il y en a, devront être visés par notre service de relations publiques et passer par moi. La médecine parallèle pose certains problèmes particuliers, qui sont de nature plus politique que scientifique. À mon avis, il y a très peu de science dans ces diverses thérapies. Pour que vous compreniez bien ce que je suis en train de vous dire, je vous informe que ce matin, en plus d'avoir appris que l'IML est attaqué en justice, j'ai reçu un coup de fil du maire. Apparemment, l'homme que vous avez agressé est le guérisseur préféré de M. le maire.

— Vous plaisantez ! s'exclama Jack, stupéfait.

Il avait rencontré le maire de New York et l'avait jugé supérieurement intelligent. Mais peut-être s'était-il trompé.

— Non, je ne plaisante pas. D'après ce que j'ai compris, M. Newhouse est le seul à pouvoir soulager ses douleurs lombaires.

— Franchement, je suis choqué.

— Oubliez ça, répliqua Bingham. Quant à la procédure judiciaire qui nous concerne, nous ferons tous les efforts possibles pour vous défendre.

— Merci, monsieur, dit Jack, très soulagé.

— Nous respecterons aussi votre désir de confidentialité, sauf si nous sommes obligés de faire une déposition. Nous ne parlerons de votre secret à personne. En particulier ici à l'IML.

— Merci beaucoup.

— Si vous changez d'avis et si vous voulez un arrêt de travail, considérez votre demande comme acceptée.

— Là encore, je vous remercie. C'est très aimable à vous.

— Maintenant, je suppose que vous avez du travail. Calvin me dit que vous avez davantage de dossiers en retard que d'habitude. Mettez-vous-y et bouclez-les !

Jack comprit le message et quitta aussitôt le bureau du directeur de l'IML.

Quand la porte se referma sur lui, ni Bingham ni Calvin ne firent le moindre geste pendant quelques secondes. Puis ils se regardèrent d'un air stupéfait.

— Son travail a-t-il réellement pâti de la situation ? demanda enfin le directeur à son adjoint.

— Pas à ma connaissance. C'est vrai qu'il est plus en retard sur certains dossiers que d'habitude, mais la qualité du boulot n'a pas baissé du tout. Et même s'il est en retard, il reste notre médecin légiste le plus productif. Il traite au moins moitié plus de cas que tous ses collègues.

— Vous n'étiez pas au courant de la terrible maladie de leur gosse, n'est-ce pas ?

— Absolument pas ! Quand Laurie a décidé de prolonger son congé maternité, je ne me suis douté de rien. Je pensais qu'elle était simplement heureuse d'être mère. Je savais qu'elle voulait avoir un enfant depuis longtemps.

— Jack Stapleton est un type tellement secret, marmonna Bingham. Pour vous dire la vérité, je ne l'ai jamais vraiment compris. Surtout autrefois, quand il a commencé à travailler ici. Son comportement me paraissait invraisemblable. Il était très satisfait de lui, et il avait en même temps de vraies tendances autodestructrices. Je ne sais pas ce qui était le plus grave. Ce matin, quand j'ai appris que nous avions des poursuites judiciaires sur le dos – et quand j'ai encaissé le coup de téléphone du maire –, j'ai cru qu'il reprenait ses mauvaises habitudes.

— L'idée m'a traversé l'esprit, en effet. C'est sans doute la raison pour laquelle j'étais prêt à lui tomber dessus à bras raccourcis.

— Appelez l'avocate, ordonna Bingham. Dites-lui que nous irons au tribunal, sauf si elle estime que nous ferions mieux de trouver un arrangement. Et maintenant laissez-moi tranquille, que je puisse enfin avancer dans mon travail !

12

MARDI 2 DÉCEMBRE 2008
20 H 15
ROME
(14 h 15 À NEW YORK)

D'abord, il y eut une décharge électrique de cent millions de volts : l'éclair déchira le ciel nocturne pour frapper l'antique obélisque égyptien dressé au centre de la place Saint-Pierre. Une fraction de seconde plus tard, un terrible craquement de tonnerre fit littéralement trembler la Fiat.

— Mince ! C'était quoi, ce truc ? ! s'écria Sana.

Dès qu'elle eut posé cette question, son cerveau lui en livra la réponse.

— La foudre, dit Shawn d'un ton quelque peu dédaigneux.

N'empêche, il avait sursauté comme sa femme. Jamais il n'avait vu un éclair de si près.

— Pour l'amour du ciel, calme-toi ! reprit-il avec fermeté. Tu perds les pédales !

Sana hocha la tête, scrutant les alentours de leur voiture de location à travers les vitres et le pare-brise inondés. Les piétons marchaient à grands pas sur les trottoirs, inclinés en avant sous leur parapluie qu'ils brandissaient comme des boucliers contre la pluie quasi horizontale.

— Je suis nerveuse, oui, mais je n'y peux rien. Es-tu sûr que nous ne sommes pas en train de faire une grosse erreur ? Je veux dire, nous allons pénétrer illégalement dans un cimetière romain souterrain, par une nuit d'orage, pour voler un ossuaire. Ça ressemble à un scénario de film d'épouvante, non ? Et si nous nous faisons prendre ?

Shawn poussa un soupir exaspéré, pianotant du bout des doigts sur le volant. Lui aussi, il était nerveux. Et les arrière-pensées de Sana ne faisaient qu'aggraver son anxiété.

— Nous ne nous ferons pas prendre, répliqua-t-il, catégorique.

Le négativisme de Sana l'horripilait. Il était à deux doigts de faire la découverte la plus spectaculaire de sa carrière. Mais pour cela, il fallait que sa femme se montre coopérative.

— Qu'est-ce qui te rend si sûr de toi ? insista Sana.

— J'ai travaillé ici, de nuit, pendant plusieurs mois d'affilée. Et je n'ai jamais vu personne. Sauf quand je venais avec du monde, bien sûr.

— Tu travaillais avec du papier, un stylo et un appareil photo. Nous allons nous servir d'une perceuse, d'un marteau et d'un burin. Tu as toi-même fait remarquer que quelqu'un risquait de nous entendre de la basilique.

Shawn s'emporta :

— La basilique est fermée ! Bouclée à triple tour !

Il soupira de nouveau, avant d'ajouter d'une voix plus calme :

— Écoute, Sana… Ne me fais pas ça maintenant. Tu as accepté de venir. Le moment est *parfaitement* choisi. Nous avons les outils. Nous savons où chercher. Et, grâce à la perceuse, qui nous permettra de sonder facilement le mur, nous devrions être ressortis dans deux heures maximum. Si tu as vraiment envie de te faire du souci, demande-toi comment nous traînerons l'ossuaire d'un bout à l'autre de la nécropole et comment nous le monterons jusque dans le coffre de la voiture.

— À t'entendre, tout a l'air tellement facile, marmonna Sana qui regardait maintenant la place Saint-Pierre et les colonnades elliptiques du Bernin.

— Oui, ce sera facile, affirma Shawn.

Mais il s'exprimait avec une assurance qu'il n'éprouvait pas vraiment. En réalité, les craintes de Sana étaient justifiées. Il savait que pour des tas de raisons les choses pouvaient tout à fait aller de travers. Contrairement à ce qu'il prétendait, il n'était pas du tout impensable qu'ils se fassent surprendre dans la nécropole. Ensuite, hypothèse encore plus probable, ils ne trouveraient peut-être pas l'ossuaire là où il pensait le dénicher. En ce cas, il serait obligé d'informer les autorités du Vatican de l'existence de la lettre de Satornil. Et de partager la gloire de la découverte de l'ossuaire si celui-ci était effectivement retrouvé par la suite. Par-dessus le marché, cet événement n'aurait lieu que si le pape autorisait les fouilles – et rien n'était moins sûr puisque l'ossuaire, par sa seule existence, ferait tomber le dogme de l'infaillibilité pontificale.

— Très bien ! dit Sana. Puisqu'il le faut, allons-y et finissons-en. Pourquoi restons-nous assis dans la voiture ?

— Tu le sais déjà. Nous sommes arrivés ici plus vite que prévu. La dernière ronde de sécurité de la basilique est à 20 h 00. Je veux leur laisser amplement le temps de la terminer et de verrouiller toutes les portes pour la nuit.

Sana consulta sa montre. Il était presque 20 h 30.

— Et s'ils découvrent quelque chose d'anormal ? Genre… que la *Pietà* a disparu ?

Shawn tourna la tête pour observer le profil de sa femme dans la pénombre de l'habitacle. Il espérait qu'elle s'amusait à le titiller, mais… cela ne semblait pas être le cas. Elle regardait à travers le pare-brise comme un petit animal terrorisé par l'approche d'un prédateur.

— Tu es sérieuse, là, ou quoi ?

— Franchement, je ne sais pas. Je suis sur les nerfs, je suis épuisée. Je veux dire… Aujourd'hui nous avons tout de même fait le voyage du Caire à Rome. C'est peut-être facile pour toi, mais pas pour moi.

— Tu as le droit d'être nerveuse, c'est normal. Nom de Dieu… Moi aussi, je suis nerveux ! C'est naturel, d'être un peu nerveux.

— Et si je deviens claustrophobe ?

— Nous ferons tout pour que cela ne se produise pas. Je ne te demanderai pas de venir dans le tunnel. De toute façon, il ne sera sans doute pas assez large pour nous deux.

Sana regarda son mari. Les phares des voitures qui circulaient sur la place jetaient des reflets dansants sur son visage.

— Es-tu certain que tu n'auras pas besoin de moi dans le tunnel ?

— Si tu ne veux pas y entrer, nous trouverons une solution quand nous serons en bas. Essayons d'avoir une attitude positive. Puis-je compter sur toi ?

— Oui, bien sûr, répondit-elle d'une voix qui manquait d'assurance.

À 20 h 45, Shawn fit démarrer la voiture et s'écarta lentement du trottoir. Les essuie-glaces peinaient à chasser la pluie diluvienne et il n'y voyait pas très bien. Les voitures qui s'engageaient sur la place Saint-Pierre passaient à côté d'eux à toute allure. Il longea la colonnade du Bernin en direction de l'Arco delle Campane.

— Si les Gardes suisses demandent pourquoi tu n'as pas de carte d'identité du Vatican, laisse-moi leur parler, dit-il.

Les guérites marron des gardes apparurent devant eux dans l'obscurité. Shawn freina et arrêta la voiture. Les deux hommes sortirent de leurs abris. Ils portaient une cape imperméable noire par-dessus leurs uniformes bigarrés. Ils n'avaient pas l'air très heureux d'être de service par une nuit pareille. Shawn baissa la vitre de sa portière. Des gouttes de pluie s'engouffrèrent dans l'habitacle.

— Bonsoir messieurs, dit-il d'un ton léger, essayant de dissimuler sa nervosité.

Comme il s'y était attendu, l'équipe avait changé. Ce n'étaient pas les mêmes gardes que dans l'après-midi.

Comme dans l'après-midi, l'un des hommes prit sans un mot la carte d'identité du Vatican que Shawn lui tendait. Il l'examina avec une lampe électrique, ses yeux faisant le va-et-vient entre la photo et le visage de Shawn.

Enfin, il lui rendit la carte et demanda :

— Où allez-vous ?

— À la nécropole, répondit Shawn, et il lui présenta son autorisation d'accès aux Scavi. Nous avons un petit boulot de restauration à boucler.

Le Garde suisse examina le papier pendant une bonne minute avant de le rendre à Shawn.

— Ouvrez le coffre, ordonna-t-il sèchement, et il se dirigea vers l'arrière de la voiture.

Sana se pétrifia sur son siège, très mal à l'aise, tandis que le second garde lui braquait sa torche électrique au visage. Juste avant cela, il avait utilisé la lampe et un miroir fixé à un long manche pour inspecter le dessous de la voiture. Sans doute à la recherche d'une bombe.

Shawn entendit le coffre claquer ; le garde revint vers sa portière.

— Les outils, c'est pour quoi faire ?

— Pour notre travail de restauration.

— Vous comptez entrer par le bureau des Scavi ?

— Certainement, acquiesça Shawn.

— Dois-je appeler la sécurité pour qu'ils vous ouvrent ?

— Pas la peine. J'ai les clés.

— D'accord. Attendez une seconde !

Le garde tourna les talons et ouvrit la porte de sa minuscule guérite. Il y attrapa ce que Shawn savait être un permis temporaire de stationnement, puis il se plaça devant la voiture pour copier le numéro de la plaque d'immatriculation. Il revint vers Shawn, tendit le bras par la vitre ouverte et posa le permis au coin du tableau de bord.

— Allez tout droit et garez-vous sur la Piazza Protomartiri, dit-il, puis il salua avant de s'écarter de la voiture.

Shawn remonta la vitre et démarra aussitôt. Sana poussa un gros soupir de soulagement.

— Quand il t'a demandé d'ouvrir le coffre, j'ai cru que nous étions fichus.

— Moi aussi. Quand je bossais ici, même le soir, je n'ai jamais eu droit à un tel traitement. Ils ont drôlement renforcé la sécurité !

Shawn se gara à l'endroit indiqué par le garde, mais aussi près que possible de l'entrée du bureau des Scavi.

— Je m'occupe des outils. Va te mettre à l'abri sous le porche. Je ne veux pas que tu sois mouillée comme cet après-midi.

— Tu pourras te débrouiller, tu es sûr ? demanda Sana en se retournant pour attraper un parapluie sur le siège arrière.

Shawn lui agrippa le bras.

— La question, c'est de savoir si *toi*, tu vas te débrouiller pour tenir le coup ?

— Maintenant que nous sommes ici, je me sens déjà mieux que tout à l'heure.

Sana allait ouvrir sa portière, lorsque Shawn lui saisit de nouveau le bras.

— Attends ! Attends que ces voitures soient passées !

Sana tourna la tête et vit quatre imposantes voitures noires venir à toute allure dans leur direction. Elles défilèrent avec de longs chuintements sur les pavés mouillés, projetant de grandes gerbes d'eau sur la Fiat. Shawn et Sana les suivirent des yeux jusqu'à ce qu'elles franchissent l'Arco delle Campane.

— Ça doit être un des gros bonnets du Vatican, dit Shawn d'un ton amusé. Peut-être même le plus gros bonnet des gros bonnets.

— Merci de m'avoir empêchée d'ouvrir la portière, dit Sana. J'aurais été complètement trempée.

Quelques minutes plus tard, ils étaient dans le bureau enténébré des Scavi. Shawn avait apporté tout le matériel dans les deux seaux. Maintenant qu'il était tout près du but, son excitation et son anxiété grimpaient en flèche.

— Que dois-je faire du parapluie ? demanda candidement Sana.

— Ah, merde ! Faut-il vraiment que je t'explique la moindre chose ?

Sa femme ne cessait de l'exaspérer. D'abord elle avait menacé de renoncer à leur projet ; maintenant elle posait des questions idiotes à tout bout de champ.

— Tu n'as pas besoin de me parler comme ça ! répliqua Sana. Je ne suis pas complètement débile. Si je laisse ce parapluie ici, un garde ou je ne sais qui pourrait le voir et se douter qu'il y a quelqu'un dans la nécropole.

— Pourquoi, au nom du ciel, un garde devrait-il se dire qu'il y a des intrus en bas s'il voyait un parapluie dans ce bureau ? Tu es ridicule.

— Très bien !

Sana étendit le bras et lâcha le parapluie de l'hôtel Hassler qui tomba sur le plancher avec un bruit mat. Elle avait le sentiment, une fois de plus, que Shawn n'avait plus la moindre considération pour elle. Il se fichait éperdument de ce qu'elle éprouvait.

Shawn était tout aussi mécontent. Au fil de l'année qui venait de s'écouler, Sana avait pris son essor sur le plan professionnel - et elle avait beaucoup changé ! Parfois, elle jouait l'indépendante en s'amusant, par exemple, à se couper les cheveux rien que pour l'ennuyer. Ou bien elle se transformait en gamine irascible, comme à l'instant quand elle avait laissé tomber le parapluie.

Ils se fusillèrent du regard quelques secondes. Sana fut la première à baisser les yeux.

— Nous nous comportons comme des imbéciles, dit-elle.

Elle ramassa le parapluie et le posa à la verticale contre le mur.

— Tu as raison. Je suis désolé, dit-il sans beaucoup de sincérité. Je suis à cran parce que j'avais peur que tu décides tout à coup de ne pas aller au bout de cette histoire, alors que tu sais très bien que, pour moi, elle compte plus que tout.

Dans l'esprit de Sana, tout le bienfait qu'auraient pu produire les excuses tièdes de Shawn fondit comme boule de neige sous le soleil des tropiques. Au lieu d'admettre qu'il s'était mal comporté, il reportait la responsabilité de son erreur sur elle. En d'autres termes, c'était de sa faute à *elle* s'il lui avait parlé de façon blessante !

— Allons-y, dit-elle d'un ton sec. Finissons-en.

Elle ne voulait pas se disputer maintenant avec Shawn. Elle avait juste envie de rentrer à l'hôtel et de se mettre au lit.

— Ça, c'est parler ! approuva-t-il.

Ils prirent chacun un seau et franchirent la porte vitrée au fond du bureau des Scavi. Le couloir était faiblement éclairé par des petites veilleuses encastrées dans les plinthes.

Quand ils parvinrent à l'escalier qui descendait vers l'entrée de la nécropole, Shawn s'immobilisa et scruta le couloir jusqu'à la crypte de la basilique. Il ne vit personne.

— Très bien. On y va !

Au pied des marches, il ouvrit la grille métallique avec la bonne clé et fit signe à Sana de passer devant lui. Puis il franchit la grille à son tour, la referma et la verrouilla.

La lumière étant coupée dans la nécropole, ils se coiffèrent de leurs casques de chantier et en allumèrent les lampes frontales.

— Pas mal, observa Sana.

Elle braquait le faisceau de sa lampe vers l'étroit passage menant à la porte étanche qui ouvrait sur la nécropole. Quelques instants plus tôt, elle avait commencé à éprouver de la claustrophobie. La lampe changeait tout.

Shawn alluma une des torches électriques et la lui tendit.

— Tiens, prends cette lampe d'une main et le seau de l'autre.

— Avec la lampe frontale, je ne pense pas avoir besoin d'une autre source de lumière.

— Prends-la ! insista Shawn.

Il passa devant elle et se dirigea vers la porte étanche. À chaque pas, il sentait son excitation grandir. Il ne pouvait s'empêcher d'être très, très optimiste. Il était convaincu que l'ossuaire serait à l'emplacement où Satornil affirmait l'avoir déposé au Ier siècle après Jésus-Christ.

Ayant ouvert la porte étanche, il s'effaça de nouveau pour laisser Sana le précéder. Il repassa ensuite devant elle pour descendre rapidement au niveau du cimetière de l'époque romaine.

Il allait obliquer vers l'ouest, lorsqu'il se rendit compte que Sana n'était plus derrière lui. Il se retourna et la vit descendre lentement les marches, les faisceaux de sa lampe frontale et de sa torche balayant l'obscurité en tous sens.

— Nom de Dieu, qu'est-ce que tu fiches ? demanda-t-il.

— Je n'aime pas ça.

— Tu n'aimes pas *quoi* ? répliqua-t-il, et il ajouta d'une voix lasse : Putain, qu'est-ce qu'il y a, encore ?!

Ils avaient à peine commencé leur travail et sa femme était déjà un handicap. L'espace d'un instant, il songea à la renvoyer à la voiture – puis il se souvint qu'il avait besoin d'elle. Le boulot qu'il voulait accomplir exigeait deux paires de bras.

— J'ai l'impression que mes lumières n'atteignent pas le plafond. Ça me fait un effet très bizarre…

— Le plafond a été noirci pour que les visiteurs ne voient pas les poutrelles métalliques de soutien qui y ont été ajoutées, l'interrompit Shawn d'un ton sec. C'est une question d'atmosphère.

— Ah bon ? fit timidement Sana.

Elle parvint au pied de l'escalier et tourna la tête de droite et de gauche, éclairant les entrées des tombeaux qui bordaient le couloir. Shawn soupira profondément.

— Mince, bafouilla Sana. Cet endroit est encore plus sinistre la nuit que le jour.

— Parce que les lumières sont éteintes, putain !

— Ah ! s'exclama Sana d'un ton anxieux. C'est quoi, ce bruit ?

— Quel bruit ?

Pendant quelques secondes Shawn ne fit pas un geste, tendant l'oreille. Le silence était assourdissant.

— Il n'y a aucun bruit. Qu'as-tu entendu ?

— Ça… ça ressemblait à une voix aiguë.

— Ah merde ! Tu commences à avoir des hallucinations.

— Tu crois ?

— C'est bien mon impression, grogna-t-il. Et je me demande si tu vas être capable d'aller jusqu'au bout. Nous sommes pourtant si près du but !

— Si tu es certain que je n'ai rien entendu, allons-y. Finissons-en avec cette histoire et rentrons chez nous.

— Essaie de te maîtriser !

— Promis.

— Bon, allons-y ! Et reste près de moi.

Shawn ouvrit la marche en direction du tombeau de Pierre. Sana le talonna et s'interdit de regarder les entrées sombres, inquiétantes, des mausolées qu'ils longeaient.

Tout à coup, Shawn s'immobilisa ; Sana le bouscula.

— Pardon ! dit-elle. Mais préviens-moi, s'il te plaît, quand tu t'arrêtes.

— Je tâcherai de m'en souvenir, marmonna-t-il, et il pointa le faisceau de sa torche vers la gauche. Voilà le sarcophage romain que je t'ai montré cet après-midi. C'est là que nous mettrons tous les débris que nous retirerons du tunnel. Tu penses que tu seras capable de les rapporter ici pendant que je creuserai ?

— Toute seule, tu veux dire ?

Shawn compta en silence jusqu'à dix.

— Si je suis en train de creuser, tu devras venir ici toute seule comme une grande, en effet, dit-il, les dents serrées.

— Nous verrons à ce moment-là, dit Sana que la perspective de déambuler seule dans la nécropole intimidait beaucoup.

Shawn retint sa langue. Il se remit à marcher, contournant l'extrémité sud du mur rouge. Sana le suivit de près. Quelques instants plus tard, ils pénétrèrent dans la grande pièce située à l'est du complexe du tombeau de Pierre, près de l'ancien monument qu'on appelait le Tropaion de Pierre. Shawn braqua sa torche vers la terrasse bâtie là pour permettre aux touristes d'examiner l'intérieur de la sépulture.

— Nous y sommes presque, observa-t-il d'une voix tremblante d'excitation. Nous serons bientôt au niveau du sol du tombeau de Pierre.

— Je te crois sur parole, dit Sana. Allons-y !

— D'accord ! acquiesça-t-il avec enthousiasme. Ça, c'est exactement le genre de chose que je veux entendre.

Ils durent produire beaucoup plus d'efforts que Sana ne l'avait envisagé pour soulever l'épais panneau de verre, dans l'angle de la terrasse, qui permettait l'accès au niveau inférieur. Péniblement, ils réussirent à le redresser et à l'appuyer contre le mur.

— Laisse-moi descendre le premier, dit Shawn.

Sana hocha la tête. Passer sous la terrasse, c'était la partie de la balade qu'elle redoutait le plus. Elle savait que si elle devait souffrir de claustrophobie, c'était là que cela commencerait.

Shawn prit le temps d'enfiler ses genouillères et ses gants de travail. Il conseilla à Sana d'en faire autant. Sous la terrasse, il n'y avait pas assez d'espace entre le sol et les plaques de verre pour se tenir debout. À vrai dire, ils seraient obligés d'avancer quasi accroupis. Shawn s'assit au bord de l'ouverture, les pieds dans le vide, puis il prit appui sur ses mains pour sauter sur le sol en terre. Quand il se fut baissé et éloigné de l'ouverture, Sana l'imita. Bientôt, ils avancèrent à quatre pattes sous la terrasse, poussant les seaux devant eux.

Le sol était tel que Shawn l'avait décrit à Sana : une sorte de terre grisâtre, compacte, mêlée de cailloux et de gravillons. Plus ils s'éloignaient de l'ouverture de l'angle de la terrasse, plus elle était anxieuse. En même temps, elle reprenait courage car elle constatait qu'ici, contrairement à ce qu'elle avait observé dans d'autres parties de la nécropole, l'environnement était absolument sec. Elle pouvait donc espérer que l'ossuaire, s'il était toujours à sa place, n'avait pas souffert de l'humidité.

Après avoir progressé en diagonale sous la terrasse, ils atteignirent la section de l'excavation qui s'enfonçait sous le niveau supérieur. Le plafond, au-dessus de la tête de Sana, était aussi dur et sec que le sol. Cependant, elle s'immobilisa tout à coup en le regardant avec méfiance. Elle venait de s'apercevoir qu'il ne comportait aucun étai, aucune charpente de soutien.

Shawn avança encore sur trois mètres, puis il s'arrêta et braqua sa torche sur la gauche.

— Nous y sommes, dit-il. Voilà le tunnel !

Il se retourna et s'aperçut que Sana ne l'avait pas suivi. D'un geste pressant, il lui fit signe d'approcher. Il voulait lui montrer l'endroit où il pensait trouver l'ossuaire.

— Ce n'est pas dangereux, ce plafond ? demanda-t-elle d'un ton angoissé. Il n'y a rien pour le soutenir.

— Aucun danger, affirma Shawn. Ici, la terre est aussi solide que du béton. Fais-moi confiance ! Tu es presque au bout. Viens, je vais te montrer des trucs !

Sana obéit à contrecœur. Elle se retrouva bientôt devant un étroit tunnel d'1 m 20 de large, de 90 cm de haut, profond d'1 m 50. À chacune de ses extrémités, il y avait une charpente en bois composée de deux gros piliers verticaux et d'une imposante traverse.

— Pourquoi y a-t-il des soutiens ici et pas ailleurs ?

Elle ne pouvait s'empêcher d'avoir peur que le plafond du passage dans lequel ils étaient accroupis ne s'écroule sur eux.

— La première poutre, ici, à l'entrée du tunnel, soutient le mur des graffitis, expliqua Shawn. Et l'autre est là pour le mur de fondation de la voûte du tombeau de Pierre. Au-delà de cette seconde structure, c'est l'intérieur du tombeau. Si tu veux bien entrer là-dedans et regarder du côté droit, tu verras une étroite niche à la base du mur rouge. C'est là qu'ont été retrouvés les os dont le pape de l'époque a décrété qu'ils étaient ceux de Pierre. Les os qui sont exposés là-haut dans les boîtes en Plexiglas.

— Je préfère passer mon tour, marmonna Sana.

La seule idée de s'avancer dans ce tunnel minuscule en rampant sur le ventre lui donnait la nausée et ravivait la claustrophobie qu'elle s'efforçait de réprimer. En ce moment même, il lui fallait tout son courage pour se retenir de prendre la fuite, retourner vers la terrasse en verre et remonter au niveau supérieur.

— O.K., fit Shawn. Laisse-moi te montrer autre chose.

Il pénétra à plat ventre dans le tunnel, puis il se retourna sur le dos et orienta sa torche vers le plafond. Il tapota la terre, avec la paume, à équidistance des deux structures de soutien.

— L'ossuaire doit être ici. À condition, bien sûr, qu'il n'ait pas été découvert par accident quand le mur rouge ou le mur des graffitis ont été érigés. Maintenant, passe-moi la perceuse et les lunettes de protection. Je vais sonder la terre pour voir si je tombe sur quelque chose de dur.

Sana se concentra sur les instructions de Shawn pour éviter de penser au fait que la basilique Saint-Pierre pesait de toute sa masse au-dessus de leurs têtes. Au moment où il allait commencer, elle dit :

— Si ça ne t'ennuie pas, je vais retourner sous la terrasse en verre. Ici, j'ai un peu de mal à respirer. J'ai besoin de plus d'espace.

— Comme tu veux, répondit Shawn distraitement.

Il était ravi d'être à nouveau sur un champ de fouilles, les outils à la main. Après avoir disposé un seau vide contre sa hanche, il alluma la perceuse. Le cri aigu qui s'en éleva semblait terriblement bruyant dans l'espace confiné du tunnel. Il la leva vers le plafond : la mèche entra dans la terre dure comme un couteau dans une motte de beurre. En deux secondes, elle s'enfonça jusqu'au mandrin. Une petite pluie de terre sèche tomba sur la poitrine de Shawn et dans le seau. Vaguement déçu de ne pas avoir rencontré la résistance d'une surface dure dès sa première tentative, il sortit la mèche de son orifice, déplaça la perceuse de 15 cm vers la gauche, et réessaya.

Au bout d'une demi-heure, la mèche n'avait toujours pas rencontré la pierre de l'ossuaire qu'il attendait. Il avait sondé le plafond du tunnel en de multiples endroits – une trentaine de trous, déjà – et il commençait à s'inquiéter. Il s'apprêtait à attaquer le plafond au marteau et au burin, lorsqu'il remarqua une chose étonnante : contrairement à ce qu'il croyait depuis toujours, les appareils d'excavation n'avaient pas vraiment creusé *sous* le mur de soutien de la voûte ; en réalité, ils avaient percé directement sa base. Shawn examina le mur avec attention. Il s'aperçut que les extrémités des briques qui le composaient étaient visibles juste à côté des piliers verticaux de la structure de soutien du fond du tunnel.

— Mon Dieu ! s'écria-t-il pour le bénéfice de Sana.

Il ne voyait pas sa femme, mais il savait qu'elle était sous la terrasse en verre : elle l'importunait toutes les cinq minutes pour lui demander où il en était. Le ton sur lequel elle l'apostrophait prouvait qu'elle était de plus en plus anxieuse – mais ça, Shawn n'y pouvait rien. Il s'efforçait juste, patiemment, de la tenir au courant de ses progrès.

— Tu l'as trouvé ? s'enquit-elle d'une voix pleine d'espoir. Ça y est ? !

— Non, pas encore ! Mais j'ai fait une découverte importante. Le mur de fondation de la voûte est plus profond que je ne le croyais. Par conséquent, l'ossuaire doit lui aussi être plus profond. S'il est encore là, il doit se trouver à droite du tunnel, côté mur rouge.

Ayant repris la perceuse en main, Shawn se tourna sur le flanc gauche et fit un trou, dans le mur du tunnel, à équidistance de ses extrémités et à mi-hauteur entre le sol et le plafond. La mèche pénétra la terre aussi facilement que dans le plafond. Il la ressortit et s'attaqua une deuxième fois à la paroi – à la même hauteur mais plus à l'intérieur du tunnel. Quand la mèche parvint à environ six centimètres de profondeur, elle toucha quelque chose de dur. Quelque chose de suffisamment dur, à vrai dire, pour faire sursauter la perceuse entre les mains de Shawn. Encouragé, il décida de faire un autre trou huit centimètres au-dessus du précédent. Il retint son souffle pendant que la mèche s'enfonçait dans la terre. Là encore, elle rencontra une résistance à six centimètres de profondeur.

Shawn sentit soudain son cœur tonner dans sa poitrine. Il perça un nouveau trou à quelques centimètres du précédent et tomba sur la même surface dure à la même profondeur. Son excitation grimpait en flèche, mais il n'était pas encore prêt à crier victoire. Concentré, il perça rapidement une quinzaine de nouveaux trous et réussit petit à petit à délimiter les contours d'une pierre apparemment plate, d'une centaine de centimètres carrés, incrustée à six centimètres de profondeur dans le mur du tunnel. À ce moment-là, il décida de prévenir Sana :

— Je l'ai trouvé ! s'exclama-t-il avec enthousiasme. Je l'ai trouvé !

— Tu es sûr ? cria-t-elle.

— Sûr à 90 % !

Réconfortée par cette nouvelle encourageante, Sana se força à surmonter sa claustrophobie pour le rejoindre. Elle s'immobilisa à l'entrée du tunnel.

— Où est-il ? demanda-t-elle.

— Ici !

Shawn frappa du plat de la main sur la portion de mur qu'il avait criblée de trous avec la perceuse.

— Je ne le vois pas, dit Sana, déçue.

— Bien sûr ! Je ne l'ai pas encore sorti ! Je l'ai juste repéré.

— Comment peux-tu être sûr que c'est l'ossuaire ?

— Écoute… Passe-moi juste le marteau et le burin, et sois patiente. Je vais te montrer. Tu ne me crois jamais !

Ce n'était pas que Sana ne croyait pas Shawn. Comme lui, tout simplement, elle ne voulait pas nourrir de faux espoirs. Elle attrapa les outils et les lui tendit.

Shawn attaqua le mur du tunnel avec ardeur. Mais le travail se révéla d'emblée plus difficile qu'il ne l'avait cru : il lui fallait plusieurs coups de marteau pour enfoncer le burin de quelques centimètres dans la terre, car celle-ci était dure comme le ciment. Après quoi il devait vigoureusement secouer le burin pour le libérer. Le bruit des coups de marteau était violent, presque douloureux dans l'étroit tunnel. Pour essayer d'aller plus vite, Shawn enfonça presque entièrement le burin dans chaque entaille qu'il créait, avant de frapper latéralement sur son manche pour faire levier et libérer la terre. Chaque opération nécessitait de nombreux coups de marteau, et chaque coup résonnait dans le tunnel comme une détonation d'arme à feu. Shawn et Sana eurent bientôt les oreilles qui tintaient. Sana ne put s'empêcher de plaquer les mains sur les siennes pour se protéger du pénible vacarme.

Après avoir passé une bonne demi-heure, couché sur le flanc, à manier le marteau et le burin, Shawn s'aperçut qu'il suait à grosses gouttes. Et il avait mal à l'épaule. Il fallait qu'il se repose un peu. Il lâcha les outils et frotta vigoureusement ses muscles endoloris. Un instant plus tard, à sa grande surprise, le faisceau de la lampe frontale de Sana rencontra le sien. Elle s'était aventurée jusqu'à la taille à l'intérieur du tunnel.

— Ça avance comment ? demanda-t-elle.

— Lentement, répondit-il d'un ton plaintif.

De sa main gantée, il frotta la pierre calcaire qu'il avait laborieusement mise au jour. Malgré ses efforts pour éviter de la frapper avec le burin, il l'avait heurtée plusieurs fois. Les entailles étaient bien visibles : des plaies couleur crème sur une surface unie marronnasse. Dans son cœur d'archéologue, il regrettait de devoir employer une méthode aussi agressive pour effectuer ces fouilles. Mais il n'avait guère le choix. Il savait que les agents de sécurité faisaient une ronde au changement d'équipe de 23 h 00 et il voulait être reparti bien avant. Or, il était déjà près de 22 h 00.

— Tu crois que c'est ce truc, alors ? demanda Sana.

— Eh bien… Disons les choses de la façon suivante : nous avons ici une plaque de pierre calcaire parfaitement taillée, qui n'est évidemment pas ici par hasard, et qui se trouve exactement à l'endroit où Satornil dit avoir mis l'ossuaire. À ton avis ?

Blessée par le ton condescendant de Shawn, Sana baissa les yeux quelques instants et soupira. Elle avait posé une question qui lui paraissait légitime. Tout ce qu'elle voyait, elle, c'était une pierre plate. Vu les innombrables ajouts et transformations, vu les bouleversements incessants qui avaient eu lieu autour du tombeau de Pierre depuis deux mille ans, il ne lui paraissait pas idiot qu'une simple dalle en pierre calcaire ait pu aboutir à cet endroit précis à un moment ou un autre. S'efforçant de garder son calme, elle fit part de cette observation à Shawn.

— Alors maintenant, c'est toi la spécialiste ! répliqua-t-il d'un ton sarcastique. Bien ! Permets-moi de te montrer quelque chose.

Il orienta le faisceau de sa lampe frontale vers le bord inférieur de la pierre. Là, il avait commencé à s'attaquer au dessous de l'objet. La tâche était très difficile, mais tout le bord inférieur de la plaque était déjà visible.

— Observe cette chose bien curieuse, dit-il d'une voix toujours aussi méprisante. La « dalle », comme tu dis, a au moins une face parfaitement horizontale et une autre parfaitement verticale. S'il ne s'agissait pas de l'ossuaire, les dalles ne seraient sans doute pas si bien alignées et si perpendiculaires l'une à l'autre. Ce truc, Sana, c'est le coffre que nous cherchons ! Et il n'est pas arrivé ici par hasard.

— Encore combien de temps ? demanda-t-elle d'une voix lasse.

Il était clair que le sacrifice qu'elle consentait pour lutter contre sa claustrophobie n'était pas apprécié à sa juste valeur. Elle regrettait juste de ne pas se sentir capable de quitter seule la nécropole : elle serait partie sur-le-champ.

Shawn ne répondit pas à sa question. Il venait de se rendre compte que la circulation sanguine était bien rétablie dans son épaule. Il pouvait se remettre au travail. Sans perdre de temps, il acheva de remplir un premier seau avec la terre qu'il avait dégagée autour de l'ossuaire. Il ordonna alors à

Sana de lui passer le second seau. Vingt minutes plus tard, il avait creusé une tranchée de 6 cm de large et de 10 cm de profondeur autour de ce qui était, sans l'ombre d'un doute, une sorte de coffre en pierre. Le couvercle, qui faisait 2,5 cm d'épaisseur, était scellé avec une cire couleur de caramel. Shawn abandonna le marteau, car il manquait de place, et se servit du burin pour continuer de gratter la terre.

Tout à coup, il se pétrifia tandis que son cœur faisait un bond dans sa poitrine.

La lumière venait de s'allumer dans la nécropole, accompagnée par le grondement sourd des transformateurs électriques.

13

MARDI 2 DÉCEMBRE 2008
15 H 42
NEW YORK
(21 h 42 À ROME)

Jack était dégoûté. Pour la seconde fois en deux jours, il avait perdu les pédales. Hier, chez Ronald Newhouse, il avait prouvé qu'il affrontait la maladie de son fils de façon lamentable. Il avait honte de son attitude au cabinet du chiropraticien – d'autant plus honte que c'était Laurie qui encaissait l'essentiel de la tragédie, jour après jour, pendant que lui, il fuyait la maison pour éviter d'avoir à y penser. Et aujourd'hui, il avait mis cette folie passagère sur le dos de son fils de 4 mois ! C'était peut-être encore plus embarrassant que de s'emporter de façon aberrante contre un charlatan de chiropraticien. Il se trouvait nul et s'en voulait terriblement. Il se demandait aussi comment Laurie réagirait quand elle apprendrait qu'il avait parlé de John Junior à Calvin et à Bingham. Ils n'avaient jamais abordé la question ensemble, mais Jack savait qu'ils étaient sur la même longueur d'onde : cette affaire ne concernait que leur famille.

Jack était encore assis dans son bureau où il avait battu en retraite après s'être fait passer un savon dans le bureau de Bingham. Il regardait son panier à courrier bourré de résultats de labo et de renseignements qu'il avait réclamés aux enquêteurs médico-légaux. Il savait qu'il devait se mettre au travail, mais il n'y arrivait pas.

Il jeta un coup d'œil vers le microscope et la pile de cartons de lames. Il ne se sentait pas davantage capable de se lancer là-dedans. Préoccupé comme il l'était, il risquait de passer à côté d'un truc important.

Il se sentait presque paralysé. Les coudes sur la table, il se prit la tête entre les mains, ferma les yeux et essaya de déterminer s'il était en train de sombrer dans la dépression. Mais non – c'était impossible. Il ne devait pas laisser ce truc lui arriver maintenant.

— Pitoyable ! grogna-t-il, les dents serrées. Tu es pitoyable !

En s'entendant prononcer ce mot, il eut l'impression de recevoir un coup de fouet. Il redressa la tête et abattit ses poings sur la table. Il avait touché le fond, d'une certaine façon, et il allait se ressaisir. Tout comme il l'avait fait en entrant dans le bureau de Bingham, il songea que le meilleur système de défense, c'était l'attaque – un état d'esprit qu'il aurait dû conserver à ce moment-là, se dit-il en passant, plutôt que de devenir une mauviette par peur d'être suspendu. Il s'obligea à fixer son attention sur sa croisade contre la médecine parallèle et cria :

— Allez vous faire foutre, Bingham !

Au lieu de se laisser intimider par le directeur, il avait soudain envie de le défier. Certes, il cherchait avant tout à oublier la maladie de JJ. Mais il considérait désormais sa croisade comme un objectif légitime, digne d'intérêt, et pas du tout comme un simple exercice de style pour un journal de médecine légale. Les recherches qu'il entreprenait lui permettraient, le plus sérieusement du monde, d'alerter les gens au sujet d'un problème qu'ils devaient prendre à cœur.

Stimulé par ces pensées, Jack approcha son fauteuil du clavier de l'ordinateur. En deux clics de souris, il ouvrit son courrier électronique pour voir si certains de ses collègues avaient répondu à sa demande sur les cas de décès liés à la médecine parallèle. Deux seulement avaient donné suite, chacun pour citer un cas : Dick Katzenberg, du bureau du Queens, et Margaret Hauptman, de Staten Island. Jack maudit à voix basse le manque de réactivité des autres.

Il attrapa des fiches cartonnées et y nota les noms et les numéros de dossiers des deux cas. Il envoya ensuite un autre e-mail groupé à tous les médecins légistes, remerciant nommément ses deux collègues de leur réponse et exhortant les autres à suivre l'exemple.

Les fiches à la main, il attrapa sa veste et sortit dans le couloir. Il voulait mettre la main tout de suite sur les deux dossiers. C'est-à-dire qu'il devait se rendre au département des archives, dans le nouveau bâtiment du laboratoire de génétique de l'IML, au coin de la 26e Rue.

Jack descendit la Première Avenue d'un bon pas, longeant le vénérable complexe de l'hôpital Bellevue qui venait d'être rénové. Il arriva bientôt à destination. Le labo ADN se trouvait en retrait de l'avenue, derrière un petit parc. C'était un gratte-ciel moderne à la façade de verre bleuté et de pierre couleur crème. Jack était fier de ce bâtiment et fier de la ville de New York qui l'avait érigé.

Il présenta sa carte d'identification de l'IML à l'entrée et prit l'ascenseur pour monter au quatrième étage. Le département des archives se trouvait dans une vaste salle occupée par plusieurs rangées de gigantesques tiroirs verticaux, en bois, qui allaient du sol au plafond. Chacun de ces énormes tiroirs possédait huit étagères horizontales d'1 m 20 de large. À la fin de la journée, les tiroirs étaient fermés et verrouillés par des volets en bois mobiles.

Une femme souriante qui s'appelait Alida Sanchez était au bureau d'accueil.

— Qu'y a-t-il pour votre service, aujourd'hui, docteur Stapleton ? demanda-t-elle d'une voix agréable. Je vous sens très motivé.

— Oui, en effet, admit Jack en lui rendant son sourire.

Il lui tendit les deux fiches qu'il avait apportées et demanda à voir les dossiers correspondants. Alida les examina une seconde avant de se mettre debout.

— Je reviens dans une minute.

— Je ne bouge pas d'ici, promit Jack.

Il la regarda s'éloigner vers le fond de la salle où d'immenses baies vitrées donnaient sur l'East River. Quelques instants plus tard, elle revint avec un dossier qu'elle tendit à Jack en disant :

— Voilà le premier, pour commencer.

Jack sortit tout le contenu du dossier. Il écarta le rapport de l'enquêteur médico-légal, les notes d'autopsie, le rapport d'autopsie, le formulaire de notification de décès par téléphone et la fiche de renseignements, pour parvenir enfin au certificat de décès. Il remarqua d'emblée que la cause immédiate de la mort était la même que dans le cas de Keara Abelard : dissection des artères vertébrales. Sur la ligne suivante, après l'intitulé PROVOQUÉE PAR OU CONSÉCUTIVE À, il y avait écrit : *manipulation cervicale chiropratique.*

— Parfait, murmura Jack.

Alida revint d'une autre zone de la salle.

— Voici le second dossier.

Jack en tira le certificat de décès. Quand il posa les yeux sur la ligne de la cause immédiate de la mort, il fut surpris d'y trouver le mot « mélanome ». Poursuivant sa lecture, il découvrit que la personne était décédée à cause d'un cancer qui avait métastasé dans le foie et dans le cerveau. Jack était perplexe. Pourquoi Margaret lui avait-elle adressé ce cas ? Quel était le rapport avec la médecine parallèle ? Il passa à la ligne intitulée : AUTRES ÉLÉMENTS AYANT CONTRIBUÉ AU DÉCÈS. Margaret y avait noté qu'on avait conseillé à ce malade atteint d'un cancer d'avoir exclusivement recours à l'homéopathie pendant au moins six mois.

— Bonté divine, dit Jack.

— Quelque chose ne va pas, docteur Stapleton ? demanda Alida.

Jack tapota le certificat de décès avec l'index.

— Ce cas vient de m'ouvrir les yeux sur un aspect négatif de la médecine parallèle auquel je n'avais jamais songé.

— Ah oui ? fit Alida.

Elle n'avait guère l'habitude d'avoir des conversations avec les médecins légistes – surtout depuis que les archives avaient quitté l'ancien bâtiment.

— Je pensais que certaines formes de médecines parallèles n'étaient pas dangereuses. L'homéopathie, par exemple. Mais ce n'est pas le cas.

— C'est quoi, l'homéopathie, au juste ? demanda Alida.

Comme il avait lu un chapitre entier sur cette discipline, la veille au soir, dans *Trick or Treatment*, Jack avait une réponse toute prête :

— C'est une soi-disant thérapie fondée sur un principe absolument pas scientifique que ses adeptes appellent le principe de « similitude ». Ça signifie que si une substance quelconque provoque un vomissement, par exemple, après avoir été absorbée, c'est la *même* substance qui guérira la nausée en étant à nouveau consommée en quantité très réduite. En quantité infinitésimale, à vrai dire – au point qu'il peut ne rester qu'une ou deux molécules du principe actif de la substance en question dans le comprimé homéopathique.

— C'est un peu étrange, observa Alida.

— Je ne vous le fais pas dire, acquiesça Jack avec un petit rire. Comme je disais, je croyais tout de même que cette pseudomédecine ne pouvait pas faire grand mal. Mais le cas que vous venez de m'apporter prouve le contraire.

Il frappa le certificat de décès du plat de la main.

— Certaines personnes se fient à la médecine parallèle au point qu'elles en arrivent à renoncer à la médecine conventionnelle. Or, dans certaines circonstances, la médecine conventionnelle n'est efficace que si le traitement démarre assez tôt. C'est valable pour de nombreux cancers, par exemple. Ici, nous avons un cas typique.

— C'est terrible, dit Alida.

— Je suis bien de cet avis, acquiesça Jack, songeur. Enfin ! Merci de votre aide.

— Il n'y a vraiment pas de quoi. Y a-t-il autre chose pour votre service ?

— J'ai appris qu'on allait numériser les archives. C'est commencé ?

— Oui, nous avons démarré.

— Et... vous en êtes où ? Vous avez déjà beaucoup avancé ?

— Oh non ! Nous avons *très peu* avancé. C'est un travail qui demande énormément de temps, et nous ne sommes que trois pour le faire.

— Combien d'années avez-vous déjà couvertes ?

— Nous n'avons même pas terminé la première année.

Jack ne put réprimer une moue de déception.

— Même pas terminé la première année ?

— C'est un travail de longue haleine.

— Si je prenais l'ensemble des archives de l'IML, comment pourrais-je y chercher tous les décès associés à la médecine parallèle – comme ces deux cas que nous avons ici ?

— Malheureusement, vous seriez obligé d'examiner toutes les archives, dossier par dossier. Et ça pourrait vous prendre des années. Au sens propre. Tout dépendrait du nombre de personnes que vous affecteriez à la tâche.

Ce n'était pas du tout la réponse que Jack avait espéré entendre.

— C'est la seule façon de procéder ?

— Oui. Tant que les archives ne sont pas numérisées, il n'y a pas d'autres solutions. Et même quand elles seront numérisées, vous savez, vous trouverez les cas qui vous intéressent uniquement si les légistes ont bien écrit l'expression *médecine parallèle*, ou une autre expression similaire, à la ligne de la cause du décès.

— Médecine parallèle, ou *chiropratique*, ou *homéopathie*, et ainsi de suite, renchérit Jack. Le type de thérapie responsable du décès en question…

— Exactement. Mais le problème, c'est que je ne vois pas beaucoup de légistes ajouter ce genre de précision. Après tout, sur les certificats des personnes qui succombent à ce qu'on appelle une complication thérapeutique, vous ne trouvez pas les expressions *médecine conventionnelle* ou *médecine classique* à la ligne des facteurs ayant contribué au décès. Ni *chirurgie orthopédique*, ni le nom d'aucune autre spécialité. Le seul autre endroit du dossier où l'information peut apparaître, si le légiste ne l'a pas intégrée au certificat de décès, c'est dans le rapport de l'enquêteur médico-légal, sous l'intitulé « autres observations ». Mais même ça, c'est très rare. D'après mon expérience, les enquêteurs écrivent rarement quoi que ce soit sur cette ligne.

— Zut !

Jack se rendit compte qu'il avait élevé la voix et s'excusa. Puis il ajouta en guise d'explication :

— J'ai vraiment besoin de trouver des infos. Je veux savoir combien de décès liés à la médecine parallèle l'IML a pu traiter au cours des trente dernières années. Parce que c'est ce genre de statistique qui retient l'attention des gens.

— Désolée, dit Alida avec un sourire un peu contraint.

14

MARDI 2 DÉCEMBRE 2008
22 H 08
ROME
(16 h 08 À NEW YORK)

— N'ouvre pas les yeux ! murmura Shawn. Ne les ouvre en aucun cas et imagine que tu es sur une belle plage de sable fin. Le soleil brille et il y a de gros nuages blancs, bien joufflus, qui défilent lentement dans le ciel d'azur tropical.

— Il fait trop froid pour que j'imagine être à la plage, répondit Sana d'une voix tremblante de désespoir.

— Oh, pour l'amour du ciel ! En ce cas, imagine que tu es allongée dans la neige, au milieu des montagnes, et que tu contemples un ciel d'hiver cristallin, la nuit, qui te donne l'impression de voir jusqu'au-delà de la Voie lactée.

— Il ne fait pas si froid que ça.

Shawn ne dit plus rien pendant quelques instants. Il se sentait à bout de patience et il ne savait plus quoi inventer. Il n'avait pas cessé de réconforter Sana depuis qu'ils s'étaient réfugiés dans le tunnel. Il connaissait cette femme depuis cinq ans, mais jamais il ne s'était douté qu'elle était à ce point claustrophobe. Dès l'instant où ils avaient éteint leurs lampes et plongé dans le tunnel pour s'allonger sur le côté, l'un en face de l'autre, dans une étreinte peu confortable, elle avait commencé à paniquer et à se plaindre avec véhémence. Au début, il lui avait simplement demandé de se taire, car il était presque aussi terrifié qu'elle – pas parce qu'il était claustrophobe, bien sûr, mais parce qu'il redoutait d'être découvert par les agents de sécurité du Vatican.

Hélas, Sana était tellement affolée, elle faisait un tel tapage, qu'il avait été obligé de la calmer. Un filet de lumière pénétrait dans le tunnel par ses deux extrémités. Scrutant le visage de sa femme, il avait constaté qu'elle avait le front en sueur et qu'elle écarquillait les yeux sans jamais cligner.

« Eh, tu dois te calmer ! avait-il chuchoté d'un ton ferme.

— Je ne peux pas, avait-elle gémi. Je ne peux pas rester ici. Je dois sortir, sinon je vais devenir folle ! »

Contraint de trouver une solution, il lui avait ordonné de fermer les yeux et de ne plus les rouvrir. De façon étonnante, ce truc simple avait eu l'effet voulu : elle s'était aussitôt calmée, elle avait cessé de gesticuler et de grogner, et elle s'était immobilisée contre lui.

— Comment ça va, maintenant ? demanda-t-il enfin.

Elle ne répondit pas. C'était sans doute bon signe. Elle n'avait pas rouvert les yeux et elle gardait le silence. Shawn profita de ce répit pour reprendre ses esprits.

Quand les lumières s'étaient allumées dans la nécropole, une vingtaine de minutes plus tôt, il avait commencé par sortir précipitamment du tunnel pour retourner sous la terrasse en verre. Il était terrorisé. Il savait qu'il devait remettre en place le lourd panneau de verre que Sana et lui avaient laissé à la verticale contre le mur. Si les agents de sécurité trouvaient ce panneau ouvert, ils comprendraient qu'il y avait quelqu'un sous la terrasse.

Shawn avait réussi à convaincre Sana de l'aider, puis ils s'étaient précipités dans le tunnel. Quelques instants plus tard, ils avaient entendu des voix s'élever du côté de la terrasse : deux hommes, au moins, qui parlaient d'un ton grave.

Pendant que Sana luttait contre la panique, Shawn avait éprouvé une angoisse monstrueuse à l'idée d'avoir oublié une partie de son équipement sous la terrasse en verre. Les agents de sécurité étaient restés là-bas une dizaine de minutes. Il avait été au supplice pendant tout ce temps, convaincu que Sana et lui étaient sur le point d'être découverts.

Il se demandait à présent ce qui avait attiré les agents de sécurité dans la nécropole. Il ne connaîtrait jamais la réponse à cette question, bien sûr, mais il supposait que Sana avait été étonnamment perspicace : les claquements métalliques du marteau sur le burin s'étaient sans doute fait entendre jusque dans la basilique.

Sana chuchota d'une voix vibrante de frayeur :

— Je peux ouvrir les yeux ?

— Non, surtout pas !

Shawn n'avait aucune envie de recommencer à l'apaiser.

— On va rester comme ça encore combien de temps ?

Avant qu'il ait pu répondre, la lumière s'éteignit dans la nécropole. Les lueurs qui parvenaient jusque dans le tunnel s'évanouirent, laissant Shawn et Sana dans les ténèbres.

— Que se passe-t-il ? La lumière est éteinte ? demanda Sana d'un ton à la fois anxieux et soulagé.

— Oui. Garde les yeux fermés tant que tu n'as pas rallumé ta lampe de casque.

Il se tortilla sur le sol pour s'extirper du tunnel, puis il alluma sa lampe frontale. Sana l'imita.

Ils se regardèrent fixement pendant quelques secondes. Shawn avait craint de la voir paniquer à nouveau quand elle rouvrirait les yeux, mais elle semblait garder son calme. Le simple fait d'avoir quitté le tunnel étroit devait la soulager suffisamment pour lui permettre de maîtriser ses émotions.

— Rappelle-moi de ne plus jamais te proposer de participer à des fouilles, dit-il avec irritation.

— Rappelle-moi de ne plus jamais accepter de t'accompagner !

Ils continuèrent de se dévisager un moment. Ils haletaient l'un et l'autre comme s'ils venaient de courir un 100 m au lieu d'être restés immobiles pendant une demi-heure.

— Fichons le camp de cet endroit pourri, marmonna Sana. Tout ce que je peux dire, c'est que cette soi-disant aventure compte maintenant parmi les pires expériences de ma vie. Retourne dans le tunnel et récupère cette saleté d'ossuaire, tu veux !

Shawn n'était pas du tout prêt à accepter de recevoir des ordres de Sana après l'avoir vue se comporter comme une gamine – et avoir été obligé de la rassurer – pendant toute la durée de leur supplice. Il avait eu encore plus de mal à affronter l'angoisse de sa femme, peut-être, que la peur d'être découvert par les agents de sécurité.

— Je vais récupérer l'ossuaire parce que je *veux* le récupérer, répliqua-t-il d'un ton aigre. Pas parce que tu le réclames !

Il saisit le burin et le seau, puis il s'allongea pour retourner à l'intérieur du tunnel.

Sana l'écouta un moment gratter la terre autour de l'ossuaire. Malheureusement, elle n'avait rien à faire et elle ne pouvait s'empêcher de ressasser son anxiété. De plus, le panneau de verre de la terrasse ayant été remis en place, elle était à la merci de Shawn – prisonnière de la nécropole. Cette idée ravivait en elle une angoisse terrible qui menaçait de la submerger.

— Shawn ! dit-elle, élevant la voix pour couvrir les grattements du burin et les grognements d'effort de son mari. J'ai besoin que nous retournions à la terrasse pour soulever le panneau de verre.

— Vas-y et démerde-toi ! cria-t-il – et il ajouta quelques exclamations qu'elle ne saisit pas mais dont elle pouvait deviner la teneur.

Sana se renfrogna. La réaction de Shawn la rendait furieuse. Il savait très bien qu'elle ne pouvait pas soulever ce panneau de verre seule. Son égoïsme était inadmissible. Cependant, la colère qu'elle sentait grandir en elle avait un bon côté : elle apaisait sa claustrophobie. Plus Sana était en rogne contre Shawn, moins elle pensait à l'espace confiné dans lequel elle se trouvait. En outre, elle se souvenait que lorsqu'elle avait fermé les yeux, dans le tunnel, elle s'était sentie beaucoup mieux : elle les ferma de nouveau.

— Voilà ! cria Shawn quelques instants plus tard. L'ossuaire est libéré ! On peut le dégager !

Sana ouvrit les yeux comme si elle se réveillait après une séance d'hypnose. Il lui semblait que Shawn parlait d'elle. La libération de l'ossuaire était sa propre libération, puisqu'elle signifiait qu'ils allaient bientôt sortir de la nécropole ! Oubliant complètement son angoisse, elle engagea la tête et les épaules dans le tunnel. Elle regarda Shawn tirer l'ossuaire de la cavité qu'il avait creusée dans le mur.

— C'est lourd ?

— Assez, oui.

Grognant, il posa le petit coffre en pierre sur le sol et le poussa vers Sana avant de sortir du tunnel.

Agenouillés de part et d'autre de l'ossuaire, les yeux arrondis de curiosité, Shawn et Sana oublièrent subitement l'irritation et le ressentiment qu'ils éprouvaient l'un envers l'autre. Shawn tendit la main et, d'un geste presque déférent, chassa de ses doigts gantés les petits cailloux et la terre qui couvraient encore le couvercle. Il était très ému. Cet ossuaire contenait peut-être le squelette de l'une des personnes les plus importantes de l'histoire humaine.

Le couvercle portait une multitude d'éraflures et de signes apparemment indéchiffrables. Shawn se pencha pour les observer. Soudain, il vit quelque chose qui avait une signification.

— J'avais espéré lire un nom sur la pierre, dit Sana, déçue.

— Il y en a un ! Et une date, aussi !

Il fit pivoter l'ossuaire et désigna du doigt l'inscription qu'il avait repérée. Sana plissa les yeux. Elle vit une série de chiffres romains qui semblaient indiquer une date : DCCCXV – c'est-à-dire 815. Elle redressa la tête pour regarder Shawn d'un air peiné. Voilà, c'était terminé. Leurs efforts n'avaient servi à rien.

— Mince ! se lamenta-t-elle. Ce satané coffre date du Moyen Âge !

Un sourire narquois plissa les lèvres de Shawn.

— Ah tiens ? Tu crois ça, toi ?

Confuse, Sana relut les chiffres romains et les traduisit une fois de plus. DCCCXV… c'était bien 815. Par conséquent, comme elle venait de le dire, l'objet datait du Moyen Âge. Elle allait donc être obligée de convaincre Shawn qu'ils avaient échoué.

C'est alors qu'il désigna de nouveau l'inscription et demanda :

— Vois-tu les lettres latines qui suivent les chiffres romains ?

Sana se pencha vers le couvercle et scruta quelques secondes son fouillis d'éraflures. Trois lettres lui apparurent.

— Oui, je les vois. On dirait qu'il y a écrit « AUC ».

— Exactement ! AUC ! dit Shawn, ravi. Ces trois lettres sont l'abréviation de l'expression *ab Urbe condita*, laquelle fait référence à la date de fondation de Rome. Date que l'on situe en 753 avant J.-C. dans le calendrier grégorien – lequel calendrier n'a fait son apparition, je te le rappelle, qu'en 1582 après J.-C.

— Je suis perdue, admit Sana.

— Représente-toi les choses simplement. Les Romains ne connaissaient pas « avant J.-C. » ou « après J.-C. ». Leur référence, le point de départ de leur calendrier, c'était l'*ab Urbe condita*. La fondation de Rome. Pour lire une date de l'ancien calendrier romain dans notre calendrier grégorien, tu dois y soustraire 753 ans.

Sana fit le calcul de tête.

— Alors ce 815 romain, c'est… l'an 62 de notre ère. C'est ça ?

— Tout juste. Je présume que Simon le Magicien considérait que la Vierge Marie était morte en 62.

— Ça, c'est sans doute possible, dit Sana tout en essayant de se souvenir de ce qu'elle avait appris au catéchisme.

— Oui, absolument. À supposer que Marie ait eu son premier enfant – Jésus – en l'an 4 avant J.-C., et à supposer qu'elle ait eu à peu près 15 ans à ce moment-là, elle aurait eu 81 ans à sa mort. C'est une très belle longévité, pour l'époque, mais c'est possible. Regarde, il y a aussi un nom, conclut Shawn en reposant le doigt sur l'ossuaire.

Sana scruta le labyrinthe d'éraflures et secoua la tête.

— Je ne le vois pas.

— Ici, précisa Shawn en tapotant la pierre. C'est écrit en araméen, juste au-dessus des chiffres romains.

— Franchement, je ne vois pas du tout ces lettres.

— Je te les dessinerai à l'hôtel.

— Super ! Mais en attendant, c'est quoi ce nom ?

— Mariam.

— Seigneur tout-puissant, murmura Sana.

La chose qu'elle avait cru ne jamais voir se produire était apparemment en train de se concrétiser.

— Comme tu dis, « Seigneur tout-puissant » ! s'exclama Shawn d'un ton enjoué. Maintenant, rapportons ce truc à l'hôtel et faisons la fête !

Il porta l'ossuaire jusque sous la terrasse en verre. La tâche était assez pénible, car il devait se déplacer accroupi.

— Et les outils et les seaux ? demanda Sana. Je veux bien prendre le tout, mais si je fais ça je ne pourrai pas t'aider pour l'ossuaire.

Shawn hocha la tête et se gratta la nuque. L'ossuaire pesait une vingtaine de kilos. Il pouvait sans doute le trimballer seul jusqu'à la sortie de la nécropole, mais il aurait besoin de faire souvent des pauses. Et puis il y avait plusieurs escaliers…

— J'ai une idée ! Offrons une bonne surprise aux archéologues du futur. Enfermons les seaux et tous les outils, sauf les casques, dans la niche de l'ossuaire. De toute façon, il faut bien faire quelque chose de la terre que j'ai dégagée.

— Tu as raison.

Sana retint Shawn par le bras au moment où il repartait vers le tunnel.

— Avant que tu ne fasses ça, puis-je te demander un grand service ?

— Quoi, encore ? grommela-t-il.

Malgré son succès, il n'était pas d'humeur à se montrer trop généreux avec sa femme.

— Veux-tu bien m'aider à soulever le panneau de verre ? Je me sentirais beaucoup mieux. Ensuite, pendant que tu enterreras les outils, je porterai l'ossuaire jusque dans le coin, sous l'ouverture.

Shawn regarda en direction du tunnel, baissa les yeux sur l'ossuaire posé à ses pieds, puis consulta rapidement sa montre. Il n'oubliait pas qu'il voulait être ressorti de la nécropole avant 23 h 00.

— Oh, d'accord ! répondit-il comme s'il faisait un énorme sacrifice.

Peu après, de retour dans le tunnel, il se dépêcha de cacher leur équipement dans le trou laissé par la disparition de l'ossuaire. Il y fourra de la terre à pleines mains, par-dessus les seaux, et la tassa. Bien sûr, il ne put reconstituer le mur du tunnel tel qu'il l'avait trouvé, mais il fit de son mieux. Et quand il eut terminé, il jugea le résultat de ses efforts plutôt satisfaisant.

Après avoir balayé le sol du tunnel et vérifié qu'il n'oubliait rien derrière lui, il retourna sans perdre une seconde auprès de Sana. Elle l'attendait dans l'angle de la terrasse, debout dans l'ouverture du panneau de verre. Ensemble, ils hissèrent l'ossuaire sur la terrasse.

Le trajet jusqu'à la sortie de la nécropole fut assez pénible. Les couloirs étaient longs et les escaliers ardus. Ils durent s'arrêter à plusieurs reprises pour reprendre des forces. Lors de leur dernière pause, juste avant la porte d'entrée de la nécropole, Sana dit :

— Tu sais ce qui m'excite le plus, en fait ?

— Quoi donc ? répondit Shawn qui se massait les épaules.

— Je suis vraiment supercontente que le couvercle soit encore bien scellé. La cire est impeccable sur tout le pourtour de l'ossuaire.

Shawn se pencha pour examiner l'objet.

— Mais oui, tu as raison !

— Si ce coffre a été scellé à Qumrân, et si l'endroit était aussi sec que tu le dis, je pense que nous avons de bonnes chances de trouver un échantillon d'ADN mitochondrial du Ier siècle.

— Et l'ADN d'une personne assez particulière, par-dessus le marché ! Viens, finissons-en et emportons ce truc jusqu'au coffre de la voiture.

La dernière partie du trajet fut la plus éprouvante pour leurs nerfs. Comme il était bientôt 23 h 00, ils risquaient de rencontrer des agents de sécurité entre le bureau des Scavi et la Piazza dei Protomartiri Romani. Par chance, cela ne se produisit pas. Dehors, Shawn porta seul l'ossuaire pour que Sana puisse le protéger avec le parapluie. Elle voulait absolument éviter de le mouiller.

Quand ils se furent mis en route après avoir bien calé l'objet au fond du coffre, ils s'angoissèrent de nouveau à l'approche de l'Arco delle Campane et des guérites des Gardes suisses. Mais ils n'avaient pas de souci à se faire. À cause de la pluie, peut-être, les gardes ne sortirent même pas de leurs abris quand la voiture passa devant eux au ralenti.

Shawn accéléra pour s'élancer dans Rome. Il se cala au dossier de son siège et poussa un soupir de soulagement.

— Et voilà ! C'était facile, finalement.

Sana avait encore son casque de chantier sur la tête. La lampe frontale éclairait le plan de la ville qu'elle venait de déplier pour guider Shawn jusqu'au Hassler. Elle ne se rendit pas compte qu'il plaisantait.

— Non, ça n'a pas été facile du tout, objecta-t-elle.

Le souvenir de la crise de claustrophobie qu'elle avait vécue la fit frissonner. Jamais elle ne s'était sentie aussi mal.

— Mon seul regret, c'est de m'être laissé persuadé d'abandonner sur place le marteau, le burin et les autres trucs, ajouta Shawn.

Il essayait une fois encore d'être drôle. Il savait très bien qu'il avait lui-même eu l'idée de laisser les outils dans la niche de l'ossuaire.

Sana, qui n'avait toujours pas compris qu'il blaguait, regarda fixement son profil. Elle était exaspérée et stupéfaite. Comment pouvait-il manquer à ce point de délicatesse ? Pourquoi prenait-il le risque de la blesser de cette façon ? C'était insensé ! En plus, n'avaient-ils pas trouvé ce qu'ils cherchaient ? N'avaient-ils pas réussi à emporter l'ossuaire au nez et à la barbe de tout le monde ?

— Ce burin et ce marteau m'auraient été bien utiles pour ouvrir l'ossuaire, enchaîna Shawn d'un ton plus sérieux.

La colère de Sana se mua aussitôt en inquiétude.

— L'ouvrir ? Quand ça ?

— Hmm... Je ne sais pas très bien.

Shawn jeta un coup d'œil vers sa femme. Elle le dévisageait d'un air soucieux.

— Je vais peut-être m'autoriser à boire un verre, pour commencer, ajouta-t-il, mais je veux savoir s'il y a des documents à l'intérieur de l'ossuaire, et je veux savoir ça dès ce soir !

Sana commençait à comprendre que Shawn essayait plus ou moins d'être drôle, mais elle ne sourit pas. L'idée d'ouvrir l'ossuaire de façon précipitée ne l'amusait pas du tout. L'impatience de Shawn risquait de l'empêcher d'effectuer le travail qu'elle envisageait.

— Pourquoi tu fais cette tête ? demanda-t-il, levant une main au-dessus de son front pour se protéger de la lumière du casque de Sana.

Elle éteignit la lampe, retira le casque et le jeta sur la banquette arrière.

— Tu ne peux pas ouvrir l'ossuaire tant que je ne suis pas en mesure de stabiliser biologiquement les os humains qu'il contient peut-être, expliqua-t-elle d'une voix nerveuse. Si tu l'ouvres sans prendre de précautions, ça m'empêchera sans doute de réussir à isoler l'ADN mitochondrial qui est susceptible de se trouver dans le squelette.

— Ah vraiment ? répliqua Shawn d'un ton mi-moqueur, mi-irrité.

Il n'en croyait pas ses oreilles. Maintenant, sa femme avait la présomption de vouloir le freiner dans l'examen de ce qui était à coup sûr sa plus importante découverte archéologique.

— J'ouvre l'ossuaire dès ce soir, crois-moi ! reprit-il d'un ton catégorique. Nous nous soucierons de ton ADN le moment venu.

— Tu y perdrais beaucoup, objecta Sana. Ton impatience pourrait te coûter cher. N'oublie pas que ce coffre est resté fermé pendant près de deux mille ans. S'il contient des documents, tu ferais bien d'être prêt à les conserver immédiatement. Sinon, tu risques de les perdre en même temps que l'ADN.

Shawn se renfrogna.

— Ouais, d'accord, tu as peut-être raison, admit-il à contrecœur. En tout cas en ce qui concerne les documents. Mais sérieusement, à quoi ça nous servirait, de toute façon, de découvrir l'ADN mitochondrial de la Vierge Marie ? Mis à part le vague intérêt scientifique que ça peut avoir pour toi, je veux dire ?

— Je ne suis pas bien sûre de la réponse à te donner, admit Sana. Mais disons que... D'une part, nous pourrions être en mesure de remonter la généalogie de cette femme assez loin, parce que nous serions déjà deux mille ans avant notre point de départ. D'autre part, et c'est encore plus important, vu que l'ADN mitochondrial est transmis uniquement par la mère, sans recombinaison, tu serais en définitive responsable de la découverte du génome de l'ADN mitochondrial de Jésus-Christ.

— Ah oui ? ! s'exclama Shawn, soudain très impressionné.

— Bien sûr ! Tu ferais partie de ce cercle très restreint de chercheurs qui apportent une contribution réellement extraordinaire à la connaissance humaine !

— Ma parole, dit Shawn qui se voyait déjà applaudi par toute la communauté scientifique.

— Alors ? Puis-je avoir ta promesse que nous n'ouvrirons pas l'ossuaire tant que nous ne serons pas à New York ? Tu n'as que deux jours à attendre.

— D'accord. C'est promis.

Sana prit une profonde inspiration, puis elle expira lentement entre ses lèvres mi-closes. Elle était soulagée. Elle était aussi un peu embarrassée de s'être abaissée à manipuler Shawn en flattant son orgueil, mais tant pis. Elle était décidée à mettre toutes les chances de son côté. Parce que c'était elle, en définitive, en tant que biologiste moléculaire - et non Shawn, l'archéologue - qui serait couverte d'honneurs pour avoir déchiffré le génome de l'ADN mitochondrial de Jésus-Christ.

15

VENDREDI 5 DÉCEMBRE 2008
10 H 06
NEW YORK

— Bon ! Aucun doute possible sur la cause de la mort de ce monsieur, dit Jack.

Il venait d'ouvrir le cœur, à l'aide d'un couteau, d'un Afro-Américain de 62 ans qui s'appelait Leonard Harris. Un gros caillot de sang en forme de saucisse obstruait complètement l'oreillette droite.

— Ce caillot est-il remonté des jambes ? demanda Vinnie.

— Nous allons vérifier ça tout de suite.

L'activité battait son plein dans la salle d'autopsie dont les huit tables étaient occupées. Jack et Vinnie étaient déjà bien avancés sur leur troisième cadavre, tandis que la plupart des autres légistes travaillaient encore sur leur premier.

Le premier cas de Jack avait été celui d'un adolescent tué par balle dans Central Park. La question se posait de savoir s'il s'agissait d'un suicide ou d'un homicide. Malheureusement, une erreur avait été commise par George Sullivan, l'enquêteur médico-légal chargé du dossier : intimidé par l'inspecteur de police présent sur les lieux, il s'était laissé convaincre de boucler son travail le plus vite possible et il avait oublié de protéger les mains de la victime dans des sachets en plastique. Cela pouvait avoir entraîné la disparition d'indices déterminants pour l'autopsie. Et comme la victime était le fils d'un très célèbre avocat, lié au milieu politique new-yorkais, Calvin avait dû intervenir et il avait demandé à Jack de se charger de l'autopsie.

Le deuxième cas avait été un peu plus simple : il s'agissait d'un étudiant de première année de fac mort d'une overdose. Le troisième cas, sur lequel Jack se penchait maintenant, lui posait par contre un défi imprévu. Il était certain que l'homme avait succombé à une embolie pulmonaire, mais la cause de cette embolie n'était pas nécessairement naturelle.

Jack trancha le cœur en plusieurs endroits, cherchant d'autres caillots, en particulier dans les valves tricuspides ou pulmonaires.

— Vinnie, mon ami, sais-tu… ?

— Non, arrête ! l'interrompit le technicien. Quand tu commences à me poser une question de cette façon, en étant gentil avec moi, tu as généralement en tête de m'entraîner dans un truc qui va me déplaire.

— Oh ! fit Jack d'un ton exagérément peiné, tandis qu'il remontait l'artère pulmonaire vers sa bifurcation. Je suis si méchant que ça ?

— Ah oui ! Méchant comme tout.

— Mon pauvre Vinnie. Je suis désolé que tu voies les choses de cette façon. Mais laisse-moi finir ma phrase. Sais-tu ce qu'il a de très intéressant, ce cas ?

Vinnie baissa les yeux sur le gros caillot sombre, puis regarda le torse ouvert du cadavre. Il essayait de trouver quelque chose de drôle à dire, mais il manquait d'inspiration. Il se contenta de répondre la vérité :

— Non.

— Ce cas est un parfait exemple de l'importance du rôle des enquêteurs médico-légaux. Vu que Janice a posé toutes les bonnes questions, nous sommes en mesure de comprendre ce décès. Sans son enquête, j'aurais été certain qu'il s'agissait d'une mort naturelle. Quand elle a demandé à l'épouse du défunt s'il avait pris des médicaments récemment, elle a appris quelque chose que les urgentistes qui se sont occupés de lui à l'hôpital ne savaient pas : cet homme avait consommé, de son propre chef, un produit de phytothérapie chinoise qui s'appelle le PC-SPES. Il devrait avoir été retiré du marché, mais... hélas il reste disponible dans certaines pharmacies. Janice a cherché des renseignements complémentaires sur Google. Le produit est bel et bien interdit par l'administration fédérale. Il est souvent contaminé par des hormones féminines et, par conséquent, il peut créer des caillots sanguins qui entraînent des embolies pulmonaires fatales.

— Tu veux dire que c'est un médicament à base de plantes qui a tué cet homme ? demanda Vinnie avec étonnement.

— Sans doute, répondit Jack.

— Seras-tu en mesure de le prouver ?

— Peut-être. Laissons le labo de toxicologie s'amuser avec les prélèvements que nous avons faits. Et voyons aussi si l'épouse pourra nous procurer les comprimés qu'il a gobés.

— Hé, continue quand même de bosser ! protesta Vinnie.

Jack avait cessé de manipuler le cœur pendant qu'il parlait. Il se remit à la tâche et demanda :

— Tu prends des médicaments à base de plantes, toi, Vinnie ?

— Ça m'arrive. J'utilise de temps en temps un aphrodisiaque chinois qui s'appelle « Force du tigre ». Et mon acupuncteur me donne parfois quelque chose pour certains petits problèmes.

Jack lâcha le cœur du défunt et dévisagea son technicien de morgue préféré.

— Ça va pas ? demanda Vinnie. Pourquoi tu me regardes comme ça ?

— Comme on dit, je savais que tu étais bête mais je ne te croyais pas stupide.

— Pourquoi ? De quoi tu parles ? répliqua Vinnie, perplexe.

— J'ignorais que tu avais recours à la médecine non conventionnelle. Pourquoi tu fais ça, au juste ?

Vinnie haussa les épaules.

— Parce que c'est naturel, je suppose.

— Naturel, mon cul ! rétorqua Jack d'un air dédaigneux. Le plus terrible poison qui existe au monde est fabriqué par une petite grenouille d'Amérique du Sud. Il en suffit d'une dose infinitésimale pour tuer un homme. Et c'est un produit *naturel* ! Coller l'étiquette du « naturel » sur la médecine parallèle, c'est un procédé de marketing complètement insensé.

— D'accord, calme-toi ! Peut-être que j'aime certaines formes de médecine parallèle parce qu'elles existent depuis six mille ans. Depuis le temps, les mecs doivent savoir ce qu'ils font.

— Là, tu fais référence à l'idée carrément loufoque selon laquelle dans un passé lointain, va savoir pourquoi, les gens avaient davantage de sagesse scientifique qu'aujourd'hui. C'est absurde et c'est parfaitement illogique. Il y a six mille ans, les gens croyaient que le tonnerre, c'étaient les dieux qui déplaçaient le mobilier dans leur salon !

— D'accord, répéta Vinnie avec une pointe d'agacement. J'aime les médecines parallèles parce qu'elles traitent mon corps dans son intégralité – pas uniquement mon bras, ma rate ou je ne sais quoi.

— Ah ! s'exclama Jack avec encore plus de mépris dans la voix que lorsqu'il s'était attaqué à la fable de la médecine dite « naturelle ». Le mythe de la cure holistique, les absurdités du plus-holistique-que-n'importe-quelle-autre-pratique, c'est aussi crétin que tous les autres trucs que tu as dits. La médecine conventionnelle est mille fois plus holistique qu'aucune de tes médecines parallèles à la noix. Aujourd'hui, dans le champ de la médecine conventionnelle, on prend même en compte le profil génétique de chaque individu. Où peux-tu trouver plus holistique que ça ? !

— Et si on terminait cette autopsie ? suggéra Vinnie. Et puis tu pourrais peut-être arrêter de beugler, tu crois pas ?

Comme quelques jours plus tôt dans le bureau de Ronald Newhouse, Jack revint subitement à la raison. Une fois encore, il avait dérapé. Un lourd silence était tombé sur la salle d'autopsie et tout le monde le regardait. Il baissa les yeux sur ses mains : la gauche était crispée sur le cœur qu'il était en train d'examiner et la droite étreignait fermement le manche du couteau.

Aussi soudainement qu'il s'était tu, le bourdonnement des conversations reprit d'un bout à l'autre de la salle.

— Pff ! fit Vinnie. Avec l'âge, tu sais, tu deviens terriblement susceptible.

— Depuis notre cas de dissection des vertébrales de lundi, je me suis pas mal renseigné sur la médecine parallèle. Et ce que j'ai appris m'a mis un chouia sur les nerfs.

— Un chouia ? répéta Vinnie avec ironie. J'ai l'impression que tu es carrément à cran, ouais ! Mais je vais te dire un truc : j'abandonne l'acupuncture, si ça peut te faire plaisir.

— Ouais, ça me ferait très plaisir. Surtout si tu jettes aussi à la poubelle tes comprimés à base de plantes.

Vinnie se pencha vers Jack, l'air perplexe.

— Tu te fiches de moi, là, ou quoi ?

— À moitié. Mais en attendant, bouclons donc cette autopsie.

Ils achevèrent le cas d'embolie pulmonaire en un temps record – ils étaient trop mal à l'aise pour se parler. Quand ils eurent terminé, Jack dit :

— Je te demande pardon, mon ami. J'ai carrément débloqué…

— Tu es pardonné. Mais pour te faire bien voir, maintenant, tu n'as qu'à me promettre que nous ne commencerons plus jamais les autopsies avant tout le monde.

— Dans tes rêves, dit Jack en souriant, et il retira ses gants pour se diriger vers les vestiaires.

Il se changea, puis prit l'ascenseur. Il se sentait encore très embarrassé par son petit coup de gueule en salle d'autopsie. Quand il entra dans son bureau, il ferma la porte derrière lui ; il ne voulait voir personne dans l'immédiat. Il s'obligea à se concentrer sur son travail et rédigea les rapports des trois autopsies qu'il venait d'effectuer, puisant dans les notes qu'il avait prises sur le moment pour retrouver certains détails importants.

Ce travail accompli, il regarda son panier à courrier plein à craquer et soupira. Comme souvent ces derniers jours, il ne trouvait pas la force de s'y mettre. Du tiroir central de sa table, il sortit la grande enveloppe kraft dans laquelle il avait rassemblé toutes ses données sur la médecine parallèle. Ses collègues lui avaient communiqué 12 cas. Keara Abelard était le treizième. Sa dernière autopsie, l'homme tué par un remède à base de plantes, portait le total à 14.

Jack aurait dû être satisfait de ses progrès. Hélas, il avait déjà compris que le nombre de cas qu'il trouverait, quels que soient les efforts qu'il produirait pour en dénicher de nouveaux, resterait considérablement inférieur au nombre réel de décès liés à la médecine parallèle. Cela s'expliquait par tout un ensemble de raisons. Premier problème, les archives de l'IML n'étaient pas encore numérisées. Une recherche en bonne et due forme y était donc exclue. Même si elles avaient été numérisées, Jack n'y aurait que rarement trouvé les références à la médecine parallèle dont il avait besoin. Par-dessus le marché, ces références auraient souvent été incomplètes. S'il avait repéré des cas de dissection des artères vertébrales, par exemple, les dossiers n'auraient pas forcément précisé s'il s'agissait de dissections consécutives à une manipulation cervicale chez un chiropraticien.

Dans les cas de décès provoqués par un produit de phytothérapie, les dossiers des archives porteraient la mention « empoisonnement accidentel ». Au mieux, le produit responsable serait cité. Mais il serait très rare que le lien avec la phytothérapie soit établi.

Certes, Jack pensait encore que la croisade qu'il avait entamée pour révéler les dangers de la chiropratique et des autres formes de médecine non conventionnelle était justifiée. Mais les obstacles qu'il rencontrait avaient porté un coup sérieux à son enthousiasme. 14 cas sur une période de temps indéterminée, ce n'était pas suffisant pour intéresser le public. Au démarrage du projet, il avait eu la vision d'un lourd dossier à charge qui aurait comporté des centaines de cas susceptibles de passionner les médias pendant des jours entiers. Il savait aujourd'hui que ce doux rêve n'avait aucune chance de se réaliser.

Maintenant qu'il perdait son zèle, malheureusement, ses problèmes personnels ne faisaient que reprendre du poil de la bête. Ses crises de nerfs insensées, comme en témoignait son accrochage avec Vinnie en salle d'autopsie, prouvaient sans l'ombre d'un doute qu'il n'arrivait toujours pas à se ressaisir.

Calé au dossier de son fauteuil, Jack se demanda s'il devait s'acharner à creuser la question des dangers de la médecine parallèle – en espérant résoudre les problèmes de collecte d'informations concluantes que cela induisait – ou s'il devait changer de cap et essayer de trouver une autre source de distraction.

La sonnerie du téléphone l'arracha à ses méditations. Il fusilla l'appareil du regard et faillit se lever pour en arracher la prise murale. Il ne voulait parler à personne.

Mais… peut-être était-ce Laurie. Peut-être y avait-il eu un brusque changement – et pas dans le bon sens – de l'état de santé de JJ. Peut-être l'appelait-elle des urgences du Memorial ? Jack décrocha tout à coup le combiné et s'écria :

— Oui ? !

— Hé, mon grand ! répondit Lou Soldano. Je te dérange, ou quoi ? Tu as l'air nerveux.

Jack avait été tellement convaincu d'entendre la voix de Laurie – et d'apprendre un nouveau désastre – qu'il dut s'accorder quelques instants pour recadrer ses pensées.

— Non, ça va, dit-il enfin. Quoi de neuf ?

Le commissaire Lou Soldano était une des personnes que Jack aimait le plus au monde. Leur amitié reposait sur des bases un peu atypiques. Lou et Laurie étaient sortis ensemble, pendant quelque temps, avant que Jack n'entre en scène. Par chance, Laurie et Lou avaient rapidement troqué leur relation amoureuse bancale et compliquée contre une amitié aussi solide qu'enrichissante. Et quand Jack et Laurie avaient commencé à se fréquenter, Lou s'était fait l'avocat de Jack en de nombreuses occasions. Plus tard, à une période très difficile pour leur couple, c'était en partie parce que Lou était convaincu qu'ils étaient faits l'un pour l'autre qu'ils avaient réussi à surmonter leurs difficultés.

— Je voulais te donner des nouvelles du soi-disant suicide à l'arme à feu à propos duquel tu m'as appelé mardi, dit Lou. Tu vois de qui je parle ?

— Bien sûr. La femme s'appelait Rebecca Parkman. Son mari refusait mordicus qu'elle soit autopsiée. Soi-disant pour des raisons religieuses.

— Apparemment, il avait d'autres raisons de vouloir éviter l'autopsie.

— Ça ne m'étonne pas. Le pourtour du point d'entrée de la balle était étoilé, mais pas beaucoup, ce qui donnait à penser que l'arme n'était pas en contact avec la peau de la victime à l'instant de la détonation. À quelle distance se trouvait le canon, déjà, d'après mon estimation… ?

— Cinq centimètres.

— Ouais, voilà. De toute ma carrière de légiste, je n'ai jamais vu un seul suicide par balle - à la tête, en tout cas - où la personne n'avait pas posé le canon *contre* sa peau.

— Eh ben… grâce à tes indications, nous avons décroché un mandat de perquisition et nous sommes allés chez le gars à l'improviste. Et devine quoi ! Il était en train de batifoler avec une jeune poule. Tu imagines ça, un peu ? Deux jours après que sa femme est censée s'être tuée, il est au pieu avec une majorette.

— As-tu trouvé des indices compromettants ?

— Et comment ! dit Lou avec un petit rire amusé. Dans le sèche-linge, il y avait une chemise à lui qu'il venait de laver. Bien sûr elle avait l'air propre, mais les gars du labo y ont retrouvé du sang. Du sang de sa femme. C'est déjà bien assez compromettant. Je vous tire encore une fois mon chapeau, à vous autres les braves de l'IML. Une victoire de plus pour la justice.

Parmi les choses qui avaient soudé leur amitié, il y avait le très grand respect de Lou pour la médecine légale et les bénéfices qu'elle apportait au système judiciaire. Il rendait régulièrement visite à Jack pour l'observer effectuer les autopsies de certaines affaires criminelles.

— À part ça, comment va ton bébé ?

— Hmm, c'est pas facile tous les jours...

Jack n'entra pas dans les détails. Il n'avait pas parlé à Lou de la maladie de JJ, et il n'avait pas l'intention de le faire. En même temps, il ne voulait pas mentir. Mais tous les nouveaux parents ne disaient-ils pas que la vie avec un bébé, ce n'était « pas facile tous les jours » ?

— J'imagine ! dit Lou en riant. S'il y a bien un truc qui change l'existence, c'est les gosses. Je me souviens qu'avec les deux miens, je n'ai pas dormi pendant des mois.

— Comment vont tes enfants, à propos ?

— Ce ne sont plus des enfants, Jack. Ma fillette a 28 ans et mon fiston, 26. Crois-moi, ça passe à toute vitesse. Mais ils vont bien. Et Laur, comment va-t-elle ?

Laur, c'était le surnom que Lou donnait depuis toujours à Laurie.

— Ça va, ça va, dit Jack, et il ajouta avant que son ami puisse en demander davantage : Lou, ça t'ennuie si je te pose une question un peu personnelle ?

— Ben non ! Quoi donc ?

— As-tu recours à la médecine parallèle, sous une forme ou une autre ?

— Tu veux dire… la chiropratique, l'acupuncture et tous ces machins ?

— Ouais. Ou l'homéopathie, ou la phytothérapie, ou même certaines thérapies plus ésotériques qui font appel à des mots à la mode comme champs d'énergie, ondes, magnétisme…

— J'ai un chiropraticien que je consulte une fois de temps en temps pour me faire ajuster, surtout quand j'ai des insomnies. Et j'ai essayé un acupuncteur pour cesser de fumer. Un collègue me l'avait recommandé.

— Ça a marché, l'acupuncture ?

— Ouais. Pendant quinze jours.

— Et si je te disais que la médecine parallèle n'est pas sans risque ? Et si je te disais, pour aller droit au fait, que les manipulations cervicales pratiquées par les chiropraticiens tuent des gens chaque année ? Est-ce que ça changerait l'opinion que tu as de ces pratiques ?

— Ah ouais ? fit Lou d'un ton légèrement inquiet. Il y a des morts ?

— J'en ai eu un cas lundi. Une femme de 27 ans. Elle est morte parce que les artères de son cou se sont déchirées entre les mains de son chiropraticien. Pour moi, c'était une première. J'ai un peu enquêté sur le sujet ces derniers jours, et je suis surpris par le nombre de cas que j'ai découverts. Ça change beaucoup mon opinion sur la médecine parallèle.

— J'ignorais que des gens mouraient à cause des manipulations chiropratiques, admit Lou. Et l'acupuncture ? Ça flingue des gens, ça aussi ?

— Oui. Laurie en a eu un cas.

— Mince !

— Et si je te disais encore que la médecine parallèle n'apporte pas du tout les bienfaits qu'elle prétend apporter ? Elle a un effet placebo, oui, mais à part ça, elle ne sert pas à grand-chose sur le plan de la santé. Tu sais ce que ça veut dire, l'effet placebo, je suppose ?

— Ouais. C'est quand tu prends un médoc sans composé actif, genre un comprimé où il n'y a que du sucre, mais tu te sens mieux malgré tout.

— Tout juste. Et si je te disais que la médecine parallèle n'a aucun effet, en dehors de l'effet placebo, et qu'en cours de route elle te fait courir de vrais dangers ?

Lou pouffa de rire.

— En ce cas, je devrais peut-être sortir m'acheter des bonbons à la menthe.

— Lou, je suis sérieux. Je veux comprendre pourquoi tu ne remets pas en question l'idée de te rendre chez un soi-disant médecin, de payer le prix fort, de mettre peut-être ta santé en danger, voire de risquer la mort, alors que je te dis que tout ce que tu en tires, c'est un effet placebo. Aide-moi à piger ça, s'il te plaît.

— Peut-être que je vais chez le chiropraticien *justement* parce que peux aller chez lui.

— Quoi ? Je ne comprends pas. Que veux-tu dire, tu y vas parce que tu peux y aller ?

— Pour obtenir une consultation chez mon médecin généraliste, c'est l'enfer. Son cabinet, c'est une espèce de forteresse défendue par deux sorcières qui se comportent comme si leur mission principale, c'était de protéger le grand homme de tous ces crétins de patients. Et quand j'arrive enfin à le voir, tout ce qu'il me dit, c'est de perdre du poids et d'arrêter de fumer – comme si c'était facile ! Et la consultation est tellement brève que la moitié du temps j'oublie la raison pour laquelle j'ai voulu le rencontrer. Ensuite, Jack, j'appelle le chiropraticien. La secrétaire est charmante au téléphone et me donne un rendez-vous immédiatement. Si j'ai besoin de parler au chiropraticien, c'est possible. Si j'ai besoin d'un rendez-vous très vite, parce que j'ai un problème à traiter d'urgence, c'est possible. Et quand j'arrive au cabinet, il n'y a pas une heure d'attente. Et quand je suis reçu par le chiropraticien, je n'ai pas constamment l'impression qu'il se dépêche de régler mon cas comme s'il travaillait à la chaîne ou comme si j'étais un morceau de viande à l'abattoir.

Pendant quelques secondes, ils ne dirent plus rien. Jack entendait la respiration légèrement haletante de Lou ; il savait que son ami était un peu vexé.

Il s'éclaircit la voix et s'exclama avec sincérité :

— Merci ! Merci beaucoup ! Tu m'as appris un truc que j'avais besoin d'apprendre.

— Y a pas de quoi, marmonna Lou.

— Comme je te l'ai dit, j'ai mené une petite enquête sur la médecine parallèle. Et j'ai été stupéfait de découvrir que le grand public ne demandait pas mieux que d'adopter ces différentes thérapies en dépit du fait qu'elles sont presque toutes quasi inutiles en termes de bienfaits pour la santé, et alors qu'elles lui coûtent des milliards et des milliards de dollars chaque année. La phytothérapie, rien qu'elle, c'est un marché de trente milliards ! D'ailleurs, ça me fait penser : utilises-tu des médicaments à base de plantes, Lou ?

— À l'occasion. Quand je dépasse les 90 kg, je m'offre un traitement amaigrissant qui comporte un produit à base de plantes.

— Tu ne devrais pas. Je suis ton ami et je te conseille de cesser de l'utiliser. De très nombreux produits amincissants à base de plantes, surtout ceux qui viennent de Chine, sont accidentellement contaminés par des sels de plomb ou des sels de mercure, sinon les deux. Par ailleurs, on sait que des substances pharmaceutiques dangereuses sont ajoutées au composé actif naturel pour que le produit consommé ait tout de même un petit effet positif - en l'occurrence, une perte de poids. Le seul conseil que j'ai à te donner, c'est d'éviter ces machins.

— Aujourd'hui, tu as vraiment des tas de choses agréables à me raconter. Je suis supercontent de t'avoir appelé.

— Je suis désolé. Moi, par contre, je suis réellement heureux de ton coup de fil. Grâce à toi j'ai appris quelque chose – même si, quelque part, je n'avais pas envie de l'entendre. Tu m'as fait comprendre pourquoi les gens sont tellement prêts à adopter la médecine parallèle, et pourquoi ils font la sourde oreille quand il s'agit d'écouter les raisons pour lesquelles ils devraient l'éviter.

— Hein ? Là, c'est moi qui suis intrigué. Qu'est-ce que je t'ai appris, au juste ?

— Tu m'as appris que la médecine conventionnelle a beaucoup à apprendre de la médecine parallèle. Le récit que tu fais de tes expériences avec les deux types de médecine est très révélateur. La médecine parallèle a une excellente relation client avec les patients. Elle les traite comme de vraies personnes et elle leur offre des consultations qui constituent des expériences sociales positives – même s'il n'y a pas de véritable cure au bout du compte. Avec la médecine conventionnelle, par contre, c'est trop souvent le contraire. Elle donne l'impression aux malades qu'elle leur fait une fleur. Pis, elle ignore complètement le malade si elle considère qu'elle ne peut pas l'aider. Et le malade et ses proches se retrouvent abandonnés, seuls face à eux-mêmes.

Jack ne put s'empêcher de penser que c'était exactement la situation dans laquelle Laurie et lui se trouvaient en ce moment. Ils faisaient du surplace en attendant que l'allergie de John Junior à la protéine murine disparaisse – si elle voulait bien disparaître, ce qui n'était pas du tout acquis.

— Pourquoi tu dis que tu n'avais pas envie d'entendre ça ? demanda Lou.

Jack dut réfléchir un instant avant de répondre, car la question était liée à sa croisade. Laquelle était liée à la maladie de JJ. Or, il ne voulait pas parler de JJ.

— Ça m'ennuyait, sans doute, parce que... Parce que si les gens ont une vraie raison, une raison légitime de vouloir utiliser la médecine parallèle, ça signifie que tous les efforts que je fournirai pour montrer ses limites, et même ses dangers, ne serviront à rien.

— Parfois, j'ai l'impression que tu es la personne la plus compliquée que je connaisse. Et c'est un peu agaçant. Mais laisse-moi te donner encore une autre raison pour laquelle les gens défendront coûte que coûte la médecine parallèle. Vois-tu, Jack, la médecine parallèle ne fait pas peur. Si tu racontes qu'une poignée de patients meurent chaque année après être passés entre les mains d'un thérapeute non conventionnel, le public ne bronchera pas. Il y a des milliers et des milliers de gens, chaque année, qui meurent après être allés voir un docteur conventionnel. Il y a même infiniment plus de décès dans le cadre de la médecine conventionnelle que chez les patients de... d'un chiropraticien, par exemple ! À vrai dire, les gens qui vont chez le chiropraticien croient en cette thérapie *justement* parce qu'ils ne veulent pas aller chez leur docteur conventionnel – docteur chez lequel ils s'entendront livrer un diagnostic qui impliquera de nombreux désagréments, des douleurs, et peut-être même la mort. Chez le chiropraticien, ça n'arrive jamais. L'optimisme règne, chaque problème peut être traité, ça ne fait pas mal. Et même si, au final, ce n'est que de l'effet placebo : qu'est-ce qu'on en a à foutre ?

Un autre silence, plus long que le premier, suivit la tirade de Lou. Et puis Jack dit simplement :

— Tu as raison.

— Merci. Maintenant, retournons à nos boulots respectifs, toi et moi, parce que nous sommes à la solde de la ville. Et une dernière chose : continue de me dégoter des bons tuyaux, ami légiste, parce que le dernier que tu m'as donné sur Parkman était im-pec-cable !

— L'affaire n'est-elle pas un peu plus compliquée que tu ne le dis ? Et si le sang trouvé sur la chemise ne constituait qu'un indice circonstanciel ? Je veux dire… Il est impossible de prouver *quand* le sang de sa femme a atterri sur cette chemise. L'avocat de la défense pourrait prétendre que c'est arrivé le mois dernier ou il y a un an.

— Pas de souci de ce côté-là, affirma Lou. La copine majorette chante comme un oiseau. Elle n'a aucune envie d'être accusée de complicité de meurtre. Le procureur est très content et considère l'affaire comme entendue.

Après avoir raccroché, Jack resta immobile dans son fauteuil. Il avait perdu le peu d'enthousiasme qu'il avait un moment plus tôt pour sa croisade contre la médecine parallèle. De nouveau, il se sentait découragé. Il prit toutes ses notes et les glissa dans la grande enveloppe kraft. Au lieu de remettre celle-ci dans le tiroir du centre, il la fourra rudement dans le tiroir du bas, celui qui contenait la photo de Laurie et de JJ.

Décidé à faire enfin quelque chose d'utile, Jack tendit la main vers son panier à courrier. Il avait l'intention d'attraper une partie des documents qui y étaient empilés pour les déposer devant lui sur le sous-main. Mais la sonnerie criarde du téléphone déchira à nouveau le silence du bureau. Convaincu que c'était Lou qui avait une autre pensée à lui livrer sur la médecine parallèle, Jack décrocha le combiné et répondit de façon aussi brusque que la fois précédente. Mais son correspondant n'était pas Lou. C'était la dernière personne au monde, peut-être, dont il s'attendait à recevoir un appel.

16

VENDREDI 5 DÉCEMBRE 2008
11 H 30
NEW YORK

— Docteur Jack Stapleton, je présume ? !

La voix masculine, claire et mélodieuse, jaillit du téléphone comme un souffle d'air frais. Jack la reconnut vaguement. Son cerveau sonda sa mémoire auditive pour y associer un nom – sans succès.

Il ne répondit pas tout de suite. Tendant l'oreille, il perçut le léger sifflement d'une respiration dans l'écouteur : l'homme restait en ligne, mais il faisait exprès de garder le silence. Près de trente secondes passèrent avant que Jack ne dise :

— Au rythme où avance la conversation, nous serons encore ici demain soir. À qui ai-je l'honneur ?

— Je suis un de tes plus vieux et un de tes meilleurs amis, déclara l'homme d'un ton chaleureux.

Sa voix lui était familière, oui, pas de doute, mais Jack n'arrivait toujours pas à la situer.

— Vu que je n'ai jamais eu beaucoup d'amis, je devrais savoir à qui j'ai affaire. Mais je regrette... J'ai besoin d'un autre indice.

— J'étais le plus beau, le plus grand, le plus intelligent, le plus fort et le plus populaire des Trois Mousquetaires !

— Un miracle ! s'exclama Jack avec ironie. James O'Rourke ! Je peux te concéder la plupart de ces qualificatifs, les moins importants, mais je dois te contredire sur un point : le plus grand de nous trois, c'était moi.

James éclata de rire. Et son rire aigu et sonore irrita étrangement les nerfs de Jack – tout comme autrefois, à l'automne 1973, quand ils étaient devenus amis à l'université d'Amherst.

— Sais-tu ce que j'ai vu, quand tu as décroché et que j'ai entendu ta voix ? demanda James qui continuait de glousser.

— Je n'ose pas imaginer...

— Je t'ai revu sortir de Laura Scales House, au Smith College[1], le buste de Laura Scales entre les bras, rouge comme une tomate ! C'était hilarant.

— Molly m'avait posé un lapin, dit Jack pour se justifier. Je voulais me venger.

— Je m'en souviens très bien. Mais tu as tout de même fait ça en plein jour !

— J'ai rapporté le buste peu après. Et en grande pompe ! précisa Jack. Alors... il n'y avait pas grand mal.

1. Smith College, dans le Massachusetts, est la principale université pour femmes des États-Unis. Laura Scales House est un de ses dortoirs, baptisé ainsi en l'honneur de Laura Scales, une ancienne directrice de l'université.

— Je m'en souviens aussi. J'y étais.

— Et puis tu es mal placé pour me jeter la pierre, enchaîna Jack. Je me souviens d'un soir où tu es sorti de Dickinson House, à Mount Holyoke[1], avec un de leurs fauteuils club. Tu étais en rage contre… Comment s'appelait-elle, déjà ?

— Virginia Sorenson. Magnifique, délicieuse et si douce Virginia Sorenson ! Quelle adorable fille ! commenta James avec une pointe de nostalgie.

— As-tu eu de ses nouvelles, depuis… ?

— Depuis que je suis entré au séminaire ? conclut James avec un sourire dans la voix.

— Ouais.

— Non, pas la moindre nouvelle. Elle était adorable, mais pas très compréhensive.

— Je peux me mettre à sa place. Vous formiez un très beau couple. T'arrive-t-il parfois de regretter ton choix ?

James se racla la gorge.

— Le choix difficile que j'ai dû faire a toujours été une source de grandes joies et aussi de tristesse. Mais je préférerais discuter de ces choses-là autour d'une bouteille de vin et devant un bon feu de cheminée. J'ai une propriété au bord d'un lac, dans le nord du New Jersey, où j'adorerais vous recevoir le temps d'un week-end, ton épouse et toi.

— Ça pourrait être envisageable, dit Jack sans grand enthousiasme.

L'invitation était un peu étonnante, de la part d'un homme qui ne l'avait jamais contacté depuis

---

1. Mount Holyoke est une autre université pour femmes du Massachusetts.

qu'ils avaient quitté la fac en 1977. Bien sûr, Jack était tout aussi coupable, puisqu'il n'avait jamais essayé de renouer les liens avec James. Ils avaient été très bons amis à l'université, mais leurs centres d'intérêt avaient ensuite radicalement divergé. Avec le dernier membre de la troupe des Trois Mousquetaires, les choses s'étaient passées un peu différemment. Jack était très intéressé par le Proche-Orient, le domaine de spécialisation de Shawn Daughtry. Ils avaient eu des contacts assez réguliers jusqu'à la mort de sa première femme et de ses filles. Après ce drame, il avait pour ainsi dire coupé les ponts avec tout le monde, même avec sa famille.

Comme s'il avait lu dans ses pensées, James dit :

— Je dois te demander pardon de ne pas avoir cherché à te joindre quand tu es venu t'installer à New York. J'ai entendu dire que tu travaillais à l'IML. J'ai souvent eu envie de t'appeler pour qu'on se revoie et qu'on parle de la vieille époque en rigolant un bon coup. On ne se rend pas vraiment compte, tant qu'on est à la fac, à quel point c'est une merveilleuse expérience. Sur le moment, tu te souviens, nous avions l'impression de mener des vies de fous parce que nous avions toujours un dossier à préparer pour tel ou tel cours, toujours un examen en ligne de mire. Ça nous pesait beaucoup. Et quand quelqu'un essayait de nous raconter que l'université était une parenthèse unique dans nos existences, nous pensions : « Ouais, tu parles ! Si c'est ça, la meilleure partie de ma vie, je suis vraiment dans la merde ! »

Ce fut au tour de Jack de pouffer de rire.

— Tu as raison. C'était la même chose pour les études de médecine. Je me souviens que notre vieux médecin de famille m'avait dit un jour que l'université serait le point d'orgue, sur le plan émotionnel, de ma carrière de médecin. Sur le moment, j'avais pensé qu'il était dingue. Mais il avait bien raison.

Les deux amis gardèrent le silence quelques instants, songeant à leurs années estudiantines. Puis James reprit la parole d'une voix grave :

— Je suppose que tu te demandes pourquoi je t'appelle comme ça, subitement, après toutes ces années…

— La question m'a vaguement traversé l'esprit, convint Jack d'un ton léger.

Mais il était étonné. James semblait tout à coup bien sérieux.

— La raison de mon appel est simple : j'ai désespérément besoin de ton aide et je prie pour que tu accèdes à ma requête.

— Je suis tout ouïe, dit Jack.

Cependant, il était méfiant. Lorsqu'il prêtait une oreille attentive aux problèmes d'autrui, cela réveillait parfois ses propres démons. Il voulait absolument éviter cela en ce moment. D'un autre côté, il était intrigué. Il avait du mal à imaginer comment lui, le parfait agnostique, il pouvait aider l'archevêque de New York, sans doute l'un des plus puissants prélats du monde.

— J'ai un gros problème. Un problème qui concerne aussi notre ami Shawn Daughtry.

— Vous vous êtes remis à taper le carton ? demanda Jack pour essayer d'être drôle.

Autrefois, à la fac, James et Shawn jouaient au poker au moins une fois par semaine. Ils finissaient souvent par se disputer âprement au sujet du partage des gains. Jack avait dû souvent intervenir pour les convaincre de se rabibocher.

— Il s'agit d'un problème extraordinairement grave. Je préférerais que tu ne le prennes pas à la légère.

— Pardonnez-moi, mon père.

Jack se rendait bien compte que James se crispait. Néanmoins, il ajouta pour essayer d'alléger un peu l'atmosphère :

— Suis-je censé t'appeler mon père, mon père ?

— Mon titre officiel, c'est Votre Éminence, répondit James d'un ton un peu moins nerveux. Mais contente-toi de m'appeler James. De ta part, je préfère ça.

— Tant mieux. Vu que je te connais depuis la fac, j'aurais sans doute un peu de mal à t'appeler Votre Éminence. Ce titre, ça me donne l'impression d'une observation anatomique un peu crue.

— Tu n'as pas changé, n'est-ce pas ? dit James avec bonne humeur.

— Malheureusement si, j'ai beaucoup changé. En partie parce que je vis une seconde vie sans le moindre rapport avec la première. Mais je préférerais ne pas entrer là-dedans, en tout cas pas tout de suite. Dans trente ans, peut-être, si tu peux attendre une deuxième fois tout ce temps avant de me recontacter, je serai prêt à en parler.

— Trente ans ? répéta James avec une pointe de regret dans la voix. Ça fait si longtemps que ça ?

— Ça fait trente et un ans, à vrai dire. J'avais arrondi à la décennie la plus proche. Mais je ne te fais aucun reproche. Je suis tout aussi coupable que toi.

— Avoir laissé passer toutes ces années, c'est tout de même une erreur qu'il faut rectifier. Nous vivons et nous travaillons dans la même ville, non ? !

— Apparemment, ouais.

Jack était de ces gens qui évitaient les promesses de retrouvailles lancées dans l'enthousiasme du moment. James et lui ne s'étaient pas vus depuis plusieurs décennies. Ils menaient des carrières, des existences très différentes. Il n'était pas sûr de vouloir d'une relation amicale resurgie de ce qui était presque, pour lui, une vie antérieure.

— Ce que j'aimerais te proposer, dit James, c'est que nous nous rencontrions le plus tôt possible. Je sais que je te prends de court, mais pourrais-tu envisager de venir ici, à la résidence, pour déjeuner rapidement avec moi ?

— Aujourd'hui ? demanda Jack, très surpris.

— Oui, aujourd'hui. Le problème auquel je faisais allusion vient juste de me tomber sur les bras, et je n'ai que très peu de temps pour y apporter une solution. Voilà pourquoi j'ai besoin de ton aide.

— Eh bien… Tu me prends de court, en effet, d'autant que j'étais invité à déjeuner chez la reine d'Angleterre. Mais je peux l'appeler pour la prévenir que je dois décaler notre rendez-vous parce que l'Église catholique a besoin de mes bons offices.

— Permets-moi de revenir sur ce que tu disais à ton sujet. Et de te contredire ! Non, Jack, tu n'as pas changé d'un iota. Mais merci d'accepter mon invitation, et merci, merci pour ton humour et ton impertinence. J'aurais sans doute intérêt à me décrisper un peu. Mais… je suis très, très soucieux.

— Shawn serait-il malade ? C'est ça, le problème ?

C'était la chose que Jack redoutait le plus : des ennuis de santé - un cancer, par exemple - qui lui rappelleraient douloureusement ses propres soucis.

— Shawn est en pleine forme. Ce n'est pas son corps qui est malade, mais son âme. Tu sais à quel point il est têtu.

Jack se gratta la nuque. Vu les mœurs sexuelles plus que libérées de Shawn à l'époque de la fac, on pouvait supposer que son âme était fichue depuis la puberté. Pourquoi y avait-il urgence aujourd'hui ?

— Pourrais-tu être un peu plus précis ?

— J'aimerais mieux pas, répondit James. Je préférerais t'exposer ce problème en tête à tête. Quand puis-je espérer te voir arriver ?

Jack regarda sa montre. Il était 11 h 50.

— Si je pars tout de suite, ce qui est tout à fait possible, je serai chez toi dans vingt minutes…

— Formidable ! Hélas, j'ai une réception officielle avec le maire à 14 h 00. J'ai hâte de te revoir.

— Et moi donc, dit Jack en reposant le téléphone sur sa base.

La requête de James avait quelque chose d'étrangement irréel. C'était un peu comme si le Président l'avait appelé pour lui dire de prendre dans l'heure un avion pour Washington : *le pays a besoin de vous, docteur Stapleton !* Jack éclata de rire, attrapa sa veste en cuir et se dirigea vers l'ascenseur pour descendre au sous-sol.

Il était en train de détacher son vélo, lorsqu'il se rendit compte que quelqu'un se tenait derrière lui. Il se redressa et se retrouva face au visage de bouledogue de Bingham. Comme d'habitude, le directeur affichait une expression maussade. Des gouttes de sueur parsemaient son front.

— Jack, commença-t-il d'une voix embarrassée. Je voulais vous redire à quel point Calvin et moi nous sommes désolés au sujet de votre fils. Comme nous avons tous les deux des enfants, nous pouvons, dans une certaine mesure, imaginer la terrible épreuve par laquelle vous passez. Alors souvenez-vous : si nous pouvons faire quoi que ce soit pour vous aider, n'hésitez pas à nous en parler.

— Merci, chef.

— Vous sortez ?

— Non, je descends ici de temps en temps pour retirer les cadenas de mon vélo et les remettre aussitôt en place.

— Ah, toujours aussi blagueur ! observa Bingham d'un air amusé.

Il connaissait bien Jack. Il ne risquait plus de se froisser comme à l'époque où le légiste avait commencé à travailler à l'IML.

— Je présume que vous ne sortez pas déjeuner avec un ami chiropraticien.

— Vous présumez pile poil, chef. Je ne vais pas non plus chez l'acupuncteur, ni chez l'homéopathe, ni chez le phytothérapeute. Par contre, je vais tout de même voir un guérisseur. L'archevêque de New York vient de m'appeler pour me demander de déjeuner avec lui.

Bingham éclata de rire.

— Je vous tire mon chapeau. Vous avez la repartie facile et toujours beaucoup d'imagination. Enfin ! Soyez prudent sur votre vélo. Pour vous dire la vérité, je préférerais que vous ne circuliez pas sur cet engin à travers New York. J'ai toujours peur de vous voir revenir ici les pieds devant.

Le sourire aux lèvres, Bingham tourna les talons pour disparaître dans les profondeurs de l'IML.

Jack remonta vers le nord de Manhattan par Madison Avenue. L'air frais lui fouetta les sens. En un quart d'heure, il arriva à l'angle de la 51e Rue.

La résidence de l'archevêque contrastait de façon saisissante avec les gratte-ciel modernes qui l'entouraient. C'était une maison de trois étages en pierre grise, au toit de tuiles, d'aspect général modeste et plutôt sévère. Les fenêtres des étages inférieurs étaient équipées d'épais barreaux en acier. Seuls les voilages en dentelle de Belgique visibles derrière certaines vitres donnaient un peu de vie à l'édifice.

Une fois son vélo et son casque bien attachés, Jack monta les marches du perron et appuya sur le bouton de sonnette en cuivre. Il n'attendit pas longtemps. Les serrures cliquetèrent et la porte s'ouvrit sur un prêtre : un homme de grande taille, très mince, aux cheveux roux, dont le trait le plus marquant était sans doute son nez en lame de couteau. Il portait un costume noir avec l'incontournable col blanc amidonné d'ecclésiastique.

— Docteur Stapleton ?

— C'est bien moi.

— Je suis le père Maloney, dit le prêtre, et il fit un pas de côté.

Jack entra dans la maison. Il se sentait un peu intimidé. Après avoir refermé la porte, Maloney dit :

— Je vous accompagne jusqu'au bureau de réception de Son Éminence.

Il partit à grandes enjambées vers le fond du hall ; Jack s'empressa de le suivre. Le vacarme de Madison Avenue avait complètement disparu derrière la lourde porte d'entrée. Hormis le bruit de leurs pas sur le parquet en chêne, Jack n'entendait plus que le tic-tac d'une horloge ancienne.

Le père Maloney s'immobilisa devant une porte close. Quand Jack s'arrêta auprès de lui, il l'ouvrit et fit de nouveau un pas de côté.

— Son Éminence sera ici dans quelques instants.

Jack découvrit une pièce aux dimensions modestes et à l'aménagement plutôt spartiate. Elle sentait le produit ménager et la cire à parquet. Les éléments décoratifs étaient limités : trois photos encadrées du pape et un petit crucifix suspendu au mur au-dessus d'un antique prie-Dieu. Et à part ce prie-Dieu, il n'y avait pour tout mobilier qu'un petit canapé en cuir, un fauteuil assorti, une lampe sur une tablette et un secrétaire avec une chaise à dossier droit.

Le père Maloney s'éclipsa en refermant la porte sur lui. Quand Jack traversa le bureau, le parquet crissa bruyamment sous ses semelles de caoutchouc. Il s'assit au bord du canapé, le dos raide. Il avait le sentiment de se trouver dans un endroit où il n'avait pas du tout sa place. Ses parents instituteurs n'avaient jamais cru en Dieu et il avait grandi en dehors de tout cadre religieux. Devenu adulte, il avait réfléchi au problème de la foi et décidé qu'il était agnostique. Plus tard, la tragédie qui l'avait privé de sa famille avait fait évoluer sa pensée : il avait abandonné l'idée plus ou moins réconfortante qu'il existait *peut-être*, *tout de même*, un Dieu quelque part. Un Dieu bon, un Dieu d'amour, n'aurait jamais laissé sa femme et ses filles adorées périr comme elles avaient péri.

La porte s'ouvrit tout à coup. Nerveux comme il l'était, Jack se leva en sursaut. Paré de ses plus beaux atours, Son Éminence le cardinal James O'Rourke entra dans la pièce et s'immobilisa. Les deux hommes se regardèrent et se remémorèrent brièvement d'agréables souvenirs de leur jeunesse commune. Jack reconnaissait son vieil ami, mais son physique le surprenait beaucoup. Il avait oublié que James était si petit. Ses cheveux étaient plus courts et d'un roux plus vif qu'autrefois. Mais ce qui avait le plus changé, bien sûr, c'était son style vestimentaire : James ressemblait à un prince de la Renaissance. Il portait une soutane noire rehaussée de passepoils et de boutons pourpre. Par-dessus la soutane, il avait une cape vermillon fermée au col. Une calotte rouge de cardinal couvrait son crâne et une large écharpe vermillon ceignait sa taille. Autour du cou, enfin, il avait un collier avec une croix en argent incrustée de pierres précieuses.

Ils marchèrent l'un vers l'autre, écartant les bras. Ils s'étreignirent un moment avant de faire chacun un pas en arrière pour se regarder à nouveau.

— Tu as l'air en pleine forme, observa James. Prêt à courir un marathon. Moi, hélas, je serais bien incapable de courir la longueur de la nef de la cathédrale.

— Tu es trop bon, observa Jack avec une pointe d'ironie.

Il scruta le visage avenant de James : ses traits ronds, ses joues rougeaudes, ses pommettes parsemées de discrètes taches de rousseur - ce visage respirait la bonhomie. Ses yeux bleus, cependant, ses yeux perçants racontaient une tout autre histoire, bien plus en accord avec ce que Jack savait de cet homme qui était aujourd'hui un prélat puissant et ambitieux : ses yeux attestaient une intelligence et une ingéniosité extraordinaires que Jack lui avait toujours enviées.

— Vraiment, insista James, tu fais vingt ans de moins que ton âge.

— Ah, ça suffit !

À présent, Jack se souvenait de l'aisance qu'avait James pour flatter ses interlocuteurs. Un talent dont il avait toujours tiré grand profit. Autrefois, à Amherst, il n'avait aucun ennemi. Mieux : tout le monde l'adorait. Il était excessivement doué pour séduire les gens.

— Regarde-toi ! dit Jack pour essayer de lui retourner le compliment. Tu as l'air d'un prince de la Renaissance.

— Un prince grassouillet dont les seuls exercices sont ceux de la table.

— Rends-toi compte, tout de même. Tu es cardinal ! Tu es l'un des hommes les plus puissants de l'Église.

— Oh, la belle affaire ! répliqua James, agitant la main comme si Jack le taquinait. Je ne suis qu'un simple prêtre qui veille sur sa paroisse. Le Seigneur m'a placé dans une position que je ne mérite pas. Certes, je ne peux contester Ses décisions et... je fais donc de mon mieux pour Le servir ! Mais assez de ces bavardages. Nous pourrons revenir là-dessus pendant le déjeuner. D'abord, je veux te montrer quelque chose.

Jack emboîta le pas à James. Ils sortirent du bureau, suivirent un couloir et traversèrent une salle à manger où deux couverts étaient mis au bout d'une table assez longue pour douze convives. Ils entrèrent enfin dans une vaste cuisine qui possédait tout l'équipement moderne, mais qui avait encore ses paillasses et ses éviers anciens en stéatite. Une femme aussi grande que Jack, mastoc, aux cheveux noirs attachés en chignon derrière la nuque, était en train de nettoyer une laitue. James la présenta à Jack : Mme Steinbrenner, la gouvernante.

— La véritable maîtresse de la résidence, c'est elle ! précisa-t-il avec humour.

Elle s'écria « ouste ! » et lui ordonna, avec un fort accent allemand, de ficher le camp de *sa* cuisine. Puis elle feignit de se mettre en rogne quand James vola un bout de carotte sur une assiette de légumes crus.

— C'est pour votre déjeuner, dit-elle sur le ton de la réprimande.

L'air faussement contrit, James se dirigea vers le fond de la cuisine. Il fit signe à Jack de le suivre et ouvrit une porte qui donnait sur un escalier.

— Elle joue la dure matrone germanique, expliqua-t-il tandis qu'ils descendaient à la cave, mais c'est un ange. Je ne pourrais pas me passer d'elle. Elle fait toute la cuisine sauf pour les grandes réceptions, elle veille à ce que la maison soit toujours impeccable, et elle maintient tout le monde, moi le premier, dans le droit chemin. Bon, où donc est l'interrupteur ?

James alluma la lumière et Jack découvrit une vaste salle au sol cimenté, très haute de plafond. Des cloisons en bois la divisaient en plusieurs pièces dont les portes donnaient sur un couloir central.

Le cardinal s'approcha d'une de ces portes et sortit une clé de sa poche.

— Jack, je te suis vraiment très, très reconnaissant, d'être venu aujourd'hui.

Il ouvrit le cadenas et tira le moraillon. Les gonds de la porte grincèrent quand il la tira vers lui. Il tâtonna de nouveau pour trouver un interrupteur, avant d'indiquer à Jack de le suivre.

La pièce mesurait six mètres de long sur trois de large. Le mur du fond, sans doute l'un des murs de fondation de la maison, était constitué de blocs de granite mal dégrossis. Sur cette paroi comme sur les cloisons en bois, il y avait de longues étagères chargées de cartons de déménagement étiquetés avec soin. Un îlot d'étagères se dressait aussi dans la première moitié de la pièce. Sur le sol, au milieu de l'espace dégagé restant, il y avait une caisse de transport en bois clair dont les sangles métalliques de fermeture avaient été coupées, mais laissées en place. James s'approcha de cette caisse et en tapota le couvercle.

— Voilà l'origine de mes tracas, dit-il, et il soupira. Comme tu peux le remarquer ici, sur le bordereau, cette caisse m'est adressée. Et tu peux voir que j'en suis également l'expéditeur. Dernière chose, tu peux lire ici qu'il est écrit que la caisse contient des objets personnels.

— Est-ce Shawn qui t'a envoyé cette caisse ?

— C'est lui, tu as tout compris. Rusé comme un renard, le Shawn ! Il m'a téléphoné pour me prévenir que la caisse devait arriver ici. Il m'a dit que c'était une surprise. Il sait que j'adore les surprises. Idiot comme je suis, à vrai dire, j'ai pensé que c'était quelque chose pour mon anniversaire. Non seulement ce n'est pas du tout ça, mais, en plus, la surprise est bien plus grande que je n'aurais pu l'imaginer.

— Oh, c'est vrai ! dit Jack avec enthousiasme. Ton anniversaire, c'est... C'est même demain, non ? ! Le 6 décembre !

James ignora sa question.

— Il y a des lustres que Shawn ne m'a pas fait de cadeau ! Pourquoi me suis-je laissé aller à imaginer qu'il avait décidé de m'en faire un cette année – franchement, je l'ignore. Mais comme Shawn est à la fois archéologue et spécialiste de la Bible, j'ai pensé qu'il s'agissait peut-être d'une jolie antiquité du début du christianisme. Et sur ce point... je n'étais pas si loin du compte !

— C'est ça qu'il y a dans la caisse ? demanda Jack, perplexe. Une antiquité du début du christianisme ?

— Laisse-moi finir. Je veux que tu comprennes pourquoi je suis dans une situation si difficile.

Jack hocha la tête. Il était intrigué. La caisse contenait sans doute un objet ancien. Mais un objet inhabituel, à en juger par l'attitude de James.

— Comme il a envoyé cette caisse à mon nom et en précisant qu'elle contenait des effets personnels, elle n'a pas été inspectée par les douanes. Ni en Italie ni à l'arrivée à New York. Elle a fait le voyage de nuit, par avion, avant de m'être apportée ici, hier matin, directement de l'aéroport. Comme je pensais que c'était un cadeau d'anniversaire, je l'ai fait descendre dans cette pièce où j'ai d'autres affaires à moi. Conformément à ce qu'il m'avait annoncé, Shawn a débarqué ici peu de temps après la caisse. Lui aussi, il venait tout droit de JFK. Son comportement était assez étrange. Il avait l'air à la fois très tendu, presque anxieux, et très heureux. Il était impatient d'ouvrir la caisse, en tout cas, pour s'assurer que son contenu n'avait pas souffert du voyage. Comme tu peux l'imaginer, j'étais aussi impatient que lui. Alors nous sommes descendus ici, nous avons coupé les sangles métalliques et dévissé le couvercle de la caisse. Au début, je n'ai vu que des plaques et des bulles de polystyrène. L'objet qu'elle contient a donc été emballé avec grand soin. Mais quand Shawn a soulevé la dernière plaque de polystyrène comme je vais le faire maintenant… Voici ce que j'ai découvert.

James retira le couvercle de la caisse et le posa contre le mur. Puis il glissa les doigts sous les deux ou trois plaques de polystyrène qui occupaient la partie supérieure de la caisse et les souleva pour leur faire rejoindre le couvercle.

Jack se pencha en avant. La lumière du plafonnier n'était pas très puissante. Au milieu d'un amas de bulles de polystyrène, il vit une pierre rectangulaire parfaitement plate, de couleur grisâtre, couverte d'éraflures. Il fit la moue ; il n'était pas très impressionné. Il avait pensé poser les yeux sur un objet beaucoup plus extraordinaire. Une coupe en or, par exemple, ou une statue, ou peut-être un coffre orné de pierreries.

— C'est quoi, ce truc ?

— C'est un ossuaire. Un ossuaire selon les coutumes funéraires des Juifs de Palestine à l'époque du Christ. Un siècle avant et un siècle après lui, en gros. Les cadavres étaient d'abord déposés dans des grottes et laissés à l'air libre pendant un an ou deux, le temps qu'ils se décomposent. Ensuite, la famille venait récupérer les os et les enfermait dans un coffre en pierre comme celui-ci – un ossuaire. La taille et la décoration du coffre variaient selon la fortune ou les souhaits de la famille.

— Ça me rappelle un truc. N'y a-t-il pas eu une controverse au sujet d'un ossuaire, récemment ? Un ossuaire dont l'inscription disait « Jacques, fils de Joseph, frère de Jésus », ou quelque chose comme ça… ?

— Tout à fait. Plusieurs ossuaires, à vrai dire, ont été soi-disant « découverts » ces dernières années. Ils étaient tous censés contenir les os de Jésus-Christ ou de membres de sa famille. Cela a créé des incidents un peu embarrassants pour l'Église, mais ils ont été vite réglés. Heureusement, il a été prouvé que ces ossuaires n'étaient que des faux, fabriqués par des gens sans scrupules. Avec le boum de l'immobilier qui a eu lieu à Jérusalem ces vingt dernières années, des milliers d'ossuaires du Ier siècle ont été déterrés. Dans cette ville, il suffit presque de creuser un trou pour tomber sur un ossuaire. Je suis certain que celui qui est ici est tout aussi faux, comme le squelette humain et les objets qu'il est censé renfermer.

— Le squelette de qui, en l'occurrence ? demanda Jack avec curiosité.

— Ceux de sainte Marie, mère du Christ, mère de Dieu, mère de l'Église, qui n'est devancée que par Jésus lui-même, la personne la plus divine qui ait jamais foulé cette terre, déclama James d'un ton ému – et sa voix s'étrangla en fin de phrase.

Jack dévisagea son ami pendant quelques secondes. Il était encore plus déçu qu'auparavant. Un coffre en pierre rempli d'os, ça ne le passionnait pas vraiment. Même si ces os avaient quelque intérêt historique, eh bien… un trésor aurait tout de même été beaucoup plus captivant !

James, par contre, était bouleversé. Le simple fait d'évoquer le contenu de l'ossuaire le désespérait. Il devait impérativement trouver une solution au terrible problème auquel il était confronté.

— Je vois, dit finalement Jack.

Il regarda de nouveau l'ossuaire. Il attendait que James reprenne la parole. Mais James avait les yeux brillants de larmes et semblait trop désemparé pour continuer la conversation.

— Il y a un truc que je ne pige pas, là, ajouta Jack. S'il y a des tas d'ossuaires et des tas de faussaires, et si la vérité est chaque fois rétablie, heu… Où est le problème ?

James ne desserra pas les lèvres. Une larme solitaire glissa sur sa joue droite. Fermant les yeux, il secoua la tête comme pour s'excuser de ne pas être capable de surmonter ses émotions. Puis il tourna les talons et fit signe à Jack de le suivre.

Ils remontèrent à la cuisine. D'un seul coup d'œil à Son Éminence, Mme Steinbrenner comprit qu'il était troublé. Elle ne dit rien, mais elle fusilla Jack du regard comme si elle le soupçonnait d'être à l'origine des soucis de son cardinal.

Dans la salle à manger, James prit place en bout de table et invita Jack à s'asseoir à sa droite. Le plateau de légumes était posé devant eux. Dès qu'ils furent installés, l'intimidante gouvernante entra dans la pièce avec une grande soupière entre les mains. Pendant qu'elle faisait le service, Jack garda les yeux rivés sur son assiette. L'onctueux potage d'aubergine qu'elle avait préparé semblait délicieux.

Quand Mme Steinbrenner eut disparu à la cuisine, James déplia sa serviette en tissu pour se sécher les yeux.

— Je te demande pardon d'être aussi émotif et pleurnichard à cause de cette histoire.

— Ça n'a pas d'importance.

— Si, c'est très ennuyeux. On ne fait pas cela devant un invité. Et encore moins devant un bon ami à qui on s'apprête à demander un très gros service.

— Je ne suis pas d'accord, objecta Jack. Ta réaction me prouve simplement que cette affaire est très importante pour toi. Et pour le moment, le service que tu veux me demander n'entre pas en ligne de compte.

— Tu es trop bon. À présent, permets-moi de prononcer le bénédicité.

Après son dernier *amen*, James releva les yeux vers Jack et dit :

— Je t'en prie, commence à manger. Je suis désolé, mais nous n'avons pas beaucoup de temps. Comme je te l'ai dit au téléphone, je dois être chez le maire, à Gracie Mansion, à 14 h 00.

Jack saisit la cuiller en argent posée à droite de son assiette. Jamais il n'avait manipulé une cuiller aussi lourde. Il goûta la soupe. Elle était sublime.

— Mme Steinbrenner est une bonne cuisinière, dit James. Pas toujours très facile à vivre, mais irremplaçable.

Jack hocha la tête. Il était content de voir que son ami avait réussi à se ressaisir.

— Comme je te le disais, reprit James, il est probable que nous découvrirons bientôt que l'ossuaire de la cave est l'œuvre d'un faussaire malveillant. Mais dans l'immédiat, hélas, il pourrait faire beaucoup de mal à l'Église, à tous les chrétiens, et à moi personnellement. Le problème, vois-tu, c'est qu'il ne va pas être facile de prouver qu'il s'agit d'un faux. Pour finir, cela pourrait même n'être qu'une question de foi !

Jack fit la moue. En science, une preuve qui ne dépendait que de la foi de ceux qui l'avançaient n'était guère une preuve. À vrai dire, les termes « preuve » et « foi » étaient antinomiques.

— Le plus gros problème qui se pose à nous, c'est que l'ossuaire a été découvert par un des archéologues les plus réputés au monde.

— Shawn, tu veux dire ?

— Oui, Shawn. Après que nous avons ouvert la caisse, il m'a désigné deux choses sur le couvercle de l'ossuaire. Parmi toutes les éraflures que tu as dû y apercevoir, il y a une date et un nom. La date est en chiffres romains. Elle indique l'an « AUC 815 », qui signifie, dans notre calendrier, l'an 62 après Jésus-Christ.

— AUC ? répéta Jack en grimaçant. Ça veut dire quoi, ça, nom de Dieu ? !

Il rougit et s'empressa d'ajouter :

— Veuillez pardonner mes écarts de langage, Votre Éminence.

— Tes écarts de langage, comme tu dis, étaient beaucoup plus nombreux - et plus graves - quand nous étions à l'université. Inutile de t'excuser. J'y suis aussi insensible aujourd'hui qu'à l'époque. Les lettres « AUC » sont l'abréviation d'une expression latine, *ab Urbe condita*, qui fait référence à la date théorique de la fondation de Rome. En d'autres termes, la date que porte l'ossuaire lui convient parfaitement. Et quand on l'associe au nom qui se trouve à côté… Là, ça devient très, très perturbant. Le couvercle porte le nom de Mariam. En araméen. Traduit en hébreu, ça donne Miriam. Et donc… Marie.

— Tu veux dire que Shawn est convaincu que l'ossuaire contient les os de la Vierge Marie ? La mère de Jésus ?

— Voilà. Shawn est un spécialiste éminemment crédible. Par ailleurs, il est en mesure de prouver que cet ossuaire n'a pas vu la lumière du jour depuis qu'il a été enterré il y a près de deux mille ans. C'est Shawn lui-même qui l'a trouvé enfoui au pied du tombeau de saint Pierre. Petit problème supplémentaire, le couvercle de l'ossuaire est scellé avec de la cire. Aucun des faux ossuaires découverts à ce jour, autant que je sache, n'était scellé.

— Le prénom Marie, ou Miriam, ou Mariam, n'était-il pas très répandu, au Ier siècle ? Pourquoi Shawn pense-t-il qu'il s'agit de l'ossuaire de Marie, mère de Jésus ?

— Il a découvert une lettre, écrite au IIe siècle de notre ère, qui affirme que l'ossuaire contient les os de la mère de Jésus. Et c'est cette lettre qui l'a conduit à l'ossuaire.

— Je vois, dit Jack, songeur. Cependant… cette lettre… est-elle vraiment authentique ?

— C'est un peu tautologique, mais… le fait de trouver l'ossuaire où la lettre dit qu'il est caché prouve l'authenticité de la lettre, et *vice versa*. Ce sont deux découvertes tellement extraordinaires que leur seule existence convaincra les gens que le squelette de l'ossuaire est bel et bien celui de la Sainte Mère !

Jack réfléchit à cette question tout en se servant des légumes crus à l'aide des pinces en argent posées à côté du plat. Il comprenait très bien James, mais… une autre question lui venait à l'esprit.

— As-tu vu cette lettre ? demanda-t-il.

— Oui. Shawn me l'a montrée hier.

— Qui l'a écrite ?

— Un évêque d'Antioche qui s'appelait Satornil.

— Je n'ai jamais entendu parler de lui.

— C'est un personnage connu des spécialistes. Il a bel et bien existé, en tout cas.

— À qui avait-il adressé la lettre ?

— À un autre évêque, à Alexandrie, qui s'appelait Basilide.

— Je ne le connais pas non plus.

— As-tu déjà entendu parler du gnosticisme ?

— Pas vraiment. Ce n'est pas le genre de sujet qui est souvent évoqué à la morgue.

— Je veux bien le croire, dit James en riant. Le gnosticisme était un courant de pensée gravement hérétique du début du christianisme. Basilide en était un des principaux défenseurs.

— Satornil aurait-il eu la moindre raison de mentir à Basilide ?

— Bonne idée. Mais la réponse est malheureusement non.

— Satornil précise-t-il, dans sa lettre, s'il s'est lui-même chargé d'enfouir l'ossuaire ?

— Oui. Très clairement.

— Explique-t-il comment il se l'est procuré ? Ou dit-il qui le lui a donné ?

— Oui, tout à fait. Et tu viens de mettre le doigt, très judicieusement, sur ce qui est à mon avis le maillon le plus faible de la chaîne. Sais-tu qui était Simon le Magicien ?

— Nan. Là encore, tu me dépasses. Jamais entendu parler de ce monsieur.

— Simon est l'archétype du vilain garçon dans le Nouveau Testament. Une véritable fripouille qui a essayé d'acheter les pouvoirs de guérison de saint Pierre. De son nom, la langue a gardé le mot *simonie*.

Jack sourit pour lui-même. Il venait de prendre conscience que Jésus-Christ était en définitive le plus célèbre pourvoyeur de médecine parallèle qui eût jamais vécu. Et saint Pierre, son principal disciple.

— Simon le Magicien est aussi considéré par certains commentateurs comme l'un des premiers gnostiques, poursuivit James. Satornil, qui était beaucoup plus jeune que lui, a travaillé à son service. Il l'aidait à réaliser ses tours de magie. Par conséquent, tout repose sur Simon le Magicien pour ce qui est de prouver que les os de l'ossuaire sont ceux de la Sainte Mère - ce qu'ils ne sont assurément pas ! Or, Simon est sans doute le plus célèbre des plus mauvais témoins de l'histoire.

— Il y a un autre moyen, dit Jack. Un moyen extrêmement simple. Pour prouver, je veux dire, que les os de l'ossuaire sont, ou ne sont pas, ceux de Marie.

— Ah ? Lequel ? demanda James, les yeux écarquillés.

— Tu devrais les faire examiner par un anthropologue. S'il y a réellement des os dans le coffre, bien sûr. Il s'assurera d'abord que ce sont des os humains. Si c'est le cas, il regardera si ce sont des os de femme. Et si oui, il les regardera d'encore plus près pour déterminer si la femme a eu des enfants ou pas. Nous savons que Marie a accouché au moins une fois.

— Un anthropologue serait capable de déterminer ces choses-là ?

— Oui à coup sûr pour les deux premiers points : déterminer si ce sont des os humains, et si ce sont ceux d'un homme ou d'une femme. L'examen est un peu plus délicat pour ce qui concerne la ou les grossesses éventuelles de la femme. Si l'anthropologue trouve certaines traces spécifiques sur les os, c'est que la femme a eu au moins un enfant. Et plus les traces sont nettes, plus elle a eu d'enfants. Si ces traces ne sont pas visibles, cependant, ça ne prouve pas de façon absolue que la femme n'a pas eu *au moins* un enfant.

— C'est fascinant, dit James. J'aime surtout l'idée que les os pourraient être ceux d'un homme, et non ceux d'une femme. En ce cas, le cauchemar serait terminé.

— Les as-tu vus ?

— Non. Shawn et sa femme sont venus ici parce qu'ils voulaient s'assurer que l'ossuaire n'avait pas été abîmé pendant le voyage. Mais ils ne voulaient pas l'ouvrir immédiatement. L'ossuaire est scellé avec de la cire, je viens de te le dire, et Shawn et Sana se font du souci, comme tu peux l'imaginer, au sujet de l'état de conservation de son contenu. Ils ne veulent pas l'exposer subitement, deux mille ans après sa fabrication, à l'air et à l'humidité ambiante. Ils veulent l'ouvrir dans un laboratoire. Connais-tu la femme de Shawn ?

— Hmm… Peut-être. Il y a déjà deux ans que je n'ai pas vu Shawn, et vu le rythme auquel il enchaîne les épouses, je ne suis pas sûr d'être à la page. Depuis quatorze ans que je suis installé à New York, à vrai dire, nous ne nous sommes rencontrés que deux fois. Dans l'intervalle, je sais qu'il s'est marié et a divorcé *au moins* à deux reprises.

— Dévergondé jusqu'au trognon, notre ami Shawn, observa James. Mais il a toujours été comme ça. Tu te souviens du nombre de petites amies qu'il avait à la fac ?

— Comment pourrais-je oublier ? Je me souviens d'un week-end, en particulier, où deux d'entre elles se sont pointées en même temps devant sa porte. L'une d'elles devait lui faire son vendredi soir, et l'autre le samedi. Mais celle du samedi avait cru par erreur qu'elle était de service tout le week-end. Par chance, j'ai pu leur apporter mon aide. Je me suis occupé de celle du vendredi et... on s'est plutôt bien entendus, tous les deux.

— L'épouse actuelle de Shawn s'appelle Sana.

— Ah oui ! dit Jack qui se souvenait tout à coup de la jeune femme en question. J'ai fait sa connaissance. Elle m'a paru terriblement timide et réservée. Elle restait tout le temps accrochée au bras de Shawn, à le contempler d'un air rêveur. C'était un peu gênant.

— Elle a beaucoup changé. Aujourd'hui, c'est une biologiste moléculaire ambitieuse. Et qui commence à faire parler d'elle. Elle a un poste de chercheur au collège de médecine de l'université Columbia. Je crois qu'elle s'est énormément épanouie. J'ai le sentiment que le mariage ne durera plus très longtemps. Shawn préfère les femmes dociles et qui sont en adoration devant lui. Sur le plan des relations humaines, il ne sera jamais satisfait. Et puis je ne suis pas expert sur la question, mais je ne le crois pas du tout capable d'être fidèle.

— Peut-être, ouais...

Jack n'admirait pas le comportement de Shawn envers les femmes, mais il n'avait jamais fait le moindre commentaire à ce sujet. Entre Shawn et James, par contre, cela avait toujours été une pomme de discorde.

— Quelles sont tes relations avec Shawn, aujourd'hui ? demanda James.

Jack haussa les épaules.

— Comme je te l'ai dit, je ne l'ai rencontré que deux fois depuis mon installation à New York. Il a eu la gentillesse de m'inviter à dîner chez lui. Les deux fois, précisa Jack. Je suppose que j'aurais dû lui rendre la pareille, mais... Avec l'âge, je suis devenu un peu ermite.

— Tu as fait allusion à cela au téléphone. Peux-tu m'expliquer pourquoi ?

— Non. Peut-être une autre fois, répondit Jack qui voulait éviter, pour le moment, de penser à sa première famille ou à sa seconde. Pourquoi ne me dis-tu pas de quelle façon je suis susceptible de t'aider ? Je suppose que c'est lié à l'ossuaire ?

James prit une profonde inspiration.

— Tu as raison. Eh oui, bien sûr, c'est lié à l'ossuaire. À ton avis, qu'arriverait-il si un pourcentage significatif de la population venait à croire, même brièvement, que cet ossuaire contient réellement le squelette de Marie, mère de Dieu ?

— Hmm... Je suppose que des tas de gens seraient déçus.

— Venant de toi, c'est une réponse beaucoup plus diplomatique que je ne l'attendais.

— Et moins sarcastique que certaines réponses que j'ai données ces derniers temps à pas mal de mes interlocuteurs, ajouta Jack avec un sourire désabusé.

— Est-ce parce que je suis cardinal que tu te montres si prévenant ?

— Sans doute, répondit Jack en souriant.

— Je regrette que tu voies les choses ainsi. Entre vieux amis, nous devrions pouvoir être nous-mêmes.

— Ouais, peut-être... si nos rencontres devenaient plus régulières. Pour le moment, pourquoi ne me dis-tu pas ce que tu crains de voir se produire ?

— Ce serait un désastre pour l'Église ! Et à un moment où elle peut le moins se le permettre. Nous souffrons encore énormément des dégâts provoqués par les scandales des abus sexuels sur mineurs de certains prêtres. C'est une véritable tragédie pour les personnes concernées et pour l'Église tout entière. Nous souffririons autant si les gens devaient être amenés à croire que la Vierge Bénie, Marie, n'est pas montée au ciel corps et âme comme l'a déclaré *ex cathedra* le pape Pie XII dans son *Munificentissimus Deus* de 1950. C'était la première fois, et la dernière à ce jour, qu'un pape s'appuyait sur le dogme de l'infaillibilité pontificale tel qu'il a été défini le 18 juillet 1870 par le premier concile du Vatican. Si Shawn racontait qu'il a retrouvé le squelette de la Très Sainte Mère de Dieu, cela menacerait sérieusement l'autorité de l'Église. Ce serait une catastrophe sans précédent !

— Je te crois sur parole.

Jack voyait son ami rougir à nouveau sous le coup de l'émotion.

— Je ne plaisante pas, insista James qui craignait que Jack ne prenne pas ses propos au sérieux. Le pape est le descendant religieux direct de saint Pierre. Quand il parle *ex cathedra* de problèmes de foi ou de questions morales, il livre une révélation divine à la façon du Saint-Esprit qui agit dans le corps de l'Église par le *sensus fidelium*.

— Heu... d'accord, fit Jack. Je comprends que si Shawn racontait que Marie n'est pas montée au ciel alors que l'Église l'a affirmé haut et clair, ça porterait un vilain coup à la foi catholique.

— Un *très* vilain coup, renchérit James. Et ce serait désastreux pour tous les croyants qui vénèrent Marie autant qu'ils aiment Jésus-Christ. Tu n'as pas idée de la position qu'elle occupe dans le cœur des catholiques. Si Shawn allait au bout de son projet, ils seraient perdus !

— Ce n'est pas difficile à imaginer, dit Jack d'un ton apaisant.

Pour la seconde fois en quelques minutes, James semblait à nouveau au bord des larmes. Il abattit la main droite sur la table, assez fort pour faire sauter la vaisselle, et s'exclama :

— Je ne peux pas laisser une telle horreur se produire ! Je ne peux pas le laisser faire ! Je dois protéger l'Église et je dois me protéger !

Jack fronça les sourcils. Tout à coup, il revoyait son ami tel qu'il avait été à l'université – et il sentait que l'inquiétude qui le minait au sujet de l'ossuaire ne concernait pas que le bien-être de l'Église. James était un fin politique. Autrefois, il s'était présenté pour être président de classe. Jack avait douté de ses chances de l'emporter. Mais il l'avait sous-estimé. Avec sa compréhension intuitive des attentes des gens, de leurs peurs, de leurs envies, et avec sa très grande capacité naturelle pour la flatterie, James avait tout ce qu'il fallait pour se faire élire. Il était aussi très motivé, pragmatique et habile. Tout le monde l'appréciait. À la plus complète surprise de ses deux amis, il avait remporté l'élection. Jack supposait que c'étaient ces mêmes qualités qui lui avaient permis de s'élever jusqu'au rang de cardinal.

— Problème supplémentaire, ajouta James d'un ton plus posé, ce fourbe de Shawn me tient par les couilles.

Jack renversa la tête en arrière comme s'il avait reçu une gifle. Une telle grossièreté dans la bouche d'un prélat catholique, c'était très surprenant. Certes, il avait bien souvent entendu ce genre de chose à la fac. Mais là…

James s'esclaffa.

— Oh, je t'ai choqué ? Pardon ! dit-il, puis il ajouta avec un sourire malicieux : Veuillez pardonner mes écarts de langage, docteur Stapleton.

Jack sourit, prenant conscience qu'il avait eu tort d'enfermer son ami dans un stéréotype. D'autant que cet ami, en dépit des apparences, était le même homme qu'autrefois.

— Touché, dit-il.

— Je m'explique, reprit James. En m'envoyant l'ossuaire du Vatican et en écrivant que c'était moi l'expéditeur de la caisse, Shawn a évité les douanes *et* il a profité de ma convoitise, puisque j'ai trop vite imaginé qu'il s'agissait d'un cadeau d'anniversaire. Et moi, en acceptant la caisse et en signant le bon de livraison, je suis devenu, d'une certaine façon, son complice. J'aurais dû refuser la caisse ! Elle serait retournée au Vatican et je n'aurais pas ce problème sur les bras. Mais le mal est fait. Et maintenant, quels que soient les ennuis que cette affaire va créer, j'y serai personnellement mêlé. Par-dessus le marché, c'est grâce à moi qu'il a récupéré l'ossuaire, parce que c'est moi qui ai fait en sorte qu'il ait accès au tombeau de Pierre. Tu comprends ? Il me fait complètement porter le chapeau !

— Pourquoi n'appelles-tu pas tout de suite les médias pour raconter sans tourner autour du pot que tu ignorais ce qu'il y avait dans la caisse ?

— Je te dis que le mal est fait ! Il est trop tard. Je suis le complice de Shawn. Si j'alertais les médias, il irait leur parler de son côté pour m'accuser – pour *nous* accuser, l'Église et moi –, d'essayer d'empêcher l'ossuaire de voir la lumière du jour. D'essayer de l'empêcher, lui, de faire son noble travail d'archéologue et de découvreur de la vérité ! L'affaire prendrait des allures de conspiration et, dans l'esprit de beaucoup de gens, ça reviendrait à prouver l'authenticité de l'ossuaire. Non, je ne peux pas faire ça. Je suis obligé de laisser Shawn aller au bout de son projet. D'après lui, le travail devrait lui prendre entre un et trois mois, selon qu'il y aura ou pas des documents avec les os. S'il y a *réellement* des os dans l'ossuaire, bien sûr. J'espère que ce ne sera pas le cas. Pas de squelette, ça simplifierait tout !

— Y a-t-il toujours des documents, dans les ossuaires ? demanda Jack, intrigué.

— En général, non. Mais d'après la lettre de Satornil, cet ossuaire contiendrait l'unique exemplaire connu d'un texte qu'il appelle l'Évangile selon Simon le Magicien.

— Ah ouais ? Ça devrait être assez intéressant, d'après ce que tu m'as dit sur ce type. Les personnages méchants sont toujours plus passionnants que les gentils.

— Sur ce dernier point, je suis obligé de te contredire, répliqua James d'un ton sec.

— D'accord ! Bon, que vas-tu faire et quel est mon rôle ?

— Shawn et Sana veulent garder le secret quant à l'existence même de l'ossuaire, tant qu'ils n'ont pas terminé leur travail. Ah, j'ai oublié de te dire une chose. Sana a l'intention d'essayer de récupérer de l'ADN sur le squelette.

— D'après ce que je sais, c'est possible. Des biologistes ont réussi à extraire de l'ADN du cadavre momifié d'un homme retrouvé dans un glacier des Alpes en 1991. On estime qu'il avait plus de 5 000 ans.

— Pour que leurs labos respectifs ne soient pas au courant de ce qu'ils font, Shawn et Sana ont besoin d'un endroit où travailler discrètement. C'est une idée que je soutiens à 100 %. J'ai pensé au nouveau laboratoire ADN de l'IML. Je le connais, parce que je suis allé à l'ouverture officielle du bâtiment avec le maire et d'autres responsables de la ville. Penses-tu que cela soit envisageable, et pourrais-tu arranger ça pour nous ?

Jack réfléchit quelques instants. Le nouvel immeuble de l'IML avait été conçu avec des capacités supérieures aux besoins actuels des différents départements qu'il abritait – un rare exemple de prévoyance de la part des décideurs de la ville. Jack savait aussi que le directeur de l'IML avait déjà prêté des labos pour des projets de recherche menés par l'université de New York et par l'hôpital Bellevue. Alors pourquoi pas pour le projet de Shawn et de James ? Du point de vue de Bingham, ce serait même une excellente opération de relations publiques. Il serait sans doute ravi.

— Je crois que c'est tout à fait envisageable. Et je vais en parler au chef dès mon retour à l'IML. Mais... est-ce là tout ce que tu attends de moi ?

— Non. J'aimerais aussi que tu m'aides à parler à Shawn et à Sana pour les convaincre de ne pas publier leurs travaux. Je veux qu'ils prennent conscience des dégâts qu'ils risquent de provoquer. Il faut absolument qu'ils entendent raison ! Heureusement, je sais que Shawn est un homme bon – même s'il est parfois un peu vaniteux et très têtu.

Jack fit la moue.

— Je crois me souvenir que Shawn a un énorme appétit de gloire et de richesses. S'il n'a pas changé, tu vas avoir beaucoup de mal à le convaincre de renoncer à son projet. L'histoire de cet ossuaire, c'est le genre de truc qui pourrait le sortir des journaux d'archéologie spécialisés et le catapulter en couverture de *Newsweek*, de *Time* ou de *People*.

— Je sais que ce sera difficile, mais nous devons essayer. Il faut faire quelque chose.

Jack hocha la tête. Il n'était pas optimiste au sujet de Shawn ; sa détermination était sans doute inébranlable. En revanche, il ne savait que penser de l'attitude de Sana.

— Une dernière chose, reprit James. Que tu acceptes ou non de m'aider, je dois te demander de garder le secret sur cette affaire. Tu ne dois en parler à personne – pas même à ta femme. Pour le moment, nous ne sommes que quatre à connaître l'existence de l'ossuaire : les Daughtry, toi et moi. Il ne faut pas que ça change. Peux-tu me promettre de ne rien dire ?

— Bien entendu, assura Jack.

Il savait pourtant qu'il aurait du mal à ne pas parler de cette histoire fascinante à Laurie.

— Oh, Seigneur ! s'exclama James en consultant sa montre. Je dois partir tout de suite pour Gracie Mansion.

Ils se levèrent. James donna une brève accolade à Jack. En lui rendant son geste, Jack songea que son ami était devenu décidément bien grassouillet. Il se promit de lui parler de ce problème quand l'occasion se présenterait. Il entendait aussi un léger sifflement, dans sa respiration, qui n'était pas bon signe.

— Tu acceptes donc de m'apporter ton aide dans cette très regrettable affaire ?

James attrapa sa calotte, qu'il avait posée sur une chaise, pour la remettre sur sa tête.

— Bien sûr, dit Jack. Mais puis-je avoir la permission d'en parler à ma femme ? Elle est la discrétion incarnée.

James se figea et le regarda droit dans les yeux.

— Absolument pas ! Je ne connais pas ta femme et j'espère bien la rencontrer un jour. Mais je suis sûr qu'elle a une amie en qui elle a autant confiance que, toi, tu as confiance en elle. Je tiens à ce que tu ne souffles pas un mot de cette affaire devant quiconque. Peux-tu me jurer de ne rien dire ? !

— Parole d'honneur, répondit Jack qui se sentait comme empalé par le regard de son vieil ami.

— Parfait.

James tourna les talons et se dirigea vers la porte du couloir. Jack le suivit.

Comme par magie, le père Maloney apparut dans le hall en même temps qu'eux. Il tendit un manteau à Son Éminence, ainsi qu'une liasse de messages téléphoniques. Pendant que James enfilait le vêtement, Jack rappela au prêtre que sa veste se trouvait dans le petit bureau où il avait patienté à son arrivée. Sans un mot, le père Maloney s'éloigna.

— Aurai-je bientôt de tes nouvelles ? demanda James.

— Je vais parler tout de suite au directeur de l'IML.

— Splendide ! Voici mes numéros de portable et ma ligne privée, dit James en lui tendant une carte de visite. Appelle-moi ou envoie-moi un mail dès que tu auras la réponse du Dr Bingham. Si nécessaire, je ne demande pas mieux que de lui parler moi-même.

Il agrippa le bras de Jack, sans doute pour souligner par un geste l'importance du projet qu'ils entreprenaient ensemble. Mais sa main manquait pathétiquement de force.

Le père Maloney reparut avec la veste de Jack ; il s'inclina quand Jack le remercia.

Un instant plus tard, ils étaient dehors. Une limousine noire étincelante attendait au bord du trottoir ; le chauffeur en uniforme tenait la portière ouverte. L'archevêque grimpa sur la banquette arrière. La voiture démarra peu après.

L'imposante porte de la résidence claqua derrière Jack : le père Maloney avait disparu. Il jeta un dernier regard vers la limousine, déjà perdue au milieu des véhicules qui filaient vers le nord, et il se demanda s'il aurait aimé avoir la vie de l'archevêque – la vie d'un homme toujours entouré d'un essaim d'assistants pour satisfaire ses moindres besoins. De prime abord cela semblait tentant ; dans un cadre de vie pareil, on devait être formidablement efficace. Mais Jack savait qu'il n'avait aucune envie d'être responsable du bien-être spirituel et émotionnel de dizaines de millions de personnes. Il avait déjà bien assez de difficultés, sur ce plan, avec un seul individu.

17

VENDREDI 5 DÉCEMBRE 2008
13 H 36
NEW YORK

Jack détacha son vélo et pédala de toutes ses forces pour devancer la pluie qu'il sentait sur le point de tomber. Il y parvint presque. Juste avant qu'il n'arrive aux portes de l'IML, les cieux s'ouvrirent pour libérer des trombes d'eau sur ses épaules.

Il monta déposer sa veste humide dans son bureau et redescendit au rez-de-chaussée. Là, il se posta comme un enfant contrit devant le bureau de Mme Sanford. Quand les employés de l'Institut se pointaient sans rendez-vous, elle faisait en général mine de les ignorer, comme si ses occupations ne lui laissaient même pas le temps de lever les yeux vers eux. Jack supposait que c'était sa façon à elle d'obtenir le respect qu'elle estimait mériter pour protéger Bingham depuis des temps immémoriaux. Il ne servait à rien de la provoquer. Elle préviendrait son maître de la présence de Jack quand elle daignerait le faire.

Au bout de trois bonnes minutes, elle releva le menton et feignit d'être surprise de le trouver devant sa table.

— J'ai besoin de voir le Dr Bingham, dit-il poliment.

— À quel sujet ?

— C'est personnel, dit Jack avec un irrésistible petit sourire de satisfaction – il refusait de se laisser intimider par la curiosité de cette femme. Le patron est-il ici ?

— Oui, mais il est au téléphone et il a un autre appel en attente, dit-elle, et elle désigna le voyant qui clignotait avec insistance sur la console téléphonique. Je vais l'avertir que vous souhaitez être reçu.

— Je ne peux vous en demander davantage, répondit Jack, amusé par leur petit jeu.

Il s'assit sur le banc situé juste en face de la table de Mme Sanford. La scène lui rappelait ses années de lycée, quand il était convoqué au bureau du directeur. Les profs lui reprochaient souvent ses bavardages intempestifs.

Pendant qu'il patientait, Jack réfléchit à la surprenante conversation qu'il venait d'avoir avec James. Il était très curieux, à présent, de savoir ce que contenait l'ossuaire. Et il se demandait ce qui se passerait si Shawn y trouvait effectivement un squelette et des documents. Certes, il avait commencé par penser que James ne réussirait jamais à convaincre Shawn de ne pas publier ses découvertes – mais il ne devait pas oublier qu'il lui était parfois arrivé, dans le passé, de sous-estimer l'habileté de James. Par ailleurs, Shawn avait été élevé dans la religion catholique par des parents très croyants qui faisaient tous les deux du bénévolat dans des associations religieuses – et qui avaient essayé de le convaincre de devenir prêtre ! Même s'il n'était plus pratiquant, Shawn avait des liens anciens, profonds, avec l'Église. Il serait donc peut-être sensible, en définitive, aux problèmes qu'il risquait de créer s'il mettait à mal le concept d'infaillibilité pontificale et, dans une certaine mesure, la réputation de la Vierge Marie elle-même. Par conséquent, Jack n'était plus du tout sûr de l'issue du débat auquel il assisterait bientôt entre James et Shawn.

La voix de Mme Sanford interrompit ses réflexions :

— Le Dr Bingham est prêt à vous recevoir.

Jack se leva et entra dans le bureau du directeur. Celui-ci le regarda par-dessus le bord de ses lunettes à monture d'acier et demanda avant même qu'il ait pu ouvrir la bouche :

— Vous avez changé d'avis, c'est ça, et vous voulez prendre un congé ? La réponse est oui. Je vous en prie, occupez-vous de votre enfant ! Depuis que vous nous avez parlé de ce problème, je suis très inquiet.

— Merci, c'est gentil, mais Laurie s'occupe très bien de lui, croyez-moi. Moi, avec les nouveau-nés, je suis vraiment empoté.

— Ça, j'ai du mal à le croire.

Si seulement vous saviez, songea Jack. Et il dit à voix haute :

— Je sais que vous êtes très occupé, mais l'archevêque de New York aimerait que l'IML lui rende service.

Bingham se renversa en arrière dans son fauteuil, l'air stupéfait.

— Vous êtes réellement allé déjeuner chez l'archevêque ? !

— Ben oui. Pourquoi pas ? répondit Jack.

James et lui se connaissaient depuis plus de trente ans ; il n'y avait rien d'étonnant à ce qu'ils déjeunent ensemble.

— « Pourquoi pas » ? répéta Bingham en pouffant de rire. Le cardinal O'Rourke est une des personnes les plus puissantes et les plus importantes de la ville. Du pays ! Pourquoi diable vous a-t-il invité à déjeuner, d'ailleurs ? C'est lié à la maladie de votre petit garçon ?

— Grands dieux, non !

— Alors de quoi s'agit-il ? À condition que cela ne vous ennuie pas de me répondre, bien sûr. Ce n'est pas mes oignons…

— Aucun problème, l'interrompit Jack. James et moi, nous sommes de vieux copains. Nous étions ensemble à l'université. Et très proches, à l'époque. Nous formions même une petite bande avec un troisième larron qui vit aussi à New York aujourd'hui.

— C'est extraordinaire, commenta Bingham.

Il se sentait un peu gêné d'avoir réagi comme il l'avait fait à l'évocation de l'archevêque. Mais comme il était lui-même un animal politique, il réfléchissait déjà à la possibilité de tirer parti de l'amitié de Jack avec James O'Rourke.

— Rencontrez-vous souvent Son Éminence ?

Jack sourit.

— Si vous considérez qu'une fois tous les trente et un ans c'est « souvent », alors oui, je le rencontre souvent.

— Oh, c'est ainsi, dit Bingham, quelque peu déçu. Mais… c'est tout de même étonnant et intéressant que vous ayez été à la fac ensemble. Êtes-vous sérieux, quand vous dites qu'il aimerait que nous lui rendions service ? Au nom du ciel – si je puis dire – de quoi s'agit-il ?

— L'archevêque vous demande humblement l'autorisation d'utiliser un des laboratoires du nouveau bâtiment de l'IML.

— Ah bon ? C'est une requête plutôt inattendue, de la part du plus puissant prélat du pays…

— À vrai dire, ce n'est pas pour lui, précisa Jack. C'est pour notre ancien copain de fac. Le troisième larron. Mais si vous acceptez, James considérera que c'est à lui que vous rendez personnellement service.

— Eh bien… Dans le nouveau bâtiment nous avons de l'espace en trop, en effet, et je ne vois aucun mal à tendre la main à l'archevêque. Mais qui est cet ami commun ? Surtout, est-ce un scientifique compétent ? Ami de l'archevêque ou pas, nous ne pouvons pas laisser n'importe qui utiliser nos laboratoires.

— Je ne sais pas s'il est parfaitement apte à utiliser un laboratoire, admit Jack. Mais sa femme est qualifiée, sans le moindre doute. C'est une biologiste moléculaire qui fait de la recherche au collège de médecine de l'université Columbia.

— Ça, c'est une recommandation indiscutable, dit Bingham d'un ton approbateur. J'aimerais aussi avoir une idée de ce qu'ils comptent faire dans le labo, et du temps qu'ils prévoient d'y passer.

— L'archevêque estime qu'ils auront peut-être besoin de deux mois.

— Et pour y faire quoi, au juste ?

— Notre ami commun - il s'appelle Shawn Daughtry, à propos - est un archéologue réputé. Spécialiste du Proche-Orient et de la Bible. Il a découvert ce qu'on appelle un *ossuaire*. Vous savez ce que c'est ?

— Je sais ce qu'est un ossuaire, bien entendu ! répliqua Bingham d'un air agacé.

— Ah. Moi, je ne savais pas, admit Jack. Celui-ci est assez particulier, parce qu'il est scellé. Shawn et sa femme espèrent extraire de l'ADN des os qu'il contient. La raison pour laquelle ils souhaitent utiliser notre labo, et pas un autre, c'est qu'ils veulent garder le secret sur le projet tant qu'ils n'auront pas terminé d'analyser le contenu de l'ossuaire. Et j'ai oublié de dire qu'en plus des os, il devrait y avoir des documents à l'intérieur.

— Je n'ai jamais entendu parler d'ossuaire qui contenait des documents, objecta Bingham.

— Je vous répète juste ce qu'on m'a dit...

— Peu importe. Considérant que nous rendons service à l'archevêque, je vous donne mon accord. À condition que Naomi Grossman, la responsable du laboratoire de génétique, n'y voie pas d'objection.

— Bien entendu, acquiesça Jack. Je vous remercie donc au nom de mes amis.

Il se tourna vers la porte. Avant qu'il ait pu l'ouvrir, Bingham lança :

— À propos, où en est le dossier dans lequel l'enquêteur avait oublié de protéger les mains du défunt ?

— C'est réglé. Vu la blessure, impossible que le mort ait tenu l'arme lui-même. C'était un homicide. Par conséquent, il n'y aurait pas eu de résidu de poudre sur les mains.

— Parfait, dit Bingham. Je veux votre rapport sur mon bureau le plus tôt possible. La famille sera contente.

Jack saisissait la poignée pour sortir du bureau, lorsqu'il pivota à nouveau vers le directeur de l'IML et demanda :

— Chef, je peux vous poser une question personnelle ?

— Oui, mais en vitesse, répondit Bingham sans lever les yeux de son travail.

— Consultez-vous un chiropraticien ?

— Ouais ! Et je ne veux pas entendre vos griefs à ce sujet. Je connais déjà votre opinion.

— Compris, dit Jack.

Il remonta à son bureau chercher sa veste. Tant pis pour ce coup final porté à sa croisade contre la médecine parallèle – il savait maintenant qu'il n'aurait jamais le soutien de sa hiérarchie. Tant pis, parce qu'il se sentait de bonne humeur : il avait un nouveau projet pour s'occuper l'esprit. Bingham ayant donné son accord pour prêter un labo aux Daughtry, Jack voyait mal Naomi Grossman refuser d'accéder à cette requête. D'autant plus qu'elle autorisait déjà trois autres groupes de chercheurs à utiliser leurs installations.

Il prit sa veste et un parapluie et se dirigea vers l'ascenseur. Il avait hâte de rencontrer Naomi et d'organiser la prise en main du labo. Perdu dans ses pensées, il se heurta littéralement à Chet qui sortait de la cabine.

— Hé ! Où tu cours, comme ça ? demanda son collègue qui lâcha presque le carton de lames de microscope qu'il avait à la main.

— Je pourrais te poser la même question.

— Je venais te voir à ton bureau. J'ai déniché quelques cas supplémentaires de dissection des vertébrales. Je t'apportais les noms et les numéros de dossiers.

— Laisse tomber. J'ai perdu la flamme.

— Ah bon ? Pourquoi ?

— Disons simplement que je suis tombé sur le genre de réaction que tu as affrontée autrefois quand tu t'es penché sur la question. J'ai l'impression que l'attitude des gens vis-à-vis de la médecine parallèle, c'est un truc quasi religieux. Ils y croient… parce qu'ils veulent y croire ! Et tout ce qui est susceptible de prouver qu'elle est inefficace ou peut-être même dangereuse, ils le rejettent en disant que ça n'a rien à voir avec le schmilblick.

— O.K., fit Chet. Comme tu veux. Si tu changes d'avis, préviens-moi.

— Merci, vieux, dit Jack.

Dans la rue, il retrouva l'averse torrentielle qu'il avait presque réussi à devancer en revenant de chez James. Comme il n'avait qu'un petit parapluie à la main, il arriva à l'immeuble du labo ADN le bas du pantalon trempé.

Le bureau de Naomi Grossman se trouvait dans l'un des derniers étages. Quand il s'approcha de sa secrétaire, Jack songea avec une pointe d'inquiétude qu'il avait peut-être eu tort de ne pas appeler avant de se mettre en route. Naomi dirigeait le plus gros département de l'IML. La génétique était devenue une science à part entière qui jouait un rôle de plus en plus important dans le système judiciaire et dans l'identification des personnes.

— Le Dr Grossman est-il disponible ?

— Sans doute, répondit la secrétaire d'un ton enjoué. Qui êtes-vous ?

— Dr Jack Stapleton.

Jack était soulagé d'apprendre qu'il ne s'était pas déplacé pour rien.

— Enchanté de faire votre connaissance, dit la secrétaire en lui tendant la main. Je m'appelle Melanie Stack.

Elle était jeune, agréable et visiblement désireuse de bien faire son travail - aux antipodes, en somme, des vieilles secrétaires revêches qui défendaient les bureaux de Bingham et de Calvin. En plus, elle s'habillait dans un style moderne, décontracté et plaisant. Ses longs cheveux châtain clair, attachés avec une barrette derrière la nuque, encadraient un visage aussi avenant que sain.

Pour Jack, Melanie était la représentante parfaite du labo ADN de l'IML. La plupart des gens qui s'y trouvaient étaient jeunes, énergiques, et ils semblaient le plus souvent heureux de leur boulot dont ils appréciaient la valeur. La génétique était une science en plein développement, au potentiel considérable. Il paraissait normal qu'elle fût logée dans un immeuble flambant neuf et lumineux. De bien des façons, Jack regrettait de ne pas travailler ici.

— Laissez-moi vérifier auprès du Dr Grossman, dit encore Melanie.

Elle se leva et disparut dans le bureau de Naomi. Jack croisa les regards des autres secrétaires. Chacune lui rendit son sourire. Il n'en revenait pas. Cet endroit était une vraie bouffée d'air frais et d'optimisme.

Melanie revint quelques instants plus tard.

— Le Dr Grossman peut vous recevoir tout de suite.

Quand il entra dans le bureau, Jack remarqua d'abord que ses fenêtres offraient une vue éblouissante sur l'East River. Naomi était assise derrière une vaste table en acajou au bout de laquelle il y avait un panier à courrier qui ressemblait à celui de Jack : il était surchargé d'enveloppes. Comme la plupart des employés de l'immeuble, Naomi était relativement jeune – Jack lui donnait 35 ans à tout casser. Son visage ovale était encadré par une large nébuleuse de cheveux bouclés. Ses yeux pétillaient d'intelligence. Elle avait une expression à la fois enjouée et légèrement perplexe, comme si elle portait un regard dubitatif sur le monde.

— Quelle agréable surprise ! s'exclama-t-elle tandis que Jack marchait à sa rencontre. À quoi dois-je l'honneur de cette visite ?

— L'honneur ? répéta Jack, pouffant de rire. J'aimerais être aussi doué que vous pour mettre les gens à l'aise.

— Mais si, mais si, c'est un honneur. Nous sommes ici pour vous servir, vous les médecins légistes. Notre labo n'est qu'un petit rouage dans le système.

Jack rit de nouveau.

— N'exagérons rien. Vu la vitesse à laquelle la génétique progresse, je crois que c'est nous qui finirons bientôt par travailler pour vous. Aujourd'hui, quoi qu'il en soit, je suis venu vous demander un service.

— Je suis tout ouïe.

Jack répéta rapidement le petit topo qu'il avait prononcé devant Bingham : il cita l'archevêque, l'ossuaire et son contenu, mais bien sûr il fit l'impasse sur la Vierge Marie.

— C'est fascinant ! commenta Naomi. Comment s'appelle l'épouse de l'archéologue ?

— Sana Daughtry.

Naomi eut un air approbateur.

— J'ai entendu parler d'elle. Elle est vraiment en train de se faire un nom dans le domaine de l'ADN mitochondrial. Je serai très heureuse de l'avoir ici pendant quelque temps. Et le projet lui-même paraît très intéressant, surtout s'il y a effectivement des documents avec le squelette. Mais je me demande tout de même… Pourquoi ne font-ils pas ce travail à Columbia ? Leurs installations ne sont peut-être pas aussi récentes que les nôtres, mais je suis sûre qu'elles sont très complètes.

— Question d'intimité, dit Jack en souriant. D'après ce que j'ai compris, ils veulent avoir le temps de terminer les analyses avant que quiconque n'entende parler de leur découverte. Vous savez comment ça se passe dans l'univers de la recherche : tout le monde sait ce que tout le monde fait.

— Oh ça, c'est bien vrai ! Mais chez nous, ils n'auront pas à craindre les fuites. Avez-vous parlé de tout ça avec le Dr Bingham ?

— Je sors tout juste de chez lui. Il est d'accord, à condition que vous le soyez aussi. Il ne me l'a pas dit, mais j'ai l'impression qu'il aime bien l'idée que l'archidiocèse ait une dette envers l'IML.

Naomi partit d'un rire tellement joyeux et contagieux que Jack ne put s'empêcher de rire avec elle.

— Ça, je veux bien le croire ! Le Dr Bingham connaît le système, et il sait en tirer parti. Mais je ne penserai jamais de mal de notre directeur. Sans lui, je ne serais pas installée dans ce magnifique bâtiment.

— Alors vous nous donnez votre feu vert ? demanda Jack.

— Sans problème.

— Quand pourraient-ils démarrer ? Je dois vous avouer que depuis que j'ai entendu parler de cet ossuaire, je meurs de curiosité.

— Je vous comprends, c'est une histoire très excitante, renchérit Naomi. Les Daughtry peuvent commencer à travailler quand ils veulent, pas de souci. Nous avons plusieurs labos en jachère.

— Demain, par exemple ? L'immeuble est-il ouvert le week-end ?

— Bien sûr. Il y a infiniment moins de personnel que dans la semaine, mais comme nous avons des travaux qui exigent des manipulations quotidiennes, nous sommes ouverts sept jours sur sept, nuit et jour.

— Je vais leur en parler. Je ne sais pas s'ils envisagent de démarrer si tôt et je fais peut-être l'erreur de projeter ma propre impatience sur eux. Mais… s'ils voulaient effectivement commencer demain, comment ferions-nous entrer l'ossuaire dans le bâtiment ?

— Eh bien… Pourquoi pas par la porte du hall, au rez-de-chaussée ? C'est un objet de grande taille ?

— Pas vraiment. Je crois qu'il fait une soixantaine de centimètres de long sur trente de large et trente de profondeur.

— Il pourra donc passer sans problème par la porte. Si vous préférez, il y a aussi un quai de déchargement pour les livraisons, côté 26e Rue. Mais comme demain c'est samedi, il faudrait nous organiser à l'avance.

— La porte de la rue fera très bien l'affaire. Pour le moment, cela vous ennuierait-il de me montrer le labo que vous pensez donner aux Daughtry ? Comme ça, je pourrai les aider moi-même à s'y installer.

Quelques minutes plus tard, Naomi et Jack étaient au huitième étage.

— Comment est organisé le travail d'analyse, au juste ? demanda Jack.

Il avait déjà visité le bâtiment, mais il était curieux de savoir comment le département de Naomi gérait le très grand nombre de prélèvements qu'il traitait chaque semaine.

— Les échantillons sont réceptionnés au cinquième, expliqua-t-elle. Ensuite, ils grimpent peu à peu les étages au fil des étapes du traitement. D'abord, ils sont purifiés pour préparer l'extraction de l'ADN. L'ADN isolé monte ensuite au sixième pour la préamplification. Une fois ce travail accompli, direction le septième étage pour la postamplification et le séquençage.

— C'est un peu comme une chaîne de montage, en somme.

— En effet. Si nous n'étions pas organisés de cette façon, nous ne serions jamais capables de traiter la quantité d'échantillons qui nous tombent chaque jour sur les bras.

— Nous sommes maintenant au huitième étage, dit Jack. Que se passe-t-il, ici ?

Depuis qu'ils étaient sortis de l'ascenseur, ils longeaient un couloir bordé d'un côté par les cloisons vitrées des laboratoires, de l'autre par d'immenses fenêtres qui donnaient sur l'hôpital Bellevue.

— Le huitième est un niveau à part, expliqua Naomi. La plupart des labos qui sont ici ont été conçus pour la formation de nos employés. Et au fond, là-bas, du côté du fleuve, il y a une série de labos destinés à certains projets de recherche particuliers. La science génétique évolue très vite. Nous sommes obligés de suivre le rythme.

Ils arrivèrent bientôt au bout du long couloir.

— Voici le labo que les Daughtry pourront utiliser, dit Naomi.

Elle en ouvrit la porte avec une clé qu'elle remit aussitôt à Jack. Avec ses nombreuses surfaces plastifiées blanches et ses puissants éclairages fluorescents, la pièce avait un air futuriste. Une table de la taille d'une grande table de bibliothèque en occupait le centre. Le long d'un mur, il y avait des paillasses de travail avec des placards muraux et des placards bas. Le mur d'en face était meublé de hauts casiers individuels équipés de serrures.

— Qu'en pensez-vous ? demanda Naomi.

— C'est parfait !

Il marcha jusqu'au mur du fond. Une porte vitrée donnait sur un sas étanche dans lequel les chercheurs enfilaient des combinaisons spéciales, pour éviter toute contamination des échantillons qu'ils analysaient, avant de passer dans la seconde salle – le laboratoire proprement dit. Là-bas, Jack apercevait tous les appareils nécessaires pour l'extraction, l'amplification et le séquençage de l'ADN. Il était impressionné. L'unité mise à la disposition de Shawn et de Sana était totalement indépendante.

— Il y a même des vestiaires qui ferment à clé, si les Daughtry sont particulièrement paranos, dit Naomi en désignant les hauts placards que Jack avait déjà remarqués. Mais prévenez-les tout de même que la sécurité du bâtiment est irréprochable. Ce qui me fait penser, à propos, qu'ils vont avoir besoin de cartes d'identité du labo. Le poste de sécurité, au rez-de-chaussée, pourra s'en occuper demain matin si je leur donne le feu vert dès maintenant. Les Daughtry devront aussi signer une décharge à l'IML. S'ils veulent commencer dès demain, je vous la laisserai ici, sur la table, et je vous demanderai de veiller à ce qu'ils n'oublient pas de la signer.

— Je n'y manquerai pas, assura Jack.

— Très bien. Tout est réglé, donc. À moins que vous n'ayez d'autres questions ?

— Je ne crois pas. Cet endroit est parfait. Shawn pourra travailler dans cette pièce, avec les os et les documents, s'il y en a, et Sana aura le laboratoire pour elle. On ne pourrait rêver mieux. Merci beaucoup. Si vous avez des copains qui veulent passer par chez nous pour faire quelques autopsies, n'hésitez pas à m'appeler. Je serais heureux de vous renvoyer l'ascenseur.

Naomi pouffa de rire.

— J'ai entendu parler de votre sens de l'humour, Dr Stapleton.

Il la remercia de nouveau et descendit au rez-de-chaussée. Dehors, il s'aperçut avec plaisir que la pluie avait cessé. Il leva les yeux et vit un petit coin de ciel bleu. À New York, le temps pouvait changer très rapidement.

Il retourna à l'IML au pas de charge. Maintenant qu'il avait l'accord de Bingham et de Naomi, les Daughtry pouvaient se mettre au travail sans délai. Comme les ascenseurs étaient occupés, il prit l'escalier pour monter à son bureau. Il s'assit dans son fauteuil et regarda l'heure tout en sortant la carte de visite de James de son portefeuille. Bientôt 16 h 00. Le cardinal avait sans doute quitté la réception de Gracie Mansion depuis longtemps. Jack appela son numéro de poste fixe plutôt que son portable.

— J'ai de bonnes nouvelles, dit-il quand il entendit la voix de son ami au bout du fil.

— C'est déjà un grand soulagement. Le Dr Bingham accepte-t-il d'autoriser Shawn et Sana à utiliser les installations flambant neuves de l'Institut ?

— Il accepte de bon cœur ! répondit Jack avec fierté. Et tout est absolument parfait. Le laboratoire qui leur est confié est indépendant des autres, et il possède deux pièces distinctes, une salle pour le travail de Shawn et le labo proprement dit pour celui de Sana. Et il y a tous les appareils dont ils auront besoin. Ils pourront travailler en sécurité, et de la façon la plus confidentielle qui soit. De plus, ils peuvent démarrer dès demain s'ils le souhaitent.

— Dieu soit loué ! J'ai parlé à Shawn, il y a une petite heure. Je lui ai dit que tu avais accepté d'intervenir pour le labo. Et que tu l'appellerais aujourd'hui même pour lui dire de quoi il en retourne.

— Tu veux que ce soit moi qui le rappelle à ta place ? demanda Jack, étonné.

— Oui, s'il te plaît. Je crois que c'est préférable. Je sais qu'il veut te remercier de vive voix pour l'aide que tu lui apportes. C'est ce qu'il m'a dit. Mais de toi à moi, je crois qu'il veut aussi s'assurer que je t'ai bien fait comprendre la nécessité de garder le secret sur cette affaire. Il est aussi parano que moi. Nous avons très peur que cette histoire ne s'ébruite.

— D'accord. Ça ne m'ennuie pas de l'appeler. D'autant que c'est pour lui annoncer de bonnes nouvelles.

James lui donna le numéro de Shawn au musée. Puis il ajouta :

— Tiens-moi au courant de tout ! Cette histoire me rend très nerveux. Je me sentirai mieux si je sais ce que fait Shawn. Plus j'y réfléchis, vois-tu, plus je crains que l'affaire ne fasse subir de terribles dégâts à l'Église et à ma carrière.

— Je te rappelle dès que j'aurai eu Shawn au bout du fil.

— Je t'en serai très reconnaissant, dit James avant de raccrocher.

Jack essaya d'appeler Shawn à son bureau. La ligne était occupée. Pour patienter, il rassembla tous les documents dont il avait besoin pour le cas de l'adolescent tué par balle à Central Park - celui dont les mains n'avaient pas été protégées par l'enquêteur médico-légal. Jack voulait rester dans les petits papiers de Bingham ; il avait intérêt à lui donner satisfaction en bouclant ce dossier le plus vite possible. Quand il eut toutes les informations nécessaires, il termina le travail en un quart d'heure et envoya un mail au directeur.

Il réessaya le numéro de Shawn. Ce fut sa secrétaire qui répondit. Le Dr Daughtry venait de quitter son bureau, mais il serait de retour rapidement.

Jack décida de ne pas attendre davantage.

— Pouvez-vous me dire à quelle heure le musée ferme ? demanda-t-il. Je crois que je vais passer voir Shawn.

— Le musée ferme à 21 h 00. Moi, par contre, je m'en vais à 16 h 30.

— Auriez-vous l'obligeance de lui laisser un message ? Dites-lui que le Dr Jack Stapleton vient lui rendre visite. Je ne pourrai pas arriver au musée avant votre départ, mais je devrais y être vers 16 h 45.

Après avoir raccroché, Jack prit quelques instants pour mettre un peu d'ordre sur sa table. Il tomba sur les documents et les lames du meurtre déguisé en suicide à propos duquel Lou l'avait appelé. Il savait que les autorités judiciaires en auraient besoin. Il les mit de côté, puis il attrapa sa veste en cuir encore humide derrière la porte, son casque de vélo sur le classeur métallique et quitta le bureau.

18

VENDREDI 5 DÉCEMBRE 2008
16 H 21
NEW YORK

Le ciel était presque complètement dégagé quand Jack sortit de l'IML et partit vers le nord sur la Première Avenue. La nuit tombait, la température avait encore chuté et l'air était vivifiant. Il sentit ses joues s'échauffer tandis qu'il poussait sur les pédales.

À hauteur de la 81e Rue, il tourna vers l'ouest et aperçut bientôt, droit devant lui, le Metropolitan Museum of Art.

Avec sa façade néoclassique beige claire, brillamment illuminée, qui se découpait sur la masse noire de la végétation de Central Park, le gigantesque musée était magnifique. Il faisait penser à un joyau posé sur un carré de velours noir.

Jack regarda sa montre quand il arriva devant le bâtiment : 16 h 45. Il se dépêcha d'attacher son vélo et monta les marches de l'entrée principale en se demandant pourquoi il ne profitait pas plus souvent des trésors de cette célèbre institution. *Plus souvent ?* À vrai dire, pensa-t-il avec un pincement de culpabilité, il ne se souvenait pas de la dernière fois qu'il était venu ici.

L'immense hall d'accueil grouillait de monde. Jack dut faire la queue devant le comptoir d'informations. Quand vint son tour, enfin, il demanda où se trouvait le bureau de Shawn Daughtry. Le jeune employé du musée lui remit un plan sur lequel il lui indiqua la route à suivre avec un marqueur.

Quand il arriva au bureau de Shawn, il eut la satisfaction d'en trouver la porte entrouverte. Il la poussa et pénétra dans une antichambre occupée par la table de la secrétaire. Derrière, il y avait une seconde porte - elle aussi entrouverte. Jack s'en approcha et tapota le chambranle.

— Nom de Dieu ! s'exclama Shawn d'un air ravi, et il quitta précipitamment son fauteuil. Voilà qui fait plaisir à voir ! Comment ça va ?

Il s'avança vers Jack la main tendue.

— J'ai eu ton message, dit-il avec un grand sourire. Je suis tellement, tellement content que tu sois venu. Et regarde-toi ! Tu as l'air aussi en forme que la dernière fois qu'on s'est vus. Comment fais-tu ?

— C'est grâce au basket, je suppose, dit Jack, un peu déconcerté par l'exubérance de Shawn.

— Je devrais suivre ton exemple, mon vieux !

Shawn se cambra et tapota son ventre arrondi comme s'il en était fier.

— Alors ? relança-t-il. Ça fait combien de temps qu'on s'est pas vus ?

— Je ne sais plus très bien, admit Jack.

Il embrassa du regard le spacieux bureau. Les fenêtres donnaient sur la Cinquième Avenue. Quelques objets du début de l'ère chrétienne étaient disposés sur une grande table rectangulaire au centre de la pièce. Des étagères bourrées de livres d'art occupaient tout un mur. Au fond, il y avait un énorme canapé de cuir vert.

— C'est splendide, ici, observa-t-il en songeant au bureau minuscule et tristounet qu'il avait à l'IML.

— Avant toute chose, commença Shawn, je veux te remercier du fond du cœur d'avoir accepté de nous aider. Pour moi, ça compte beaucoup. Et pour de nombreuses raisons. La première étant sans doute que je crois que cette extraordinaire découverte sera le point d'orgue de ma carrière.

— Je suis heureux de t'apporter mon aide, dit Jack.

Il se demanda ce que Shawn aurait pensé s'il avait su que Jack agissait autant pour son propre bien que pour celui de son ami. Le projet de l'ossuaire lui semblait cent fois plus captivant que l'enquête sur la médecine parallèle – enquête dont la conclusion était que les gens ne voulaient rien savoir.

— Et donc ? relança Shawn. As-tu eu l'occasion de demander à ton chef s'il voulait bien nous prêter un labo ?

— Oui. Ça ne pose aucun problème. Personne n'a même évoqué la nécessité de vous faire payer. La seule petite condition, c'est que ta femme et toi vous devrez signer une décharge de responsabilité globale.

Shawn se mit à applaudir – si fort et si soudainement que Jack sursauta.

— Ça marche ! s'exclama-t-il.

Il joignit les mains devant les lèvres, les yeux fermés, et leva le visage vers le plafond comme s'il priait. Deux secondes plus tard, il baissa les mains et regarda Jack d'un air grave.

— Je suis enchanté que tu nous aies obtenu la permission d'utiliser les labos de l'IML. Mais il y a une chose que je dois te dire. Une chose très importante. Je sais que Sa-Sainteté-Magnifique t'en a déjà parlé, mais je veux te répéter qu'il est essentiel, *essentiel* que personne ne soit au courant de cette affaire. Il faut absolument garder le secret. Il le faut d'autant plus qu'il s'agit de la Vierge Marie. Cela te pose-t-il le moindre problème, Jack ? Si l'ossuaire contient ce que Sana et moi nous pensons y trouver, nous voulons faire une annonce officielle lorsque nous aurons complètement terminé nos travaux respectifs. Je veux être absolument certain de moi au moment où je révélerai l'existence de l'ossuaire.

— James m'a déjà parlé de la nécessité de ne rien dire à personne. À vrai dire, il est peut-être encore plus à cheval que toi là-dessus. Je ne sais pas si tu en es bien conscient, mais il a l'intention de mener une campagne très vigoureuse pour te convaincre de ne jamais publier quoi que ce soit au sujet de cet ossuaire et de son lien éventuel avec la Vierge Marie. Il t'a déjà dit, je présume, qu'il est convaincu qu'il s'agit d'un faux – un faux du Ier siècle, et très bien conçu –, mais un faux tout de même. Et il est certain que tu t'apercevras de cela dès que tu l'ouvriras.

Shawn tapota le plateau de la table centrale avec les deux mains, renversa la tête en arrière et s'esclaffa bruyamment pendant de longues secondes.

Enfin, il secoua la tête d'un air incrédule.

— Ça, c'est du James tout craché, tu ne trouves pas ? Il y a des années qu'on se dispute, lui et moi, au sujet des dogmes des grandes religions et, en particulier, au sujet de l'infaillibilité pontificale. Et aujourd'hui que je suis à deux doigts d'apporter la preuve irréfutable que l'infaillibilité pontificale n'est qu'une bêtise, il voudrait m'en empêcher. Quelle blague !

— Il a peur que ta découverte ait un effet terriblement délétère sur l'Église, parce qu'elle minera la réputation des autorités religieuses autant que celle de la Vierge Marie. Il redoute aussi d'être considéré comme ton complice, dans cette affaire, parce que tu as abusé de sa confiance pour lui faire autoriser la livraison de la caisse de l'ossuaire à New York. Sans oublier que c'est grâce à lui que tu as été autorisé à accéder au tombeau de saint Pierre. Je crois qu'il voit déjà sa carrière fichue.

— En ce qui concerne l'autorisation qui m'a été délivrée par le Vatican, il a raison. C'est grâce à lui que j'ai pu étudier le tombeau de saint Pierre comme je l'ai fait. Mais personne ne lui reprochera jamais ça. D'une part c'était il y a cinq ans, d'autre part j'ai bel et bien effectué l'étude complète et définitive de la sépulture que j'avais annoncée. C'est pour cette raison qu'on m'a permis d'accéder librement à la nécropole. Ensuite, une fois mon travail terminé, l'autorisation n'a pas été révoquée. C'est la faute du Vatican, pas celle de James ! Quant à la livraison de la caisse, il a signé le bordereau de son propre chef. Je n'ai pas du tout abusé de sa confiance. Je crois qu'il s'est imaginé que je lui envoyais un cadeau. C'est son problème ! Je ne lui ai jamais dit qu'il s'agissait d'un cadeau pour lui.

— Hmm… Je ne veux pas être entre vous deux, dit Jack. Franchement, les amis, je préfère vous laisser régler ça vous-mêmes. Je voulais juste que tu saches dans quel état d'esprit il est.

— Merci de m'avoir prévenu, répliqua Shawn.

— J'ai une question à te poser, dit Jack pour changer de sujet.

— Ouais ? Laquelle ?

— Quand veux-tu commencer à travailler au labo ?

— Le plus tôt possible.

— Demain matin vers 08 h 00, ça t'irait ? Je dois vous retrouver à la porte de l'immeuble pour vous faire entrer, vous installer et vous aider à régler les petits détails administratifs.

— Ça me convient très bien. Mais si ça ne t'ennuie pas, je passe immédiatement un coup de fil à Sana pour lui demander ce qu'elle en pense.

— Je t'en prie. J'ai tout mon temps.

Jack ne plaisantait pas. Comme tous les jours ou presque, il n'était pas pressé de rentrer chez lui. Car il était angoissé à l'idée de ce qu'il risquait d'y trouver. En même temps, bien sûr, il n'aimait pas penser cela et il s'en voulait.

Shawn téléphona à Sana à Columbia. Elle s'était rendue à son labo dès le lever du jour pour essayer de sauver certaines expériences que ses assistants, des étudiants de troisième cycle, avaient poursuivies à sa place pendant qu'elle était en Égypte et à Rome. Apparemment, ils n'avaient pas bien travaillé. Jack l'entendit se lamenter d'une voix stridente dans l'écouteur que Shawn tenait à 30 cm de son oreille avec une grimace impatiente.

Shawn réussit enfin à l'interrompre pour l'informer que l'IML leur prêtait un labo, et lui expliquer tout ce que Jack avait fait en leur nom. Il écouta ensuite Sana, l'air attentif, puis il sourit à Jack en levant le pouce.

— Et voilà ! dit-il dès qu'il eut raccroché. 08 h 00 demain matin, c'est réglé. Où faut-il te retrouver ?

— Dans le hall de l'immeuble du labo ADN. Et pour l'ossuaire ?

— Nous passerons le récupérer à la résidence avant de te retrouver.

— Je dois avouer que je suis très curieux de voir ce qu'il y a à l'intérieur. Tu crois vraiment qu'il contient un squelette et des documents ?

— J'en suis presque sûr, répondit Shawn. Et si tu estimes être curieux, essaie d'imaginer ma curiosité à moi ! Quand nous l'avons rapporté à l'hôtel, à Rome, Sana a dû batailler pour me convaincre de ne pas l'ouvrir sur-le-champ.

— Et la lettre ? Tu l'as ici ?

— Et comment !

Shawn marcha jusqu'aux bibliothèques murales. Il en tira un grand volume et revint vers la table centrale.

— J'ai utilisé ce bouquin de photos de monuments égyptiens pour sortir la lettre d'Égypte, expliqua-t-il en ouvrant le livre. Je ferai bientôt conserver les trois pages comme il faut, mais, en attendant, elles sont maintenues bien à plat là-dedans.

Il posa délicatement la première page de la lettre sur la table. Jack se pencha pour l'examiner.

— On dirait du grec.

— On dirait du grec parce que c'est du grec, répondit Shawn avec un petit rire condescendant.

— Je pensais que la lettre serait en araméen ou en latin.

— Le grec de cette lettre, ce n'est pas le grec que l'on appelle « attique », ou grec classique. C'est une forme particulière de grec qu'on appelle la « koinè ». À l'époque de l'empire Romain, c'était la langue commune à tout l'ouest de la Méditerranée.

— Tu es capable de le déchiffrer ?

— Évidemment ! répliqua Shawn comme si la question de Jack était parfaitement idiote. Par contre, la lettre est rédigée dans un grec assez pauvre, qui en rend la traduction difficile. Il est clair que ce n'était pas la première langue de Satornil.

Jack se redressa.

— Stupéfiant ! Cette histoire, c'est une sorte de chasse au trésor.

— Je suis bien de ton avis. C'est une des raisons pour lesquelles je me suis lancé dans l'archéologie. Je pensais que cette discipline n'était qu'une vaste et interminable chasse au trésor. Malheureusement, c'est une vision romantique des choses. Pas réaliste du tout ! Mais maintenant… Comme tu peux voir, la découverte de cette lettre et de l'ossuaire a ravivé en moi cette notion romantique. De façon assez amusante, j'ai le sentiment d'avoir reçu un cadeau du ciel.

— Je te croyais agnostique.

— Je suis agnostique, oui, de manière générale, répondit Shawn. Et toi ?

— Moi aussi, je suppose, marmonna Jack.

Il songea brièvement à toutes les épreuves qu'il avait subies au cours de sa vie – des épreuves qui avaient définitivement chassé le peu de sentiment religieux qu'il était susceptible d'avoir autrefois. Pour changer de sujet, il demanda à Shawn comment il avait mis la main sur la lettre.

— C'est une histoire assez longue.

— Aucun problème.

Shawn lui raconta toute son aventure, en commençant par sa visite à la boutique Antica Abdul. Il lui expliqua ce qu'était un codex, puis il précisa :

— C'est un pur hasard si je suis passé chez cet antiquaire au moment où il avait le codex. Rahul s'apprêtait à le vendre. Il a les adresses électroniques de la plupart des conservateurs des plus grands musées du monde. Il est régulièrement en contact avec tout le gratin de l'antiquité du Proche-Orient.

— Et tu dis qu'il n'a qu'une modeste boutique au milieu du souk ? demanda Jack, ébahi.

— C'est bien ça. Et 99 % de son inventaire se compose de fausses antiquités. C'est bien plus une boutique de souvenirs qu'un magasin d'antiquités. Mais, comme il me l'a déjà prouvé à deux reprises, il a parfois quelques véritables objets anciens.

— Ah oui ? Ça veut dire que tu avais déjà été chez lui, alors ?

— En effet.

Shawn lui raconta sa première visite chez Rahul, dix ans plus tôt, quand il avait aperçu la poterie prédynastique dans la vitrine.

— Tu peux imaginer le choc que j'ai eu, enchaîna-t-il, quand une collègue du département des antiquités égyptiennes m'a expliqué que ce vase n'était pas un faux. Aujourd'hui, il est exposé en bonne place dans la collection égyptienne.

— As-tu aperçu le codex en vitrine, comme le vase, et tu l'as reconnu pour ce qu'il était, ou bien le vendeur te l'a juste proposé, comme ça… ?

— Non, l'interrompit Shawn avec un sourire. Le codex n'était pas en vitrine. Et Rahul ne me l'a pas proposé d'emblée. Nous avons d'abord bavardé un moment, et puis je suppose qu'il a décidé qu'il pouvait prendre le risque de me montrer le codex. En Égypte, la vente de ce genre d'objets anciens est un délit sévèrement puni par la loi.

— As-tu immédiatement su que le codex était authentique ?

— Oui. Je n'avais aucun doute là-dessus.

— L'as-tu payé cher ?

— Je l'ai sans doute payé trop cher, mais cela n'a aucune importance. Et je mourais d'envie de le rapporter à mon hôtel pour voir les textes qu'il contenait.

— La lettre faisait-elle partie des pages du codex, ou bien était-elle glissée à l'intérieur ?

— Ni l'un ni l'autre. Elle était cachée. Prise en sandwich entre les plaques de cuir et les feuilles de papyrus qui composent la couverture de l'ouvrage. Quand je l'ai examiné, j'ai d'abord été très déçu. Il ne contient que des copies de textes qui ont déjà été retrouvés dans d'autres codices. Et puis tout à coup, je me suis souvenu d'examiner l'intérieur de la couverture. Planquer des documents de cette façon, c'était un truc qui se faisait à l'époque. Et bingo ! La lettre de Satornil était là.

— Et donc, tu disais que cette lettre explique précisément où retrouver l'ossuaire ?

— Voilà. J'ignore si tu es au courant, mais ma dernière publication s'intitule *Le Complexe funéraire de saint Pierre et son environnement*. L'aurais-tu lue, par hasard ?

— Non, je n'en ai pas eu l'occasion. Je pensais attendre la sortie du film.

— D'accord, gros malin ! dit Shawn en pouffant de rire. Ce n'est pas un livre à succès, bien sûr, mais c'est tout de même l'étude définitive d'une structure très compliquée qui a connu des rénovations et des transformations presque incessantes pendant deux millénaires. Aujourd'hui, il n'y a personne au monde qui connaisse mieux que moi les complexités du tombeau de saint Pierre. Dès que j'ai lu la lettre de Satornil, j'ai eu une assez bonne idée de l'endroit où trouver l'ossuaire. Je savais aussi que je pourrais y accéder grâce à un tunnel creusé sous la sépulture pendant les dernières fouilles qui y ont été menées.

— Un tunnel qui est facilement accessible ?

— Oui. Je savais qu'il n'avait pas été comblé, puisque j'avais déjà moi-même travaillé sur le site. Ma seule erreur, c'est que l'ossuaire se trouvait dans l'un des murs du tunnel, et non dans le plafond comme je le supposais.

— C'est une histoire stupéfiante, dit Jack. As-tu l'intention d'ouvrir l'ossuaire dès demain ?

— Tu peux compter là-dessus, mon vieux ! Et c'est grâce à toi ! Merci encore de nous avoir dégoté le laboratoire dont nous avons besoin.

— Ça te dérangerait, si je restais pour vous regarder travailler, toi et ta femme ? Après que je vous aurai installés dans le labo, je veux dire...

— Tu resteras avec nous, bien entendu ! Nous serons très heureux d'avoir ta compagnie. Et d'ailleurs, si l'ossuaire contient ce que nous espérons, nous fêterons ça demain soir chez nous, dans notre maison du West Village. Tu seras invité, évidemment, et j'insisterai pour que Sa Sainteté se joigne à nous. Enfin, les Trois Mousquetaires seront à nouveau réunis !

Jack serra la main de Shawn et se prépara à partir.

— Si tu trouves ce que tu espères trouver, observa-t-il, je ne suis pas sûr que James sera d'humeur à festoyer.

— Je pense que nous réussirons à le convaincre, affirma Shawn, confiant, et il raccompagna Jack jusqu'à la porte du bureau. Je te dis à demain, donc, pour une séance d'archéologie exceptionnelle.

— J'ai hâte d'y assister.

Jack était dans le couloir, lorsqu'il se souvint tout à coup d'une question qu'il avait prévu de poser à Shawn :

— S'il y a un squelette dans l'ossuaire, aimerais-tu qu'un anthropologue de l'IML l'examine ? J'en connais un qui est spécialiste des os anciens. Il pourra sans doute te dire des choses intéressantes.

— Pourquoi pas ? répondit Shawn d'un air approbateur. À condition, simplement, de garder le silence sur l'identité du squelette. Plus nous aurons d'informations, mieux cela vaudra. C'est ma devise.

19

VENDREDI 5 DÉCEMBRE 2008
17 H 05
NEW YORK

Jack descendit par l'ascenseur au rez-de-chaussée du musée. Le hall principal était aussi bondé de monde qu'un moment plus tôt, mais il y prêta à peine attention. Il savourait le plaisir d'avoir revu dans la même journée les deux meilleurs amis qu'il avait eus à l'une des plus belles époques de sa vie. En plus, il était très excité par la fascinante histoire à laquelle ils étaient tous les trois mêlés. Il avait rarement été aussi impatient d'être au lendemain et d'obtenir enfin des réponses aux questions qui l'obsédaient. Le seul élément pénible de l'affaire, c'était que ses deux amis avaient tendance à se disputer. Le conflit latent qui opposait James et Shawn risquait même de provoquer de vilaines crises dans les jours à venir. Jack avait le désagréable sentiment qu'il serait appelé à faire l'arbitre, comme autrefois à l'université, entre deux hommes aussi persuadés l'un que l'autre de détenir la vérité et d'être dans leur bon droit.

Il ignorait à quel point son intuition était prophétique.

La température était glaciale et Jack ne lambina pas pour rentrer chez lui. Poussant de toutes ses forces sur les pédales pour générer autant de chaleur corporelle que possible, il remonta Manhattan à une vitesse incroyable. En un quart d'heure, il avait traversé le parc et atteint la 106e Rue. Il fila sur sa lancée en direction du petit immeuble de trois étages dont Laurie et lui étaient propriétaires et qu'ils avaient fait entièrement rénover deux ans plus tôt. Juste en face, de l'autre côté de la rue, il y avait le terrain de basket que Jack avait réaménagé de ses deniers personnels. Et auquel il avait fait ajouter de puissants éclairages. Il freina et tourna la tête : le terrain était parsemé de flaques d'eau luisantes. Ce soir, personne ne viendrait jouer.

Le vélo sur l'épaule, il grimpa les huit marches du perron, entra dans l'immeuble et monta à son appartement. Quand il poussa la porte d'entrée, il jeta un coup d'œil sur la console et sur le miroir : Laurie n'y avait pas scotché de mot pour le prévenir que le bébé et elle dormaient.

Jack n'arrivait plus à savoir s'il préférait trouver un mot quand il rentrait chez lui, ou voir immédiatement Laurie et John Junior. Quand il y avait un mot, il se sentait très seul. Dans le cas contraire, il devait s'armer de courage pour ne pas craquer quand il écoutait Laurie lui faire l'inévitable récit d'une énième mauvaise journée avec JJ.

Il entendit soudain Laurie crier :

— Nous sommes dans la cuisine !

Jack haussa les sourcils et poussa un soupir de soulagement. Laurie avait parlé d'un ton presque enjoué. Peut-être la journée avait-elle été un peu moins mauvaise que d'habitude. Quand Laurie avait accumulé des heures difficiles, cela s'entendait clairement dans sa voix.

Après avoir rangé son vélo dans le placard qui lui était réservé, Jack accrocha sa veste au portemanteau, retira ses chaussures et enfila ses chaussons. Puis il se dirigea vers la cuisine. La scène qu'il y découvrit avait toutes les apparences d'une banale scène de famille. JJ était couché sur le dos dans son parc, les mains tendues vers le mobile suspendu au-dessus de lui. Si l'on ne regardait pas de trop près ses yeux, légèrement gonflés et bordés de cernes, il avait l'air d'un bébé normal. Laurie se tenait devant l'évier ; elle préparait des artichauts pour le dîner. Elle était pâle et elle avait des cernes, elle aussi, mais à part ça, elle était magnifique. Des mèches claires illuminaient ses beaux cheveux châtains.

Elle s'aperçut que Jack observait sa chevelure et elle dit :

— JJ m'a laissé prendre une douche ! Il a passé une relativement bonne journée. La meilleure de la semaine. J'ai l'impression d'avoir été en vacances.

— C'est génial, dit Jack.

Laurie se rinça les mains et les sécha sur son tablier avant de s'approcher de lui pour l'enlacer. Il sourit et la prit dans ses bras. Mari et femme s'étreignirent en silence pendant une bonne minute, d'une façon qui en disait davantage que bien des mots. Laurie fut la première à s'écarter de Jack. Elle lui donna un baiser sur les lèvres, puis elle retourna à l'évier et à ses artichauts.

— Et toi, ta journée ? demanda-t-elle. La croisade, ça avance ?

Jack se demanda ce qu'il devait répondre. La journée avait été désagréable et exaltante. Il avait commencé par se chamailler avec Vinnie et avec Lou, puis il avait déjeuné avec l'archevêque et fini par retrouver Shawn au Metropolitan Museum.

— Tu as perdu ta langue, Jack ?

— La journée a été assez chargée, marmonna-t-il.

Il ne savait pas quoi ajouter. Il avait promis à James de ne pas parler de l'ossuaire à Laurie, et il devait tenir parole, mais cela l'embêtait beaucoup parce que c'était la seule chose qu'il avait envie de raconter. Il ne voulait pas évoquer le comportement idiot qu'il avait eu avec Vinnie et avec Lou. Et s'il disait quelque chose au sujet de Shawn et du musée, il devrait amener l'ossuaire sur le tapis.

— Hmm, fit Laurie. Mais encore ? Chargée en bien, ou chargée en mal ?

— Un peu des deux.

Laurie interrompit son travail, posant les mains au bord de l'évier.

— J'ai l'impression que tu ne veux pas parler de ta journée.

— Pas vraiment, admit Jack - et il eut soudain une idée pour se tirer d'affaire : En fait, j'ai abandonné la croisade contre la médecine parallèle.

— Pourquoi ?

— Eh ben… En gros, parce que personne ne veut entendre de critique sur elle. Personne, en tout cas, parmi les gens qui y ont recours. Et il y a beaucoup, beaucoup de gens qui y ont recours. Pour avoir une chance d'influencer le public, il faudrait que j'aie des tas et des tas de cas de personnes décédées à cause de la médecine parallèle. Mais je n'arriverai jamais à les trouver. Je suis certain qu'il y a des centaines de dossiers de ce genre dans les archives de l'IML, mais il est impossible de les dénicher. Dans cette affaire, je loupe tous mes coups. L'autre gros problème, aussi, c'est que la croisade ne m'empêche pas d'être obsédé par qui tu sais.

— Je comprends, oui, mais c'est dommage. Quand tu m'en as parlé lundi, j'ai pensé que c'était une excellente idée. Je suis désolée.

— Hé, ce n'est pas de ta faute !

— Je sais bien, mais je suis quand même désolée pour toi. Je sais que tu as besoin de te changer les idées. Moi aussi, d'ailleurs, ça ne me ferait pas de mal.

Jack fit la grimace. La plainte de Laurie exacerbait la culpabilité qu'il éprouvait en permanence à l'idée de ne pas partager avec elle le fardeau de la maladie de JJ.

— J'imagine ça très bien, dit-il. Veux-tu que nous relancions l'idée d'engager une infirmière, ne serait-ce qu'à mi-temps, pour que tu puisses reprendre le travail ?

— C'est hors de question, répliqua Laurie avec agacement. Je n'ai pas dit ça pour que tu ramènes les infirmières sur le tapis, Jack !

— D'accord, d'accord. J'ai bien entendu.

— Quelqu'un a-t-il dit quoi que ce soit au sujet de JJ, depuis que tu as parlé à Calvin et à Bingham ?

— Personne. Sauf Bingham qui m'a redit qu'il était désolé.

— C'est bien. J'espère qu'ils tiendront parole et respecteront notre intimité.

Jack s'accroupit devant le parc pour regarder son fils. Il avait envie de le prendre dans ses bras et de le tenir contre lui pour sentir son petit cœur battre, pour savourer sa chaleur et son odeur de bébé. Mais il n'osait pas.

S'il hésitait à câliner son fils, c'était aussi pour une raison purement pratique : JJ se mettrait sans doute à pleurer. Ses graves tumeurs osseuses lui procuraient d'horribles douleurs, qui, supposaient Jack et Laurie, se réveillaient quand il était soulevé et manipulé.

— Aujourd'hui, il a été très brave, dit Laurie qui observait Jack dévisager leur enfant. J'espère que c'est le début d'une nouvelle ère, parce que la semaine a été vraiment difficile.

— Tu crois que je dois essayer de le prendre dans mes bras ?

Jack se sentait fondre en voyant JJ lui sourire.

— Hmm..., fit Laurie d'un ton dubitatif. Il vaudrait peut-être mieux le laisser en paix. Il est si tranquille en ce moment...

— C'est bien ce que je craignais, dit Jack, aussi dépité que soulagé.

Il se redressa et s'éloigna de JJ. Il se plaça derrière Laurie pour lui masser les épaules. Elle ferma les yeux, se cambrant pour s'offrir à ses mains.

— Je voudrais une demi-heure de ce traitement, s'il te plaît, murmura-t-elle.

— Tu le mérites. Je ne cesse d'être émerveillé par la patience que tu as avec JJ. Et je t'en suis très reconnaissant. Je sais que je l'ai déjà dit, mais je ne pense pas que j'en serais capable.

— Nous n'avons pas le même vécu, toi et moi. Tu as déjà perdu deux enfants.

Jack hocha la tête. Laurie avait raison. Mais il ne voulait pas penser à son passé.

— Je suis désolée qu'il ait plu si fort cet après-midi, reprit Laurie. Pas de basket ce soir, je suppose ?

— Ouais, ça arrive, marmonna Jack qui commençait à se sentir déprimé.

Il attendait toujours avec impatience ses matches de basket du vendredi – non seulement ils le maintenaient en excellente forme physique, mais ils lui changeaient les idées. Pour éviter de se lamenter sur l'impossibilité de jouer ce soir, il se força à orienter ses pensées dans une autre direction : vers l'ossuaire et les découvertes qui les attendaient, les Daughtry et lui, le lendemain matin. Il se souvint alors qu'il avait promis à James de l'appeler après avoir vu Shawn.

Il massa encore quelques instants les épaules de Laurie, puis il la lâcha :

— Je crois que je vais prendre une douche. À quelle heure prévois-tu de dîner, si tu n'es pas interrompue dans tes préparatifs ?

— Comme si je pouvais prévoir quoi que ce soit, répondit Laurie avec un petit rire désabusé. Profite bien de la douche, et puis reviens me voir. Comme d'habitude, tout dépendra du bout de chou et de la durée de l'armistice actuel.

Jack sortit de la cuisine, stupéfait une fois encore par l'attitude de Laurie. Malgré tout ce qu'elle avait enduré quand la maladie de JJ s'était déclarée, malgré tout ce qu'elle devait supporter jour après jour depuis lors, elle était encore capable de faire comme s'ils menaient une vie normale tous ensemble.

— Si seulement je pouvais être aussi généreux qu'elle, murmura-t-il pour lui-même.

Dans la salle de bains, il composa le numéro de James sur son portable. Un étrange sentiment de culpabilité l'envahit tout à coup : il avait l'impression de tramer quelque chose dans le dos de Laurie. Cependant, il ne voulait pas passer ce coup de fil devant elle ; il devait éviter qu'elle ne lui pose des tas de questions auxquelles il ne serait pas capable de répondre sans trahir la promesse qu'il avait faite à James.

— Mon sauveur ! s'exclama ce dernier avec humour.

Il savait que c'était Jack, car il avait vu son nom sur l'écran de son téléphone.

— Est-ce le bon moment pour t'appeler ? Désolé, je n'ai pas pu te joindre plus tôt. J'étais sur mon vélo pour rentrer à la maison.

— J'étais en train de prier. Mais Il comprendra que je fasse une pause, puisque tu étais l'objet de mes prières. Raconte-moi ce qui s'est passé. Quand Shawn va-t-il ouvrir l'ossuaire ?

— Je suis passé le voir au Met. J'avais envie de jeter un œil sur la lettre de Satornil.

— Étonnante, n'est-ce pas ? Elle t'a paru authentique ?

— Tout à fait…

Jack s'interrompit. Il venait d'entendre JJ crier. Il tendit l'oreille. Oui, le bébé criait bel et bien – et de plus en plus fort, car Laurie venait vers la salle de bains.

— Attends une minute, James ! dit-il en quittant le rebord de la baignoire qui lui servait de siège.

Absurdement paniqué à l'idée d'être surpris dans la salle de bains le téléphone à la main, il saisit la poignée et tira la porte vers lui. Au même instant, Laurie tendait la main vers le battant pour le pousser. L'air exaspéré, elle tenait leur enfant malheureux contre sa poitrine. JJ s'égosillait ; son visage était cramoisi.

— Changement de programme, annonça-t-elle, secouant doucement le bébé entre ses bras. Une fois de plus, nous allons devoir manger des plats à emporter. Tu veux bien descendre au chinois de Columbus Avenue, après ta douche ?

Jack hocha la tête. Puis il vit que Laurie fixait le téléphone d'un air interrogateur. Il le brandit entre eux avec un sourire gêné.

— Je passe un petit coup de fil à quelqu'un pour l'organisation de la journée de demain.

— C'est ce que je vois. Dans la salle de bains ?

— Je me suis souvenu, au moment où j'allais entrer sous la douche, que j'avais promis à ce quelqu'un de le rappeler rapidement.

— Hmm, peu importe, marmonna Laurie. JJ et moi, nous allons nous allonger sur le lit.

Elle fit volte-face et s'éloigna dans le couloir.

— Je te rejoins dans cinq minutes ! promit Jack.

Il referma la porte, se demandant s'il serait obligé de donner davantage d'explications à Laurie. Le téléphone de nouveau à l'oreille, il s'excusa auprès de James.

— Aucun problème, dit ce dernier. Par contre, je suis un peu froissé d'avoir été réduit devant ta femme à un simple « quelqu'un ». Je n'ai pas droit à mon nom ?

— Désolé. Il le fallait. Je t'expliquerai ça une autre fois.

— J'ai cru entendre un bébé.

— Oui. Il a 4 mois.

— Tu ne m'avais pas dit ça ! Félicitations !

— Merci. Maintenant, revenons-en à Shawn et à la lettre. Oui, elle m'a paru tout ce qu'il y a de plus authentique. Elle a l'air très ancienne, pour commencer, et les bords des pages sont tellement sombres qu'on les dirait brûlés. Je n'ai pas pu lire le texte, évidemment, puisqu'il est en grec.

— Je ne m'attendais pas à ce que tu lises cette lettre, observa gentiment James. Shawn était-il content que tu lui aies obtenu la permission d'utiliser un labo de l'IML ?

— Il est fou de joie, je crois.

— Quand Sana et lui pensent-ils commencer leur travail ?

— Demain matin. Je suis un peu étonné qu'il ne t'ait pas encore contacté. Nous devons nous retrouver devant l'immeuble du labo ADN à 08 h 00. Il m'a dit qu'il passerait d'abord à la résidence pour récupérer l'ossuaire.

— Ça, c'est du Shawn tout craché. Penser aux autres, ça n'a jamais été son fort. Je vais l'appeler moi-même.

— Il est très excité par sa découverte. Il pense qu'elle va le rendre célèbre et lui permettre de filer un bon coup à l'Église. J'ai l'impression qu'il estime que si l'Église se trompe en ce qui concerne la Vierge Marie, elle se trompe aussi sans doute dans d'autres domaines.

— Je suis d'accord avec toi. Mais j'ai confiance, car Shawn ne manque pas de conscience morale – même si ses mœurs, sur le plan personnel, sont plus que légères. Sais-tu qu'entre autres sujets de discorde, nous n'avons jamais cessé de nous chamailler sur la question de la sexualité ? Lui, il pense que l'humanité a reçu la sexualité en cadeau pour compenser le fait d'avoir l'anticipation de la mort sur les épaules. Il estime que le sexe est fait pour procurer du plaisir, et il est en colère contre l'Église parce qu'elle a tendance à qualifier de péché toute activité sexuelle qui sort du champ restreint de la procréation. Dans tous les autres domaines, cependant, il sait faire la différence entre le bien et le mal. Voilà pourquoi je veux croire qu'il se rendra compte qu'il lui sera impossible de prouver que le squelette qui se trouve peut-être dans l'ossuaire est celui de la Vierge Marie. La lettre de Satornil est très alléchante, sans doute, mais, comme nous l'avons déjà vu, elle repose entièrement sur les dires de Simon le Magicien. Simon a-t-il raconté la vérité à Satornil ? Personne ne le sait et personne ne pourra jamais le savoir.

— Et l'Évangile selon Simon que Shawn s'attend à trouver dans l'ossuaire ?

— Oui, l'évangile ! Eh bien quoi ? répliqua James d'un ton un peu agacé.

— Et si cet évangile parle précisément de la Vierge Marie ?

— J'avoue que je n'avais pas pensé à cela. Heu… oui, je suppose que c'est possible. Et ça compliquerait encore un peu plus les choses, admit James, puis il soupira et ajouta avec un petit rire désabusé : Tu es censé m'aider, Jack, pas me mettre des bâtons dans les roues.

— Désolé. Mais je pense à un truc : Satornil a dit, paraît-il, que Simon avait été déçu que le squelette de l'ossuaire ne lui ait transmis aucun pouvoir de guérison. Cela signifie forcément que Simon était convaincu que ce squelette était celui de Marie – non ?

— D'accord, ça suffit ! dit James d'une voix presque suppliante. Là, tu me fais encore plus douter de moi-même. Mais… Mais même si ce que tu dis est vrai, il reste encore le problème du ouï-dire…

— Tu cherches la petite bête, objecta Jack. Enfin ! L'ossuaire sera ouvert demain. Attendons de voir ce qu'il y a à l'intérieur. Il contient peut-être des os de vache et un papyrus avec une histoire grandiloquente mais purement fictive.

— Tu as raison. Je suis tellement anxieux que je n'arrête pas d'envisager le pire.

— J'ai demandé à Shawn si je pouvais les observer travailler. Il m'a dit que j'étais le bienvenu. Je lui ai aussi proposé de faire appel à un anthropologue de l'IML pour examiner les os. Il pense que c'est une bonne idée, à condition que l'anthropologue ne soit pas mis au courant de l'identité de la personne retrouvée dans l'ossuaire.

— Tu veux dire que vous saurez immédiatement si ce sont des os humains ? Et s'il s'agit d'un homme ou d'une femme, en plus ?

— Oui, sans le moindre doute, s'ils sont examinés par un anthropologue.

— Si tu es là-bas à ce moment-là, pourrais-tu m'appeler dès que tu sauras quelque chose ?

— Bien entendu. Et j'espère pouvoir te tranquilliser.

— Oh, jours de gloire ! Je vais prier pour qu'il en soit ainsi.

Après qu'ils se furent dit au revoir, Jack entrouvrit la porte de la salle de bains. JJ continuait de s'égosiller. Pour la énième fois, Jack et Laurie mangeraient sur le pouce et passeraient une pénible soirée.

20

SAMEDI 6 DÉCEMBRE 2008
07 H 15
NEW YORK

Sous les rayons du soleil qui se levait au-dessus des gratte-ciel, la pelouse de Sheep Meadow, à Central Park, semblait parée d'un million de diamants étincelants. La lumière était si forte que Jack clignait des yeux derrière les verres fumés de ses lunettes de cyclisme.

Bien qu'ayant peu dormi, comme Laurie, à cause de leur très malheureux bébé, il s'était réveillé avant 06 h 00. Allongé sur le dos, il avait observé les lumières de la rue danser sur le plafond de la chambre, pendant quelques minutes, en se demandant comment Laurie et lui tiendraient le coup jusqu'à ce que le traitement de JJ puisse reprendre. Ne trouvant aucune réponse satisfaisante à cette question, il avait quitté le lit chaud et douillet, il s'était préparé et il avait avalé des céréales avec du lait froid. Après avoir rédigé un petit mot pour

Laurie – « Parti à l'IML, appelle-moi sur le portable quand tu auras le temps » –, il était descendu dans la rue avec son vélo. Il était désolé pour Laurie qui n'avait pas un seul instant de répit. Ce samedi serait sans doute aussi dramatique et éprouvant que les jours précédents. Une « bonne » journée, dans les circonstances actuelles, c'était une journée un peu moins mauvaise que les autres.

Le fond de l'air était glacial mais cela n'avait pas d'importance. En dépit de sa fatigue, Jack prenait plaisir à pousser avec vigueur sur les pédales. Il se sentait merveilleusement vivant. Ce matin, le mystère de l'ossuaire prendrait fin une fois pour toutes si le coffre était vide, ou bien il deviendrait encore plus fascinant si le coffre contenait le squelette et les documents que Shawn attendait. Et contrairement à son ami l'archevêque, Jack préférait la deuxième solution.

Vingt minutes plus tard, il obliqua vers la 30e Rue et s'arrêta devant une des portes du garage de l'IML. Il voulait laisser son vélo à la morgue, en sécurité. Il ne lui restait plus qu'à marcher jusqu'à l'immeuble du labo ADN – une balade peinarde de seulement quatre pâtés de maisons. Le ciel était limpide, la matinée fraîche et agréable.

Parvenu à la 26e Rue, il regarda sa montre. 07 h 55. Son timing était parfait. Il s'assura auprès des agents de sécurité, dans le hall, que Shawn et Sana n'étaient pas déjà arrivés. Comme il s'y attendait, le couple n'avait pas encore fait son apparition. Autrefois, à l'université, Shawn était systématiquement en retard.

Trois bancs en cuir étaient disposés dans un angle du hall. Jack s'assit et observa d'un œil distrait les rares voitures qui passaient sur la Première Avenue. Il pensait à l'ossuaire et il était de plus en plus excité.

À 08 h 20, Shawn émergea d'un taxi qui s'était rangé au bord du trottoir dans la 26e Rue. Sana apparut derrière lui. Le chauffeur les rejoignit à l'arrière de la voiture.

Jack ressortit dans la froidure hivernale au moment où les deux hommes tiraient l'ossuaire du coffre. Jack se précipita pour remplacer le chauffeur.

— Très heureuse de vous revoir, docteur Stapleton, dit Sana.

Jack leva un genou pour y poser le coin de l'ossuaire et libérer sa main droite.

— Moi de même, dit-il en serrant la main de Sana. Mais appelez-moi Jack, s'il vous plaît.

— Jack, c'est entendu, répondit-elle avec le sourire. Avant tout, j'aimerais vous remercier d'avoir fait le nécessaire pour nous permettre d'utiliser un des labos de l'IML.

— Il n'y a pas de quoi, dit Jack tandis que Shawn et lui commençaient à marcher en crabe, portant l'ossuaire entre eux.

Quand l'objet se trouvait à l'intérieur de sa caisse, à la résidence du cardinal, Jack n'en avait vu que le couvercle. Il pouvait maintenant en apprécier le volume et le poids. L'ossuaire était plus grand qu'il ne l'avait cru. Plus lourd, aussi.

— Avez-vous eu des difficultés à le sortir de chez James ? demanda-t-il.

— Non, tout s'est très bien passé, répondit Shawn. Mais je ne crois pas que Sa Révérendissime Sainte Éminence M'as-tu-vu était heureuse de s'en séparer ! Tout d'un coup, James s'est mis en tête de nous convaincre de l'examiner là-bas, dans son vieux sous-sol poussiéreux. Tu imagines un peu ça ? ! Ce mec n'a vraiment aucune idée de ce qu'est le travail scientifique !

— Faites attention, dit Sana alors qu'ils franchissaient la porte vitrée de l'immeuble.

Ils déposèrent l'ossuaire sur le banc sur lequel Jack avait patienté. Jack se tourna alors vers Sana et ils se saluèrent pour la seconde fois.

— Je ne vous aurais sans doute pas reconnue, dit-il. Vous avez changé. Ça doit être votre nouvelle coupe de cheveux…

— C'est drôle que tu dises ça, intervint Shawn d'un ton dépité. Ses cheveux longs, à mon avis, c'était un de ses points forts. Ils avaient dû te plaire, à toi aussi, si tu t'en souviens si bien.

— Ils m'avaient plu, oui, probablement. Mais les cheveux courts me plaisent aussi.

— Diplomate jusqu'au bout des ongles, observa Shawn avec aigreur.

— Alors voilà donc le célèbre ossuaire ! dit Jack pour changer de sujet.

L'atmosphère s'était subitement chargée d'électricité et il n'avait aucune envie d'assister à une querelle conjugale. Il devinait que la coiffure de Sana était un véritable sujet de conflit entre les époux.

— Eh oui, le voilà, dit Shawn, tapotant le couvercle du coffre en pierre comme un parent fier de sa progéniture. Je suis gonflé à bloc. Je crois que cet objet va changer la vision du monde de beaucoup de gens. Et l'idée qu'ils se font de la religion.

— À condition qu'il y ait quelque chose à l'intérieur, précisa Jack.

Il savait que James priait pour que l'ossuaire soit vide – le cardinal investissait même toute sa personne dans la prière. Pour sa part, Jack était très dubitatif quant au potentiel de ces appels lancés à Dieu.

— À condition qu'il ne soit pas vide, bien sûr. Mais il ne sera pas vide. Qu'est-ce que vous pariez ?

Ni Jack ni Sana ne répondirent. Tous deux étaient quelque peu intimidés par le ton catégorique de Shawn.

— Hé ! Haut les cœurs ! reprit ce dernier. Nous sommes tous un peu nerveux, pas vrai ?

— Je crois que tu as raison, acquiesça Sana.

— Bon, fit Jack. Avant toute chose, il y a un truc à régler. Nous devons vous faire établir des cartes d'accès de l'IML.

Pendant qu'un agent accompagnait Shawn et Sana au bureau de la sécurité pour les prendre en photo et remplir les papiers, Jack reporta son attention sur l'ossuaire. L'abondante lumière du jour qui entrait par la façade vitrée de l'immeuble lui permettait de l'examiner sans difficulté.

Il vit les chiffres romains, gravés sur la surface couverte d'éraflures, dont James lui avait parlé. En revanche, le nom de Marie en araméen lui échappait complètement. Les flancs du coffre ressemblaient au couvercle, mais ils étaient un peu moins égratignés. À une extrémité, il y avait une entaille dans la pierre : elle était peu profonde, et longue de quelques centimètres seulement, mais presque blanche. Il y avait aussi quatre petites rayures de la même couleur à proximité.

La voix de Shawn retentit derrière son dos :

— Et voilà, nous sommes prêts pour la bagarre !

Sana et lui traversaient le hall à grands pas, leurs cartes d'identification de l'IML suspendues autour du cou.

— Je peux te poser une question ? demanda Jack tandis qu'ils se préparaient à soulever l'ossuaire.

— Certainement.

— J'ai remarqué cette entaille, ici, dit Jack en pointant un doigt. Et ces rayures, là, qui ont l'air récentes. À quoi sont-elles dues ?

— Oui, elles sont récentes, répondit Shawn avec une moue embarrassée. Je me suis servi d'une perceuse et d'un burin pour trouver l'ossuaire. Ce n'est pas une méthode de fouilles très… catholique, si je puis dire, mais nous étions pressés par le temps. La grosse entaille, c'est la perceuse. Les autres marques, je les ai faites avec le burin pendant que je dégageais la terre compacte autour de l'ossuaire. Après l'avoir découvert, j'ai dû l'extraire le plus vite possible à cause de Sana. Elle trouvait que j'étais trop long. Tu aurais dû l'entendre se plaindre !

— Je crois que vu les circonstances, je n'étais pas si impatiente que ça, rétorqua Sana.

— Tant mieux si tu crois ça, répliqua Shawn du tac au tac.

— D'accord, d'accord ! s'exclama Jack. Je regrette d'avoir posé la question.

Il n'était avec les Daughtry que depuis dix minutes, mais il comprenait déjà pourquoi James voyait leur mariage condamné à court ou moyen terme.

— Tu n'aurais jamais pu faire tout ça sans mon aide, reprit Sana. Et voilà comment je suis remerciée !

— Hé ! protesta Jack. Du calme, vous deux ! Nous sommes ici pour vous permettre de tirer le maximum de bénéfice de vos efforts. Pour commencer, voyons ce qu'il y a dans l'ossuaire.

Il réprima un soupir. Il était déjà inquiet à l'idée de devoir faire l'arbitre entre Shawn et James – il n'avait aucune envie de jouer le même rôle avec Shawn et Sana !

Sana continuait de fusiller son époux du regard. Shawn, lui, observait la rue par les vitres du hall.

— Tu as raison, Jack ! s'exclama-t-il tout à coup, et il se tourna pour lui donner une tape enthousiaste sur l'épaule. Montons ce truc au labo – et au travail !

Il avait élevé la voix pour prononcer les mots *au travail*. Il saisit une extrémité de l'ossuaire. Jack et lui le portèrent jusqu'au portillon de sécurité, puis jusqu'à l'ascenseur.

Au huitième étage, ils longèrent le couloir sur presque toute sa longueur. Sana et Shawn poussèrent des exclamations admiratives quand ils découvrirent la vue impressionnante que les baies vitrées offraient sur la ville. Ils appréciaient aussi énormément l'immeuble.

— Je ne vais plus vouloir retourner à Columbia, dit Sana. Cet endroit me fait l'effet d'un paradis pour chercheurs.

Devant la porte du labo, Jack demanda à la jeune femme de tenir l'ossuaire à sa place pendant qu'il sortait la clé de sa poche.

— Ah, il y a une serrure, commenta Shawn. C'est bien. Je suis content qu'on puisse verrouiller le labo.

— Ouais. Et à l'intérieur, il y a des casiers individuels qui ferment à clé, précisa Jack.

Il poussa la porte et invita Shawn et Sana à le précéder. Ils posèrent l'ossuaire sur la grande table au centre de la pièce, puis ils regardèrent autour d'eux.

— Mon Dieu ! s'exclama Sana.

Elle s'approcha de la porte vitrée qui donnait sur le sas étanche et, au-delà, sur le labo proprement dit.

— Là-bas, je vois un Applied Biosystems 3 130 XL flambant neuf ! C'est génial !

Ils se débarrassèrent de leurs manteaux et les rangèrent dans des casiers. Shawn avait apporté un petit sac à dos qu'il posa sur la table à côté de l'ossuaire.

— Voici enfin le moment tant attendu, déclara-t-il, et il se frotta les mains avec satisfaction. Je n'arrive pas à croire que j'ai réussi à ne pas toucher cet objet pendant quatre jours. C'est de ta faute, ma chère Sana.

— Tu ne sauras plus comment me remercier si nous réussissons à récupérer de l'ADN mitochondrial. Ça ajoutera une dimension extraordinaire à ta découverte.

Shawn fit glisser la fermeture Éclair du sac à dos. Il en sortit une rallonge, un sèche-cheveux, un petit marteau et un petit burin.

— Je propose que nous portions des combinaisons, des calots et des gants en latex, dit Sana. Je préfère qu'il n'y ait pas le moindre risque de contamination de l'ADN.

— Ça ne me gêne pas, dit Shawn. Jack, qu'est-ce que tu en penses ?

— Bien sûr, mettons des combinaisons. Mais d'abord, vous devez tous les deux signer la décharge de responsabilité.

Après que les époux Daughtry eurent signé les documents légaux qui absolvaient l'IML de tout problème potentiel, ils entrèrent dans le sas d'habillage pour enfiler les tenues de protection. Ils étaient tous les trois de plus en plus excités.

— À l'époque où j'ai décidé d'étudier l'archéologie, voilà le genre d'expérience, voilà le genre de truc susceptible d'avoir de vraies répercussions que je pensais vivre régulièrement, expliqua Shawn en fermant sa combinaison. Hélas, la réalité du métier est bien différente. Alors aujourd'hui, je vais savourer chaque seconde qui passe !

— En biologie moléculaire, nous vivons constamment ce genre d'expérience, dit Sana, et elle enfila un gant qui claqua autour de son poignet.

— Ah bon ? fit Shawn d'un air étonné.

— Mais non, je plaisante, dit-elle en riant. Voyons, Shawn ! Tu sais très bien que le travail scientifique, c'est lent, c'est pénible, et ça n'offre que de très rares moments d'extase. Moi aussi, je dois avouer que jamais, dans ma carrière, je ne me suis sentie aussi nerveuse qu'aujourd'hui.

Quand ils furent correctement gantés, coiffés de calots et masqués, ils retournèrent dans la première salle. Shawn brancha le sèche-cheveux et l'alluma à pleine puissance. Comme s'il maniait un chalumeau, il braqua le flux d'air brûlant sur l'étroite fente remplie de cire caramel qui séparait le flanc de l'ossuaire de son couvercle. Au bout d'un moment, la cire se ramollit suffisamment, sur une petite largeur, pour qu'il puisse y glisser le burin. Il donna quelques légers coups de marteau sur l'outil – qui fut tout à coup bloqué dans sa progression.

— Ah ! s'exclama Shawn. Le couvercle est feuilleté. Ça va prendre un peu plus longtemps que je ne le pensais. Désolé, les amis !

— Nous ne sommes pas si pressés, dit Sana.

— Ne te hâte pas à cause de moi, ajouta Jack.

Lentement, avec précaution, Shawn travailla sur tout le pourtour de l'ossuaire : il ramollissait d'abord la cire avec le sèche-cheveux, puis il la tapotait jusqu'à ce que le burin rencontre le rebord intérieur du couvercle. Quand ce fut terminé, il glissa le burin dans la fente, sur un des côtés étroits de l'objet, et essaya de le faire pivoter. Le couvercle ne céda pas. Shawn déplaça le burin et réessaya le même mouvement – sans succès. Au troisième emplacement, sur un des côtés longs de l'ossuaire, toujours rien. Il recommença à quelques centimètres d'écart. Et là, ils entendirent un léger grincement.

— Je crois que je l'ai senti bouger un tout petit peu, dit Shawn.

Il avait envie de mettre davantage de force dans ses gestes, mais il craignait de casser le couvercle. L'ossuaire était resté intact pendant deux millénaires ; il ne voulait surtout pas l'abîmer.

— Tu ne peux pas aller un peu plus vite, quand même ? demanda Sana qui trépignait d'impatience.

Elle avait l'impression que Shawn faisait inutilement durer le plaisir.

Il se figea et leva les yeux vers sa femme.

— Tu ne m'aides pas beaucoup, là, tu sais, grogna-t-il.

Il changea encore de place devant l'ossuaire et se remit au travail avec le burin. Il ignorait combien de temps la tâche lui prendrait ; il n'était même pas sûr de réussir.

Au moment où il allait marquer de nouveau une pause et repenser sa stratégie, un autre craquement, plus sec que le précédent, s'éleva du couvercle. Le cœur de Shawn fit un bond dans sa poitrine. Il retira précipitamment le burin de la fente, s'attendant à voir une craquelure apparaître dans la pierre calcaire. Mais cela ne semblait pas devoir se produire. Il passa les doigts sur le bord du couvercle pour s'assurer qu'il n'y avait pas de fêlure invisible à l'œil nu. Non, la pierre était bien lisse.

Avec précaution, il glissa le burin dans la fente et le fit tourner. Le couvercle se souleva légèrement au-dessus du coffre. Shawn poussa un immense soupir de soulagement. Il avait réussi ! Il regarda Jack et Sana avec un grand sourire.

— Nous y sommes, dit-il en posant le burin à côté de lui.

Il saisit le couvercle par ses bords, le retira doucement et le mit sur la table.

Alors Shawn, Sana et Jack se penchèrent pour regarder l'intérieur de cet ossuaire qui était resté hermétiquement fermé pendant deux mille ans.

21

SAMEDI 6 DÉCEMBRE 2008
09 H 48
NEW YORK

— Seigneur, je T'en supplie, priait James à voix haute. Que dois-je faire au sujet de cet ossuaire ? Montre-moi la voie à suivre !

Il se trouvait dans la chapelle dédiée à l'apôtre saint Jean qui était au deuxième étage de la résidence de l'archevêque. Agenouillé sur un antique prie-Dieu français, il contemplait une superbe peinture, au centre d'un tableau mural en ébène, qui représentait l'Assomption de la Sainte Vierge : on y voyait la Mère de Dieu sur des nuages, entourée de deux chérubins. Au pied du tableau, il y avait un bénitier en argent ciselé. James avait toujours aimé cet ensemble, et ce matin l'image de la Vierge prenait une signification très particulière à ses yeux.

— Je ne doute jamais de Ta volonté, mais je crains de ne pas être à la hauteur de la tâche que Tu as placée entre mes mains misérables. Je crois fermement que le squelette qui sera peut-être retrouvé dans l'ossuaire n'est pas celui de Ta Mère. J'espère humblement que ce ne seront même pas les os d'une femme, car c'est seulement à ce moment-là que je me sentirai vraiment capable de trouver une solution à ce terrible problème. Je prie aussi pour que mon ami Shawn Daughtry renonce à son projet et cesse de prétendre qu'il existe un lien entre l'ossuaire et Ta Sainte Mère.

James se signa, puis il se leva avant d'ajouter d'une voix pleine de ferveur :

— Que Ta volonté soit faite ! *Amen*.

Après une mauvaise nuit de sommeil troublé par l'anxiété, il s'était réveillé juste avant 05 h 00. Dès qu'il avait quitté la chaleur de son lit, il s'était agenouillé sur un prie-Dieu très simple, dans sa chambre à la décoration austère, pour prononcer une prière semblable à celle qu'il venait de dire dans la chapelle.

Après quoi, il avait eu un début de matinée classique pour un samedi. Il avait lu son bréviaire, célébré la messe en compagnie de son équipe, pris le petit déjeuner avec ses deux secrétaires. Il avait été brièvement interrompu dans ses activités, pendant une dizaine de minutes, lorsque Shawn et Sana étaient passés à la résidence. Avec beaucoup d'angoisse, il avait observé Shawn et le père Maloney remonter l'ossuaire de la cave et le porter jusque dans la rue pour le charger dans le coffre d'un taxi jaune à la propreté douteuse. Quand le chauffeur avait rudement claqué le capot, James s'était signé : il avait beau être certain que l'ossuaire ne contenait pas les os de la Vierge, tant de brusquerie lui paraissait sacrilège.

Après le départ des Daughtry, il était remonté à ses appartements pour se changer et se mettre en grande tenue. Il avait une visite officielle, en milieu de journée, dans une église de Harlem. Ensuite, il avait décidé de passer à la petite chapelle où il se trouvait maintenant.

James soupira et se mit debout en prenant appui sur le prie-Dieu. Après s'être humecté le bout des doigts dans l'eau bénite, il fit le signe de croix et contempla encore quelques instants la peinture de la Vierge. Puis il descendit à son bureau. Il alluma l'ordinateur, comme chaque matin, pour consulter son courrier électronique. Au moment où le moniteur s'animait, le téléphone sonna. James se pencha vers la console pour lire le nom du correspondant sur le petit écran : Jack Stapleton. Il décrocha aussitôt, mais il ne fut hélas pas tout à fait assez rapide. Au lieu de la voix de Jack, il entendit une tonalité qui signifiait que le père Maloney ou le père Karlin avaient pris l'appel avant lui.

James tapota le sous-main avec impatience. L'interphone bourdonna quelques secondes plus tard.

— J'ai un certain Dr Stapleton en ligne, annonça le père Karlin. Voulez-vous lui parler ?

— Oui, merci, répondit James.

Mais il ne prit pas la ligne immédiatement. Tout à coup, son anxiété se ravivait. Si Jack l'appelait, c'est que l'ossuaire était ouvert. Il regarda le voyant clignotant, sur la console, et murmura une courte prière. Il était de nouveau très inquiet. Il pressentait, d'une certaine façon, que le Seigneur avait décidé de faire durer son tourment.

Enfin, il prit une profonde inspiration et décrocha le combiné.

— C'est toi, James ?

— C'est moi, oui, répondit-il d'une voix monocorde.

Derrière Jack, il entendit des éclats de rire et des bribes de conversation animée qui anéantirent les derniers fragments d'espoir qui lui restaient.

— Heu... Ça ne va sûrement pas te faire très plaisir, mais...

Jack n'acheva pas sa phrase. James comprit qu'il venait d'être interrompu par Shawn qui essayait manifestement de lui arracher le téléphone des mains. Il entendit Shawn s'exclamer :

— Tu causes à Son Éminente Excellence, c'est ça ? ! Le mec qui rêve de porter un jour l'Anneau du pêcheur ? Laisse-moi dire deux mots à ce gros balourd !

James frissonna. Il était terrifié. Il avait envie de raccrocher. Mais sa curiosité était plus forte que tout.

La voix enjouée de Shawn s'éleva dans l'écouteur :

— Hé, vieux frère ! C'est jour de fête !

— Ah oui ? fit James d'un ton détaché, comme s'il n'était pas très intéressé. Qu'avez-vous trouvé ?

— Non pas un seul parchemin, mais trois ! Et l'un d'eux, écrit en grec, est intitulé « ÉVANGILE SELON SIMON ». Tu te rends compte ? Nous avons l'évangile de Simon le Magicien ! C'est pas dément, ça ? !

— C'est tout ce qu'il y avait dans l'ossuaire ? demanda James qui entrevoyait à nouveau une toute petite lueur d'espoir à l'horizon.

— Oh non ! répondit Shawn d'une voix pleine de malice. Il y avait autre chose, c'est sûr. Mais je vais laisser Jack te raconter ça. On se reparle bientôt.

Un instant plus tard, Jack reprit le téléphone et dit :

— Voilà un archéologue très heureux. Je suis certain qu'il n'avait pas l'intention de te manquer de respect, James, si jamais tu as entendu ce qu'il a dit avant de me piquer le téléphone.

— Je veux juste savoir une chose. Y a-t-il un squelette dans l'ossuaire ? demanda James qui se fichait bien, à cet instant, de l'impolitesse de Shawn.

— Oui. Et autant que je puisse en juger, il est complet. Le crâne est même en bon état. Il y a peut-être les os de plusieurs squelettes différents, mais il n'y a qu'un seul crâne.

— Sainte Vierge, Mère de Dieu ! murmura James pour lui-même. Sais-tu si c'est le squelette d'un être humain ?

— C'est l'impression que j'ai.

— Et… de quel sexe ?

— Ça, c'est plus difficile à dire. Le bassin a l'air d'être en plusieurs morceaux, et c'est lui, autant que je sache, qui permettra de déterminer le sexe de la personne. Mais j'ai déjà appelé un de mes collègues, Alex Jaszek, le chef du département d'anthropologie de l'IML. Je lui ai parlé de notre travail ici, sans lui donner aucun détail bien entendu, et je lui ai demandé de nous rejoindre. Il est en route.

— Tu ne lui as pas parlé de la Vierge Marie, n'est-ce pas ? demanda James avec inquiétude.

— Je te dis que non ! J'ai juste dit que nous venions d'ouvrir un ossuaire du Ier siècle après Jésus-Christ.

— Bien, bien…

James essaya de réfléchir à ce qu'il devait faire dans l'immédiat. Il avait envie de se rendre au labo ADN pour voir les os et les documents de ses propres yeux. Mais pour cela, il fallait qu'il change de vêtements - sinon, sa visite à l'IML risquait d'apparaître en première page du *New York Times* du lendemain matin. Et comme il avait ce déjeuner à midi, à Harlem, dans la tenue qu'il avait déjà sur le dos… Non, il n'avait pas le temps de se changer, d'aller là-bas et de revenir se changer à nouveau avant de filer dans le nord de Manhattan.

— Shawn veut te parler, dit Jack. Je lui repasse le téléphone, d'accord ?

— Oui, répondit James d'un ton méfiant.

Shawn devait avoir envie de lui marteler une fois de plus sa victoire aux oreilles.

— Hé, vieux frère ! Je viens de me souvenir que c'est ton anniversaire ! Joyeux anniversaire, Votre Éminente Excellence.

— Heu… Merci, bafouilla James, très surpris.

Bouleversé comme il l'était à cause de l'ossuaire, il avait complètement oublié son propre anniversaire. Il se demanda aussi pourquoi son entourage, à la résidence, ne le lui avait pas souhaité. Il n'était pas trop à cheval sur ce genre de chose, mais tout de même…

— Mon titre, dit-il d'un ton posé, c'est Votre Éminence ou Votre Excellence. Mais toi, mon ami, je préfère que tu m'appelles James.

— Ouais, fit Shawn avec indifférence. J'ai une idée ! Que dirais-tu d'une petite fête à la maison, ce soir, si tu n'as pas déjà des engagements chez un dirigeant international ou quelque autre prétentiard ? Nous fêterons en même temps ton anniversaire et notre sensationnelle découverte. Qu'en penses-tu ? La coïncidence ne manque pas de sel, j'en conviens, mais bon – c'est la vie !

James faillit répondre catégoriquement *non*. Il ne voulait pas entendre Shawn se vanter pendant toute la soirée qu'il était à deux doigts de choquer le monde avec d'éblouissantes révélations. Puis, méditant cette invitation, il commença à se dire qu'il avait peut-être intérêt à l'accepter. Il fallait qu'il participe à l'affaire de bout en bout, et qu'il s'efforce d'injecter une bonne dose de scepticisme dans les esprits de Shawn et de Sana, s'il voulait avoir la moindre chance de réussir à les convaincre de ne rien publier au sujet de la Vierge Marie. Il doutait lui-même du succès de son entreprise, mais, pour le moment, c'était la seule stratégie qui lui venait à l'esprit. À part ça, il ne lui restait que la prière.

— Quand nous rentrerons à la maison, je vais acheter de la bonne viande, de quoi faire une salade, et un grand vin, ajouta Shawn. Nous ferons griller les steaks sur la terrasse. Alors, qu'est-ce que tu en penses ? !

James hésitait encore. Il avait peur que Shawn ne soit insupportable et ne l'accable de sarcasmes pendant toute la soirée. Il ne se sentait pas capable d'endurer un tel traitement, surtout après la mauvaise nuit qu'il venait de passer.

— Au lieu de rester à la maison, nous pourrions aussi aller au restaurant..., insista Shawn d'une voix plus calme. Si tu préfères ! Mais... je pensais que ça ne t'emballerait pas de dîner dehors.

— Avec toi, en effet, je n'aime pas dîner à l'extérieur. Parce que nos soirées se terminent toujours en débats houleux. Je ne te reproche rien, bien sûr. Je suis aussi coupable que toi. Mais dans un restaurant, même si j'y vais habillé en civil, quelqu'un pourrait me reconnaître. Je n'ai pas besoin de ce genre de publicité. Repasse-moi Jack !

James entendit Shawn apostropher Jack et dire d'un ton agacé :

— Il veut te parler.

Jack prit l'appareil en soupirant. Il savait ce qui était en train de se passer : Shawn et James le plaçaient en position d'arbitre.

— Ouais ? grogna-t-il.

— Shawn veut organiser un dîner chez lui, ce soir, pour fêter sa découverte. Il faut absolument que tu viennes.

— Heu... Je n'ai pas été invité. En plus, il faut que je rentre à la maison pour aider Laurie à s'occuper de JJ, notre bébé.

— Jack ! Comme je te l'ai dit hier, j'ai *vraiment* besoin de ton aide. Je n'irai à ce dîner que si tu y viens aussi. J'ai besoin d'un tampon entre moi et Shawn – surtout excité comme il l'est maintenant ! J'ai besoin d'en apprendre davantage sur le contenu de l'ossuaire et sur ce que Shawn compte en faire. Tu peux te douter que l'épreuve ne sera pas facile pour moi.

— Alors je dois encore faire l'arbitre pour vous, grommela Jack. Ça ne m'a jamais plu. Tu le sais très bien.

— Jack, je t'en supplie !

— Pff… D'accord. À condition que la soirée ne se termine pas trop tard.

— Nous rentrerons chez nous de bonne heure. Demain matin, je dois dire la messe à la cathédrale. Et puis j'ai très mal dormi la nuit dernière. Crois-moi, nous ne veillerons pas tard ! Et je prendrai ma voiture pour te raccompagner chez toi.

— Entendu, je viendrai, dit Jack. Mais je dois quand même voir ça avec Laurie.

— Je comprends. Repasse-moi l'archéologue surexcité.

James expliqua à Shawn ce dont Jack et lui venaient de parler. Il lui demanda ensuite à quelle heure ils devaient se retrouver à son domicile.

Shawn haussa les épaules.

— Disons… vers 19 h 00 ? Sana ne me contredira pas, je crois, si je dis que nous voulons revenir très tôt au labo demain matin. Il faut régler cette affaire sans perdre de temps.

— Là, je suis bien d'accord, conclut James.

22

SAMEDI 6 DÉCEMBRE 2008
10 H 40
NEW YORK

Alex Jaszek arriva dix minutes après que Jack eut terminé sa conversation téléphonique avec James. Pendant ce bref interlude, les époux Daughtry n'avaient pas cessé de se lancer des piques à voix basse. Ils avaient beau avoir partagé une joie immense, un moment plus tôt, avec la découverte du contenu de l'ossuaire, ils s'étaient mis à se disputer âprement à cause du programme élaboré par Shawn pour la soirée. Dégoûtée, Sana avait fini par disparaître au labo – soi-disant pour en examiner le matériel.

Alex était un anthropologue chevronné qui faisait plus jeune que son âge. Une courte barbe couvrait ses joues. Avec ses larges épaules et sa taille mince, il avait la silhouette d'un footballeur universitaire. Il portait un pantalon kaki et une chemise en flanelle.

Après s'être penché quelques instants sur l'ossuaire, il demanda :

— Les os étaient-ils disposés comme ça, quand vous avez retiré le couvercle ?

— Oui, répondit Jack. Nous n'y avons pas touché. Shawn a juste retiré les trois rouleaux de papyrus qui sont sur la table. Et il a fait ça avec beaucoup de précautions. Le fémur qui est ici a peut-être légèrement bougé à ce moment-là, mais c'est tout. En plus, nous avons fait plein de photos avant de toucher à quoi que ce soit.

— J'ai l'impression qu'il y a un squelette complet, dit Alex.

— C'est aussi ce que nous pensons, dit Shawn.

— Vous auriez pu sortir les os du coffre. Leur position là-dedans ne nous apprendra rien, de toute façon. À l'époque où ces ossuaires étaient en usage, comme vous le savez, les cadavres étaient d'abord laissés à l'air libre, dans un endroit sec, pendant un ou deux ans. Ensuite les familles récupéraient les os et les fourraient dans l'ossuaire sans ordre particulier. Si vous voulez, prenons-les un par un et disposons-les sur la table en reconstituant le squelette.

Sana revint à ce moment-là du labo. Jack fit les présentations. La jeune femme serra très chaleureusement la main d'Alex ; elle le remercia d'un ton suave d'avoir sacrifié une partie de son samedi pour les aider.

Jack sentit qu'elle adoptait ce comportement pour mettre Shawn en rogne. Et apparemment, cela fonctionnait. Lorsque Sana accompagna Alex jusqu'au sas d'habillage pour qu'il enfile une tenue de labo, Jack se pencha vers Shawn et demanda à mi-voix :

— Ça tient encore, pour ce soir, ou bien il vaut mieux remettre à un autre jour ?

— Tu déconnes ? Le programme n'a aucune raison de changer ! Parfois, je ne sais pas ce qui lui passe par la tête. Elle a intérêt à arrêter vite fait de m'enquiquiner comme ça.

Jack préféra ne faire aucun commentaire. Il attrapa un os dans l'ossuaire et le retourna entre ses mains, essayant de déterminer à quelle partie du squelette il correspondait.

Sana revint avec Alex. Pendant cinq bonnes minutes, elle ne cessa de lui parler en minaudant. Alex était manifestement sous le charme. Mais quand il se rendit compte que Shawn et Jack avaient des difficultés à disposer les os à leurs places respectives, il commença à les aider. Bientôt, il fut le seul à travailler. Il leur livrait un bref commentaire sur chaque os qu'il tirait du coffre avant de l'ajouter au squelette. Le travail fut terminé au bout d'une demi-heure.

Pour Sana, les éléments les plus prometteurs étaient le crâne et, surtout, la mâchoire inférieure qui possédait encore plusieurs dents. Shawn, de son côté, était davantage intéressé par les os du bassin. Alex avait fait remarquer, au moment où il en avait rassemblé les divers fragments, que la femme avait sans doute eu plusieurs enfants.

— Ce squelette s'est remarquablement conservé, dit Alex tandis qu'il ajustait la position de certains os. Et il a été très bien traité. Vous voyez, même les plus petits os des doigts sont présents. C'est extraordinaire. Je n'avais jamais vu cela dans les autres ossuaires que j'ai eu le plaisir d'examiner. Tous les os des mains sans exception, c'est fantastique ! Les gens qui ont récupéré le squelette de cette femme pour le mettre dans l'ossuaire avaient sans doute énormément de respect pour elle.

— Ça fait plusieurs fois que vous dites que c'est une femme, observa Shawn d'un ton enjoué. Vous êtes donc certain, absolument certain, qu'il s'agit d'une femme ?

— Il n'y a aucun doute possible. Regardez ces arcades sourcilières délicates, dit Alex en désignant le crâne. Et remarquez la finesse des os des bras et des fémurs. Et bien sûr, si nous prenons le bassin…

Il saisit deux os et les réunit dans la position qu'ils auraient eue dans le corps de la femme.

— Regardez la largeur de l'arc pubien ! C'est une femme, mais oui. Sûr et certain !

— Vous disiez aussi qu'elle avait eu de nombreux enfants, ajouta Shawn avec un petit gloussement de satisfaction.

— Hmm, oui… Là, par contre, je ne peux pas être formel.

Le sourire de Shawn se crispa.

— Pourquoi ?

— Les sillons préauriculaires sont très prononcés, intervint Jack, saisissant un ilion pour le montrer à Alex. Je n'en ai jamais vu de plus importants.

— Qu'est-ce que c'est, les sillons préauriculaires ? demanda Shawn.

Jack désigna de discrètes cannelures sur l'os.

— Ce sont ces espèces de renfoncements sur le bord de l'ilion. Ils se forment pendant les accouchements. Ceux de cette femme sont exceptionnels. À mon avis, elle a eu une dizaine d'enfants.

Alex agita la main en signe de désaccord.

— La profondeur des sillons sur les ilions n'est pas forcément proportionnelle au nombre d'enfants auxquels une femme a donné naissance. Et c'est pareil pour les points visibles sur les os au niveau de la symphyse pubienne.

— *En général*, tout de même, c'est le cas, objecta Jack.

— D'accord, concéda Alex. En général, oui, on peut établir le lien...

— Les marques visibles sur les os de cette femme donnent clairement l'impression qu'elle a eu de nombreux enfants, renchérit Jack. Ce n'est pas une preuve formelle, mais c'est une indication très convaincante. Vous êtes d'accord avec cette affirmation ?

— Oui, oui, je suis d'accord. Mais je dois quand même dire que ça *pourrait* ne pas être ça. Avez-vous la moindre idée de l'identité de cette femme, les uns ou les autres ? Et du nombre d'enfants qu'elle aurait pu avoir ? Y a-t-il un nom ou une date sur l'ossuaire ? Sur les rouleaux de papyrus ?

Pendant quelques secondes, le silence régna autour de la table. On n'entendait plus que le ronronnement d'un réfrigérateur au fond de la pièce. L'atmosphère était tendue. Perplexe, Alex demanda :

— Ai-je dit quelque chose qu'il ne fallait pas ?

— Pas du tout, s'empressa de répondre Shawn. Nous manquons d'informations sur l'identité de ce squelette. Il y a une date sur le couvercle de l'ossuaire – l'an 62 après Jésus-Christ. Mais nous ne savons pas s'il s'agit de la date du décès de la femme, ou de la date à laquelle ses os ont été placés dans l'ossuaire. Nous espérons que les rouleaux nous apprendront quelque chose sur son identité, mais nous ne les avons pas encore déroulés, et encore moins déchiffrés.

Sana regarda Alex avec un sourire enjôleur.

— Et son âge ? demanda-t-elle. Êtes-vous en mesure de déterminer l'âge de cette femme à sa mort ?

— Pas de façon très précise, répondit Alex. Malheureusement, les os ne sont pas comme les troncs d'arbres. Il ne suffit pas de compter leurs anneaux pour connaître leur âge. C'est parce que les os se régénèrent constamment, tout au long de la vie. Par contre, il est possible de faire une datation au carbone 14. Voulez-vous entreprendre cette analyse – ne serait-ce que pour voir à quoi correspond la date inscrite sur l'ossuaire ? Avec les techniques les plus récentes, il suffit d'un minuscule fragment d'os.

— Peut-être, dit Shawn. Nous garderons cette idée à l'esprit.

— Mais tout de même, Alex, insista Sana. Si vous deviez donner une estimation de l'âge de cette femme… À votre avis ?

— Je dirais, pour être prudent, qu'elle avait plus de 50 ans. Et si je devais prendre un risque, je dirais qu'elle avait 80 ans. En fait, j'ai l'impression que cette femme était vraiment très âgée. Ceci à cause de l'arthrite que je vois sur les os des mains et des pieds. Qu'en pensez-vous, Jack ?

— Votre estimation me paraît bonne. La seule autre chose que je remarque, ce sont des signes de tuberculose sur certaines vertèbres. Mais à part ça, elle était sans doute en bonne santé.

— Oui, acquiesça Alex. Elle était en forme.

— Je suis stupéfaite, dit Sana. Le joint à la cire a parfaitement protégé l'intérieur de l'ossuaire. Avant de l'ouvrir, je n'étais pas vraiment sûre de pouvoir récolter de l'ADN. Mais à présent je suis très optimiste. Avec les dents qui sont encore à leur place dans la mâchoire, et vu l'état de conservation des os, il est quasi certain que je réussirai à isoler de l'ADN mitochondrial intact.

— Ne t'emballe pas trop vite, rétorqua Shawn d'un ton sec.

— Pourquoi voulez-vous récupérer de l'ADN mitochondrial ? demanda Alex. Avez-vous un objectif particulier en tête ?

Sana haussa les épaules.

— Je suis juste curieuse de voir ce que ce squelette pourra nous apprendre. Et c'est aussi un beau défi. Sur le plan généalogique, ce serait amusant, et très intéressant, de découvrir d'où vient cette femme. L'ossuaire a été trouvé à Rome, mais cela ne signifie pas qu'elle était romaine, ou même italienne. Au Ier siècle après Jésus-Christ, d'après ce que je sais, la Pax Romana permettait d'importants mouvements migratoires. Une femme du Ier siècle, en plus, ce serait un apport formidable à notre base de données mitochondriales internationale.

— Comment faites-vous pour récupérer l'ADN mitochondrial ? demanda Alex. Quelle est la procédure, je veux dire ?

— En premier lieu, donc, je vais essayer avec une dent. Si ça ne donne rien, je prélèverai de la moelle osseuse. Dans un cas comme dans l'autre, ce n'est pas une opération très compliquée. Pour la dent, j'en nettoierai d'abord minutieusement l'extérieur, pour empêcher tout risque de contamination de l'ADN. Ensuite, je scierai la couronne de la dent, je tirerai le matériau de la cavité pulpaire, je le suspendrai avec un détergent pour en briser les cellules, je le traiterai ensuite avec des protéases pour éliminer les protéines, et puis j'en extrairai l'ADN. Une fois que j'aurai l'ADN en solution, je l'amplifierai avec la PCR, puis je le quantifierai et je le séquencerai. C'est aussi simple que ça !

— Et c'est un travail qui prend combien de temps ? demanda encore Alex. Je serais curieux d'en connaître les résultats, si cela ne vous ennuie pas.

Sana jeta un coup d'œil vers Shawn ; il lui donna son assentiment d'un léger hochement de tête.

— Bien sûr ! dit-elle à Alex avec un grand sourire. Quant à la durée totale du boulot, ça dépend surtout de la première étape – à savoir, vais-je trouver rapidement du matériau biologique exploitable ? Si tout se passe bien, je devrais avoir bouclé ça dans quelques jours. Une semaine tout au plus. Certaines étapes donnent de meilleurs résultats quand on laisse reposer les préparations toute une nuit.

— Super ! dit Alex, et il tapota l'épaule de Sana avant d'ajouter : Je vous remercie tous de m'avoir invité à participer à cette aventure. J'ai passé un moment formidable.

Il contournait la table pour regagner le sas d'habillage, lorsque son regard tomba sur les trois rouleaux. Il pivota vers Shawn.

— J'étais tellement absorbé par le squelette que j'ai oublié de vous parler de ces documents. Que comptez-vous en faire ?

— Les lire, répondit Shawn, vaguement agacé par l'attitude cavalière de l'anthropologue envers Sana. Mais auparavant, je dois les dérouler. C'est un travail délicat et qui peut être excessivement long. Ils sont desséchés et très fragiles.

— C'est vraiment du papyrus ? demanda Alex, penché au-dessus des rouleaux.

Il n'osait pas les toucher.

— Oui, c'est du papyrus.

— Et ce ne sera pas facile de les dérouler, dites-vous ?

— Ah ça non ! C'est un travail très, très pénible, qui doit se faire millimètre par millimètre. Au moindre geste brusque, les feuilles pourraient se désintégrer en milliers de petits morceaux. En plus de ça, il faut faire extrêmement attention !

Tout le monde rit de la petite plaisanterie de Shawn. Ensuite, Alex passa rapidement dans le sas pour retirer sa combinaison, puis il revint leur dire au revoir et sortit du labo.

— Comme il est gentil, cet homme ! observa Sana, et elle ajouta à mi-voix : Surtout comparé à mon mari.

— Oh, tu as remarqué ça, toi ? dit Shawn d'un ton moqueur, et il ajouta comme s'il se parlait à lui-même : Je sais très bien à quoi tu joues, Sana, et ça m'est égal. Je ne suis pas jaloux. Je ne te donnerai pas la satisfaction de me mettre en rogne. Ça n'en vaut pas la peine.

— D'accord ! s'écria Jack en battant des mains pour attirer leur attention. Au boulot ! Donnons un bon coup de manivelle, si vous voulez, pour que vous puissiez avancer l'un et l'autre dans vos travaux. J'ai vraiment hâte de savoir ce que les rouleaux et le squelette vont nous apprendre. Mais permettez-moi de vous dire une chose : si vous continuez de vous chamailler, je fiche le camp et je me raye de votre liste d'invités pour ce soir. Et si je ne viens pas, je pense que James ne viendra pas non plus. C'est-à-dire qu'il n'y aura pas de petite fête.

Pendant quelques secondes, Shawn et Sana se fusillèrent du regard. Et puis Sana rejeta la tête en arrière et éclata de rire.

— Mon Dieu, nous sommes vraiment des enfants, toi et moi !

— Parle pour toi, répliqua Shawn, renfrogné.

Il n'aimait pas la nouvelle Sana.

— D'accord, dit-elle. Tu sais quoi ? Je crois que nous commençons à trop nous ressembler. Comme un chien et son maître.

Là, ce fut au tour de Shawn de rire.

— Ah ouais ? Et lequel de nous deux est le chien ?

— Ce n'est pas difficile à deviner… vu comment tu ne cesses d'aboyer ces derniers temps, dit Sana d'un ton ironique.

Elle se tourna vers Jack et ajouta plus sérieusement :

— Il sait pourtant qu'il ne doit pas inviter des gens à dîner sans m'en parler au préalable. Nous avons parlé de ça des dizaines de fois.

— Ah, il faut toujours que tu aies le dernier mot, grogna Shawn.

Jack s'avança entre les époux et agita le bras comme s'il réclamait un temps mort au basket.

— Stop ! Arrêtez de vous chercher des poux. Vous êtes ridicules. Détendez-vous et mettons-nous au travail.

— Je vais chez Home Depot, annonça Shawn. Jack, tu veux bien m'accompagner ?

— Je vais peut-être avoir besoin de pinces, dit Sana. Attendez une seconde. Je regarde si je peux décrocher une canine.

Elle saisit le crâne et tira sur la canine droite supérieure, qui semblait remarquablement bien conservée. La dent se détacha sans difficulté, avec un petit bruit sourd.

— Aucun problème, dit Sana. Non, pas besoin de pinces !

— De quoi as-tu besoin chez Home Depot ? demanda Jack à Shawn.

— D'un gros paquet de plaques de verre. Et d'un petit humidificateur à ultrasons que je trafiquerai un peu pour diriger un minuscule faisceau de vapeur à l'endroit où je le voudrai. J'ai déjà plusieurs paires de pinces de philatéliste dans mon sac à dos. Dérouler ces papyrus, ça ne va pas être de la tarte. Comme ils vont sans doute s'écailler, je devrai les protéger immédiatement en les mettant sous verre. Pour autant que je sache, comme je l'ai dit à Alex, les rouleaux risquent de se briser en mille morceaux. Il faudrait alors les reconstituer comme des puzzles. Franchement, à vrai dire... je ne sais pas très bien ce que ça va donner.

— Pendant que vous allez chez Home Depot, les garçons, je m'enferme au labo pour démarrer ma partie du boulot, annonça Sana en brandissant la canine. Plus vite je l'aurai mise dans le sonicateur avec le détergent, plus vite je pourrai la scier pour en tirer la pulpe.

— Et ce soir ? demanda Jack qui était encore un peu inquiet. Allez-vous réussir à ne pas vous engueuler, tous les deux ? Le dîner tient toujours, c'est sûr ?

— Évidemment qu'il tient toujours, affirma Sana. J'espère que notre irritation l'un envers l'autre ne vous met pas mal à l'aise, Jack. Vous êtes le bienvenu chez nous. Et oui, nous vous promettons d'être calmes. J'avoue que je ne suis pas contente quand Shawn ne me consulte pas au préalable quand il a l'intention d'inviter des gens à la maison. Mais ça ne veut pas dire que je ne suis pas contente de recevoir du monde, bien au contraire ! En fait, j'aime beaucoup faire la cuisine et j'en ai rarement l'occasion. Alors ce soir, j'y prendrai plaisir. Dès que j'aurai terminé l'extraction de la pulpe dentaire, et dès que je l'aurai mise dans l'incubateur pour la nuit, je m'en irai faire des courses pour préparer ce qui sera, j'espère, une excellente soirée pour vous deux et pour James. Nous passerons un très bon moment. Si James et Shawn ne se disputent pas trop, bien sûr.

— D'accord, je suis rassuré, dit Jack. Mais pour ce qui concerne ma présence chez vous ce soir, je dois quand même vérifier auprès de ma femme que ça ne l'ennuie pas. Nous avons un nouveau-né à la maison, et c'est elle qui s'en occupe la plupart du temps.

— Un bébé ? Ah, c'est sympa, dit Sana - mais sans l'enthousiasme ou la curiosité dont la plupart des jeunes femmes auraient fait preuve à sa place.

Elle n'invita pas non plus la mère et le bébé à se joindre à la fête.

— Bah ! ajouta-t-elle. Votre femme ne vous en voudra pas de passer une soirée avec vos anciens copains de fac.

— C'est un peu plus compliqué que ça, marmonna Jack qui ne voulait pas entrer dans les détails.

— Je comprendrai si tu ne peux pas venir, dit Shawn. Mais j'espère bien que tu seras des nôtres. Nous venons de faire une découverte stupéfiante et je vais prendre mon pied à rentrer dans le lard de Son Excellence James O'Rourke.

— S'il te plaît, n'en fais pas trop, objecta Jack. Cette affaire le soucie beaucoup. Il a très peur des répercussions qu'elle pourrait avoir.

— Il a bien raison d'avoir peur !

— À ta place, je ne me montrerais pas si joyeux. James est marié à l'Église. Et le moins qu'on puisse dire, c'est qu'il lui est terriblement fidèle.

Leur mission chez Home Depot accomplie, ils regagnèrent le labo avec une tonne de plaques de verre dans le coffre du taxi. Jack essaya à nouveau de convaincre Shawn d'y aller mollo avec James pendant la soirée. Il lui rappela aussi qu'il avait encore un long chemin à parcourir pour prouver que le squelette de l'ossuaire était celui de la Vierge Marie.

— Ce n'est pas encore prouvé, acquiesça Shawn. Mais nous allons dans la bonne direction ! Tu ne crois pas, vieux frère ?

— Non, je ne dirais pas cela.

— Voyons les choses de la façon suivante. Si je devais prendre l'histoire de cet ossuaire telle que nous la connaissons aujourd'hui, en soulignant, d'une part, qu'il se trouvait pile à l'endroit décrit par Satornil dans sa lettre, d'autre part, qu'il n'avait pas bougé de là depuis deux mille ans – si je racontais cette histoire à des bookmakers de Las Vegas, si je leur montrais l'ossuaire et si je leur demandais de miser sur les chances que le squelette soit bel et bien celui de Marie. À ton avis, à combien parieraient-ils là-dessus ?

— Assez ! Ton petit jeu est ridicule.

— Ah ! Voilà où nous en sommes ! s'exclama Shawn d'un ton mi-amusé, mi-aigre. Tu es dans le camp de James comme tu l'as toujours été à la fac. Certaines choses ne changent jamais.

— Je ne suis dans le camp de personne. Je suis dans mon camp à moi, pile entre vous deux, et j'essaie comme autrefois de maintenir la paix entre vous. Parce que vous êtes aussi bornés qu'à la fac…

— C'est James qui était borné, pas moi ! l'interrompit Shawn.

— Pardon. Tu as raison. Toi, tu étais une cruche.

— Et toi, tu étais un bel enfoiré. Je m'en souviens bien. Et en tant qu'enfoiré, tu étais presque toujours du côté du mec borné, comme je commence à craindre que tu le seras ce soir. Je te préviens : j'ai bien l'intention de me venger un minimum. Ces dernières années, au cours de nos innombrables débats, nous en sommes toujours arrivés au point où James me jetait sa carte maîtresse au visage : la foi ! Comment continuer à discuter, après ça ? Eh ben, ce soir, nous allons revisiter certains de ces débats et j'aurai quelques faits concluants dans ma besace. Ce sera très distrayant, tu peux me croire !

Les deux amis se regardèrent fixement. Et puis ils éclatèrent de rire.

— On est incroyables, tu ne trouves pas ? demanda Shawn.

Jack secoua la tête.

— Ouais. De vrais ados.

— Des gamins, tu veux dire. Mais je ne fais que me défouler. Ne t'inquiète pas. J'irai mollo, ce soir, avec notre petit Jamie.

Le taxi s'arrêta enfin devant l'immeuble du labo ADN. Jack alla demander aux agents de sécurité de lui fournir un chariot et d'ouvrir la porte du quai de déchargement. Ensuite, il aida Shawn à sortir les plaques de verre du coffre et à les déposer sur le chariot. Quand ils eurent terminé, ils étaient tous les deux un peu essoufflés.

— Ça n'a l'air de rien, le verre, quand on regarde à travers, mais c'est sacrément lourd, observa Jack.

Shawn hocha la tête. Il essuya son front humide de sueur d'un revers de manche.

— Là-haut, tu penses vraiment que tu pourras décharger tout ça toi-même ? demanda Jack.

— Aucun problème, affirma Shawn. Je demanderai à Mme Indépendance & Drague de me donner un coup de main.

— Tu ne devrais pas te faire de souci à cause d'Alex, dit Jack. C'est juste un type très amical, très ouvert. Il aime tout le monde et tout le monde l'apprécie.

— Je n'ai aucun reproche à faire à Alex. Et je ne me fais pas de souci. Le problème, c'est que Sana est en train de partir dans je ne sais pas quelle direction. Tu vois ce que je veux dire ? Prends ses cheveux, par exemple, dont nous avons déjà parlé. Ils étaient longs, ils étaient splendides et je lui avais dit de ne pas les couper. Eh bien ça n'a pas raté : elle les a coupés ! Je lui demande de faire des petits trucs dans la maison, comme par exemple repasser mes chemises - bam, elle me rétorque qu'elle travaille autant que moi. Je lui fais remarquer que moi, je déblaie la neige à la pelle et je sors les poubelles. Tu sais ce qu'elle me renvoie dans les dents, à ce moment-là ?

— Pas la moindre idée, dit Jack d'un ton qui indiquait, espérait-il, qu'il n'avait aucune envie d'en entendre davantage.

— Elle me propose d'échanger les rôles ! Je fais le repassage, elle s'occupe des poubelles et de déblayer la neige. Tu imagines ça, un peu ? !

— Humm, c'est dommage pour vous, marmonna Jack qui refusait de se laisser entraîner dans une discussion sur les problèmes conjugaux des Daughtry. C'est où, chez toi, déjà ?

— Morton Street, au numéro 40. Tu te souviens de la maison ?

Jack sortit un petit carnet de sa poche pour noter l'adresse.

— Vaguement, admit-il. Mais je trouverai. Bon ! À moins que ma femme n'ait prévu quelque chose, je serai chez toi à 19 h 00. Et pour demain ? Vous envisagez de travailler, Sana et toi ? Si vous venez ici et que ma présence ne vous dérange pas, j'aimerais passer voir comment ça avance.

— Pour le programme de demain, je te dirai ça plus tard. Sana aura peut-être envie de faire la grasse matinée. Mais moi, je suis survolté. Je viendrai à coup sûr. Je veux découvrir l'évangile de Simon le Magicien le plus vite possible, parce que je veux savoir s'il a de quoi se racheter. Depuis toujours, je me demande s'il n'est pas que le souffre-douleur du christianisme. L'Église du Ier siècle avait tellement de problèmes qu'elle avait besoin de taper sur quelqu'un. Et le pauvre Simon était là, avec son envie d'être un guérisseur efficace, et, bien sûr, avec ses copains les gnostiques – une cible parfaite.

— Tu es sûr que tu pourras te débrouiller avec cet énorme paquet de plaques de verre ? demanda Jack en reculant vers la rue.

Il reposait la question par acquit de conscience, mais il avait hâte de rentrer chez lui. D'abord, il voulait savoir s'il serait libre pour la soirée, ensuite il espérait réussir à convaincre Laurie de prendre un peu de temps pour elle dans l'après-midi, et de sortir. Elle refuserait sans doute, mais il essaierait quand même.

— Je me débrouillerai avec Sana, affirma Shawn, et il agita la main. À ce soir.

— J'espère ! dit Jack, le pouce levé.

À présent, il se sentait mal à l'aise vis-à-vis de Laurie, car il était déjà midi passé. Il retourna au pas de charge jusqu'à la morgue au coin de la 30e Rue et de la Première Avenue. Là, il libéra son Trek, l'enfourcha, salua l'agent de sécurité et s'élança vers le nord.

Dès qu'il se mit à pédaler, il retrouva une certaine sérénité. D'ici une petite demi-heure, si tout allait bien, il serait chez lui. Il s'efforcerait de persuader Laurie de sortir se promener. Si JJ passait une mauvaise journée, cela ne serait sans doute pas possible. Laurie rechignerait à laisser le pauvre enfant entre les bras de son père, et elle n'aurait pas tort. En dehors des difficultés psychologiques que le cancer de JJ lui causait, Jack était le premier à reconnaître qu'il n'était pas très doué avec les enfants malades. Son stage en pédiatrie, quand il était en troisième année de médecine, l'avait amplement prouvé.

Une agréable sensation l'envahit tandis qu'il continuait de pousser sur les pédales. Le temps était splendide, avec un ciel de saphir et une température relativement douce pour un mois de décembre à New York. Il y avait aussi un petit air de fête dans l'atmosphère ; la ville grouillait de gens qui entamaient leurs courses de Noël pour éviter les foules des grands jours.

Le trajet de Jack le fit passer aux abords du zoo de Central Park. Il y aperçut de nombreux enfants accompagnés de leurs parents et se demanda avec dépit s'il aurait jamais l'occasion d'avoir le plaisir de faire des sorties de ce genre avec JJ. Un peu plus loin, il longea un magnifique terrain de jeux équipé d'un toboggan en granite poli. Il s'arrêta une minute pour regarder les enfants qui hurlaient, braillaient, riaient de bon cœur. Leur bonheur était contagieux. Jack sourit en repensant à sa propre enfance. Un instant plus tard, cependant, ses pensées le ramenèrent subitement au neuroblastome de son fils et à la pénible question de savoir qui gagnerait la bataille : le pouvoir mystérieux du corps de JJ à guérir – avec l'aide de la médecine moderne, lorsque le traitement pourrait reprendre – ou le pouvoir tout aussi énigmatique des cellules de neuroblastome guidées par leur implacable code génétique. Un combat classique du bien contre le mal, en quelque sorte.

La gorge nouée, Jack se relança sur les pédales et accéléra autant qu'il put pour s'éclaircir les idées. Par chance, il se retrouva bientôt au milieu d'une foule assez dense de cyclistes, de joggeurs, de rolleurs et de marcheurs attirés dehors par la météo quasi printanière : il dut cesser de penser à quoi que ce soit pour se concentrer sur la conduite et éviter de heurter quelqu'un.

Il ressortit du parc à la 106e Rue. Roulant plus doucement, il regarda la façade de son petit immeuble se rapprocher. Elle détonnait au milieu de ses voisines, car c'était la seule de la rue qui avait été complètement rénovée. Et puis il aperçut une chose qu'il aurait préféré ne pas voir : ses copains qui faisaient des échauffements sur le terrain de basket. Il fut incapable de s'empêcher d'obliquer dans cette direction. Il grimpa sur le trottoir et s'immobilisa devant la grille d'enceinte du terrain.

Aussitôt, un des joueurs vint vers lui d'un pas nonchalant. Il s'appelait Warren Wilson et c'était de loin le meilleur basketteur de la bande. Au fil des années, Warren et Jack étaient devenus très bons amis.

— Hé, tu viens ? demanda Warren. Il me manque encore un gars.

— J'aimerais beaucoup, mais… Laurie est coincée à la maison avec JJ et je dois la remplacer. Il faut qu'elle souffle un peu, tu vois ce que je veux dire ?

— Ouais, je comprends. À plus !

Attristé, Jack regarda Warren rejoindre le groupe. Son vélo sur l'épaule, il traversa la rue à contrecœur pour rentrer chez lui.

Il ouvrit la porte de l'appartement et tendit l'oreille : pas de sanglots de bébé… mais de légers bruits dans la cuisine, semblait-il. Il rangea le vélo dans son placard. Quand il poussa la porte de la cuisine, il s'attendait à trouver le bébé dans son parc et Laurie à l'évier, comme la veille au soir.

— Bonjour, ma douce, dit-il, apercevant Laurie du coin de l'œil tandis qu'il se tournait vers le parc.

Il sursauta. John Junior n'était pas là. La situation était tout à fait inédite.

— Où est JJ ? !

— Le petit homme dort, répondit Laurie d'un air ravi. Et comme j'ai à peu près bien dormi la nuit dernière, je me suis dit que j'allais préparer le dîner d'avance. C'est un luxe !

Tu parles d'un luxe, songea Jack, mais il garda cette réflexion pour lui. Il se plaça derrière sa femme, l'enlaça par la taille et l'étreignit quelques instants. Puis il l'entraîna vers la porte de la cuisine, dans le couloir et jusqu'au salon. Il la fit asseoir sur la causeuse que Laurie avait fait recouvrir d'un joli tissu jaune et vert.

— Il faut que je te parle, commença-t-il d'une voix ferme en prenant place à côté d'elle.

— Heu... d'accord.

Laurie lui jeta un regard intrigué. Et un peu inquiet. Le comportement de Jack était étrange. Elle sentait qu'il n'était pas tout à fait lui-même, mais elle avait du mal à déchiffrer son expression.

— Tout va bien à l'IML ? demanda-t-elle.

Jack ne savait pas par où commencer. Il n'avait pas préparé ce qu'il voulait dire. Et malheureusement pour Laurie, plus il attendrait pour répondre, plus elle se ferait du souci.

— J'ai besoin de te demander quelque chose, dit-il enfin. Mais c'est quelque chose qui me rend coupable vis-à-vis de toi.

Laurie eut soudain les mains et les pieds glacés. L'étrange scène du coup de téléphone dans la salle de bains, la veille au soir, lui revenait à l'esprit.

— Attends ! s'exclama-t-elle d'une voix presque désespérée. Si tu t'apprêtes à me dire que tu as une aventure avec une autre femme, je ne veux pas l'entendre. Je ne pourrai pas supporter ça en ce moment ! J'en ai déjà trop sur les bras et je ne peux rien encaisser de plus.

Des larmes lui envahirent les yeux. Jack glissa un bras autour de ses épaules et l'attira contre lui.

— Une aventure ? Mais non, je n'ai pas d'aventure ! Absolument pas ! dit-il, choqué de l'entendre émettre une telle hypothèse. Je voulais juste te demander si ça t'ennuierait que je sorte dîner ce soir avec deux vieux amis. Des types de la fac. Tu connais l'un d'eux, c'est Shawn Daughtry.

Laurie ne put réprimer un soupir de soulagement. Elle se sécha les yeux et demanda :

— L'archéologue ? Celui avec la jeune femme qui avait l'air en adoration devant lui ?

— Exactement.

Stupéfait que Laurie ait pu imaginer qu'il fréquentait une autre femme, Jack songea à la promesse qu'il avait faite à James : il avait juré de ne pas parler de la Vierge Marie, mais… il n'avait pas juré de ne rien dire au sujet de l'ossuaire. En outre, personne n'avait trouvé à redire au fait qu'Alex Jaszek connaissait désormais l'existence de l'objet et de son contenu. Jack voulait partager cette information importante avec Laurie pour contribuer à dissiper l'inquiétude qu'elle avait pu avoir à son sujet.

— Hier soir, je t'ai dit que j'abandonnais ma croisade sur la médecine parallèle alors que j'ai gravement besoin de me changer les idées. Eh bien… Par chance, il m'est tombé autre chose entre les mains.

— Ah, super, murmura Laurie qui ne s'était pas encore complètement ressaisie. Je suis contente de te l'entendre dire. De quoi s'agit-il ?

Jack lui raconta l'histoire de l'ossuaire. Comme il s'y attendait, elle captiva Laurie – même privée de l'épisode à propos de la Vierge Marie.

— J'ignorais que tu connaissais l'archevêque de New York, dit ensuite Laurie sans cacher son étonnement.

— C'est… C'est un truc de ma vie d'autrefois que j'ai plutôt essayé d'oublier, expliqua Jack. D'un autre côté, c'est vrai que j'étais surpris que Shawn ne parle pas de James quand nous avons dîné avec lui et sa femme.

— Ça me surprend, moi aussi. Mais peu importe. Tout ce que tu viens de raconter, c'est stupéfiant. Surtout ce qui concerne l'ossuaire et les rouleaux de papyrus. J'ai hâte de savoir ce que ça va donner.

— Moi aussi. Pour ce qui est de me changer les idées, je n'aurais pu rêver mieux. Si je croyais en Dieu, je me dirais que c'est un cadeau du ciel.

Jack sourit pour lui-même, songeant qu'il pensait réellement ce qu'il disait.

— Je m'excuse d'avoir imaginé que tu avais une aventure, murmura Laurie. Je n'ai pas toute ma tête, ces temps-ci.

— Ne t'excuse pas. Nous sommes deux à ne pas avoir toute notre tête. Et je te trouve beaucoup plus forte que moi.

— Tu peux aller à ce dîner, bien entendu, dit Laurie, et elle esquissa un sourire pour préciser : Avec ma bénédiction.

— Merci. Mais je me sens coupable de te laisser seule. Tu comprends ça ?

— Oui, je comprends.

— Tu comprends aussi, n'est-ce pas, que j'aimerais mieux que tu m'accompagnes ?

Ayant prononcé ces mots, Jack fut obligé de refouler une idée qui lui envahissait l'esprit de temps en temps : il regrettait presque d'avoir un enfant. Il le regrettait d'autant plus que la conception de

JJ n'avait pas été facile et avait nécessité une insémination intra-utérine.

— Oui, j'imagine, répondit Laurie. Et en d'autres circonstances, je serais heureuse de t'accompagner. Ne serait-ce que pour faire la connaissance de l'archevêque.

— Tu feras sa connaissance. Il m'a déjà répété plusieurs fois qu'il a hâte de te rencontrer. Bon ! Maintenant que la question du dîner est réglée, j'ai autre chose à te dire. La journée est magnifique et JJ dort. Je te propose de sortir te balader un moment. D'accord ? Prends un peu de temps pour toi.

Laurie sourit, l'air ému.

— J'apprécie beaucoup ta proposition. Mais ce n'est pas la peine.

— Mais si, voyons ! Tu n'es pas sortie de la maison depuis plusieurs jours. Le soleil brille et la température est douce.

— Sortir pour aller où ? répliqua Laurie avec un haussement d'épaule.

— Ça n'a pas d'importance, répondit Jack d'un ton encourageant. Va te promener au parc. Va faire des courses de Noël. Rends visite à ta mère. Offre-toi juste un moment de liberté.

— À la seconde où je sortirai d'ici, JJ le saura. Et moi, je serai morte d'inquiétude.

— Tu n'as pas beaucoup confiance en moi.

— Toi, dans le rôle de nourrice ? Non, je le reconnais. Écoute, j'estime que j'ai de la chance de pouvoir être à la maison à plein temps avec JJ. Ce serait beaucoup plus dur si je devais retourner à l'IML et le confier à quelqu'un. Vois les choses sous cet angle-là. Toi, en travaillant, tu me donnes la possibilité de faire ce que je veux réellement faire, plutôt que d'être coincée dans une autre situation.

— Sérieux ?

— Sérieux. Ce n'est pas facile, en ce moment, mais nous pourrons bientôt reprendre le traitement. Et plus je fais d'efforts, plus j'ai confiance. Nous gagnerons la bataille.

— D'accord, dit Jack, tout en se disant qu'il regrettait de ne pas partager cet optimisme.

Après avoir serré Laurie dans ses bras, il se leva et marcha jusqu'à la fenêtre. Warren et les autres gars avaient entamé leur premier match. Il les voyait courir en tous sens sur le terrain de basket.

— Je crois que je vais sortir jouer un moment, dit-il.

— Bonne idée. Mais à condition que tu ne te blesses pas, précisa Laurie. Je n'ai pas envie d'avoir un second patient à la maison.

— Je garderai ce conseil à l'esprit, promit Jack, et il se dirigea vers la chambre pour se changer.

23

SAMEDI 6 DÉCEMBRE 2008
18 H 30
NEW YORK

James avait demandé au père Maloney de sortir sa Range Rover bien-aimée du garage et de la stationner à côté de la résidence dans la 51e Rue. La voiture, un millésime 95, n'était pas toute jeune, mais pour James elle était synonyme de liberté. Durant les mois d'automne et d'hiver, il en prenait de temps en temps le volant pour se rendre dans le comté de Morris, dans le New Jersey, où il avait une petite propriété au bord d'un lac dénommé Green Pond. Il aimait passer des week-ends en solitaire dans ce sanctuaire magnifique, loin de la tourmente de ses interminables responsabilités vis-à-vis de l'Église.

Il fit démarrer la Ranger Rover et roula d'abord plein ouest sur la 51e Rue. Arrivé à la West Side Highway, il tourna vers le sud le long de l'Hudson River.

Le paysage était agréable. James s'accorda un moment de détente pour l'admirer, roulant à vitesse modérée, puis son esprit le ramena à la soirée qui l'attendait. Il espérait qu'elle ne serait pas aussi épouvantable qu'il le craignait. Heureusement, la présence de Jack aurait sans doute un effet bénéfique sur leur petit groupe. Il repensait aussi à son problème majeur : comment convaincre Shawn de renoncer à publier quoi que ce soit sur l'ossuaire et, en particulier, sur la possibilité que les os qu'il contenait soient ceux de la Sainte Vierge ? S'il échouait dans sa mission, les conséquences seraient terribles. James en frissonnait d'horreur. L'Église avait perdu beaucoup d'autorité et de crédibilité à cause de la crise des abus sexuels sur mineurs. Les machinations de Shawn lui porteraient un coup terrible. Et elles seraient fatales, car le Saint-Siège serait obligé de le sacrifier comme bouc émissaire. Saisi par un profond sentiment de tristesse et de colère, il se remémora le parcours qui lui avait permis d'atteindre la position qu'il occupait aujourd'hui dans la hiérarchie catholique. Il songea aussi aux espoirs qu'il était en droit de nourrir pour l'avenir…

Il soupira profondément. Sa carrière lui avait apporté bien des peines et bien des joies. Et voilà qu'elle risquait d'être brisée à cause d'un ami ! Il se sentait trahi, profondément trahi.

Il crispa tout à coup les mains sur le volant. Cette dernière pensée venait de lui donner une idée. S'il voulait avoir une chance d'influencer Shawn et de le persuader de renoncer à publier son travail, il avait plutôt intérêt à insister sur le tort que cette affaire causerait à leur amitié. Il savait que Shawn avait une opinion négative de la religion et, en particulier, de l'institution religieuse. Par conséquent, il ignorerait tous les arguments en faveur de l'Église que James serait susceptible d'avancer. Shawn, par contre, était un véritable ami.

Avec un peu plus d'optimisme qu'il n'en éprouvait au moment où il avait quitté la résidence, James décida d'insister sur le fait que les travaux des Daughtry risquaient de lui faire du mal *personnellement*. En revanche, il ne parlerait pas trop des conséquences qu'ils pourraient avoir pour l'Église et pour les croyants.

Il quitta la voie rapide pour pénétrer dans le quartier du West Village. Dans Morton Street, il se gara sur la première place libre qu'il trouva. Il n'était pas, de son propre aveu, très doué pour les créneaux ; il lui fallut dix minutes pour insérer tant bien que mal la Range Rover entre les deux véhicules qui l'encadraient. Plutôt mal que bien : quand il eut terminé, la voiture se trouvait à 60 cm du trottoir. Il haussa les épaules. Pour lui, la manœuvre était satisfaisante.

Quelques instants plus tard, il s'engagea sur l'étroite allée menant à la maison en bois des Daughtry – et s'immobilisa. Il avait oublié à quel point cette propriété de trois étages était charmante. Du rez-de-chaussée au toit, rien n'y semblait correctement aligné. Toutes les fenêtres, ainsi que l'encadrement de la porte d'entrée, penchaient légèrement à droite ; on avait l'impression que si quelqu'un claquait cette porte un peu fort, la maison tout entière risquait de basculer vers sa voisine, une solide bâtisse en briques. Les lattes de bois des murs extérieurs étaient de couleur gris clair, tandis que les cadres et les ornements étaient jaune pâle. Le toit, percé de lucarnes, était en ardoise grise. La porte d'entrée, avec ses petites fenêtres en culs-de-bouteille dans la moitié inférieure, était vert foncé – presque le même vert que la Range Rover de James. Au milieu du battant, il y avait un marteau en cuivre en forme de main serrée sur une balle. Et juste à gauche du chambranle, un écriteau annonçait : DEMEURE DU CAPITAINE HORATIO FROBER, 1784.

James sourit. Cette maison excentrique convenait parfaitement à un homme comme Shawn, qui aimait par-dessus tout se distinguer, avoir une place à part. Et cette pensée lui donnait tout à coup une nouvelle idée. Si Shawn promettait de ne rien publier au sujet des os de la Sainte Vierge, James pourrait peut-être s'arranger pour lui faire remettre quelque haute distinction – le faire nommer chevalier de l'ordre de Malte, par exemple.

Ragaillardi par le sentiment d'avoir enfin concocté une sorte de plan de bataille, même s'il doutait encore de son efficacité, il actionna vigoureusement le marteau en cuivre pour s'annoncer. Puis il le lâcha et recula d'un pas, songeant avec un frisson d'anxiété que la maison semblait bel et bien pencher dangereusement à droite.

Quelques secondes plus tard, la porte s'ouvrit en grand sur un Shawn euphorique. Il avait un verre de scotch à la main et un sourire radieux aux lèvres.

— Hé ! cria-t-il en tournant la tête vers l'intérieur de la maison. L'invité d'honneur est arrivé !

James sentit une délicieuse odeur de viande grillée émaner de la cuisine. Un concerto pour piano de Beethoven s'élevait des enceintes du salon, dans lequel des bougies étaient allumées. Sana et Jack apparurent aux côtés de Shawn. Ils se saluèrent tous, et puis Shawn entraîna James vers le salon. Des bûches crépitaient dans la cheminée en pierre derrière un imposant pare-feu.

— Ma parole, dit James, une main sur la poitrine. À chaque fois que je viens ici, je suis stupéfait. Tout est tellement joli, tellement coquet, dans votre maison ! Le meilleur compliment que je puisse vous faire, sans doute, c'est qu'elle me paraît encore plus coquette et agréable que ma maison du New Jersey.

— Hmm, assieds-toi et prends du bon temps. C'est ton anniversaire, vieux frère !

Shawn le guida doucement par le coude jusqu'à un fauteuil près de la cheminée. James s'assit. Les lumières des bougies et des flammes se reflétaient sur ses joues rouges, leur donnant presque l'aspect d'ecchymoses.

— Que préfères-tu ? demanda Shawn. Nous avons un splendide Petrus millésimé que j'ai débouché il y a déjà deux heures pour le faire respirer, ou bien ta boisson préférée habituelle, le whisky pur malt.

— Ma parole, répéta James, déconcerté. Un Petrus ? C'est jour de fête !

Shawn n'avait pas regardé à la dépense. C'était sans doute, hélas, que le contenu de l'ossuaire correspondait à ses attentes.

— Jour de fête, et comment ! renchérit Shawn. Alors, que veux-tu ?

— Le Petrus, c'est un rare plaisir. Si je ne nous en prive pas pour le dîner, j'aimerais beaucoup en déguster un verre maintenant.

— Aucun problème, mon vieux copain, dit Shawn, et il emboîta le pas à Sana qui repartait vers la cuisine.

Dans ce calme soudain, après l'accueil très animé que lui avaient fait les Daughtry, James tourna la tête vers Jack.

— Merci d'être venu, dit-il à voix basse. Il fallait vraiment que je vienne ici ce soir pour entamer ma campagne, mais je ne sais pas si j'en aurais eu la force en ton absence.

— Je suis content d'être avec vous tous, dit Jack.

Il chuchotait, lui aussi, en dépit du fait qu'ils ne risquaient guère d'être entendus de la cuisine.

— Cependant, je me sens dans l'obligation de te prévenir d'une chose, ajouta Jack. Shawn tient mordicus à publier cette histoire sur la Vierge Marie. J'ai essayé de défendre ta cause, comme tu me l'as demandé, mais je suis de moins en moins optimiste quant à la possibilité de le voir renoncer à son projet. Et ce, pour une raison un peu bizarre. Heu… Deux raisons bizarres, à vrai dire.

— Lesquelles ? demanda James, le ventre noué.

— Je crois qu'il commence à croire qu'il y a une espèce de composante religieuse dans cette histoire. À plusieurs reprises, il a laissé entendre qu'il aurait été désigné par les pouvoirs suprêmes pour apporter la lumière au monde. Enfin… quelque chose comme ça.

— Tu veux dire qu'il croit qu'il agit comme une sorte de messager du Seigneur ? lança James, les yeux écarquillés.

Il se força à respirer calmement. Une idée pareille, cela relevait soit du blasphème, soit de la maladie mentale. Il avait déjà vu certains fanatiques avancer de telles absurdités, mais Shawn, jusqu'à preuve du contraire, n'était pas un fanatique. En tout état de cause, son attitude n'était pas positive du tout. Elle était malsaine.

— Et la seconde raison ? demanda-t-il.

— C'est celle dont nous avons déjà parlé. Il considère ce projet comme sa plus grande contribution à l'archéologie et il est persuadé qu'il va se couvrir de gloire en révélant tout ça au monde. Au fond, Shawn n'a jamais souhaité autre chose que la célébrité. Jusqu'à la découverte de l'ossuaire, il s'était simplement résigné au fait qu'il était né cent ans trop tard, en tant qu'archéologue, pour atteindre son but.

— Nectar des dieux ! annonça bruyamment Shawn qui revenait de la cuisine avec un verre à pied rempli de vin rouge.

Il le tendit à James en inclinant le buste.

— Votre Éminence…

— Très distingué, observa James. Merci.

Après avoir porté un toast à ses deux amis, il fit tournoyer le vin dans le verre, puis il l'approcha de son nez pour en humer le riche arôme. Enfin, il le goûta.

— Nectar des dieux, tu as bien raison, acquiesça-t-il.

Shawn s'assit. Les trois hommes se trouvaient maintenant aux trois angles d'un triangle équilatéral : James et Shawn de part et d'autre de la cheminée, Jack sur le canapé directement en face de l'âtre.

— Sana va-t-elle bientôt nous rejoindre ? demanda James.

— Oui, je pense qu'elle viendra après avoir bouclé les préparatifs du dîner. Ou bien elle nous appellera quand ça sera prêt.

— Tu sais, James, dit Jack, ça fait du bien de te revoir habillé en civil. Je te préfère en jean, en chemise et en pull qu'avec ta tenue de prince de la Renaissance. Elle est beaucoup trop intimidante.

— Ah ça oui ! s'exclama Shawn d'un air approbateur, et il leva son verre pour porter un toast à son tour.

— Si cela ne dépendait que de moi, je m'habillerais comme ça tous les jours, dit James.

Pour dissimuler sa nervosité et faire semblant d'être à l'aise, il se laissa aller en arrière contre le dossier du fauteuil et leva les pieds sur le pouf qui se trouvait devant lui.

— À présent, Shawn, parle-moi de tes découvertes. L'ossuaire !

— Son contenu se révèle de plus en plus intéressant, commença Shawn en regardant tour à tour ses deux amis. Je ne te l'ai pas encore dit, Jack, mais j'ai réussi à dérouler deux pages du premier rouleau de l'Évangile selon Simon. C'est un travail très pénible, très délicat, mais le résultat est fantastique. Le seul ennui, c'est qu'à ce rythme, je risque de passer un mois à dérouler les trois manuscrits.

— Et pourquoi tout cela te paraît-il si intéressant ? demanda James d'un ton détaché, examinant les ongles de sa main droite comme s'ils le captivaient bien davantage que les secrets de l'ossuaire.

Shawn se pencha en avant. Les flammes de la cheminée faisaient étinceler ses yeux.

— Lire ces deux premières pages, ça m'a fait l'effet d'être transporté comme par magie jusqu'au Ier siècle après J.-C. Et d'être témoin des batailles que se sont livrées les théologiens des débuts de l'Église.

— Tu pourrais t'y croire encore plus en lisant le livre que Henry Chadwick[1] a écrit sur les premiers temps du christianisme. En plus, tu y trouverais des informations infiniment plus fiables, conclut James avant de boire une gorgée de vin.

— Ce n'est pas du tout la même chose, objecta Shawn. Avec ce manuscrit, j'entends directement la voix d'un homme qui était là-bas et qui se croyait très impliqué dans les événements en cours.

— Impliqué de quelle façon ? Parce qu'il essayait d'acheter les pouvoirs de Pierre ? répliqua James, et il éclata de rire.

— James, dit Shawn d'un ton gentiment moqueur. Je connais déjà ton opinion au sujet de l'ossuaire. Mais je crois que tu devrais en entendre davantage avant de faire des commentaires. Tu ne risques pas de me faire changer d'avis en te fichant de moi. D'autant que tu ne sais même pas ce que j'ai à te dire.

1. Henry Chadwick, *The Early Church*, livre publié en 1968, non traduit en français.

— Mon rôle, je crois, c'est de t'aider à garder les pieds sur terre. Il me semble que tu as tendance à tirer des conclusions hâtives.

— Certes, je suis exalté et je devrai peut-être reprendre pied dans la réalité à un moment ou un autre. Mais avant, écoute bien ce que nous avons déjà appris et ce que nous apprendrons bientôt grâce aux rouleaux et au squelette.

— Tu as raison, convint James. Écoutons donc ce que tu penses avoir appris pour le moment.

— L'évangile commence par ce que j'appellerais un tour de force, dit Shawn. Simon se présente sous le nom de Simon de Samarie. Il veut être certain que le lecteur ne le confondra pas avec un autre personnage qui lui était relativement contemporain – Jésus de Nazareth.

James oublia qu'il avait promis d'écouter poliment Shawn : il éclata encore une fois de rire.

— Tu veux dire que Simon, dans son évangile perso, se met sur un pied d'égalité avec Jésus de Nazareth ?

— C'est bien ça. Simon a du respect pour Jésus. Il reconnaît que Jésus est le *logos*, c'est-à-dire la parole, et qu'il est le rédempteur des péchés, en particulier le péché originel. Mais il dit aussi qu'il est lui-même la *gnôsis*, ou connaissance – le pouvoir suprême, qui sert à découvrir la vérité. Et en cela, il considère qu'il supplante Jésus tout comme il considère que Jésus a supplanté le Temple et les Lois de Moïse.

Un sourire incrédule monta aux lèvres de James.

— Simon écrit donc qu'il est un personnage divin ?

— Pas au sens où on l'entend pour Jésus de Nazareth, répondit Shawn. Je te laisserai examiner le texte le temps qu'il faudra, pour que tu t'en rendes compte par toi-même, quand les papyrus seront complètement déroulés et bien à l'abri entre leurs plaques de verre. Simon considère, comme d'autres gnostiques, qu'il possède une étincelle du divin parce qu'il a le pouvoir de la *gnôsis*, ou connaissance.

— Il s'agit là de gnosticisme du début du christianisme, précisa James à l'intention de Jack.

— Tout juste, dit Shawn, souriant à son tour. Apparemment, Simon est peut-être le premier chrétien gnostique de l'histoire. C'est la raison pour laquelle Basilide tenait tant à interroger Satornil au sujet de son maître. Dans le texte que j'ai lu aujourd'hui, Simon dit ensuite que le violent dieu juif qui a créé le monde n'est pas le même dieu que le père de Jésus de Nazareth. Lequel est un vrai dieu, un dieu parfait, sans rapport avec le monde physique dangereux et imparfait.

— Simon était donc un platonicien qui fuyait ses racines juives, observa James.

— Exactement, acquiesça Shawn. Simon ressemblait bien davantage à Paul qu'à Pierre. On pensait depuis toujours qu'il avait plus de points communs avec Pierre, au début de sa vie, puisqu'il a grandi en Samarie qui était une région aussi pauvre que la Galilée de Pierre. Enfin ! Je trouve ce texte fascinant. Et je n'ai encore déroulé que deux pages ! Le plus remarquable, peut-être, c'est l'idée, telle que Simon l'exprime, qu'il *ajoute* quelque chose à la mission de Jésus de Nazareth. Il admet que Jésus est le rédempteur des péchés, et il se charge lui, Simon, du problème de la connaissance. Maintenant, je suis curieux de lire la suite de cet évangile quand je l'aurai complètement déroulé. Je me demande si Simon ne va pas se racheter, à vrai dire, et cesser d'être le vilain garçon qu'il a été depuis que l'Église l'a classé – parce que ça l'arrangeait bien ! – comme hérétique.

— Ça, j'en doute sincèrement, dit James.

À ce moment précis, il n'avait aucune envie de voir Simon le Magicien se racheter.

— Sa perfidie est canonique, ajouta-t-il. Et ce ne sont sûrement pas ses propres écrits qui risquent d'y changer quoi que ce soit.

Sana apparut à la porte de la cuisine, un verre de vin à la main.

— Le dîner est prêt !

Les trois hommes se levèrent. Pendant que Shawn ajoutait des bûches dans la cheminée pour entretenir le feu, James et Jack suivirent Sana jusqu'à l'arrière de la maison. La salle à manger se trouvait là, dans une véranda dont la structure d'acier et de verre s'avançait sur le jardin.

— Cette histoire d'ossuaire, ça va de mal en pis, murmura James à Jack quand ils s'assirent et quand Sana fut repartie à la cuisine.

Jack hocha poliment la tête. De son point de vue, cependant, c'était plutôt le contraire qui se produisait : l'affaire de l'ossuaire était de plus en plus intéressante. Il préféra ne pas contredire James qui semblait terriblement anxieux.

Quelques minutes plus tard, ils étaient installés tous les quatre autour de la table. Shawn demanda à James de dire un bénédicité. La salle à manger, délimitée sur trois côtés par la verrière, était extrêmement agréable. Jack et James firent tous deux la remarque que la maison était si calme qu'ils n'avaient plus du tout l'impression d'être dans le West Village. Ils n'entendaient même pas, dans le lointain, les sirènes de police si caractéristiques de New York. Shawn et Sana avaient allumé des lampes extérieures pour éclairer leur jardin japonais méticuleusement organisé, à la tranquillité enchanteresse, bordé par une barrière de rondins de cèdre bruts. L'énormité de la métropole qui les entourait était insoupçonnable.

Jack leva son verre de vin et se tourna vers Sana, assise à un bout de la table.

— Je porte un toast à la maîtresse de maison !

Shawn était en face d'elle, James en face de Jack. Devant chacun d'eux, Sana avait disposé une assiette de viande grillée accompagnée d'une sauce orange très parfumée, de semoule de couscous aux éclats d'amandes, et d'un artichaut avec un petit ramequin de vinaigrette.

— Ce soir, nous mangeons de l'agneau avec une sauce indienne aux épices, expliqua-t-elle. Malheureusement, la viande n'a pas mariné les deux heures prévues. J'ai fait de mon mieux après avoir mis mes échantillons dans l'incubateur pour la nuit.

— Je crois comprendre que vous essayez de récupérer de l'ADN sur les os de l'ossuaire ? demanda James.

Même s'il n'y avait pas grand risque, à son avis, que ce squelette fût celui de la Vierge Marie, l'idée que des scientifiques pussent tenter d'en tirer de l'ADN le mettait assez mal à l'aise. C'était sans doute parce qu'il avait l'impression que cette analyse équivaudrait à violer l'intimité d'une personne envers laquelle il avait une affection profonde.

— En effet, répondit Sana. Mais pour la première tentative, je travaille sur une dent, pas sur un os.

— Est-ce une opération qui prend beaucoup de temps ?

— Avec un peu de chance, je devrais avoir terminé dans quelques jours. Une semaine, tout au plus. Mais je préfère faire correctement le travail que me dépêcher. Surtout, je veux absolument éviter de risquer de contaminer l'ADN.

— Et le squelette lui-même ? demanda James, regardant tour à tour ses trois amis. Que vous a dit l'anthropologue ? S'agit-il d'un squelette humain ? Est-ce celui d'une femme ? Et n'y avait-il réellement qu'une seule personne, dans cet ossuaire ?

— Oui, oui et oui, répondit Shawn. C'est un squelette humain, celui d'une femme sans le moindre doute, et elle était seule dans sa boîte.

— Et certains indices donnent à penser que cette femme était multipare, ajouta Jack. *Très* multipare, à vrai dire. Elle a eu plus de cinq enfants. Peut-être même une douzaine.

James sentit son cœur cogner dans sa poitrine. Il eut soudain très chaud et se demanda s'il ne devait pas retirer son pull. Après avoir bu un peu de vin pour soulager sa gorge desséchée, il demanda :

— Et quel âge pourrait-elle avoir, cette femme ?

— Ça, c'est plus difficile à déterminer. Mais l'anthropologue pense qu'elle avait au moins 50 ans, et probablement près de 80 ans.

— Je vois.

James fit un rapide calcul de tête et se rendit compte que la Sainte Mère pouvait tout à fait avoir eu cet âge vénérable au moment de son décès. Si l'on considérait que Jésus était né en l'an 4 avant J.-C. et qu'elle était morte en 62… Oui, elle pouvait avoir eu autour de 80 ans.

Son anxiété grimpait en flèche. Il avait beau savoir que tout ce qu'il entendait dire ce soir ne prouvait rien, absolument rien, il craignait que les éléments dont Shawn disposait déjà ne le confortent dans ses opinions. Et ne lui rendent à lui, James, la tâche encore plus difficile. Il comprenait aussi qu'il ne pouvait plus attendre. Il devait faire entendre ses arguments. Sinon, il serait obligé de passer au plan B. Le problème, bien sûr, c'était qu'il n'avait pas de plan B.

Sa main tremblotait. Il s'efforça de cacher son trouble et saisit son verre pour boire une longue gorgée de vin dont il savoura le bouquet absolument divin. Puis, calé au dossier de sa chaise, il commença par remercier son hôtesse.

— Je ne me souviens pas d'avoir jamais fait meilleur dîner, dit-il à Sana, assise à sa gauche. Les goûts et les arômes en étaient des plus exquis, et la viande était cuite et préparée à la perfection. Madame, je vous tire mon chapeau.

Souriant, il leva son verre. Shawn et Jack l'imitèrent. Puis James se tourna vers Shawn.

— En plus de ce remarquable dîner, nous avons eu droit à un vin d'exception. J'espère que tu n'as pas été obligé d'hypothéquer la maison pour l'acheter.

Shawn pouffa de rire et se pencha en avant pour répondre :

— Il valait chaque sou qu'il m'a coûté. Je tenais à fêter ton anniversaire, qui était toujours une bonne excuse, autrefois à la fac, pour faire la fête au lieu d'étudier. En même temps, je voulais fêter notre ossuaire préféré et tous les espoirs qu'il soulève. Santé, vieux frère !

Tout le monde but une gorgée de l'extraordinaire Petrus. Puis James fixa Shawn d'un regard intense.

— À présent, je dois ramener la conversation sur un sujet plus sérieux. Je comprends tout à fait l'enthousiasme que peut t'inspirer la découverte de cet ossuaire et de son contenu. Je suis obligé, hélas, de t'exhorter à modérer cet enthousiasme, car tu finiras par te rendre compte, comme je te l'ai déjà dit à la résidence, que l'ossuaire n'est qu'un faux apparemment fabriqué par ce mystérieux Satornil. Après avoir beaucoup réfléchi à cette affaire, et après y avoir consacré de nombreuses prières, je suis plus que jamais convaincu d'avoir raison. Pourquoi cet individu a-t-il confectionné l'ossuaire – ça, je n'en ai pas la moindre idée. Mais peu importe car, au fond, c'est l'œuvre de Satan. Peut-être Satornil nourrissait-il quelque rancœur personnelle contre l'Église, qui n'en était alors qu'à ses débuts, parce qu'elle condamnait l'hérésie gnostique – une hérésie qu'il défendait, lui, par contre, d'après ce que nous avons pu lire dans sa lettre. En même temps, peut-être avait-il pressenti le rôle que jouerait bientôt Marie en tant que symbole fondamental de la spiritualité et de la foi catholique. Peut-être avait-il compris qu'un nombre considérable de catholiques adresseraient à la Vierge des prières qui leur feraient un bien immense dans leur quête de spiritualité. De tout temps, les papes ont souligné le lien étroit qui existe entre Marie et la complète acceptation de Jésus de Nazareth en tant que fils de Dieu. L'Église est le peuple de Dieu et elle est le Corps du Christ. Et pour toutes les femmes, Marie est la rédemptrice des péchés d'Ève. Si Ève s'est détournée de Dieu, Marie a accepté sans condition Ses volontés. Et elle a porté Son Fils dans la virginité perpétuelle.

— Qu'est-ce qui te permet d'affirmer qu'il s'agit d'un faux ? répliqua Shawn. Nous n'en sommes qu'au début de nos travaux, bon sang !

Il abattit son poing sur la table, assez fort pour faire sursauter les assiettes et les couverts.

— La foi, mon fils, dit James avec autorité, levant une main comme un policier qui veut arrêter la circulation. Je sais cela grâce au Saint-Esprit, lequel agit aussi bien dans le corps de l'Église, par le *sensus fidelium*, que dans sa hiérarchie - en particulier à travers le pape et le Magistère sacré.

Shawn soupira et regarda Jack avec un sourire narquois.

— Tu entends ce mec ? Incroyable ! Maintenant il jette des mots latins dans la conversation pour essayer de me titiller et de relancer le débat. C'est comme autrefois, à la fac. Et tu sais où il veut m'emmener, avec ça ? Il va droit vers l'argument de l'infaillibilité pontificale. Celui que nous ressassons depuis des lustres. Certaines choses ne changent jamais !

Shawn reporta son attention sur James, qui gardait la main levée comme un agent de la circulation.

— Je me trompe, gros lard ? ! cria-t-il. Cette conversation ne va-t-elle pas aboutir *une fois de plus* à notre vieille querelle sur le dogme de l'infaillibilité ? Quand le pape s'exprime *ex cathedra*, c'est-à-dire dans le cadre de sa position officielle d'évêque de Rome et de chef de l'Église, sur des questions de foi ou de morale, sa parole ne peut être mise en doute. N'est-ce pas là que tu veux en venir ?

— Avant que nous ne nous écartions du sujet, laisse-moi en finir avec mon premier point, répondit James que l'attitude impertinente de Shawn commençait à agacer. Le fond du problème, c'est ceci : si tu publies quoi que ce soit sur le contenu de l'ossuaire et sur la Sainte Vierge, Mère de l'Église et Mère de Dieu selon Cyrille d'Alexandrie qui est l'un des docteurs de l'Église et le fondateur de la mariologie, et aussi Médiatrice extraordinaire selon Bernard de Clairvaux, cela causera des dégâts irréparables à l'Église. Surtout en cette regrettable période où le clergé a perdu tellement d'autorité à cause de la crise des abus sexuels sur mineurs. Des centaines de milliers de gens seront ébranlés dans leur foi. Et d'une façon totalement inappropriée. Le dogme du célibat, qui est déjà sujet à controverse, sera encore plus remis en question. Le nombre de prêtres baissera davantage, alors qu'il atteint déjà un nombre critique. J'ai plus de dix paroisses, sous mon autorité, dans l'archidiocèse de New York, qui sont privées de prêtre. Je suis déjà à court de prêtres et ça suffit !

— Ce n'est pas mon problème, rétorqua Shawn. C'est de la faute de l'Église. Elle n'a qu'à sortir du Moyen Âge et cesser de se reposer sur cette histoire d'infaillibilité, qui est une impasse, pour regarder les choses en face. L'infaillibilité pontificale, c'est le même genre d'erreur que celle qu'elle a commise avec Galilée !

— L'affaire Galilée n'a aucun rapport avec l'infaillibilité pontificale, objecta James.

— Tu parles ! Galilée a été jugé pour hérésie parce qu'il avait prouvé avec son télescope que l'héliocentrisme de Copernic était juste. Alors que l'Église affirmait que la Terre était au centre de l'univers…

— C'était une question de Magistère sacré et de *sensus fidelium*, l'interrompit James, mais pas une question d'infaillibilité pontificale !

— Si tu veux, convint Shawn, levant les yeux au ciel. N'empêche, Galilée a été jugé au mépris des faits et de la vérité. Et c'est inexcusable !

— C'est ton opinion personnelle.

— Oui, c'est mon opinion personnelle !

— Il faut regarder l'affaire Galilée à la lumière du contexte de l'époque à laquelle elle s'est produite…

— Je ne pense pas que l'examen des faits et la vérité soient subordonnés à une époque quelconque, l'interrompit Shawn d'une voix pâteuse.

Il avait commencé à boire avant que Jack et James n'arrivent à la maison. Le scotch et le vin qu'il avait absorbés commençaient à affecter son élocution.

— Y a-t-il quelqu'un, ici, à part James, qui puisse croire un truc pareil ? relança-t-il.

Il regarda Sana, puis il se tourna vers Jack et vacilla légèrement sur sa chaise. Ni Jack ni Sana ne répondirent. Ils n'avaient aucune envie de participer à cette querelle qui n'était manifestement pas près de se terminer. Et ils ne voulaient pas risquer de blesser Shawn ou James en prenant parti.

— Aurais-tu l'obligeance de me laisser terminer ? demanda James d'un ton autoritaire.

Shawn écarta les mains, l'air innocent, comme pour indiquer qu'il ne l'empêchait pas de s'exprimer.

— Si tu publies un article dans lequel tu prétends que le squelette de l'ossuaire est celui de la Vierge Marie, tu contrediras directement le *Munificentissimus Deus*, la déclaration infaillible du pape Pie XII, qui date de 1950, au sujet de l'assomption de Marie. Cela aura un effet dévastateur sur l'Église parce que cela nuira à la réputation de la Vierge Marie et cela nuira à l'autorité du clergé. Mais ce n'est pas tout ! Je suis persuadé que cela aura un effet tout aussi néfaste sur ma carrière. S'il y a une enquête – et il y en aura une, sans le moindre doute ! –, elle permettra très vite de découvrir que c'est grâce à mon intervention auprès de la Commission pontificale d'archéologie sacrée que tu as pu accéder à la nécropole et voler l'ossuaire. Car c'est exactement ce que tu as fait : tu l'as volé !

— Je préfère dire que je l'ai *emprunté*, répliqua Shawn avec un sourire rusé.

— Pour quelqu'un qui prétend ne s'en tenir qu'aux faits et à la vérité, tu devrais admettre que le terme *voler* est beaucoup plus approprié. En un rien de temps, la vérité et les faits de cette affaire seront connus : l'archevêque de New York a permis au voleur d'emporter l'ossuaire à l'insu de la Commission pontificale d'archéologie sacrée et de ses archéologues, puis d'aggraver ce crime en sortant l'objet du Vatican et d'Italie pour l'apporter à New York et l'étudier de manière sacrilège, sans le consentement de son propriétaire légitime. Quand le Saint-Père saura que je suis impliqué, je lui donne une semaine maximum pour me rappeler à Rome et me nommer dans quelque monastère perdu des jungles du Pérou ou en Mongolie extérieure.

Un silence de plomb tomba sur la ravissante table de la charmante maison des Daughtry. On n'entendait plus que le chat gratter sa litière dans le couloir. Personne n'osait regarder personne. Comme une odeur putride, une atmosphère de trahison avait envahi la salle à manger.

Tout à coup, Sana poussa sa chaise en arrière pour se lever.

— Que diriez-vous de passer au salon ? Je vais servir le dessert là-bas. Shawn, occupe-toi donc du cognac.

Sana prit son assiette et celle de James, puis elle disparut à la cuisine tandis que les trois hommes se mettaient debout. Sans un mot, ils emportèrent leurs assiettes, les plats et les divers ustensiles de la table à la cuisine.

— À vrai dire, c'est plus facile pour moi si vous retournez au salon comme je vous le suggérais, observa gentiment Sana.

Shawn, Jack et James s'étaient rassemblés autour du lave-vaisselle et essayaient de s'y décharger de leurs fardeaux. Mais ils se gênaient les uns les autres et ils dérangeaient Sana.

— Qui veut du cognac et qui veut continuer avec le vin ? demanda Shawn d'un ton enjoué.

Il attrapa la seconde bouteille de Petrus, qui était encore à moitié pleine, et sortit de la cuisine en titubant. Il attrapa son verre au passage sur le plan de travail.

— Si vous voulez du vin, apportez vos verres ! lança-t-il.

Dans le salon, chaque homme reprit la place qu'il avait avant le dîner. Avant de s'asseoir, Shawn posa son verre et la bouteille de vin sur la table basse, puis il ajouta quelques bûches sur les braises incandescentes pour faire repartir le feu. Il servit ensuite du cognac à James et remplit de vin le verre de Jack et le sien.

— Ah ! Comme c'est agréable ! dit-il quand il fut assis.

Il regarda les flammes qui crépitaient dans l'âtre. Il se sentait bien, oui, mais il n'oubliait pas que la balle était dans son camp : il devait répondre à James. Il avait beaucoup réfléchi, la veille au soir, après avoir parlé à Jack dans son bureau du Met. Il jugeait que l'affaire de l'ossuaire était trop importante pour être cachée au public. Tant pis si l'Église était assez bête pour se tirer une balle dans le pied en punissant un de ses plus brillants éléments. Il avait décidé de ne pas se laisser avoir par les supplications de James.

— Votre Éminence..., commença-t-il après avoir bu une petite gorgée de vin. Crois-tu vraiment, crois-tu *sérieusement* que le pape te punirait pour une histoire qui n'est évidemment pas de ta faute ? Tu sais que j'endosserai pleinement la responsabilité de ce que j'ai déjà fait, et de tout ce que je ferai à l'avenir.

— Je crois qu'il risque bien de me punir, oui.

— Ha, fit Shawn dans un soupir.

Il était content d'entendre que le bannissement de James, qui était une certitude absolue cinq minutes plus tôt, n'était déjà plus qu'un simple « risque ». En termes de probabilité, cela représentait une baisse assez radicale.

— Je crois que l'Église prend parfois des décisions très étranges. Celle d'interdire l'utilisation du préservatif en Afrique sub-saharienne, par exemple. On sait très bien que le préservatif permettrait d'éviter des quantités de morts et beaucoup de souffrances induites par le sida. Néanmoins, je ne pense pas qu'elle soit assez stupide pour mettre un terme à ta carrière à cause de mes péchés.

— Je crois que je connais mieux que toi les arcanes de l'Église.

— Possible, mais je te fais quand même part de mon opinion. James, tu ne réussiras pas à me persuader d'abandonner ce projet qui, à mon avis, est d'une importance capitale. Mettre en doute l'infaillibilité pontificale, c'est une chose positive, pas négative du tout. Surtout dans la mesure où cette infaillibilité s'étend, paraît-il, au domaine de la morale. Sans même entrer dans la mystique du Saint-Esprit, il me semble parfaitement insensé de laisser un célibataire qui a fait vœu de chasteté définir ce qui est moralement acceptable, ou pas, pour des choses comme la sexualité et le mariage – et de le déclarer infaillible par-dessus le marché ! C'est contraire à tout ce que nous savons, à tout ce que nous pouvons ressentir en tant qu'êtres humains. Et puisque tu as toi-même amené le *sensus fidelium* sur le tapis, permets-moi de te faire remarquer que la très grande majorité des gens de confession catholique sont en désaccord complet avec le pape sur les questions de sexualité. Depuis des années, sinon des générations !

James se rendait bien compte que son vieil ami était un peu ivre. Mais il ne put s'empêcher de répliquer d'un air hautain :

— Je suppose que toi, par contre, tu serais un meilleur arbitre des mœurs sexuelles que le pape ?

— Je serais plus populaire que l'arbitre actuel, c'est sûr, affirma Shawn en ricanant. Comment se fait-il que l'Église catholique, et en particulier l'Église catholique *américaine*, soient aussi coincées sur tout ce qui concerne la sexualité ?

— Depuis les premiers temps, le christianisme considère que le mariage et la sexualité constituent des obstacles à l'union véritable avec Jésus-Christ. C'est certainement là que l'on trouve l'origine du célibat des prêtres. C'est en tout cas la raison pour laquelle je suis moi-même resté célibataire. Ce sacrifice m'a résolument rapproché de Dieu, il n'y a aucun doute là-dessus.

— Je suis heureux pour toi que tu voies les choses ainsi. Mais ça ne m'étonne pas, parce que tu es fou. Complètement fou ! Tu avais Virginia Sorenson au creux de la main et tu l'as laissée filer. Qu'est-ce que t'en penses, Jack ? C'était pas une sacrée bombe, cette nana ?

— Elle était très séduisante, en effet, dit Jack qui se rendait compte, lui aussi, que Shawn était saoul. C'était aussi une personne intelligente et généreuse.

— Tu n'as jamais été franc avec nous au sujet de Virginia, continua Shawn dont l'élocution était de plus en plus troublée. Tu l'as baisée, le week-end de la rentrée, ou tu l'as pas baisée ? Hein, James ? ! Aujourd'hui, tu as enfin l'occasion de dire la vérité à tes potes. Nous t'avons assez encouragé, non ? Nous avons même fait exprès de dégager les lieux pour te laisser tranquille avec elle.

— Je refuse de me laisser entraîner dans une discussion qui pourrait faire du tort à Virginia, répondit James d'un ton ferme. Revenons-en au sujet qui nous intéresse. Comment avons-nous pu commencer par parler de l'infaillibilité pontificale et finir par nous retrouver embourbés dans de vaines questions sur la sexualité ?

Shawn jeta un coup d'œil vers Jack dont la circonspection l'étonnait et le décevait un peu. Puis il dit à James :

— Les deux choses sont liées, voilà pourquoi nous en parlons en même temps.

— Pardon ? Comment pourraient-elles être liées ? ! L'infaillibilité pontificale n'a été évoquée que deux fois au cours des deux derniers siècles, et pour des questions qui n'avaient à voir ni avec la morale, ni avec la sexualité. En ces deux occasions, à vrai dire, et c'est assez ironique, il s'agissait de la Sainte Vierge. En 1854, d'abord, le pape Pie IX a proclamé *ex cathedra* le dogme de l'Immaculée conception. Contrairement à ce que croient beaucoup de gens, il ne s'agit pas de la conception de Jésus-Christ, le fils de Marie, mais de la conception de Marie elle-même. Cela signifie qu'elle a été conçue, comme son fils, exempte du péché originel. La seconde fois, comme je l'ai déjà dit, c'est en 1950, avec le *Munificentissimus Deus* de Pie XII qui a défini le dogme de l'assomption de Marie – sa montée au ciel corps et âme. Comment fais-tu, pour l'amour de Dieu, pour établir le moindre lien entre ces affaires et le problème de la sexualité ?

— Ce ne sont pas ces deux exemples d'infaillibilité pontificale qui ont créé les problèmes actuels. Dans la bouche de la plupart des papes, depuis des siècles et des siècles, il y a toujours eu ce discours absurde qui apparente la sexualité au mal. Grégoire le Grand a sans doute été le pire coupable de tous. C'est lui qui a dit que le simple fait d'éprouver du désir sexuel était un péché en soi. Et à l'époque moderne, à cause de l'affirmation de l'infaillibilité pontificale, ces vieilles croyances se sont vues parées d'une nouvelle aura – en tout cas du point de vue du pape. Aucun pape, aujourd'hui, ne peut contredire les déclarations d'un pape qui l'a précédé sans miner sa propre légitimité. Et pour ce qui concerne la sexualité, cela crée un problème très particulier, parce que la plupart des gens en ont une vision différente, beaucoup plus moderne. Ils ne considèrent pas le sexe comme un péché, mais comme la preuve, au contraire, qu'il y a quelque chose de divin dans leur existence. Dans l'esprit de beaucoup de gens, désormais, le sacrement du mariage est beaucoup plus respecté s'il est associé à l'union sexuelle dans l'amour. Loin d'être considérée comme un mal, la sexualité apparaît à la fois comme une affirmation et comme un don de

Dieu. Je pense que l'Église devrait oublier ses vieux automatismes bornés, cesser de voir le péché partout, et affirmer, au contraire, que le plaisir est divin et que le partage de la sensualité est une chose qu'il faut rechercher. C'est parfaitement logique ! Quel Dieu tout-puissant aurait créé le plaisir sexuel pour ensuite interdire à ses enfants d'en profiter ?

— Il me semble que tu tentes de justifier une théologie qui te sert bien, dit James.

— Peut-être, concéda Shawn. Mais je vais te dire une chose : cette théologie me paraît beaucoup plus raisonnable que celle de l'Église. Et l'Église aurait tout intérêt à reconnaître que la plupart des gens sont de mon avis.

— Ça, c'est une affirmation que je crains de devoir réfuter.

— À tes risques et périls, et à ceux de l'Église ! Comme parfait exemple de ce que j'avance, nous pourrions prendre la question du célibat. En faisant du célibat une décision personnelle plutôt qu'un dogme, vous régleriez d'un coup le problème des abus sexuels sur mineurs et celui du recrutement des prêtres. Faites du célibat une question de choix individuel, bon sang ! Que nous puissions avoir des prêtres cinglés, comme toi, et des prêtres normaux qui seront à même de conseiller leurs ouailles sur le mariage et l'éducation des enfants – deux problèmes fondamentaux de la vie de la plupart des gens.

— Ah, Shawn ! fit James d'un ton patient. Tu es ivre, ou presque, alors je refuse de me vexer, quoi que tu puisses inventer pour m'insulter. Mais permets-moi de te dire une chose sans tourner autour du pot. Si tu publies quoi que ce soit pour raconter que l'ossuaire que tu as volé au Vatican contient le squelette de la Sainte Vierge, tu ne blesseras pas que moi, ton ami, tu blesseras aussi des centaines de milliers de gens, en particulier des gens pauvres, accablés par le sort, comme par exemple en Amérique du Sud, dont le bien le plus précieux est la foi. Et dont cette foi, faut-il le préciser, est bien souvent focalisée sur la Vierge Marie qu'ils considèrent comme un modèle absolu de spiritualité. Ne fais pas cela, Shawn. Ne fais pas cette chose qui, en plus, ne servira en définitive que tes objectifs personnels et ta vanité.

— Mes objectifs personnels ? Ma vanité ? ! cria Shawn. Alors tu crois être le seul à avoir une mission à remplir, c'est ça ? Va te faire foutre, Votre Éminence ! Cet ossuaire m'est tombé par hasard entre les mains. Mais comment savoir si ce n'est pas le Seigneur lui-même qui l'a voulu, parce qu'Il savait que je comprendrais que cet objet contenait une vérité fondamentale, et Il savait que je saurais en tirer parti de façon constructive ?

— Cet objet ne contient aucune vérité ! C'est bien le problème. Tu ne sais pas ce que signifient réellement les éléments que tu as trouvés dans l'ossuaire.

— C'est la raison pour laquelle je mène l'enquête, marmonna Shawn. Quand j'aurai terminé d'examiner les rouleaux…

— En quelle langue sont-ils écrits ?

— En araméen.

James soupira, le cœur lourd. Il avait espéré entendre que les papyrus étaient rédigés dans une langue inappropriée pour l'époque. Cela lui aurait permis de les discréditer plus facilement. Mais l'araméen était la langue natale de Simon le Magicien.

— Quand j'en aurai terminé avec les rouleaux et que Sana aura bouclé son travail…

James l'interrompit de nouveau, très énervé :

— En quoi le travail de Sana va-t-il contribuer à confirmer ou à réfuter l'authenticité du squelette ?

— Aucune idée, dit Shawn. Je ne comprends pas entièrement ce qu'elle fait. Mais disons que son boulot va dans le sens de notre volonté de mener une étude aussi approfondie que possible du contenu de l'ossuaire.

— Sans penser à ceux que tu pourrais blesser en cours de route ?

— Je pense plutôt à tous ceux que mon travail pourrait aider. Et parmi ceux-là, j'inclus les catholiques eux-mêmes.

— Tu crois sincèrement que tu pourrais avoir été choisi par Jésus-Christ pour l'aider à guider Son Église ? C'est bien ça ?

Shawn écarta les mains, l'air innocent.

— C'est possible, dit-il – mais James et Jack n'entendirent que « possib' », car il fut incapable de prononcer correctement sa dernière syllabe.

— C'est pire que je ne le croyais, murmura James, l'air affligé, le menton sur la poitrine.

— Comment ça ? demanda Shawn.

Il n'était pas saoul au point de ne pas remarquer que son ami avait brusquement changé d'attitude.

— Je commence à craindre le pire pour ton âme éternelle, dit James. Ou bien j'ai peur que tu ne perdes la tête.

— Hé ! Tu vas trop loin. Je me sens bien. Tout à fait bien ! Je me suis même rarement senti aussi bien. Cet ossuaire est le sujet d'étude le plus fascinant de ma carrière.

Sana entra tout à coup dans le salon, un gâteau au chocolat hérissé de bougies entre les mains, et elle entonna un « Joyeux anniversaire » plein d'entrain. Shawn et Jack l'accompagnèrent. Elle posa le gâteau sur la desserte qui se trouvait à côté du fauteuil de James. Quand ils eurent terminé leur chansonnette, ils applaudirent tous ensemble.

Embarrassé, James se redressa dans son siège. Cet effort accentua la rougeur de ses joues. Après avoir pris une grande inspiration, il souffla toutes les bougies d'un coup tandis que ses amis l'applaudissaient de nouveau.

Jack l'observait attentivement. Comme autrefois à la fac, James gardait le silence sur le vœu qu'il avait fait, s'il en avait fait un, au moment où les bougies s'éteignaient. Mais Jack avait une assez bonne idée de ce qu'il avait pensé.

24

SAMEDI 6 DÉCEMBRE 2008
21 H 23
NEW YORK

— Tu appelles ça être garé ? demanda Jack, les mains sur les hanches.

Il regardait la Range Rover de James : elle se trouvait à plus de 60 cm du trottoir.

— J'ai fait de mon mieux. Ne te fiche pas de moi ! Monte, veux-tu ? Je t'assure que je suis capable de te ramener chez toi en toute sécurité.

Les deux hommes s'assirent à l'avant du 4 × 4. Jack veilla à bien attacher sa ceinture. Si son ami avait donné le meilleur de lui-même pour se garer… il se faisait un peu du souci.

— Tu n'as pas bu trop de vin, n'est-ce pas ?

— Tendu comme je le suis maintenant, j'ai l'impression de ne pas avoir avalé une goutte d'alcool.

— Je peux conduire, si tu veux, insista Jack. Moi, j'ai très peu bu.

— Ne t'inquiète pas, affirma James tandis qu'il manœuvrait pour quitter son étroite place de stationnement.

Ils roulèrent en silence à travers le West Village, songeant l'un et l'autre à la conversation difficile qui avait marqué la soirée.

— Shawn est impossible, dit enfin James quand il fut arrêté à un feu rouge à l'entrée de la West Side Highway. Mais bien sûr, il a toujours été impossible !

— Il n'a toujours suivi que sa propre voie, c'est vrai.

James tourna la tête vers Jack ; il fixa son profil altier qui se découpait contre les lumières de la rue.

— De ta part, j'attendais des paroles de soutien un peu plus convaincantes.

Jack regarda son ami droit dans les yeux, quelques instants, avant que le feu ne passe au vert.

— Je suis désolé, dit-il avec sincérité. Et je ne devrais sans doute rien ajouter pour ne pas te rendre les choses encore plus difficiles. Car je comprends ce que tu peux ressentir. Mais… de mon humble point de vue, Shawn semble avoir quelques arguments convaincants.

— Tu es avec lui, alors ? ! s'exclama James d'un ton dépité tandis qu'il accélérait sur la voie rapide.

— Non ! Je regrette, je ne suis ni avec lui, ni avec toi. Mais tu sais… La dernière fois qu'il m'a invité à dîner, à un moment où nous étions seuls dans la cuisine pour ranger la vaisselle, nous avons brièvement parlé de toi et de ton impressionnante carrière dans l'Église catholique. Et puis de fil en aiguille, Shawn en est venu à me dire quelques petits trucs que j'ignorais à son sujet. Quand nous avons fait connaissance à la fac, tous les trois, il avait déjà perdu la foi. En tout cas, il ne se sentait plus catholique. Ça, je le savais. Mais je n'avais jamais compris pourquoi.

James jeta un regard inquiet vers Jack.

— Non ! Ne me dis pas que lui aussi, il a été victime d'abus sexuels !

— Non. Il ne s'est rien passé d'aussi dramatique. Mais... c'est un truc dans le même ordre d'idées.

— Comment ça, un truc dans le même ordre d'idées ? répéta James, perplexe.

— Je n'ai aucune expérience de la religion, puisque j'ai grandi dans une famille athée, et je ne me sens pas le plus qualifié pour raconter cette histoire. Mais je vais essayer. Quand il était encore jeune ado, apparemment, Shawn adorait l'Église. Comme ses deux parents l'adoraient.

— Ça, je le sais déjà, observa James.

— Tu dois aussi savoir que ses parents jouaient un rôle très actif dans leur paroisse.

— Oui, je suis au courant.

— Alors voilà, enchaîna Jack. Shawn est arrivé à la puberté sans y avoir été beaucoup préparé. Peut-être même pas du tout. Telle qu'il la raconte, en tout cas, son histoire est assez drôle. Apparemment, il s'est masturbé pour la première fois par accident, sans le faire exprès. Ça l'a pris par surprise. Il était sous la douche, et il se lavait l'entrejambe, quand il s'est aperçu que plus il frottait dans cette région, plus il éprouvait une sensation agréable. Il a continué, comme ça, innocemment, jusqu'à ce qu'il arrive à la jouissance. Et il a aussitôt conclu qu'il venait de vivre une expérience divine. Évidemment, cette aventure l'a poussé à se doucher de plus en plus souvent – jusqu'à trois fois par jour ! Et chaque fois, il avait l'impression d'être plus près de Dieu et de tous ses saints qu'il ne l'avait jamais été.

James se surprit à pouffer de rire en dépit de la gêne qu'il éprouvait. Il imaginait bien Shawn, qui était un conteur-né, racontant cette aventure. Cependant, il devinait que la suite du récit serait moins plaisante.

— Quelques semaines après sa première masturbation, continua Jack, Shawn a entendu parler de l'enseignement du pape auquel il faisait allusion tout à l'heure.

— Tu veux dire le pape Grégoire le Grand ?

— Oui. Celui-là, je crois. A-t-il été aussi négatif, sur la question de la sexualité, que Shawn l'a laissé entendre ?

— Oui, admit James.

— Je vois. À ce moment-là, Shawn a été très choqué par la contradiction qu'il découvrait entre le dogme antimasturbation de l'Église et le sentiment qu'il avait eu, de son côté, de vivre une expérience aussi cataclysmique que divine. Et il a été désemparé quand il a appris que pour recevoir l'Eucharistie, il devrait confesser tous ses épisodes d'autosatisfaction et toutes ses pensées impures. Pensées impures comme, par exemple, le fait d'avoir beaucoup fantasmé sur le cul d'Elaine Smith.

— Le cul d'Elaine Smith méritait-il qu'on fantasmât beaucoup à son sujet ?

Jack sourit.

— D'après Shawn, c'était inévitable. Il a dû se confesser pas mal de fois rien qu'à cause d'elle.

— Je sens que cette amusante anecdote va nous conduire à une vilaine conclusion. Alors vas-y, dis-moi tout.

— Pendant près de six mois, Shawn a mené une bataille épique entre ses convictions personnelles et son désir d'adhérer au dogme catholique. Il a essayé de vivre dans la chasteté pour se conformer aux préceptes de l'Église, mais c'était très difficile. Pour s'y contraindre, il confessait chaque semaine ses transgressions. Et pour se souvenir de tous ses vilains péchés au moment où il entrait dans le confessionnal, il a commencé à tenir un journal très détaillé de ses séances de masturbation - lesquelles ont rapidement cessé d'avoir lieu sous la douche, parce que, comme il me l'a précisé, sa peau finissait par s'irriter au contact de l'eau. Quant à ses pensées impures, elles avaient pris leur essor pour se fixer sur d'autres parties de l'anatomie enchanteresse d'Elaine Smith.

— Tu fais durer le plaisir, protesta James.

— Ouais, c'est vrai, convint Jack. Bref ! Comme je disais, cette bataille a duré quelques mois. Shawn notait ses péchés, et puis il en confessait les moindres détails chaque vendredi.

— Et après ? relança James avec impatience.

— Un jour, il s'est aperçu que les deux prêtres qui l'entendaient à tour de rôle en confession commençaient à beaucoup s'intéresser à ce qu'il racontait.

— Mon Dieu, non !

— Ne t'emballe pas, dit Jack. Il ne s'est rien passé. En tout cas, rien de terrible.

— Dieu soit loué !

— Shawn avait beau tout raconter aux prêtres, sans oublier aucun détail, il a commencé à avoir l'impression que ça ne leur suffisait jamais. Petit à petit, ils en sont arrivés à lui poser de plus en plus de questions sur ses pratiques. Malgré sa jeunesse, malgré son inexpérience d'adolescent tout juste pubère, Shawn a senti que quelque chose clochait. Et puis tout s'est éclairci, un jour, quand un des deux prêtres lui a proposé après la confession de le rencontrer en privé quelque part. Il voulait l'aider à surmonter cette manie de la masturbation qui mettait son âme en péril.

— Mince ! Et ? Shawn a accepté ?

— Non. Il a réagi autrement. C'est à ce moment-là, pour le plus grand malheur de ses parents, qu'il a décidé de mettre un terme à sa relation avec l'Église. Temporairement, pensait-il à l'époque, mais… le temporaire a duré jusqu'à aujourd'hui.

— C'est un vilain coup du sort, dit James. C'est vraiment très regrettable. Quel dommage qu'il n'ait pas eu des prêtres mieux formés pour l'aider à un moment si difficile !

— Mais n'est-ce pas une illustration parfaite de ce que Shawn disait tout à l'heure ? Je crois qu'il a raison, tu sais. Les prêtres célibataires ne sont sans doute pas les meilleurs guides qu'on puisse imaginer pour les enfants. En particulier pendant la période stressante de l'adolescence. De même, ils ne sont pas les meilleurs guides qu'on puisse souhaiter pour les jeunes adultes qui fondent une famille.

Avoir des enfants, c'est toujours beaucoup plus problématique qu'on ne le croit, même dans les meilleures circonstances.

Jack ne put s'empêcher de songer brièvement à sa propre situation.

— Je ne peux guère te contredire, convint James. Et c'est un problème pour lequel je prierai. Dans l'immédiat, je dois me concentrer sur le problème beaucoup plus pressant auquel je suis confronté.

— Tu veux dire... la nécessité, pour toi, de convaincre Shawn de ne pas publier ses travaux sur l'ossuaire ?

— C'est ça.

— Si tu permets que je te fasse part de mon sentiment, James, je crois que tu te prépares une bataille très difficile. À moins que Shawn et sa femme ne découvrent une preuve irréfutable, d'une façon ou d'une autre, que le squelette *n'est pas* celui de la Vierge Marie, il écrira qu'il s'agit bel et bien d'elle – même s'il n'a pas de preuve en ce sens. Tu ne le persuaderas pas de renoncer. C'était rusé de ta part de changer de tactique – de cesser de lui parler du mal qu'il ferait à l'Église et de te concentrer sur le mal qu'il te ferait à toi, *personnellement*. Mais il est clair que même ça, ça ne l'a pas ébranlé du tout. D'autant qu'il t'a fait admettre que tu ne crois pas que tu seras inévitablement puni pour les erreurs qu'il a commises.

— Hélas, je pense que tu as raison, dit James d'un air résigné. Je suis la dernière personne qui devrait essayer de le convaincre de renoncer à ce projet qu'il tient mordicus à faire aboutir. Et qu'il s'est convaincu, par-dessus le marché, de devoir réaliser comme s'il était en mission pour Dieu ! Quand j'ai entendu ça, j'ai compris que je me trompais de cible.

— Pourquoi ne devrais-tu pas essayer de l'influencer ? objecta Jack. Au contraire, je crois que tu es la personne idéale. Il te connaît et il a confiance en toi. Et en tant qu'ecclésiastique, tu as probablement plus de crédibilité à ses yeux que n'importe qui.

— Nous sommes trop bons amis, justement, expliqua James tandis qu'il quittait la voie rapide à la hauteur de la 96e Rue. Je sais bien qu'il était troublé par l'alcool, mais il s'est tout de même senti assez à l'aise pour me traiter de gros lard. Comme il le faisait autrefois à la fac quand il était en colère, tu te souviens ? Et il sait que j'ai horreur de ça. Sans doute, je l'avoue, parce que c'est un qualificatif que je mérite. Ce genre de familiarité, en tout cas, n'est pas à mon avantage.

— Si tu ne peux pas parler à Shawn, qui d'autre va le faire ? J'espère que tu ne penses pas à moi. Je n'ai pas eu davantage de succès que toi. À vrai dire, j'ai même complètement échoué. En plus, je ne sais rien au sujet de l'Église catholique.

James rassura Jack. Il n'avait pas l'intention de l'accabler avec le problème que lui posaient Shawn et Sana. Puis il demanda :

— Où habites-tu, déjà ?

Jack lui donna son adresse, avant d'insister :

— Alors ? Si ce n'est pas moi, et si ce n'est pas toi, qui va se charger de parler à Shawn ?

— C'est bien le problème. Je ne sais pas. D'un autre côté, je commence à avoir une petite idée des qualités que la personne susceptible de lui parler devrait avoir.

— Lesquelles, par exemple ?

James s'engagea dans la 106e Rue et ralentit en arrivant devant l'immeuble de Jack.

— Cette personne devrait savoir se montrer persuasive, bien sûr, mais, plus important encore, elle devrait être complètement, irrévocablement dévouée à Marie. Je pense à une personne jeune qui aurait consacré sa vie à l'étude et à l'adoration de la Sainte Vierge.

— Ah ouais, bonne idée ! approuva Jack qui se redressa tout à coup sur son siège. Une jeune femme très séduisante, voilà ce qu'il te faut ! Ou bien nous pourrions peut-être essayer de retrouver son ancien béguin, Elaine Smith ? Surtout si elle a gardé sa silhouette d'autrefois et si elle est devenue experte en mariologie...

— Je sais que tu essaies d'être drôle pour me mettre de bonne humeur, mon ami, mais je suis très sérieux. Il faut que je trouve un ou une fanatique de la Vierge Marie qui soit incroyablement persuasif, ou persuasive, et que j'oblige Shawn à le ou la côtoyer pendant quelques jours. C'est mon dernier recours. Cette idée ne m'était pas encore venue à l'esprit, parce que je voulais éviter de parler de l'ossuaire en dehors de notre petit cercle. Mais je viens de décider que c'est un risque que je dois prendre.

James arrêta la voiture au bord du trottoir.

— Merci d'être venu chez Shawn, ajouta-t-il. Je t'en suis très reconnaissant. Remercie aussi ta femme de t'avoir laissé venir, et dis-lui que j'ai hâte de la rencontrer.

Ils se serrèrent la main. Jack saisit la poignée de la portière, puis il regarda de nouveau James, perplexe.

— Comment vas-tu faire pour trouver la personne que tu m'as décrite ? Je ne pense pas avoir jamais rencontré quiconque qui puisse satisfaire à ce genre de critères.

— À vrai dire, je crois que ce ne sera pas très difficile. Le christianisme a toujours eu sa part de fanatiques et d'illuminés. Par chance, les premiers évêques ont su les identifier, les soutenir et les canaliser. Cela a donné naissance au monachisme. Ces personnalités un peu particulières, cantonnées dans leurs monastères, ont pu se consacrer entièrement à Dieu ou, plus tard, à la Vierge Marie. Le monachisme s'est énormément développé, comme tu le sais, et il est encore florissant. Rien que dans mon archidiocèse, il y a plus d'une centaine de monastères. Certains ont des doctrines pour le moins… extrémistes. Et parmi ceux-là, il y en a un petit nombre que nous ferions sans doute fermer si nous les découvrions. Je vais lancer une recherche dans ces institutions et trouver la personne idéale.

— Bonne chance !

Jack descendit de la Range Rover. Il salua James de la main et resta planté quelques instants sur le trottoir, observant les feux arrière de la voiture jusqu'à ce qu'elle tourne à gauche dans Columbus Avenue. Il grimpa les marches du perron deux à deux. Il avait l'impression d'être embarqué dans une histoire mystérieuse et envoûtante, digne d'un roman, dont il se sentait bien incapable d'imaginer le dénouement. La seule chose dont il était à peu près sûr, c'était que Shawn ne renoncerait pas facilement.

James se sentait mieux qu'il ne s'était senti de toute la journée. Le plan B avait surgi dans sa tête, comme ça, tout à coup, et il s'en voulait presque de ne pas y avoir songé plus tôt. Tout comme les moines de l'Antiquité avaient contribué à stabiliser l'Église à ses débuts, surtout après que Constantin avait légalisé le christianisme pour en faire la religion du peuple, les moines de l'ère moderne la sauveraient du danger auquel elle était aujourd'hui confrontée. James en était convaincu. Et il était certain de trouver l'individu dont il avait besoin.

Refrénant son envie d'accélérer pour parvenir au plus tôt à son domicile, où il entendait mettre le plan B en action sans délai, James rejoignit Central Park West et descendit jusqu'à Columbus Circle. Là, il suivit Central Park South pour gagner l'East Side et déposer son véhicule au garage. Il marcha ensuite d'un pas alerte jusqu'à la résidence.

Il fit exprès d'être le plus bruyant possible quand il entra dans le hall, mais son tapage n'eut pas l'effet escompté : ni le père Maloney ni le père Karlin ne se présentèrent à lui. Ils devaient déjà être montés dans leurs petites chambres sous les combles. James se dirigea vers l'ascenseur. Au dernier étage, il jaillit de la cabine et toqua vigoureusement sur les portes de ses deux secrétaires, de part et d'autre du minuscule couloir, en annonçant d'une voix impérieuse qu'ils avaient cinq minutes pour le rejoindre à son bureau.

Sans attendre de réponse, il reprit l'ascenseur et descendit deux étages. Dans son bureau, il alluma les lumières et s'assit à sa table pour patienter. Les deux prêtres n'en revenaient sans doute pas d'être convoqués de la sorte. C'était la première fois que James les dérangeait après qu'ils s'étaient retirés dans leurs quartiers pour la nuit.

Le père Maloney arriva le premier. Il avait enfilé une robe de chambre en tissu écossais par-dessus son pyjama. James fronça les sourcils. À cause de sa grande taille, de sa maigreur et des traits hâves de son visage, le prêtre ressemblait à un épouvantail. Même ses cheveux roux, hérissés en mèches désordonnées autour de sa tête, renforçaient cette impression : on aurait dit de la paille.

— Où est le père Karlin ? demanda James d'un ton péremptoire.

— Il m'a crié à travers sa porte qu'il descendait tout de suite.

Le père Maloney baissa les yeux. Il aurait aimé avoir des explications sur cette réunion tardive sans précédent, mais Son Éminence ne semblait pas disposée à en dire davantage pour le moment.

James pianota avec impatience sur la table. À l'instant où il décrochait le téléphone pour appeler la chambre du père Karlin, celui-ci entra dans le bureau. Contrairement au père Maloney, il s'était préparé au pire. Craignant de devoir passer une partie de la nuit debout, il avait pris le temps de revêtir son costume noir. Sans oublier le col d'ecclésiastique blanc.

— Je regrette d'avoir interrompu vos prières du soir, dit James en guise de préambule.

Il fit signe aux deux hommes de s'asseoir. Puis, joignant les mains devant son visage, il ajouta :

— Nous sommes confrontés à un problème pressant. Je ne peux vous expliquer précisément de quoi il s'agit, mais voici ce dont j'ai besoin : vous allez me trouver sur-le-champ une personne, homme ou femme, qui possède deux caractéristiques essentielles. *Primo*, cette personne doit être charismatique, très persuasive et, de manière générale, séduisante pour son entourage. Ensuite, et c'est encore plus important, cette personne doit être une adoratrice de la Sainte Vierge. Elle doit être *passionnément* attachée à la Mère du Christ. Plus elle sera exaltée et fanatique, mieux cela vaudra. Et, bien entendu, elle doit être totalement dévouée à l'Église.

Les deux prêtres échangèrent un regard, chacun quêtant le soutien de l'autre pour cette tâche qu'ils comprenaient mal. Le secrétaire principal, le père Maloney, demanda :

— Où faut-il chercher cette personne si particulière ?

Nerveux comme il l'était, James ne pouvait guère se montrer tolérant envers ses assistants s'ils réagissaient de façon aussi négative. Il leva les yeux au ciel comme si la question était parfaitement absurde.

— Je vous le demande ! dit-il sans cacher son agacement. Où peut-on trouver les adorateurs les plus sectaires de Marie, Mère de Dieu ?

— Dans certaines sociétés mariales de l'Église catholique romaine, je présume.

James eut un sourire forcé, mais encourageant, comme s'il était devant deux préadolescents à qui il enseignait le catéchisme.

— Félicitations, père Maloney. Je veux que vous trouviez des sociétés de ce type et je veux que vous commenciez à leur téléphoner dès le lever du jour. Vous parlerez aux abbés, aux mères supérieures, aux évêques, et vous leur ferez savoir que je considère qu'il est extrêmement urgent, pour le bien de l'archidiocèse, que nous mettions la main sur la personne que je viens de vous décrire. Cette personne travaillera directement sous mes ordres, pendant à peu près une semaine, pour une mission de la plus haute importance qui concerne la gloire de la Sainte Vierge et celle de l'Église. Et attention ! Faites bien comprendre à vos interlocuteurs qu'il ne s'agit pas d'une mission honorifique pour récompenser une longue carrière au service du Vatican. Je ne suis pas à la recherche d'un vieil érudit distingué, spécialiste de quelque point de détail de la vie de Marie. Pour le problème qui nous accable, je cherche une personne jeune, zélée et énergique comme on l'est dans la jeunesse, et une personne, surtout, qui possède un don presque mystique pour communiquer à son entourage la passion que lui inspire la Vierge. Me fais-je bien comprendre ?

Le père Maloney et le père Karlin hochèrent la tête. Jamais ils n'avaient vu le cardinal, un homme d'habitude si calme, si maître de ses émotions, s'exprimer avec tant d'exaltation.

— Bien ! reprit James. Je me mettrais volontiers à la tâche avec vous, mais je ne peux pas. J'ai la messe à célébrer demain matin et je n'ai toujours pas préparé mon homélie. Je veux croire que vous ne me décevrez pas. Quand je reviendrai à la résidence vers midi, je veux trouver devant mon bureau au moins un candidat à interviewer. Plusieurs, j'espère. Comment les faire venir ici, me demanderez-vous ? Cela m'est égal. Et peu importe ce que cela coûtera. Demain matin la météo devrait être bonne. Si nécessaire, vous pourrez faire appel à un hélicoptère taxi. Je vous repose maintenant la question : sommes-nous bien sur la même longueur d'onde, vous et moi, oui ou non ? !

— Vous ne nous avez pas dit ce que cette personne devra faire, observa le père Maloney. Certes, il est très clair que vous ne souhaitez pas nous le dire. Mais je présume que la question nous sera posée par les abbés, les mères supérieures et les évêques que nous contacterons. Quelle réponse faut-il leur donner ?

— Dites simplement que j'ai décidé que personne ne devait connaître la nature du problème auquel l'archidiocèse est confronté. Personne, bien sûr, sauf l'individu que nous sélectionnerons.

— Très bien, acquiesça le père Maloney.

Il se leva et serra les pans de sa robe de chambre sur son maigre torse. Le père Karlin se mit debout à son tour.

— Ce sera tout, dit James. J'espère que vous me donnerez satisfaction.

— Merci, Votre Éminence, dit le père Maloney en inclinant légèrement le buste.

Le père Karlin et lui reculèrent vers la porte et quittèrent le bureau.

Dans l'escalier, le père Karlin, qui était en tête, dit au père Maloney :

— Depuis cinq ans que je suis ici, c'est la première fois que j'ai une mission aussi étrange à remplir.

— Pareil pour moi, dit le père Maloney.

Arrivé sur le palier, le père Karlin attendit son collègue et demanda :

— Comment allons-nous trouver les coordonnées téléphoniques de ces sociétés mariales ?

— Pour ça, les moyens ne manquent pas. Surtout aujourd'hui avec Internet. En outre, il est clair que le cardinal veut un extrémiste. Un fanatique de la Vierge. Alors… allons droit aux organisations les plus radicales. Peut-être qu'avec un peu de chance, un seul coup de fil fera l'affaire.

— Et les organisations les plus radicales, vous les connaissez ? demanda le père Karlin d'un air étonné.

— Je crois que j'en connais une, en effet. Il y a quelques années, un ami de ma famille m'a contacté pour que je l'aide à faire sortir son enfant d'un monastère qui s'appelle la Fraternité des esclaves de Marie. Je n'en avais jamais entendu parler auparavant. Il ne se trouve pas très loin d'ici – dans le massif des Catskill. Quand on est dans ce monastère, pourtant, on a l'impression d'être sur une autre planète. Apparemment, c'est la version contemporaine d'une société mariale européenne du XVIIe siècle dont le pape Clément X, à l'époque, avait interdit certaines pratiques.

— Seigneur, dit le père Karlin. Quel genre de pratiques ?

— L'utilisation de chaînes, par exemple, et d'autres outils d'asservissement. Les frères s'en servent pour faire pénitence des péchés de l'homme.

— Mon Dieu ! Avez-vous réussi à libérer l'enfant ?

— Non. Nos multiples coups de téléphone et notre visite sur place n'ont rien donné. Apparemment, le gosse adorait cette communauté. C'était le genre d'environnement dont il avait besoin. Je ne sais pas s'il est encore là-bas. Je ne suis plus en contact avec cet ami. Il était très déçu que je n'aie pas récupéré l'enfant.

— Avez-vous encore le numéro de téléphone du monastère ?

— Oui. Je l'appellerai dès l'aube. Vous savez… Si le cardinal en connaissait l'existence, et s'il se rendait sur place, il ordonnerait sans doute sa fermeture.

— C'est assez ironique, si l'on songe que nous allons peut-être y trouver la personne dont il a besoin.

25

DIMANCHE 7 DÉCEMBRE 2008
12 H 04
NEW YORK

James était exalté lorsqu'il quitta la cathédrale parfumée à l'encens pour retourner à la résidence. Aujourd'hui, la grand-messe avait connu une affluence record : toutes les places assises de la nef étaient occupées et de nombreux fidèles avaient dû rester debout sur les bas-côtés. Le chœur avait superbement chanté, presque sans fausse note, et l'homélie de James avait été bien accueillie. La veille au soir, après que ses secrétaires étaient sortis de son bureau, il avait décidé de parler du rôle de Marie dans l'Église moderne. Le sujet lui avait paru parfaitement approprié pour ce sermon dominical : le lendemain, 8 décembre, c'était l'anniversaire de la bulle papale de 1854 sur l'Immaculée conception. Sans compter que la Vierge était au centre de ses préoccupations depuis plusieurs jours.

À présent, il avait hâte de se réattaquer au problème que lui posaient l'ossuaire, Shawn et Sana. Il savait que la semaine à venir serait déterminante et il espérait que ses secrétaires lui donneraient rapidement satisfaction. Quand il arriva sur le palier, à l'étage de son bureau, il remarqua que le banc en bois qui se trouvait en face de sa porte était occupé par un garçon blond de 15 ou 16 ans. Son visage était incroyablement beau, il avait un sourire aussi enchanteur que béat, et ses longs cheveux dorés semblaient étinceler. James se figea un instant, les yeux écarquillés, songeant qu'il avait devant lui une apparition de l'ange Gabriel. Le garçon portait un habit monacal noir serré à la taille par une cordelette bleue.

James se ressaisit et se précipita dans son bureau. Il s'assit derrière sa vaste table de travail en chêne pour reprendre son souffle. Le père Maloney ne manquerait pas de se matérialiser devant lui d'une seconde à l'autre. À présent, la question se posait de savoir si le garçon assis sur le banc était un candidat au rôle que James avait en tête de confier à un adorateur de la Vierge Marie. Si oui, l'impact incroyable que le garçon avait eu sur lui était bon signe, très bon signe. Cependant, il y avait un problème. Le garçon était trop jeune, trop immature. James se voyait mal charger un adolescent de sauver l'Église.

On toqua à la porte – trois petits coups secs. Le père Maloney entra dans la pièce, referma la porte d'un geste énergique et s'avança jusqu'à la table.

— Il s'appelle Luke Hester, dit-il en tendant à James le dossier qu'il avait à la main. Eh oui, au cas où vous vous poseriez la question, il a été baptisé ainsi en hommage à l'apôtre Luc.

— Il… Heu… Il a un physique très étonnant. Et beaucoup de présence ! Je dois vous féliciter. Mais n'est-il pas trop jeune pour affronter le problème théologique pressant auquel est confrontée l'Église ? Nous avons besoin d'un individu plus mûr, me semble-t-il. Et qui soit fin psychologue…

— Si vous lisez la courte biographie de lui que j'ai rédigée, vous verrez qu'il est plus âgé – et par conséquent sans doute plus mûr et plus sage – que son visage de gamin angélique ne le laisse supposer. Il aura bientôt 26 ans.

— Ma parole !

James ouvrit le dossier et regarda la date de naissance du jeune homme en haut de la page.

— En le voyant, ajouta-t-il, je n'aurais jamais cru cela…

— D'après ce qu'on m'a dit, il a eu un léger problème hormonal, à la puberté, qui n'a pas été traité correctement sur le moment, expliqua le père Maloney. Mais il a été soigné. Sur le plan hormonal, il est maintenant tout à fait équilibré. Les moines de l'institution à laquelle il appartient lui ont fait suivre un traitement médical, ici à New York, il y a déjà quelques années.

— Je vois, dit James qui parcourait la biographie de Luke du regard.

Il découvrit que le jeune homme était l'unique enfant d'une mère catholique extrêmement pieuse et d'un père qui avait, en revanche, renoncé à la religion. Luke, lut-il plus bas, avait fui le foyer familial à 18 ans pour rejoindre une société mariale qui s'appelait la Fraternité des esclaves de Marie.

— Lui avez-vous parlé ?

— Oui. Je crois qu'il correspond parfaitement à l'individu que vous recherchez. C'est peu dire qu'il est *charismatique*. Il possède aussi une intelligence désarmante.

— Et… il adore Marie ?

— Passionnément. Il se dévoue à elle corps et âme. Il est un hommage vivant à la Sainte Vierge.

— Merci, père Maloney. Faites-le entrer, je vous prie.

Une demi-heure plus tard, James partageait l'opinion de son secrétaire. Luke était le candidat idéal pour le projet qu'il avait en tête. Il ne trouverait jamais mieux que ce jeune homme qui avait déjà subi bien des avanies au cours de sa vie : il avait été écartelé pendant l'enfance, en particulier, entre un père alcoolique et violent et une mère brimée mais trop indulgente. Plus tard, il avait été soumis aux outrages de deux prêtres de campagne indignes de leur sacerdoce. James était furieux d'avoir appris le comportement de ces prêtres – d'autant qu'il avait entendu une histoire similaire, au sujet de Shawn, la veille au soir. D'un autre côté, il avait beaucoup aimé le récit que Luke lui avait fait de sa rencontre avec la Vierge Marie : elle l'avait sauvé tout en lui permettant de retrouver la foi et de reprendre confiance en l'Église.

Une fois convaincu que Luke était parfait pour le rôle du sauveur dont il avait besoin, James orienta la conversation sur le problème que lui posaient Shawn et l'ossuaire. Au préalable, il fit jurer à Luke, le plus solennellement du monde, et sur son amour pour la Vierge, de garder le secret au sujet de cette histoire.

Dès que Luke eut prêté serment, James précisa :

— Le problème auquel nous sommes confrontés, cela tombe bien pour vous, concerne la Mère de Dieu.

Il livra un récit complet au jeune homme : la découverte de l'ossuaire – lequel était forcément un faux, précisa-t-il –, son transport illégal du Vatican aux États-Unis, puis son ouverture dans un laboratoire. Il expliqua ensuite que Shawn s'était engagé à nuire à la réputation de la Vierge et de l'Église en affirmant que le squelette de l'ossuaire était celui de Marie.

— Il veut aussi faire tomber le dogme de l'infaillibilité pontificale, précisa-t-il. Bref, cet abominable projet jetterait un discrédit dévastateur sur la Mère de Jésus et sur l'Église. Et vous êtes le seul à pouvoir vous dresser devant le Dr Daughtry.

La voix de Luke était plus grave et plus posée qu'on ne l'aurait supposé chez un homme qui paraissait si jeune :

— Suis-je digne de cette mission ? demanda-t-il.

— En ma qualité d'archevêque, je pense que oui. Vous êtes digne de cette mission et particulièrement qualifié pour la remplir, car vous vénérez la Sainte Vierge. Votre tâche ne sera pas facile. Je crois, en effet, que votre adversaire a le soutien de Satan. Mais il est impératif que vous réussissiez.

— De quelle façon me voyez-vous remplir cette tâche ? demanda Luke d'un air attentif, concentré, qui tranchait lui aussi avec son physique juvénile.

James se cala au dossier de son fauteuil et réfléchit quelques instants. Jusqu'à présent, en vérité, il n'avait guère songé qu'à trouver la personne requise pour la mission qu'il avait en tête. Maintenant qu'il avait le bon candidat, comment organiser la suite des événements ? D'abord, bien sûr, il devait faire en sorte que Luke et Shawn passent un certain temps ensemble. Plusieurs jours, de préférence. Il fallait qu'ils se côtoient pour que Luke ait l'occasion de montrer qu'il souffrirait énormément, à titre personnel, si Shawn publiait les résultats de ses travaux.

— Je vais vous faire inviter chez les Daughtry, déclara James. Ils ont une maison dans le Village, dans le sud de Manhattan. Vous partagerez leur vie privée et vous aurez tout le temps nécessaire pour vous montrer convaincant. Vous avez été prévenu, n'est-ce pas, que vous deviez passer environ une semaine en ville ?

— En effet. Mais je dois avouer, Votre Éminence, que je suis soucieux à l'idée de rester si longtemps éloigné de ma communauté. Depuis que je suis installé avec mes frères, pas une seule fois je n'ai pris le risque d'être soumis à la tentation de pécher.

— Ne vous tracassez pas. Vous serez trop occupé pour avoir l'occasion de pécher, affirma James d'un ton rassurant. Comme je disais, votre mission ne sera pas facile. Elle pourrait même ne pas se conclure comme nous le souhaitons. Mais il est impératif que vous vous démeniez pour faire entendre raison au Dr Daughtry. J'ai essayé, de mon côté, mais j'ai échoué. Il y a une chose dont je suis certain, cependant, c'est que le Dr Daughtry, en son for intérieur, est un vrai catholique. Il l'a oublié, tout simplement, et il a besoin de renouer avec cette partie de lui-même.

— Et si le Dr Daughtry et sa femme me repoussent ? Et s'ils ne veulent même pas de moi chez eux ?

— C'est un risque que nous devons prendre. J'ai encore quelque ascendant sur mon ami et je vais essayer d'en tirer parti pour qu'il vous reçoive. En outre, je vais être complètement franc avec lui. Il connaîtra la raison de votre présence à son domicile. Ainsi, personne n'aura de mauvaise surprise. Dieu vous a désigné pour être le sauveur de la réputation de la Sainte Vierge, de sa position au sein de l'Église qui la considère comme libre de tout péché et, par conséquent, digne d'être montée au ciel corps et âme.

— Quand puis-je commencer ? demanda Luke qui semblait avoir hâte de remplir sa mission.

— Aujourd'hui même, je pense. Voici le programme que je vous propose. Un de mes secrétaires va vous conduire à la cathédrale, où vous pourrez prier le Seigneur de vous guider et de vous permettre d'accomplir la tâche que vous entreprenez pour Marie et pour le bien de l'Église. Pendant ce temps, j'irai en ville pour préparer les Daughtry à vous accueillir. Un coup de téléphone suffirait peut-être, mais je crois que je serai plus persuasif si je suis face au Dr Daughtry. Si je ne réussis pas à vous faire inviter à passer au moins la nuit prochaine et, je l'espère, une bonne partie de la semaine chez lui, vous dormirez ce soir ici même, à la résidence, dans la chambre d'amis. Cela vous convient-il ?

— Je vous suis très reconnaissant de me donner une telle chance de me rendre utile, Votre Éminence.

— C'est moi qui vous suis reconnaissant, dit James, et il décrocha le téléphone pour rappeler le père Maloney.

Il doutait encore que le plan B pût fonctionner, mais il se sentait mieux qu'il ne s'était senti depuis l'arrivée de l'ossuaire à la résidence. Il avait un plan, c'était déjà ça, et il ne restait pas les bras croisés.

Remonté à ses appartements privés, il quitta sa tenue d'évêque pour remettre les vêtements de ville qu'il portait la veille au soir chez les Daughtry. L'odeur agréable du feu de cheminée imprégnait son pull ; il songea avec nostalgie à sa retraite de Green Pond.

Il passa à son bureau prendre de l'argent puis, sans offrir la moindre explication au père Karlin qui était assis devant sa porte dans le couloir, il descendit au rez-de-chaussée et emprunta, pour la troisième fois de la journée, le passage couvert qui reliait la résidence à la cathédrale. Quand la température extérieure était glaciale comme en ce moment, ce couloir chauffé était un luxe bien appréciable. À mi-chemin, il croisa le père Maloney. Celui-ci l'informa qu'il avait installé Luke sur un banc dans la nef centrale.

— Je vous félicite d'avoir trouvé ce jeune homme, dit James. Vous avez fait du beau travail. Si Luke accomplit la tâche que je lui ai confiée, nous aurons tous une dette envers vous. En tout cas, il correspond parfaitement à la personne que j'avais en tête.

Le père Maloney redressa la tête et les épaules comme pour prendre de la hauteur.

— Je suis heureux d'avoir pu vous servir, Votre Éminence, dit-il, et il s'éloigna à grands pas en direction de la résidence.

Quand il traversa la cathédrale, James fit un petit détour pour apercevoir son nouveau moine guerrier. Luke était agenouillé. Il priait le visage levé vers l'autel, les yeux fermés, un sourire béat sur les lèvres. Comme des abeilles attirées par le miel, plusieurs personnes étaient rassemblées à proximité et semblaient l'observer. James se demanda si elles s'étaient rapprochées de lui pour le regarder, ou si elles étaient là par hasard.

Émergeant incognito de la cathédrale par la grande porte de la Cinquième Avenue, il héla un taxi. Il prit place sur la banquette arrière et demanda à être conduit à l'angle de la 26e Rue et de la Première Avenue. Il était heureux de ne pas avoir été reconnu au moment où il sortait de son église.

La circulation était fluide et le taxi roula à bonne allure. James sortit son portable pour appeler Jack. Celui-ci répondit avant la fin de la première sonnerie, comme s'il s'était jeté sur son téléphone.

— Tu es drôlement rapide, dit James, étonné. Tu attendais mon coup de fil ?

— Je croyais que c'était ma femme, Laurie.

— Désolé, tu dois être déçu.

— Pas du tout. En fait, je suis soulagé. Quand je suis sorti, ce matin, notre bébé était assez malheureux.

J'avais peur d'apprendre qu'il allait encore plus mal. Quoi de neuf ?

— Où es-tu ?

— Au labo ADN de l'IML, avec Shawn et Sana.

— J'espérais bien te trouver là-bas.

— Pourquoi donc ?

— Je viens vous rejoindre. Je suis dans un taxi. Demande à Shawn si ça ne l'ennuie pas et si je suis le bienvenu.

Jack lui demanda de patienter. James l'entendit interroger Shawn. Puis il entendit Shawn acquiescer d'un ton très enthousiaste.

— Tu as dû saisir sa réaction, non ? demanda Jack quand il reprit la communication.

— Oui.

— Dans combien de temps penses-tu arriver ici ? Je dois descendre pour te faire passer la sécurité.

— D'un moment à l'autre. Je suis sur Park Avenue et je croise la 36e Rue en ce moment même.

— Alors je descends tout de suite.

Cinq minutes plus tard, le taxi s'engagea dans la 26e Rue. James se fit déposer juste devant l'entrée du bâtiment. Jack l'attendait dans le hall.

— Merci encore de m'avoir ramené à la maison hier soir, dit-il quand James le rejoignit.

— Ça m'a fait très plaisir.

Jack expliqua aux agents de sécurité que James était un ami en visite au labo des Daughtry. Ils se dirigèrent ensuite vers les ascenseurs.

— J'ai trouvé l'amoureux fou de la Vierge dont j'ai besoin pour perturber Shawn, annonça fièrement James tandis que la cabine s'élevait vers le huitième étage.

— Ah bon ? ! fit Jack, étonné. Tu n'as pas lambiné. Franchement, quand tu m'as décrit le genre de personne que tu avais en tête, je me suis dit : « Eh bien, bonne chance. » Je croyais que ça te prendrait des mois !

— J'ai des secrétaires très astucieux.

— J'imagine.

Deux minutes plus tard, Jack poussa la porte du labo. Shawn, qui travaillait sur la table de la première salle, se leva d'un bond quand il les entendit entrer.

James eut tout à coup le ventre noué. Il avait très peur de ce qu'il risquait d'apprendre dans ce labo. Et le spectacle qu'il découvrait sur la table semblait confirmer ses craintes. Le squelette de l'ossuaire avait été reconstitué - chaque os à sa place. James avait beau être certain qu'il ne s'agissait pas de la Sainte Vierge, le simple fait de voir ces os étalés là, avec si peu de respect pour la personne qu'ils représentaient, lui paraissait sacrilège. Il se sentait aussi mal que lorsqu'il avait vu Shawn et Sana, la veille au matin, enfourner l'ossuaire dans le coffre crasseux de leur taxi. Très ému, il se mit à trembler.

— Dieu du ciel, qu'est-ce qui t'arrive ? demanda Shawn. Tu es tout pâle !

— Ces os, ici, sur la table, marmonna James. Ça me paraît tellement... tellement irrespectueux ! C'est comme regarder une personne nue.

— Veux-tu que je les recouvre d'un drap, le temps que tu seras ici ?

— Ce ne sera pas nécessaire, répondit James, et il respira profondément. J'étais juste... surpris. Mais ça va aller.

Pour ne plus regarder le squelette, il fixa son attention sur la partie de la table où Shawn était en train de travailler. Le premier des trois rouleaux de l'ossuaire se trouvait là. L'humidificateur à froid était posé à côté. Manifestement, le déroulage du papyrus progressait très lentement.

James se pencha pour examiner le texte en araméen des quelques pages déjà aplanies et prises en sandwich entre des plaques de verre.

— C'est difficile, ce boulot ?

— C'est très fastidieux, ouais, répondit Shawn.

— L'écriture est très belle, observa James. As-tu appris quelque chose de nouveau ?

— Après les deux premières pages qui étaient extrêmement instructives, comme je te l'ai dit hier soir, le texte se transforme en une sorte d'autobiographie. Simon raconte son enfance et ses premiers pas en tant que magicien. Dans ce domaine, apparemment, il a connu très tôt un certain succès.

— Et Sana ? Avec l'ADN mitochondrial, comment ça se passe ?

James avait remarqué une porte vitrée, au fond de la salle, qui donnait sur une sorte de sas au-delà duquel il apercevait Sana. Elle allait et venait d'un appareil à l'autre, l'air concentré.

— Si tu veux aller la voir, tu dois mettre une combinaison, des gants et une capuche. Elle est très exigeante sur ce point, à cause des risques de contamination de l'ADN qu'elle essaie d'isoler. Quant à l'état d'avancement de ses travaux, ça, je n'en ai pas la moindre idée. Ce matin, dès notre arrivée, elle s'est changée et elle est entrée là-dedans sans un mot. Mais je pense que ça se passe bien. Sinon, je suis sûr qu'elle serait revenue ici pour se plaindre. Grâce à Jack, elle a un labo formidable à sa disposition.

James s'approcha du sas et tapota sur la porte pour attirer l'attention de Sana. Elle se figea tout à coup, levant la tête comme si elle avait entendu un bruit quelque part. James frappa de nouveau sur la paroi en verre, puis il agita la main. La jeune femme pivota et sourit. James lui fit signe de venir dans sa direction.

Elle entrouvrit bientôt la porte du sas.

— Bonjour, James. Votre dimanche matin a-t-il été agréable ?

— Oui, plus ou moins. Sana, auriez-vous la gentillesse de vous joindre à nous quelques minutes ? J'ai une proposition à vous faire. À Shawn et à vous.

Sana hésita. Si elle sortait du sas, elle serait obligée de changer de combinaison avant de retourner au labo. Bah ! Ce n'était guère un problème. Elle passa dans la première salle et laissa la porte en verre se refermer derrière elle.

— Quel genre de proposition ? demanda Shawn d'un ton méfiant.

— Oui, c'est vrai, renchérit Sana qui retirait ses gants. Qu'avez-vous donc en tête ?

— D'abord, permettez-moi de vous demander comment avance votre travail sur l'ADN ? Je vois que Shawn a fait de grands progrès de son côté, même si l'opération est plus lente qu'il ne le voudrait, mais vous ?

— Ça se passe extrêmement bien, répondit Sana. J'ai ici un labo dernier cri, conçu pour maximiser le rendement des analyses. Cet après-midi, je serai déjà en phase d'extraction avec les centrifugeuses. En ce moment même, mon échantillon de pulpe est dans les dissolvants, avec les détergents, pour ouvrir les cellules. Très bientôt, j'y ajouterai des protéases pour éliminer les protéines. À ce rythme-là, il se peut que j'arrive dès demain à la PCR, la réaction en chaîne par polymérase.

— Pas la peine de me donner tant de détails, protesta James avec un petit rire. Pour moi, ce n'est que du grec !

Tout le monde rit avec lui.

— Ensuite, reprit-il d'une voix posée, j'aimerais vous remercier pour la délicieuse soirée d'hier. Et vous redire que la cuisine était divine.

— Merci, mon père, dit Sana qui rougissait quelque peu.

— J'aimerais pouvoir en dire autant des convives, reprit James, pouffant à nouveau de rire pour montrer qu'il essayait d'être drôle. Je plaisante, bien sûr, mais j'avoue que j'étais déçu d'apprendre que la Vierge Marie ne sera sans doute pas laissée en paix comme je le souhaite, c'est-à-dire respectée pour ce qu'elle est aux yeux de l'Église. Ai-je raison de craindre cela, Shawn ? Tu n'as pas l'intention de renoncer à ton projet, n'est-ce pas ?

— Absolument pas. Hier soir, je l'avoue, j'étais ivre. Malheureusement, je ne me souviens pas de tout ce que j'ai pu raconter. Je te demande pardon si j'ai dit des bêtises. Mais en ce qui concerne l'ossuaire et son contenu, je crois avoir été assez clair…

James l'interrompit :

— Très clair, en effet. Assez clair pour que je passe beaucoup de temps à réfléchir et à prier Dieu, hier soir, afin de trouver une solution pour te faire changer d'avis. Je te le dis tout net, Shawn : pour ma part, j'ai renoncé à essayer de te convaincre moi-même. C'est impossible – peut-être parce que nous nous connaissons trop bien et depuis trop longtemps… comme le prouve le fait que tu m'as traité de gros lard.

— Non ! s'exclama Shawn, et il se frappa le front avec la paume. Gros lard ? J'ai dit ça ? Quel toupet ! Je suis terriblement désolé, mon vieux.

— Oui, tu l'as dit. Mais tu es pardonné. D'autant que je n'ai jamais vraiment fait le nécessaire pour ne plus mériter ce qualificatif. Maintenant, passons à autre chose. J'ai décidé de vous autoriser à continuer votre étude du contenu de l'ossuaire, tous les deux, mais à une condition.

Un petit sourire de dérision plissa les lèvres de Shawn.

— Qu'est-ce qui te fait croire que tu nous *autorises* à faire notre travail ? De mon point de vue, tu n'as guère ton mot à dire là-dessus. Certes, étant réaliste, je sais qu'il te suffirait d'un coup de téléphone au patron de Jack pour nous faire mettre à la porte de ce labo. Mais ce n'est pas un problème. Nous irions ailleurs.

— Ta naïveté m'étonne. *Primo*, tu ne sembles toujours pas comprendre qu'au bout du compte, il n'y a rien qui prouve que ces os sont ceux de la Sainte Vierge. La seule soi-disant preuve que tu as, ce sont les déclarations de Simon le Magicien à son assistant, Satornil. Du point de vue théologique, et c'est bien là le fond du problème, tu bases donc ton travail et tes croyances sur la pire source d'information possible. Si l'objectif de Simon était d'échanger les os de Marie contre le pouvoir de guérison de Pierre, il n'avait même pas à faire l'effort de se procurer son squelette. Celui de n'importe quelle femme aurait fait l'affaire. Et je crois que c'est ça, la vérité ! Le squelette qui est ici, sur cette table, n'est qu'un squelette parmi d'autres. Le squelette d'une femme du Ier siècle, peut-être, mais pas celui de la Sainte Vierge.

— Pour démonter cet argument, il me suffit de te rappeler que Satornil a écrit que Simon était déçu que les os de Marie ne lui aient pas apporté le pouvoir de guérison mystique qu'il attendait. Si ces os n'étaient pas ceux de la Vierge, il n'aurait pas supposé, ou espéré, qu'ils lui donneraient satisfaction…

James leva la main droite pour couper Shawn.

— Je renonce à débattre avec toi de cette affaire. Comme je viens de le dire, j'ai abandonné l'idée d'essayer moi-même de te faire changer d'avis. Mais pour ce qui est de t'obliger éventuellement à arrêter ton travail, pense à ceci : si tu n'acceptes pas la condition à laquelle je faisais allusion, j'irai voir les autorités aujourd'hui même. Tu considéreras peut-être que c'est un geste de désespoir et… tu n'auras pas tort, Shawn. Je suis désespéré. Pour l'Église comme pour moi-même. J'affirmerai haut et fort que cet ossuaire est un faux et que tu es un voleur. Ainsi, au lieu d'être vu comme ton complice, je serai probablement considéré comme un héros, car j'aurai pris un risque personnel non négligeable pour dénoncer ton attaque perfide contre l'Église.

— Non, tu ne feras jamais cela, affirma Shawn.

Mais en son for intérieur, il avait des doutes. Il savait que s'il avait été à la place de James – empêtré dans un problème insoluble de son point de vue –, il aurait très bien pu réagir de la même façon que lui. Car il était clair que si lui, Shawn, avait tout à gagner de l'affaire de l'ossuaire, James avait beaucoup à y perdre.

— De plus, reprit James d'un ton ferme, je contacterai aujourd'hui même la Commission pontificale d'archéologie sacrée pour l'informer que tu as abusé de l'autorisation qu'elle a eu la courtoisie de t'accorder il y a quelques années. Je lui conseillerai de contacter les autorités italiennes et égyptiennes, lesquelles n'apprécieront pas beaucoup tes singeries. Elles exigeront très probablement ton arrestation auprès des autorités américaines. Sana, vous serez accusée de complicité. Quant à savoir si vous serez extradés vers l'Italie ou l'Égypte, dans l'immédiat, c'est difficile à dire. Mais il est évident que l'ossuaire et son contenu seront immédiatement renvoyés au Vatican, tout comme le codex et la lettre de Satornil seront rendus à l'Égypte.

— C'est de l'extorsion ! s'écria Shawn.

— Et comment qualifies-tu l'attitude que tu as envers moi ?

— C'est scandaleux, marmonna Shawn.

— Quelle est la condition à laquelle vous faisiez allusion ? demanda Sana.

— Par chance, un des deux conspirateurs est plus raisonnable que l'autre, dit James d'un ton approbateur. J'ai en tête quelque chose de très simple et de plutôt inoffensif. J'ai fait ce matin la connaissance d'un jeune homme tout à fait charmant – je dirais même *charismatique* – qui a décidé de consacrer sa vie à Marie. Il vit dans un monastère marial depuis près de huit ans. Je veux que vous l'écoutiez et que vous découvriez la passion qui est la sienne. Et non, je ne veux pas que vous dîniez simplement un soir avec lui. Vous feriez la sourde oreille et vous vous blinderiez contre ses arguments. Je veux que vous passiez de longs moments avec lui, des moments de qualité. En étant réalistes, combien de temps pensez-vous devoir consacrer à l'étude du contenu de l'ossuaire ?

Shawn tourna la tête vers Sana, qui répondit :

— De mon côté, comme je disais, tout va extrêmement bien. S'il n'y a pas de mauvaise surprise, j'aurai terminé dans quelques jours.

— Pour moi, c'est plus difficile à dire, admit Shawn. Tout dépend du temps qu'il me faudra pour dérouler les manuscrits. Je crois et j'espère que les rouleaux présenteront moins de résistance après les premières pages. D'après l'expérience que j'ai de ce genre de papyrus, les pages qui sont le plus près de la surface du rouleau sont en général les plus problématiques. Alors, en tenant compte de cette variable, je dirais que le travail me prendra... entre une semaine et deux mois.

— Très bien ! J'accepte que vous invitiez Luke Hester à loger chez vous pendant une semaine. Mais comme je le disais, vous devez passer de bons moments en sa compagnie. Vous devez communiquer avec lui et vous intéresser à l'histoire de sa vie, qui n'a pas été des plus faciles. Ce jeune homme a beaucoup souffert. Mais, avec l'aide de la Sainte Vierge, il a surmonté ses difficultés et ses souffrances. En d'autres termes, vous devez vous montrer accueillants envers lui comme envers un invité de marque. Comme si vous receviez l'enfant de l'un de vos meilleurs amis.

— Accueillants ? Ça veut dire quoi, au juste ? demanda Shawn d'un ton méfiant.

Cette « condition » concoctée par James ne lui paraissait pas trop contraignante. D'un autre côté, il se voyait bien devenir dingue en présence de ce jeune homme, Luke Hester. Il n'avait jamais été doué pour faire la conversation aux gens qu'il ne connaissait pas. Sauf à certaines femmes séduisantes qu'il rencontrait dans des bars, avec l'aide de lubrifiants alcoolisés.

— Je crois que c'est assez facile à imaginer, répondit James d'un ton agréable.

— Quel âge a-t-il ? demanda Sana.

— Ça, je vous laisserai le découvrir par vous-mêmes. Il y a un certain décalage entre son âge réel et l'âge qu'il semble avoir. Il s'exprime avec beaucoup d'aisance et, comme je le disais, il est tout à fait charmant et intelligent. Certes, son enfance difficile lui a peut-être laissé certaines séquelles psychologiques, mais je n'ai pas pu les détecter quand je l'ai interrogé.

— J'espère que tu ne nous colles pas sur le dos un de ces jeunes mecs qui ont tout à coup redécouvert le Christ et qui font du prosélytisme à tout-va, grogna Shawn. Je ne suis pas sûr de pouvoir encaisser une semaine de ce traitement.

— J'ai dit qu'il était *charmant*. Faites-moi confiance. Je lui ai aussi parlé de l'affaire de l'ossuaire qu'il connaît maintenant en détail. Vous aurez donc beaucoup de choses à vous dire. À présent, j'aimerais savoir si nous nous comprenons bien en ce qui concerne les devoirs qui sont les vôtres. Je vais lui donner un téléphone portable. S'il appelle pour se plaindre que vous ne lui faites pas bon accueil, j'arrête tout et j'appelle les autorités. Suis-je bien clair ?

James regarda Shawn, puis Sana, attendant de les voir acquiescer. Il ne voulait pas qu'ils racontent après coup qu'ils n'avaient pas compris les termes de l'accord. C'était la raison pour laquelle il les menaçait gentiment. Le seul problème, avec les menaces, c'était qu'il fallait être prêt à les mettre à exécution.

— Quand son séjour chez nous doit-il commencer ? demanda Sana.

— À quelle heure rentrerez-vous, ce soir ?

— Vers 17 h 00, je suppose.

— Il sera devant votre porte à ce moment-là, déclara James.

— Attends une seconde ! objecta Shawn, et il regarda Sana avant d'ajouter : Ce soir, nous avions prévu de dîner dehors. Hier, Sana en a fait assez dans la cuisine.

— Aucun problème ! dit James d'un ton enjoué. Luke est un garçon très présentable. Ce sera même idéal, pour vous tous, d'apprendre à vous connaître en terrain neutre.

— Quoi ? répliqua Shawn d'une voix plaintive. Nous sommes obligés de sortir dîner avec cet inconnu ?

— Pourquoi pas ? C'est un excellent moyen d'entamer la relation. Et je présume qu'il y a bien longtemps que personne ne l'a invité à dîner à l'extérieur de son monastère. Je ne suis même pas sûr que cela lui soit jamais arrivé. Songez un peu au plaisir que vous allez offrir à ce jeune homme !

— Qui va payer ? demanda Shawn.

— Tu es incroyable, dit James, levant les yeux au ciel. Mais je ne devrais pas m'étonner. Tu es aussi radin qu'à la fac.

— Ça, c'est sûr, dit Jack qui ouvrait la bouche pour la première fois depuis le début de la conversation.

— Si je suis obligé de supporter la présence de ce type chez moi, je ne pense pas que je devrais aussi avoir à payer pour lui, dit Shawn pour se justifier.

— L'archidiocèse couvrira le dîner de M. Hester. Mais pas le tien, gros dépensier ! Dresse la liste des frais que tu engageras pour lui, si ça t'amuse, et garde les tickets de caisse si tu comptes être remboursé.

— Aucun problème, dit Shawn. Maintenant, si ça ne t'ennuie pas, j'aimerais me remettre au travail.

26

DIMANCHE 7 DÉCEMBRE 2008
17 H 05
NEW YORK

Immobile devant la maison des Daughtry, sous le cône de lumière d'un petit spot extérieur, Luke Hester se sentait terriblement vulnérable. Il venait d'actionner le marteau de porte pour s'annoncer ; le claquement brutal et sonore de l'objet avait ranimé sa nervosité. Pivotant sur lui-même, il regarda le véhicule à bord duquel l'archevêque en personne venait de l'amener dans le Village. Il le salua d'un geste embarrassé. L'archevêque sourit et leva le pouce en signe d'encouragement. Luke leva le pouce à son tour. Son Éminence avait confiance en lui, il le croyait capable de convaincre les époux Daughtry de ne pas publier d'articles néfastes pour la Sainte Vierge et pour l'Église. Mais Luke craignait fort de ne pas être à la hauteur de sa mission. De surcroît, détail qui le tracassait beaucoup, l'archevêque avait affirmé que le Dr Daughtry avait le soutien de

Satan. Cette seule pensée le terrifiait. Comment allait-il faire face à celui ou celle qui ouvrirait la porte de la maison dans un instant ?

La peur de se trouver confronté à Satan : voilà la raison pour laquelle Luke ne s'était pas autorisé à quitter seul le monastère depuis huit ans qu'il y avait trouvé refuge. Et malheureusement, il était sur le point de se retrouver dans cette situation ! Il avait beau avoir été obligé, lorsqu'il était adolescent, de lutter presque chaque jour contre Satan – Satan qui s'était emparé de son père impie –, il estimait être la personne la moins capable au monde de se dresser contre le Prince des Ténèbres.

La tenue qu'il portait ce soir, un jean et une simple chemise de ville, renforçait l'embarras et le sentiment de vulnérabilité qui le tenaillaient. Son Éminence estimait que Shawn et Sana Daughtry auraient peut-être du mal à accepter qu'il porte chez eux son habit de la Fraternité des esclaves de Marie. Aussi, les pères Maloney et Karlin avaient puisé dans leurs garde-robes pour lui fournir deux jeans et deux chemises. Ses vêtements de rechange étaient rangés dans une petite valise, posée à ses pieds, qui contenait aussi les quelques articles de toilette que les deux prêtres étaient sortis lui acheter dans l'après-midi. Luke n'avait presque rien apporté du monastère. En outre, la valise renfermait aussi un téléphone portable, de l'argent liquide et un nouveau chapelet, béni par le Saint-Père lui-même, dont le cardinal lui avait fait cadeau. Et s'il avait besoin de quoi que ce soit, il devait appeler le père Maloney ou Son Éminence.

Tout à coup, la porte de la maison s'ouvrit. Sana et Luke écarquillèrent les yeux en se découvrant. Ils étaient tous les deux très étonnés, car ils ne correspondaient pas à l'image que chacun s'était faite de l'autre. Sana était sans doute la plus surprise. Elle était bouleversée, à vrai dire, comme l'avait été James, par le visage juvénile et angélique de Luke. Elle admira en particulier ses yeux doux, presque implorants, pareils à deux lacs d'eau bleue cristalline, et ses lèvres charnues – plissées à cet instant en une petite moue qui trahissait son appréhension.

Luke, pour sa part, s'était attendu à tomber sur une figure masculine peu séduisante, menaçante, semblable à une image allégorique du diable dans une peinture médiévale.

— Luke ? demanda Sana comme si elle avait une apparition devant elle.

— Madame Daughtry ? demanda Luke comme s'il s'était trompé de maison.

Sana regarda au-delà de la silhouette mince et harmonieuse de Luke. Elle aperçut James dans sa Range Rover et lui fit signe de la main que tout allait bien. James agita la main à son tour, puis il éteignit le plafonnier pour démarrer.

— Je vous en prie, entrez ! dit Sana d'une voix presque tremblante.

Elle était gaga. Complètement stupéfaite par la beauté lumineuse du jeune homme. Sa peau sans défaut et ses longs cheveux blonds ondulés la stupéfiaient.

— Shawn ! lança-t-elle en se retournant. Notre invité est arrivé.

Shawn apparut sur le seuil de la cuisine, un scotch à la main. Sa réaction fut assez similaire à celle de Sana : il s'immobilisa et fixa Luke bouche bée.

— Seigneur ! Quel âge avez-vous, mon garçon ? demanda-t-il au bout de quelques secondes.

— 25 ans, monsieur. Bientôt 26.

Luke était quelque peu soulagé. Le Dr Daughtry ne semblait pas aussi redoutable – diabolique – qu'il l'avait craint.

— Vous faites beaucoup plus jeune que votre âge, dit Shawn en contemplant le visage de chérubin et les dents blanches comme neige de son interlocuteur.

— On me le dit souvent, répondit modestement Luke.

— Vous serez notre invité pendant toute une semaine. Bienvenue !

— Merci, monsieur. Je crois savoir que vous avez été informé de la raison de ma présence ici.

— Humm, en effet. Vous avez été engagé pour me persuader de ne pas publier mes travaux.

— Uniquement si vos travaux parlent de la Sainte Vierge, Marie, Mère de l'Église, Mère du Christ, Mère de Dieu qui m'a sauvé et m'a mené au Christ, Marie de l'Immaculée conception, Marie Reine du Ciel, Reine de la Paix, Stella Maris et Mère de toutes les peines. C'est à elle que je consacre ma vie et j'ai déjà commencé à prier pour que vous ne la dénigriez pas par des écrits qui laisseraient entendre qu'elle n'est pas montée au ciel pour rejoindre Dieu, le Père, le Fils et le Saint-Esprit.

— Ma parole, murmura Shawn, déconcerté par cet homme-enfant qu'il trouvait déjà incompréhensible. Quelle étonnante litanie ! Vous vivez dans un monastère, ai-je cru comprendre ?

— C'est exact. Je suis novice à la Fraternité des esclaves de Marie.

— Est-il exact que vous n'en êtes pas sorti depuis huit ans ?

— Depuis près de huit ans, oui. Pas seul, en tout cas. Je suis venu à New York, une fois, il y a quelques années, avec plusieurs de mes frères, pour des examens médicaux. C'est la première fois que je sors du monastère sans être accompagné.

Shawn secoua la tête.

— J'ai du mal à croire qu'un homme aussi jeune que vous puisse consentir à perdre sa liberté de cette façon.

— Ma liberté, je la sacrifie volontiers à la Sainte Mère. En restant à l'intérieur des murs du monastère, j'ai tout le temps nécessaire pour prier pour ses interventions et la paix intérieure qu'elles m'apportent.

— Ses interventions ? Dans quel but ?

— Dans le but de m'empêcher de pécher. Dans le but de me maintenir au plus près du Christ. Et d'aider les frères dans leur mission.

Sana intervint :

— Allons-y, d'accord ? Je vais vous montrer la chambre d'amis que vous occuperez.

Luke dévisagea Shawn encore quelques instants, puis il suivit Sana dans l'escalier. Ils passèrent par le palier du premier étage, où Sana lui expliqua que Shawn avait sa chambre, puis par le second étage, où se trouvait sa chambre à elle, avant d'arriver au troisième. Là, elle ouvrit la porte d'une pièce de taille modeste, sous les toits, dont le Velux donnait sur la façade. Un lit double à baldaquin en occupait presque toute la superficie.

— Voilà votre chambre, dit Sana. Ressemble-t-elle à celle que vous avez au monastère ?

— Pas vraiment.

Après avoir jeté un coup d'œil dans la salle de bains que sa chambre partageait avec la seconde chambre d'amis, Luke posa sa valise sur le lit et en ouvrit la fermeture Éclair. Il en sortit tout d'abord une petite statue de la Vierge Marie qu'il posa délicatement sur la table de nuit. Il prit ensuite une petite poupée de l'Enfant-Jésus vêtu d'un habit très ornementé et coiffé d'une couronne. D'un geste presque tendre, il l'installa à côté de la Sainte Vierge.

— Qu'est-ce que c'est ? demanda Sana.

— L'Enfant de Prague. C'était un des objets préférés de ma mère, avant sa mort.

Luke sortit son habit monacal noir et le suspendit dans le placard.

— C'est votre tenue habituelle, ça ?

— En effet. Mais le cardinal a estimé qu'il valait mieux que je porte des vêtements correspondant à l'environnement de mes hôtes. Ce sont ses secrétaires qui me les ont prêtés. Par chance, l'un d'eux fait presque la même taille que moi.

— Vous pouvez vous habiller comme vous voulez, vous savez, dit gentiment Sana. Nous sortirons dîner d'ici une demi-heure. Vous avez donc le temps de prendre une douche, si vous le souhaitez.

C'est ce que je vais faire de mon côté. Et nous nous retrouverons tout à l'heure en bas, dans le salon.

Shawn, Sana et Luke revinrent en taxi à la maison à 21 h 30. Le dîner, au restaurant Cipriani Downtown, avait été relativement agréable – jusqu'à ce que Luke essaie d'orienter la conversation sur l'objectif de sa mission. À ce moment-là, Shawn avait déjà ingurgité presque autant d'alcool que la veille au soir. Il avait profité de l'occasion pour informer le jeune homme qu'il se lançait dans un combat perdu d'avance et que plus tôt il renoncerait, mieux cela vaudrait pour tout le monde. Luke avait insisté, Shawn s'était mis en rogne et l'atmosphère s'était rapidement dégradée. Pour finir, Shawn n'avait plus voulu répondre à Luke qu'il s'était mis à appeler « garçon » sur un ton désobligeant.

— Tu montes te coucher tout de suite ? demanda Shawn à Sana quand ils furent entrés dans la maison.

— Je crois que je vais rester un petit moment avec Luke, murmura-t-elle. Je ne veux pas qu'il appelle James pour se plaindre de nous.

Shawn hocha la tête d'un air approbateur. De son côté, il préférait éviter de parler au jeune homme, ou même de le regarder. Vacillant sur ses jambes, il se dirigea vers l'escalier, agrippa la rampe et posa le pied sur la première marche.

— Demain matin, à quelle heure veux-tu partir pour aller au labo ? demanda-t-il à Sana.

— Pas avant 09 h 00, si ça ne t'ennuie pas. J'aimerais avoir le temps de préparer le petit déjeuner de notre invité. Ça nous fera gagner un bon point.

— Excellente idée, bafouilla Shawn. À demain !

Et il grimpa lentement les marches pour disparaître au premier étage.

Sana rejoignit Luke, qui était entré dans le salon, et demanda :

— Un bon feu de cheminée, ça vous tente ?

Luke haussa les épaules. Il ne se souvenait pas de la dernière fois qu'il avait eu le plaisir de voir un feu de cheminée. D'une certaine façon, il était nerveux à l'idée de prendre trop de bon temps dans cette maison - surtout après l'échec qu'il avait connu au restaurant. Il se rendait compte qu'il avait peu de chances de réussir à vaincre Satan, et cette idée le déprimait.

— Allez ! dit Sana d'un ton encourageant. Allumons ce feu ensemble, d'accord ?

Un quart d'heure plus tard, ils étaient assis côte à côte sur le canapé, en face de la cheminée, captivés par le spectacle des flammes qui commençaient à s'élever des bûches en crépitant. Sana avait un verre de vin à la main, Luke un Coca-Cola. Au bout d'un moment, elle rompit le silence :

— L'archevêque nous a dit que vous n'avez pas eu une enfance très facile. Cela vous ennuierait de me raconter votre histoire ?

— Pas du tout, dit Luke. Ce n'est pas un secret. Je la raconte à tous ceux qui veulent l'entendre, car elle est tout à la gloire de la Sainte Vierge.

— Nous avons appris que vous aviez fui le domicile de vos parents, à l'âge de 18 ans, pour entrer au monastère. Puis-je vous demander pourquoi ?

— Le déclencheur, ç'a été la mort de ma mère. Mais la vraie raison, c'est que j'ai eu une enfance très difficile, en effet. Dominée par un père indigne et sacrilège qui était alcoolique et qui battait sa femme. Ma mère, par contre, était une personne très pieuse, sincèrement convaincue qu'elle était responsable du comportement de mon père. Elle se reprochait les fautes qu'il commettait. Elle croyait qu'en épousant mon père elle s'était détournée de Dieu, comme Ève, et qu'elle vivait dans le péché. Elle croyait cela au point qu'elle m'a convaincu, quand j'étais petit, que j'étais un enfant du péché. Elle me disait souvent que si je voulais sauver mon âme éternelle, je devais prier la Vierge et lui consacrer ma vie. C'est elle qui m'a encouragé à m'unir à l'Église.

— Bonté divine ! dit Sana.

Le jeune homme lui inspirait beaucoup de sympathie. Son histoire était très émouvante. Et d'une certaine façon, Sana pouvait s'identifier à lui. Ils n'avaient pas du tout eu la même vie, mais elle estimait qu'elle avait beaucoup souffert de la disparition prématurée de son père alors qu'elle n'avait que 8 ans. Elle se demandait même aujourd'hui si elle n'avait pas épousé Shawn, en partie du moins, parce qu'il était la figure paternelle qui lui manquait – au moment où ils avaient fait connaissance, en tout cas.

— Et... cette union avec l'Église vous a-t-elle aidé ? demanda-t-elle.

Luke eut un petit rire ironique :

— Au début, pas vraiment. Un des prêtres de ma paroisse a compris que j'étais un enfant perturbé. Et étant lui-même très perturbé, il a abusé de moi pendant plus d'un an.

— Oh, Seigneur, non ! s'exclama Sana.

Elle éprouva une immense bouffée de compassion pour Luke. Elle était tellement déconcertée, à vrai dire, qu'elle faillit le prendre dans ses bras pour le réconforter. Mais quelque chose la retint. Elle craignait qu'il prenne mal son geste - qu'il y voie davantage qu'une simple marque d'affection entre amis. Après tout, Luke n'était pas un garçon, mais un homme.

En outre, un détail la troublait : il y avait quelque chose d'un peu mécanique, d'un peu trop évident, dans le récit qu'il lui livrait. Comme s'il débitait un discours appris par cœur.

— Au début, j'ai cru que l'attitude de cet homme était relativement normale, dit-il avec un sourire désabusé. Moi-même, je pensais l'aimer. Mais petit à petit, j'ai compris que... que c'était mal. Je ne savais pas quoi faire, car ce prêtre était un des plus aimés et des plus respectés de la paroisse. Alors, j'ai rassemblé mon courage pour en parler à ma mère.

— Vous a-t-elle compris et soutenu comme elle le devait ?

Sachant ce que Luke lui avait déjà dit au sujet de sa mère, Sana avait un peu peur de la réponse qu'il allait lui donner.

— Pas du tout. Hélas ! De la même façon qu'elle se trompait en croyant être coupable des abominations de mon père, elle m'a répondu que c'était moi qui avais séduit le prêtre, pas l'inverse. Elle en était persuadée. En plus, quand elle m'a demandé pourquoi l'affaire avait duré si longtemps, j'ai dû reconnaître que cela ne m'avait pas déplu. Du moins, au début. Ce n'est que récemment – ces dernières années, je veux dire – que les frères, au monastère, m'ont enfin permis de comprendre ce qui s'était vraiment passé. Ils m'ont bien expliqué que je n'étais responsable ni de cette relation contre-nature avec le prêtre, ni du suicide de ma mère.

— Oh mon Dieu ! murmura Sana.

De plus en plus émue, elle oublia qu'elle avait douté de la sincérité de Luke et qu'elle l'avait soupçonné de réciter une leçon. Elle oublia aussi qu'elle ne devait pas se montrer trop familière avec lui. N'écoutant que son cœur, elle enlaça le jeune homme et lui donna une accolade affectueuse. Au bout de quelques secondes, cependant, elle le sentit se raidir entre ses bras. Elle le lâcha aussitôt et s'écarta de lui.

— C'est une histoire vraiment tragique, dit-elle, consternée.

Elle dévisagea Luke avec tendresse, regrettant de ne pouvoir le soulager du poids qu'il avait sans doute encore sur la conscience à cause du suicide de sa mère – même si ses « frères » l'avaient beaucoup aidé. Elle éprouvait aussi de la colère contre le prêtre qui l'avait trompé, qui l'avait blessé à jamais, et elle comprenait tout à coup beaucoup mieux la position de Shawn vis-à-vis de l'Église.

27

MARDI 9 DÉCEMBRE 2008
17 H 15
NEW YORK

Tout le monde avait eu un bon début de semaine, sauf James. Lundi et mardi matin, Luke l'avait appelé, après le départ des Daughtry au labo ADN, pour lui donner des nouvelles décourageantes : le diable résistait à tous les efforts qu'il produisait pour convaincre Shawn de changer d'avis au sujet de la publication de ses travaux. Pis, Shawn refusait même, et de plus en plus catégoriquement, de discuter du problème. James avait exhorté Luke à prier avec toute sa foi, à ne pas renoncer. L'Église avait absolument besoin de lui. Sa persévérance ferait toute la différence.

« Avez-vous expliqué au Dr Daughtry à quel point vous serez affligé, à titre personnel, s'il émet publiquement des doutes sur l'assomption de la Sainte Vierge ? » avait demandé James.

Il n'avait d'autre solution que d'encourager Luke de la sorte. Il n'avait pas de plan C.

« Je l'ai fait autant qu'il m'a permis de le faire, avait répondu le jeune homme. Mais il change de sujet chaque fois que j'essaie d'aborder la question. Il menace même de me demander de quitter la maison si je m'obstine.

— Et sa femme ?

— Elle est beaucoup plus accueillante et conciliante. Son attitude compense largement celle de son mari. Je suis persuadé que si j'arrivais à le faire changer d'avis, elle serait d'accord. Elle n'est pas aussi obstinée que lui.

— Je vous en prie, ne relâchez pas vos efforts, avait conclu James. Il vous reste encore la plus grande partie de la semaine. »

Du côté de Luke, la situation était plus ambiguë. Il n'avait pas eu de chance avec Shawn et il avait dû donner de mauvaises nouvelles au cardinal, mais… il s'amusait beaucoup chez les Daughtry. Certes, il éprouvait un certain malaise à l'idée d'être loin du monastère, exposé au monde et à ses péchés, mais il ne pouvait s'empêcher d'apprécier cette nouvelle expérience. Lundi et mardi matin, Sana s'était levée de bonne heure pour lui préparer un somptueux petit déjeuner. Elle lui avait expliqué qu'elle adorait faire la cuisine et qu'elle était souvent privée de ce plaisir car Shawn se fichait bien – à leur domicile, en tout cas – de manger de la grande cuisine ou des plats préparés. Luke avait avoué que, contrairement à Shawn et à ses frères du monastère, il aimait énormément la bonne cuisine. Pour sa plus grande joie,

Sana avait préparé un merveilleux dîner le lundi. Il s'attendait au même traitement ce mardi.

Plus encore que la nourriture, Luke avait apprécié de voir Sana revenir à la maison de bonne heure le lundi après-midi. Elle avait annoncé que ses travaux sur l'ADN mitochondrial avançaient encore mieux que prévu et que les échantillons de pulpe en étaient déjà au stade de la PCR. Luke l'avait écoutée, perplexe, sans rien comprendre à son explication, mais cela n'avait pas d'importance : Sana avait aussitôt ajouté que, puisqu'il était encore tôt, elle voulait l'emmener faire les boutiques et lui acheter des vêtements plus seyants que ceux du père Karlin et du père Maloney.

Cette sortie avait été une merveilleuse aventure. Luke n'avait pas vécu ce genre de chose depuis une éternité. Il avait adoré entendre Sana lui donner son opinion chaque fois qu'il ressortait des cabines d'essayage, hésitant sur les modèles de pantalon, de chemise ou de pull qu'il devait choisir. Comme Noël approchait, il avait beaucoup aimé l'atmosphère de fête qui régnait dans la ville. Plus tard, pour terminer la journée en beauté, Sana et lui étaient restés ensemble après le dîner, comme le dimanche soir, devant un bon feu de cheminée. Luke avait encouragé Sana à lui parler de sa vie et de ses problèmes. Il avait eu de la peine quand elle lui avait avoué certaines choses qui confirmaient ses doutes : Shawn ne la traitait pas aussi bien qu'elle le méritait et leur couple ne fonctionnait plus comme au début de leur mariage. Voilà pourquoi Shawn dormait au premier étage tandis qu'elle occupait la grande chambre du niveau au-dessus. Luke n'avait pas parfaitement saisi tout ce que Sana lui racontait, mais il lui avait promis de prier pour elle. Il avait aussi précisé qu'il ne comprenait pas pourquoi Shawn refusait de dormir avec elle. Sana était tellement belle ! Elle l'avait alors étonné en répondant : « Merci pour vos prières et pour ce gentil compliment. Pour dire la vérité, cependant, à l'heure actuelle je préfère moi aussi que nous fassions chambre à part. »

Shawn, de son côté, avait fait de grands progrès sur le premier rouleau. Il avait atteint le stade qu'il espérait : le déroulage des papyrus était passé à la vitesse supérieure. Lundi, il n'avait récupéré qu'une seule page de l'Évangile selon Simon. Mardi, en revanche, il en avait fait presque trois. Après avoir pris le temps de lire le texte mis au jour, il était très satisfait de découvrir que Simon n'était pas vraiment l'ogre qu'il avait la réputation d'être. Certes, il s'agissait ici de son autobiographie. Mais Shawn estimait que ce n'était pas un problème, bien au contraire : plus Simon donnerait une bonne image de lui-même, plus il serait crédible, en tant que témoin, pour ce qui concernait l'identité du squelette de l'ossuaire.

Le mardi, Shawn et Sana revinrent ensemble à la maison en fin d'après-midi. Sana s'avança jusqu'au pied de l'escalier pour crier :

— Luke ! Nous sommes rentrés !

Elle l'entendit, dans sa chambre, répondre quelque chose qu'elle ne saisit pas. Sans doute disait-il ses prières de l'après-midi, ou quelque chose comme ça.

— Nous sommes en bas, si vous voulez nous rejoindre ! ajouta-t-elle.

Puis elle suivit Shawn à la cuisine et commença à déballer les achats qu'ils venaient de faire. Shawn se servit un scotch. Son premier verre de la soirée. Quelques jours plus tôt, Sana était un peu soucieuse de le voir prendre l'habitude de boire de l'alcool dès qu'il revenait du travail. Mais plus maintenant. Ce soir, à vrai dire, elle voulait qu'il boive tout son saoul et qu'il monte se coucher de bonne heure. Elle avait envie de passer un moment avec Luke, en tête à tête, comme la veille et l'avant-veille, sans être dérangée par Shawn et sans craindre de voir Luke ramener sur le tapis le sujet désagréable de la Vierge Marie - comme il continuait de le faire, inlassablement, en dépit de la réaction de plus en plus négative de Shawn.

Jack avait également passé deux bonnes journées - parce qu'elles avaient été bonnes pour John Junior et pour Laurie. Le lundi soir, quand il était rentré à la maison, Laurie lui avait annoncé que JJ n'avait pas eu la moindre crise de larmes de toute la journée. Un miracle qui ne s'était pas produit depuis des mois. Et ce mardi soir, Jack s'attendait à entendre une histoire similaire : Laurie l'avait appelé vers 15 h 00 pour lui dire que JJ était aussi paisible que la veille.

Jack se dépêcha de monter à l'appartement, de ranger son vélo et de gagner la cuisine. Comme il s'y attendait, Laurie était en train de préparer le dîner et JJ jouait tranquillement dans son parc. Il s'approcha de Laurie pour lui donner une bise dans le cou, puis il se tourna vers JJ. Pour son plus grand plaisir, le petit bonhomme lui sourit.

— Ce soir, dit Laurie, je crois qu'il va nous permettre d'avoir un vrai dîner.

— Génial. As-tu l'intention de le nourrir et de le mettre au lit avant que nous mangions ?

— Oui, et j'espère que ça va marcher.

— Puisque tout a l'air peinard, j'aimerais bien aller jouer au basket une petite heure.

— Je crois que c'est une bonne idée, dit Laurie, puis elle lui fit un clin d'œil : Mais garde quand même des forces pour plus tard, d'accord ?

Le sourire aux lèvres, Jack se dirigea vers la chambre. Il ne perdit pas une minute pour enfiler sa tenue de basket et redescendre dans la rue. JJ se sentait apparemment beaucoup mieux, depuis deux jours, et pour ses parents, c'était une vraie libération. Jack savait qu'il ne devait pas trop s'enthousiasmer, pour ne pas être déçu si la situation se dégradait à nouveau, mais tout allait tellement bien qu'il avait envie de pousser des cris de joie. La veille au matin, il était retourné voir Bingham pour lui demander un peu de temps libre. Pas pour se mettre en congé ; il souhaitait juste ne pas faire d'autopsie pendant quelques jours. Bingham lui avait aussitôt donné son accord, mais il lui avait rappelé de boucler sans délai le dossier de la victime dont l'enquêteur médico-légal avait oublié de protéger les mains. Jack avait eu le plaisir de l'informer que ce travail était déjà fait.

Ainsi libéré, Jack avait pu passer une partie des deux journées en compagnie de Shawn et de Sana.

Leurs travaux avançaient à bonne allure. Sana espérait entamer le séquençage de l'ADN mitochondrial le mercredi. Cette opération leur permettrait peut-être de déterminer la provenance du squelette de l'ossuaire. La question se posait, en effet, de savoir si cette femme était originaire du Moyen-Orient, auquel cas il pouvait s'agir de la Vierge Marie, ou si elle était née à Rome.

Jack traversa la rue en direction du terrain de basket. L'ironie de sa propre situation ne lui échappait pas : pile au moment où il avait trouvé le sujet de distraction qu'il lui fallait, JJ allait tout à coup beaucoup mieux. Il se demandait aussi si cette évolution positive ne devait pas les inciter à emmener le bébé au Memorial pour faire des analyses afin de déterminer si son allergie à la protéine murine avait disparu, et s'il était enfin possible de reprendre le traitement.

Pour Luke, le dîner avait été tout aussi délicieux que la veille. La nourriture préparée par Sana était tellement différente de l'ordinaire du monastère qu'il n'avait pas de mots pour décrire ce qu'il éprouvait. L'autre chose hélas identique à la veille, c'était le comportement de Shawn. Il avait catégoriquement refusé de parler de la Vierge Marie et de l'ossuaire. Puis, abruti par le whisky de l'apéritif et par le vin du dîner, il avait annoncé qu'il montait se reposer un moment dans sa chambre.

Vers 21 h 00, après avoir terminé de ranger la cuisine, Sana et Luke s'installèrent dans le salon devant le feu – avec un Coca pour lui et un verre de vin pour elle.

Shawn n'était toujours pas redescendu. Avant de s'autoriser à se détendre pour de bon, Sana voulut s'assurer qu'il dormait. Elle se leva en disant :

— Je vais voir où en est Shawn.

— Oh, non ! protesta Luke qui préférait ne pas revoir cet homme ivre et contrariant. Laissez-le se reposer !

— Je pense plutôt à nous, dit Sana avec un sourire complice.

Assis sur le canapé, Luke écouta le bruit des pas de son hôtesse dans l'escalier, puis le grincement du parquet, sur le palier, quand elle se dirigea vers la chambre de Shawn. Sa dernière remarque le rendait un peu perplexe. Il n'était pas sûr de comprendre ce qu'elle avait voulu dire. Aussi, il lui posa la question quand elle revint.

— Je pensais juste qu'il valait mieux que je monte le voir avant de m'installer ici avec vous, expliqua-t-elle tandis qu'elle prenait ses aises sur le canapé, à côté du jeune homme, les pieds posés sur la table basse. Et avant que nous ne nous lancions dans une intéressante conversation, comme hier et avant-hier.

Sana avait envie de réentendre l'histoire de Luke, mais dans une version moins « apprise par cœur », si possible, que la première fois.

— Shawn va bien ? demanda Luke.

Il ne pouvait s'empêcher de repenser aux comportements violents que son propre père avait autrefois sous l'emprise de l'alcool.

— Oui, je crois qu'il va bien, dit Sana, et elle poussa un petit rire : Il est vautré en travers du lit et complètement K.O.

— Je sais que nous avons déjà parlé de ça hier soir, mais... Franchement, je ne comprends toujours pas pourquoi il a cessé de dormir avec vous.

— C'est plus facile aujourd'hui qu'il y a six mois, quand il a eu l'idée de faire chambre à part, je dois dire. Depuis... c'est vrai que nous nous sommes beaucoup éloignés l'un de l'autre. Avez-vous remarqué que Shawn et moi, nous nous touchons très rarement ? Les plus petits gestes d'affection, semble-t-il, nous les avons perdus. Même des choses très simples, très anodines, par exemple se prendre gentiment par l'épaule, comme ça...

Sana leva le bras et le glissa quelques instants derrière la nuque de Luke. Elle gigota ensuite sur le canapé pour se rapprocher de lui et elle posa la main sur son genou.

— Ou s'asseoir tout près l'un de l'autre, de cette façon, en se touchant légèrement comme je touche votre jambe en ce moment... Dans les premiers temps de notre relation, Shawn et moi nous avions tous les deux envie de ces petits contacts physiques qui montraient la satisfaction que nous éprouvions à être ensemble. Nous nous touchions, un peu comme je vous touche maintenant, pour nous dire simplement que nous étions bien l'un avec l'autre. Mais tout ça, c'est du passé. Et comme je disais, même si c'est lui qui a eu l'idée de faire chambre à part, aujourd'hui je préfère ça. Au début, j'ai pensé que nous nous éloignions l'un de l'autre à cause de notre grande différence d'âge. Mais... je n'en suis plus si sûre. J'ai peur qu'il s'agisse d'autre chose.

Luke sentit tout à coup une bouffée de chaleur, dans sa jambe, remonter vers son bas-ventre. Il percevait intensément le contact du bras de Sana contre sa cuisse, et le contact de sa main posée au-dessus de son genou. Il avait l'impression que ses doigts étaient en feu.

Sana ne se rendit pas compte qu'elle avait provoqué une avalanche de sensations dans le corps de Luke – dans son jeune corps d'homme gonflé de testostérone. Elle touchait sa jambe d'une façon qu'elle estimait assez platonique. Ce n'était que l'expression physique de l'affection qu'elle éprouvait pour lui. Une affection qu'elle supposait réciproque, puisque deux soirs de suite, déjà, ils avaient échangé des pensées et des confidences très intimes. Luke était la première personne au monde, à vrai dire, devant laquelle Sana avait verbalisé les difficultés de plus en plus concrètes de sa relation avec Shawn. Auparavant, jamais elle n'avait laissé entendre devant quiconque qu'ils s'éloignaient irrésistiblement l'un de l'autre. En conséquence, elle avait le sentiment que Luke la comprenait. Qu'il la comprenait un peu comme un frère – tout comme, de son côté, elle avait envie de l'écouter et de le protéger comme une sœur. Par ailleurs, elle jugeait Luke très mûr et très perspicace. Il avait beau avoir des côtés un peu étranges, et l'apparence d'un homme mal sorti de l'enfance, Sana avait été frappée par la justesse des observations qu'il lui avait livrées sur sa relation avec Shawn.

Luke ne pensait plus à rien. Il s'abandonnait malgré lui aux sensations incroyables qui parcouraient son corps. La main de Sana lui brûlait presque le genou ; son bras lui enflammait la jambe jusqu'à la hanche. Il percevait les battements de son propre cœur à l'intérieur de son pénis qui gonflait irrésistiblement, tandis que ses testicules se contractaient entre ses cuisses de façon presque douloureuse. Il comprit tout à coup qu'il devait se laisser aller. C'était inévitable. Il avait besoin de remuer, d'écarter les jambes. Et dès qu'il fit cela, des spasmes irrépressibles envahirent les muscles de ses cuisses jusqu'à l'aine.

Sana sursauta quand elle perçut les contractions qui secouaient la jambe de Luke. Elle se tourna pour le regarder et sa main remonta sans qu'elle s'en aperçoive le long de la cuisse du jeune homme. Il sembla défaillir. Une expression hébétée apparut sur son visage. Il avait le front en sueur. Sana songea avec horreur qu'il faisait une crise cardiaque. Elle se mit aussitôt debout, posa les mains sur ses épaules et essaya de le faire allonger. Mais il la repoussa en lui agrippant les poignets. Il la saisit avec une telle force qu'elle s'écria :

— Stop ! Vous me faites mal !

Il ne la lâcha pas. Pétrifié sur le canapé, il serrait si fort ses poignets qu'il lui coupait la circulation sanguine dans les mains.

— Arrêtez ! hurla-t-elle. Stop !

Il écarquilla les yeux comme s'il revenait d'une crise d'épilepsie partielle, et il la lâcha. Sana se frotta aussitôt les poignets en gémissant :

— Mon Dieu, vous m'avez fait peur…

L'air hagard, Luke la regardait comme s'il ne savait plus très bien où il se trouvait. Il ne dit rien pendant de longues secondes.

— Ça va ? demanda-t-elle.

À présent, il avait les yeux vitreux. La bouche entrouverte, il respirait bruyamment. En dépit de la lumière des flammes qui lui donnait un teint orangé, il semblait beaucoup plus pâle qu'auparavant.

— Luke ! Ça va ?

Elle tendit les mains avec hésitation vers ses épaules. Comme il ne réagissait pas, elle le secoua doucement.

— Dites quelque chose ! Il faut que je sache si vous allez bien.

Luke, qui fixait jusqu'alors le mur du salon, leva lentement les yeux vers elle. Sana sentit qu'il s'arrachait à la tourmente qui l'avait emporté et qu'il revenait au présent. Mais c'était un présent très perturbé, très sombre. Au lieu d'être à nouveau le jeune homme heureux et paisible qu'il avait été quelques minutes plus tôt, il avait l'air… furieux. Méchant. Réprobateur. Il ouvrit la bouche comme s'il s'apprêtait à parler. C'est alors que Sana comprit ce qui s'était passé. Elle ne put s'empêcher de sourire.

— Oh ! s'exclama-t-elle avec soulagement. Vous avez joui, c'est ça ? Oui, je crois que c'est bien ça. Ne soyez pas gêné à cause de moi, Luke. Ce qui vous est arrivé, je trouve que c'est formidable. Félicitations ! Je prends même ça comme un compliment, si vous permettez. C'est rassurant, pour moi, de constater qu'un homme me trouve attirante. Je veux dire, sachant que mon mari ne me désire plus...

Sana voulait mettre le jeune homme à l'aise. Il semblait très embarrassé. Elle était à peu près sûre qu'il n'avait jamais eu de relation sexuelle avec une femme. Certes, on ne pouvait guère qualifier de « relation sexuelle » ce qui venait de se passer entre eux, mais Luke n'en avait pas moins connu l'orgasme. Elle espérait qu'en dépit des traumatismes qu'il avait vécus durant l'enfance, il était encore capable de mener une vie normale.

— Espèce de putain ! cria-t-il.

— Pardon ? !

Sana ne voulait pas entendre ce genre d'absurdité. Surtout pas dans la bouche d'un homme qu'elle voulait considérer comme un ami.

— Satan ! grogna Luke avec un rictus mauvais.

— Tiens donc ? rétorqua-t-elle d'un ton méprisant. Alors ça recommence comme autrefois, comme avec votre père et votre mère ? C'est la victime qu'il faut accuser, c'est ça ? Eh bien non, mon ami ! Cette fois, c'est là-haut que ça s'est passé...

Elle tendit la main pour toucher la tête de Luke. Il écarta son bras d'un geste tellement violent qu'elle ne put réprimer un cri de douleur.

— Putain de Satan ! cria-t-il d'une voix graveleuse.

— D'accord ! Ça suffit ! répliqua Sana en se frottant l'avant-bras. Je vous trouvais assez grave, question fanatisme religieux, mais j'avais l'espoir de vous voir progresser dans le bon sens. Manifestement, j'avais tort. Quant à l'accueil qui vous est fait dans cette maison, je dois vous prévenir que vous commencez à tirer un peu trop sur la corde de notre patience. Maintenant, je monte me coucher et je fermerai ma porte à double tour. Vous attendrez donc demain matin si vous voulez vous excuser. Je ne devrais pas avoir à le préciser, mais vous avez *vraiment* intérêt à me présenter vos excuses. Bonne nuit !

Sana sortit au pas de charge du salon. Son petit laïus n'avait servi à rien, manifestement, car au moment où elle commençait à monter le vieil escalier grinçant, elle entendit Luke marmonner :

— Putain de Satan ! Sois damnée pour l'éternité !

28

MERCREDI 10 DÉCEMBRE 2008
09 H 43
NEW YORK

À 08 h 45, James était déjà dans son bureau. Il répondait à ses e-mails. L'usage du courrier électronique lui permettait d'abattre une somme de travail qui ne laissait de l'ébahir. Il attribuait d'ailleurs l'essentiel de son énorme augmentation de productivité de ces dernières années au fait qu'il avait su s'adapter à cette nouvelle technologie. Le plus beau, avec les e-mails, c'était qu'ils accéléraient la dissémination de l'information et permettaient d'éviter d'innombrables coups de téléphone. Pour lui, ce dernier avantage était crucial.

James s'était réveillé avant 06 h 00. Il avait lu son bréviaire, puis il s'était douché et rasé en écoutant les informations à la radio. Il avait dit la messe avec son équipe, puis il avait pris son petit déjeuner en lisant le *Times*. Enfin, il était monté à son bureau où il se trouvait en ce moment. À 10 h 00, il devait avoir une réunion avec le chancelier et le vicaire général ; il envisageait d'aborder avec eux le problème de l'ossuaire.

Le téléphone sonna. James jeta un coup d'œil sur l'écran. Dès qu'il vit le mot ARCHIDIOCÈSE, il saisit le combiné. « Archidiocèse », c'était le téléphone portable qu'il avait confié à Luke Hester.

— Bonjour, Votre Éminence, dit le jeune homme d'un ton enjoué. Je crois avoir de bonnes nouvelles pour vous !

James se pencha en avant, le cœur battant. Il avait l'impression très agréable d'avoir l'archange Gabriel au bout du fil.

— Le Dr Daughtry a-t-il changé d'avis ?

Vu la teneur de ses dernières conversations avec Luke, il avait pour ainsi dire tiré un trait sur le plan B. Et il s'inquiétait beaucoup de ne pas avoir de plan C en ligne de mire.

— Pas encore, répondit Luke. Mais je suis certain de vous donner satisfaction.

— Ces paroles résonnent à mes oreilles comme une musique divine.

— J'espère qu'après cette affaire, vous me tiendrez en très haute estime. La tâche que vous m'avez confiée est vraiment très difficile.

— Je n'en ai jamais douté, convint James. À vrai dire, je suis même un peu étonné que vous pensiez réussir. Le Dr Daughtry semblait tellement… déterminé ! D'un autre côté, je sais qu'un vrai catholique ne peut totalement renier sa foi. Et j'ai toujours pensé que Shawn Daughtry, en dépit de ses fanfaronnades anticléricales, restait profondément attaché à notre Église. Dois-je l'appeler pour le féliciter ?

— Pas avant demain ! s'exclama Luke. Vous risqueriez de tout gâcher.

— Alors, je ne demande pas mieux que d'attendre une journée. Quels arguments vous ont finalement permis de le convaincre ?

— La solution que j'ai trouvée est moins question d'arguments que de tactique.

— Je suis impressionné. M'expliquerez-vous comment vous aurez procédé, une fois l'affaire réglée ?

— Vous ne manquerez pas d'être mis dans le secret, Votre Éminence. Et la révélation de la solution vous éblouira.

James sourit. Le jeune homme s'exprimait parfois comme s'il récitait une page de la Bible.

— Pour trouver la solution adéquate, reprit Luke, il m'a fallu comprendre ce contre quoi je me dressais.

— L'aphorisme me paraît adapté à de bien nombreuses situations, observa gentiment James.

— Il a fallu que je découvre que Satan s'était emparé non seulement du mari, mais aussi de la femme, précisa Luke d'un ton égal.

— Humm… Ils travaillent sur le même projet, n'est-ce pas ? Ils ont les mêmes motivations.

— Au départ, je me suis pourtant trompé à leur sujet. Je les croyais différents. Mais ce sont tous les deux des pécheurs.

— Merci de m'avoir téléphoné pour me prévenir, dit James. Je dois admettre que j'étais à deux doigts de désespérer.

— Je suis heureux d'avoir une telle occasion de servir l'Église et la Sainte Vierge.

Luke coupa la communication. Il se trouvait dans la cuisine des Daughtry, où il venait de se préparer un petit déjeuner très simple. Sana ne s'était pas levée de bonne heure, comme les autres jours, pour lui préparer son repas. Tant mieux. Il n'attendait plus rien d'elle. Maintenant qu'il l'avait percée à jour, il ne voulait plus la voir.

Après avoir mangé deux toasts et bu un bol de lait chaud, il remonta à sa chambre. Il ouvrit sa valise pour y prendre l'argent que le cardinal lui avait remis : 400 dollars. Une véritable fortune, pour le jeune moine qu'il était. Une somme bien trop élevée, aussi, pour ce qu'il prévoyait d'acheter. Il n'avait pas besoin de grand-chose, car la maison était déjà parfaite.

Dans la rue, il s'aperçut avec plaisir que la température était raisonnable. Le manteau qu'il possédait n'était pas très chaud. Au monastère, son travail ne l'obligeait jamais à sortir ; il mettait rarement le nez dehors en hiver. Sa mission, à présent, consistait à trouver une quincaillerie bien achalandée où il se procurerait une serrure qu'il prévoyait d'ajouter aux trois serrures existantes de la porte de la maison.

Il longea quelques rues et tomba sur l'une des nombreuses zones commerçantes de Greenwich Village. Là, il demanda à un passant où il y avait une quincaillerie. Un quart d'heure plus tard, il entrait dans une boutique de taille moyenne dans la Sixième Avenue. Le rayon des serrures était parfait. Luke fixa son choix sur un modèle dont il apprit en outre avec plaisir, par un vendeur, qu'il était le plus facile à installer.

Sur le chemin du retour, il fit halte dans deux autres boutiques pour acheter deux autres articles. Ceux-là étaient encore plus faciles à sélectionner, car le choix était très limité ; il s'agissait juste de piocher au hasard entre deux ou trois marques concurrentes. Muni de tout le matériel dont il avait besoin, il fut de retour avant midi chez les Daughtry.

En milieu d'après-midi, Sana était aux anges. La journée se passait aussi bien que les deux précédentes. Elle était en avance sur son programme. Le matin, elle avait bouclé les diverses étapes de la réaction en chaîne par polymérase. Elle était aussitôt passée à l'analyseur génétique 3130XL. D'ici quelques minutes, elle aurait sous les yeux non seulement tout le génome de l'ADN mitochondrial du squelette de l'ossuaire, mais aussi les séquences génétiques des nombreuses zones de tests qui servaient à déterminer les racines généalogiques de la personne concernée.

Après avoir lancé le séquenceur automatique, Sana avait quitté le labo pour se rendre à Columbia. Elle voulait s'assurer que ses expériences en cours étaient effectuées avec le soin requis. Elle avait découvert avec plaisir que tout était désormais bien en ordre. Ses quatre étudiants de troisième cycle travaillaient d'arrache-pied pour se faire pardonner le laisser-aller dont ils s'étaient rendus coupables pendant qu'elle était au Caire.

Au moment où elle descendait du taxi qu'elle avait pris devant Columbia pour revenir au labo ADN de l'IML, Sana songea brièvement à Luke. Il avait occupé ses pensées juste après son réveil et pendant qu'elle se préparait. Elle avait alors décidé de ne prendre aucune décision hâtive au sujet de l'incident de la veille au soir. Et, pour commencer, de ne pas en parler à Shawn tout de suite. Elle savait que si elle lui racontait la scène, il mettrait aussitôt le jeune homme à la porte de la maison. Puis il décrocherait le téléphone pour engueuler James et l'accuser d'avoir bien mal choisi son émissaire. Ils se retrouveraient alors tous à la case départ, c'est-à-dire à la menace de l'archevêque de les faire renvoyer du labo de l'IML, voire de les dénoncer aux autorités. Sana avait aussi jugé préférable de laisser l'épisode mûrir un moment dans sa tête avant de réagir – et ce pour trois raisons. Avec le recul, premièrement, elle s'estimait en partie responsable de l'incident. Sachant à quel point elle avait apprécié la compagnie de Luke, et consciente de ses propres frustrations, elle devait bien admettre que le jeune homme l'avait quelque peu émoustillée. Deuxièmement, l'agressivité de Luke avait été à 90 % une réaction de défense. Elle pouvait le comprendre. Enfin, il n'avait pas osé se présenter à elle le matin, mais elle était certaine qu'il s'excuserait après avoir mûrement réfléchi.

Son taxi payé, Sana entra dans le bâtiment de l'IML et montra sa plaque aux agents de sécurité. Désormais, ils la connaissaient bien. Au huitième étage, elle trouva Jack en compagnie de Shawn dans la première salle du labo. Shawn avait achevé le déroulage du premier rouleau dans la matinée. Il était fou de joie. Et plus il avançait dans la lecture du texte, plus il était certain que Simon serait bientôt réhabilité, au moins dans une certaine mesure, et enfin considéré comme un théologien à part entière. Il avait expliqué à Sana que Simon était, à coup sûr, l'un des tout premiers gnostiques *chrétiens*, sinon le premier. Simon avait associé l'histoire de Jésus de Nazareth à certaines idées fondamentales du gnosticisme pour montrer Jésus, par exemple, dans le rôle d'un enseignant de l'Illumination plutôt que dans celui du rédempteur des péchés.

— Avez-vous trouvé des trucs intéressants, en mon absence ? demanda-t-elle tandis qu'elle rangeait son manteau dans l'un des casiers.

Shawn, absorbé par son travail, ne répondit pas.

— Nous entamons le déroulage du second rouleau, dit Jack. Shawn espère qu'il parlera des os de l'ossuaire.

— Bonne chance, dit Sana. Je vais à côté retrouver mon ADN mitochondrial. Nous aurons peut-être des informations dans les toutes prochaines minutes.

— Ce serait bien, ça, marmonna Shawn sans lever la tête.

Sana entra dans le sas et enfila rapidement une combinaison, des gants et un calot. Même si le séquenceur avait terminé son travail, elle ne voulait aucune source de contamination dans son labo. Selon les résultats de la première analyse, elle ferait peut-être certains tests complémentaires, voire un cycle complet avec un nouvel échantillon. Quand elle fut prête, elle poussa la porte du labo, marcha droit vers le séquenceur, attrapa la liasse de pages imprimées et chercha celles qu'elle savait être les plus importantes. La tâche ne lui prit que quelques secondes. Il y avait en tout trois pages à isoler. Elle les regarda une première fois, très rapidement, l'une après l'autre, puis elle recommença, sourcils froncés, un peu moins vite. Elle leva les yeux vers le mur, secoua la tête, puis examina à nouveau les trois feuilles. Elle n'arrivait pas à croire ce qu'elle lisait. Mais bien sûr, il était exclu qu'elle compare de ses propres yeux les 16 484 paires de base de ces pages imprimées. Prise d'un léger vertige, elle s'assit sur un tabouret et regarda encore une fois les feuilles. Non, c'était hors de question : elle n'essaierait pas de faire la comparaison par elle-même. Les ordinateurs étaient parfaits pour ce genre de tâche. De plus en plus étourdie, elle prit une grande inspiration et essaya de réfléchir à la signification de ce qu'elle voyait sur ces feuilles – elle tenta de comprendre cette chose qui était là, sur le papier, alors qu'elle aurait dû être impossible.

Sana regarda encore les documents, de longues secondes, pour être sûre d'avoir bien lu. Le problème était le suivant : la séquence de l'ADN mitochondrial de la pulpe de la dent qu'elle avait tirée du crâne de l'ossuaire était parfaitement identique – paire de base pour paire de base, d'un bout à l'autre des 16 484 que comptaient les génomes – à la séquence de l'ADN mitochondrial d'une femme qui vivait aujourd'hui quelque part dans le monde. La correspondance était irréfutable. *Impossible*, ouais, mais irréfutable. Sana avait ordonné au séquenceur de prendre les résultats de l'ADN du squelette de l'ossuaire et de voir s'ils avaient un équivalent dans la toute nouvelle base de données mitochondriales internationale qu'on appelait CODIS 6.0.

Le fait de trouver des séquences identiques dans le monde contemporain n'avait rien d'anormal, ni même d'exceptionnel. Les vrais jumeaux, par exemple, possédaient le même ADN. Le problème, ici, c'était que la femme de l'ossuaire avait plus de 2 000 ans ! L'identification de son génome était déjà une belle réussite. Mais si ce génome était identique à celui d'une femme qui, elle, était actuellement en vie…

Ça, c'était inexplicable. Impensable.

— Impossible, dit-elle à voix haute en secouant les pages qu'elle avait à la main. C'est carrément impossible !

Elle se leva, traversa le labo au pas de charge, puis le sas, et fit irruption, le souffle court, dans la salle où travaillaient Jack et Shawn. Ils sursautèrent tous les deux tandis qu'elle se ruait vers eux.

— Il vient de se produire un truc impossible ! s'exclama-t-elle.

Shawn grimaça, mécontent d'être dérangé. Jack, intrigué, prit la feuille que Sana lui tendait.

— Ça, c'est le génome de l'ADN-MT de la femme de l'ossuaire, dit-elle d'une voix tremblante, tapotant la page que Jack avait à la main. Et il est identique, rigoureusement identique, à celui d'une femme qui vit aujourd'hui en Palestine !

Sana brandit une seconde page sous le nez de Jack. Il la saisit d'un air perplexe.

— Et cette séquence-là, qui est la même que les deux précédentes, c'est la séquence mitochondriale d'Ève ! ajouta Sana, hors d'haleine tellement elle était bouleversée.

Elle tendit à Jack la troisième feuille imprimée qu'elle avait sélectionnée.

Jack examina brièvement ces pages, puis il fronça les sourcils et demanda :

— Ça veut dire quoi, « la séquence mitochondriale d'Ève » ?

— C'est une séquence d'ADN mitochondrial qui a été déterminée par un supercalculateur qui a travaillé plusieurs semaines d'affilée pour trouver notre plus récent ancêtre matrilinéaire commun. En d'autres termes, c'est la séquence de notre premier ancêtre de sexe féminin. En tenant compte, bien sûr, de toutes les permutations des 16 000 et quelques paires de bases normales du génome de l'ADN mitochondrial humain.

— Mais... le fait qu'il y ait correspondance entre les trois..., dit Jack. La probabilité d'un tel événement doit être infinitésimale.

— Exactement ! cria Sana d'une voix suraiguë. C'est pour ça que je vous dis que c'est impossible !

Shawn s'approcha et demanda :

— De quoi vous jacassez, tous les deux ?

Sana lui répéta son explication. Shawn se montra tout aussi dubitatif que Jack.

— C'est sûrement une erreur du système informatique.

— Je ne crois pas, objecta Sana. J'ai déjà fait des centaines, non, des *milliers* de séquençages. Il n'y a jamais eu d'erreur. Pourquoi aujourd'hui ?

— Avez-vous d'autres brins de la PCR ? demanda Jack.

— Oui.

— Pourquoi ne lancez-vous pas un autre séquençage et une autre analyse comparative ?

— Bonne idée, approuva Sana. J'y vais tout de suite…

— Attends une seconde ! dit Shawn. Laissez-moi vous poser une question, à tous les deux, et puis vous me direz si je suis dingue et si je ferais mieux de la boucler. O.K. ?

— O.K., répondirent en chœur Sana et Jack.

— Bon, voilà. Le seul truc qui pourrait expliquer l'émergence de cette situation statistiquement impossible…

Shawn hésita. Il regarda Sana et Jack quelques secondes.

— Vas-y, parle ! s'impatienta Sana.

— Nous t'écoutons, dit Jack. Dégaine !

— Vous êtes sûrs de vouloir entendre ça ? dit Shawn - en partie pour les taquiner.

— Je retourne au labo pour une deuxième série d'analyses, dit Sana en tournant les talons.

— Attends ! s'exclama Shawn, et il la retint par le bras. Je vais parler, promis !

— Je te donne trois secondes. Après, je vais au labo.

Sana était trop survoltée pour accepter les petits jeux de son mari.

— D'accord, dit-il. Pour le moment, oubliez la femme qui vit en Palestine. Nous avons deux séquences identiques : celle de l'Ève matrilinéaire et celle de la femme de l'ossuaire. En dehors du fait qu'elles possèdent le même ADN mitochondrial… qu'ont-elles en commun, ces deux femmes ?

Sana consulta Jack du regard. Il secoua la tête.

— Elles ne sont pas contemporaines, si c'est à ça que tu penses, dit-elle. L'Ève matrilinéaire, si elle a vécu, a vécu plusieurs centaines de milliers d'années avant la femme de l'ossuaire.

— Non, non, objecta Shawn. Ce n'est pas ça du tout. Permettez-moi de dire les choses autrement. Grâce à la lettre de Satornil, nous pensons que le squelette de l'ossuaire est celui de Marie, la mère de Jésus de Nazareth. Acceptons le fait, pour le moment, qu'il s'agit bien d'elle. Déjà, pour commencer, ce squelette serait une relique extraordinairement précieuse pour beaucoup de gens. Vous me suivez, jusque-là ?

— Bien sûr, dit Sana qui s'impatientait à nouveau.

— Ensuite, si nous avions aussi le squelette de l'Ève matrilinéaire, qu'aurait-il de commun avec celui de Marie – en dehors du fait qu'ils auraient le même ADN mitochondrial ?

— Ils auraient peut-être aussi le même ADN nucléaire, proposa Jack.

— Ouais, peut-être, marmonna Shawn, un peu agacé. Mais ce n'est pas ce que je veux entendre. Réfléchissez au problème d'un point de vue théologique !

Jack secoua de nouveau la tête. Il regarda Sana, qui leva les yeux au ciel et dit :

— Tu vas devoir nous expliquer toi-même ce que tu veux entendre, Shawn.

— Théologiquement parlant, elles ont toutes les deux été créées par Dieu le Père ! Vous souvenez-vous que James nous a dit qu'il avait évoqué un certain anniversaire, dimanche dernier, pendant la messe ? Il a parlé de l'anniversaire de la bulle papale de l'Immaculée conception. Celle qui affirme que Marie a été créée innocente pour être la Mère du Christ. D'accord ? Bon ! Ève était innocente, elle aussi – au début, en tout cas. Et comme elle était la première de toutes les femmes, il n'y avait personne dans les parages pour la mettre au monde, sinon Dieu lui-même. Maintenant... À votre avis, combien de recettes de fabrication, pour ainsi dire, Dieu a-t-il pour les êtres humains ? Moi, je dirais qu'il en a une seule. Et en termes de génome d'ADN mitochondrial, ce que nous avons ici, sur ces papiers, c'est *la* recette. Dieu a utilisé la même recette pour Ève et pour Marie. Elles ont eu des destins très différents, mais elles sont jumelles.

Pendant quelques secondes, ils méditèrent tous les trois les propos de Shawn. Enfin, Jack brisa le silence :

— Si ce que tu imagines est juste, Sana et toi vous venez de corroborer l'existence du divin. Par inadvertance, mais de la façon la plus scientifique qui soit.

Sana et Shawn éclatèrent de rire. Puis ils s'étreignirent avec enthousiasme en dépit de l'encombrante combinaison de labo de Sana.

— Nos articles seront des classiques avant même d'être publiés ! bafouilla Shawn, ivre de joie, et il s'écarta de Sana pour ajouter : Je dois me remettre au travail. J'ai trop hâte d'arriver au bout du troisième rouleau. Jamais je n'ai été aussi excité par mes recherches.

— Moi, annonça Sana, je vais faire quelques analyses supplémentaires pour être absolument certaine des résultats.

— Et puisque nous en sommes là, les amis, dit Jack, je rentre à la maison dès maintenant pour permettre à ma femme de faire une pause avec le bébé.

À vrai dire, Jack avait une autre idée en tête. Le matin, il avait appelé l'oncologue pédiatrique responsable des protocoles de traitement des neuroblastomes, au Memorial, pour lui demander s'il n'était pas temps de tester à nouveau l'allergie de JJ à la protéine murine.

— Et félicitations encore une fois ! lança-t-il alors qu'il ouvrait la porte du couloir.

Shawn et Sana le saluèrent de la main, le sourire aux lèvres. Sana se dirigea vers le sas pour changer de tenue. Shawn retourna s'asseoir devant la table pour reprendre le pénible déroulage des papyrus.

— À quelle heure, demain matin ? cria Jack.

— Pas avant 10 h 00 ! répondit Shawn en élevant la voix à son tour. Ce soir, Sana et moi nous ferons peut-être un peu la fête.

— À propos, reprit Jack. Avant de parler de tout ça à James, à votre place, j'attendrais d'avoir confirmé les analyses de l'ADN mitochondrial.

— Oui, soyons miséricordieux avec ce pauvre James, répondit Shawn d'un ton ironique.

Jack sortit du labo. Il allait lâcher la porte, lorsqu'une nouvelle idée lui vint à l'esprit. Songeant que ses cris, à force, risquaient de déranger les autres personnes présentes à l'étage, il revint vers Shawn. Sana était en train d'enfiler une combinaison propre dans le sas.

— J'allais oublier la femme palestinienne dont l'ADN correspond lui aussi à celui de la femme de l'ossuaire, dit Jack. Ça veut dire quoi, ça, nom de Dieu ?

— Bonne question, dit Shawn en se mettant debout.

Il marcha jusqu'à la porte du sas, l'entrouvrit et demanda son avis à Sana.

— C'est forcément une parente directe, par filiation matrilinéaire, de la femme de l'ossuaire, répondit Sana. Et c'est possible, en plus. Pour le polymorphisme nucléotidique simple de l'ADN mitochondrial, la demi-vie est de deux mille ans.

— T'as entendu ça ? demanda Shawn à Jack en revenant vers lui.

— Ouais. C'est vraiment étrange. Je me demande si cette femme se doute de quelque chose. Ou si quelqu'un, dans son entourage, a la moindre idée à ce sujet. Je me demande aussi si elle est chrétienne ou musulmane.

— Peut-être que nous devrions lui rendre visite un de ces jours. Quoique… moins elle en saura mieux cela vaudra pour elle, tu ne crois pas ?

— Peut-être, dit Jack, songeur. C'est étrange, en tout cas.

Il sortit du laboratoire. Quand il entra dans l'ascenseur, il pensa à autre chose. Il y avait une forme de médecine parallèle qu'il n'avait pas du tout examinée pendant son enquête : celle de la guérison par la foi. La raison de cet « oubli » de sa part, c'était sans doute que cette pratique risquait encore moins d'être efficace que la plupart des autres formes de médecine parallèle. Dans sa vie précédente, quand il lui arrivait de végéter un moment devant la télévision en zappant de chaîne en chaîne, il avait vu des télé-évangélistes poser les mains sur le front de leurs « patients », et ceux-ci avoir d'étranges réactions – ils s'évanouissaient ou semblaient entrer en transe, quelque chose comme ça, avant d'être déclarés guéris. Pure charlatanerie, évidemment.

D'un autre côté, si une femme, quelque part au monde, possédait le même ADN que la mère de Jésus de Nazareth… Jack ne pouvait s'empêcher de se demander si *elle*, elle n'avait pas le pouvoir de guérir les gens de son entourage.

L'ascenseur arriva au rez-de-chaussée. Dès qu'il en sortit, Jack oublia ces étranges considérations sur la guérison par la foi et se remit à penser au traitement du cancer de JJ.

29

MERCREDI 10 DÉCEMBRE 2008
16 H 44
NEW YORK

Shawn n'avait aucune envie de passer à l'épicerie pour acheter de quoi dîner, car cela signifiait payer *encore une fois* pour la nourriture de Luke, mais il le fit quand même, tant il était de bonne humeur. De son côté, il avait abattu une journée de travail exceptionnelle. Le déroulage des papyrus avançait mieux que prévu. En plus, Sana avait déjà fait un second séquençage de l'ADN mitochondrial de la pulpe dentaire. Et la séquence imprimée par la machine était exactement la même que la première. Ce mercredi avait donc été, et de loin, leur journée la plus remarquable pour ce qui concernait les recherches sur l'ossuaire. Leurs progrès étaient de bon augure pour les articles qu'ils écriraient l'un et l'autre dans un avenir relativement proche.

— J'ai une idée, dit Sana tandis qu'ils chargeaient leurs courses dans le coffre d'un taxi.

— Ah ouais ? fit Shawn avec humour. C'est nouveau, ça…

Sana posa le sac qu'elle avait entre les mains et en tira un paquet de serviettes en papier pour taper sur la tête de Shawn. Elle éclata de rire.

Ils se chamaillaient encore joyeusement quand ils arrivèrent à la maison. Pendant que Shawn payait le chauffeur, Sana alla récupérer les courses à l'arrière de la voiture. Elle posait les sacs au bord du trottoir, lorsqu'elle repensa tout à coup à Luke. Elle se demandait dans quel état d'esprit il était maintenant. De son côté, elle hésitait encore entre la colère et l'envie de rire. Luke était sans doute très embarrassé d'avoir eu une réaction si violente après son petit incident. Elle espérait qu'il ne manquerait pas de s'excuser, comme elle le lui avait suggéré, afin qu'ils puissent tous les deux oublier cette affaire. Après avoir bien réfléchi à son comportement, elle le considérait encore comme totalement déplacé.

— Putain de Satan, murmura-t-elle pour elle-même.

Une telle grossièreté dans la bouche d'un individu au visage aussi angélique, c'était vraiment choquant.

— Tu as les sacs ? demanda Shawn.

— Ouais. Donne-moi un coup de main.

Il la rejoignit et attrapa les deux derniers sacs qu'elle venait de sortir de la voiture. Elle ferma le coffre et le tapota pour signaler au chauffeur qu'elle avait terminé, puis elle récupéra les sacs qu'elle avait posés sur le trottoir.

Pendant qu'ils marchaient vers la porte de la maison, Sana sortit son trousseau de clés de son sac à main.

— Mince ! dit Shawn. Je viens juste de me rappeler que nous avons terminé la dernière bouteille de vin hier soir.

— Si tu veux, tu n'auras qu'à aller en acheter tout à l'heure à la boutique de la Sixième Avenue. C'est vrai que sans vin, la petite fête à laquelle tu faisais allusion devant Jack sera un peu terne.

— En effet, acquiesça Shawn. Et je proposerai peut-être à Luke de m'accompagner. Ça lui fera du bien de sortir de la maison.

— C'est gentil de ta part.

Sana ne put s'empêcher de se demander ce que Shawn aurait pensé si elle lui avait raconté que Luke l'avait traitée de « putain de Satan » la veille au soir. Peut-être aurait-il ri, lui aussi... Quand il était en colère, il jurait comme un charretier.

Lorsqu'elle ouvrit les trois serrures, chacune avec sa clé respective, Sana remarqua qu'il y en avait une quatrième sur la porte. Une serrure qui n'était assurément pas là la veille. Une serrure neuve. Elle ouvrait la bouche pour interroger Shawn à ce sujet, lorsqu'elle tourna la clenche et sentit le battant s'ouvrir sans résistance. Shawn trépignait derrière son dos, pressé d'entrer dans la maison car il portait les deux plus gros sacs de courses. Elle fit un pas de côté pour le laisser passer, puis elle le suivit et oublia momentanément la nouvelle serrure.

— Bonsoir, Luke, dit Shawn tandis qu'elle refermait la porte.

Elle se retourna et Shawn s'adressa de nouveau au jeune homme. Mais pas pour prendre de ses nouvelles. Il lui déclara d'un ton ferme, et sans tourner autour du pot, qu'il n'avait pas le droit de fumer dans la maison.

— C'est juste une cigarette, répliqua Luke qui était assis sur une chaise au fond du hall.

Il n'avait pas l'air embarrassé du tout. Au contraire, il semblait mettre Shawn au défi de l'empêcher de faire ce qu'il voulait.

— Je vous le répète, il est formellement interdit de fumer à l'intérieur de la maison !

— D'accord, dit le jeune homme avec un haussement d'épaules.

Il se leva, passa devant Shawn et se dirigea vers la porte d'entrée. Au lieu de l'ouvrir, il la verrouilla avec une clé – dans la nouvelle serrure, la quatrième serrure, observa confusément Sana. Ensuite, il se dirigea vers l'escalier comme s'il allait monter à l'étage.

— Où allez-vous, nom de Dieu ? demanda Shawn d'une voix impérieuse. Ne m'obligez pas à me répéter !

Mais Luke ne s'engagea pas dans l'escalier. Il le longea en tapotant les barreaux de la rampe avec les doigts. Il paraissait étrangement calme et concentré.

Shawn regarda Sana d'un air perplexe. Elle secoua la tête, incapable d'expliquer l'étrange comportement du jeune homme. Il avait allumé une cigarette mais il ne la fumait pas. Il ne s'en débarrassait pas non plus. Il verrouillait la porte d'entrée, et puis il donnait l'impression de visiter le hall de la maison. Qu'avait-il donc en tête ?

Il parvint à la porte de la cave – au fond du hall, sous l'escalier. La main sur la poignée, il se tourna et regarda Shawn et Sana. D'une voix pleine de ferveur, il récita tout à coup un Ave Maria. Dès qu'il eut terminé, il ouvrit la porte de la cave, jeta la cigarette allumée dans l'escalier et claqua la porte.

— Nom de Dieu ! hurla Shawn, outré.

Sans une seconde d'hésitation, il jeta sur la console les sacs de courses qu'il avait entre les bras et il se précipita vers la porte de la cave. Entendit-il le sifflement sourd, rauque, qui s'éleva alors du sous-sol de la maison ? Personne ne le saura jamais. Sana, de son côté, le sentit davantage qu'elle ne l'entendit, car il fit trembler les bibelots qui se trouvaient sur une étagère juste à côté d'elle. Inquiète, elle apostropha Shawn. Mais elle ne réussit pas à le détourner de la mission qu'il s'était fixée : récupérer cette cigarette, l'écraser, la jeter dehors comme il avait envie de chasser Luke de chez lui. Dans le même mouvement, il écarta Luke, ouvrit la porte et s'élança dans l'escalier. Malheureusement, une énorme boule de vapeurs d'essence en combustion s'éleva à sa rencontre et consuma instantanément ses cils, ses sourcils et l'essentiel de ses cheveux. À cause des centaines de poches d'air que contenaient ses murs et ses cloisons, la vieille maison en bois se transforma en quelques secondes en un brasier infernal. Les flammes atteignirent plusieurs mètres de hauteur ; les vieux journaux froissés qui constituaient le matériau isolant des murs facilitèrent leur propagation. En un éclair, la température grimpa à près de 700 °C et tous les objets et les personnes qui se trouvaient dans la maison furent pris dans un embrasement général. Bien que dévorés par les flammes, Shawn et Sana réussirent à atteindre la porte d'entrée – mais il leur fut impossible de l'ouvrir.

Un quart d'heure après, un voisin remarqua une lueur orangée en face de son appartement. Il regarda dehors et se précipita sur le téléphone pour appeler les secours. Les premiers camions de pompiers parvinrent sur les lieux onze minutes plus tard. Il ne restait déjà plus que la cheminée à sauver.

Épilogue

JEUDI 11 DÉCEMBRE 2008
07 H 49
NEW YORK

Dispensé d'autopsie pendant toute la semaine, Jack ne s'imposait pas d'arriver très tôt à l'IML. Il était 07 h 50 quand il arrêta son vélo devant l'immeuble. À cette heure-là, d'habitude, il était déjà en salle d'autopsie et il faisait sa première dissection tout en se chamaillant amicalement avec Vinnie Amendola. Mais aujourd'hui, il était content de prendre son temps pour attacher son Trek près d'une des portes du garage de l'IML, bien en vue du poste de sécurité, puis de saluer les agents avant de se diriger vers les ascenseurs.

Comme Shawn lui avait dit qu'il ne serait pas au labo avant 10 h 00, Jack avait décidé de commencer par rédiger la paperasse, si possible, de tous les cas qu'il n'avait pas encore bouclés. Ainsi, lorsqu'il se remettrait à faire des autopsies, il aurait zéro retard, zéro dossier en souffrance – une situation idéale dans laquelle il n'avait pour ainsi dire jamais été depuis treize ans qu'il bossait à l'IML. Auparavant, néanmoins, il voulait boire un café et sentir l'atmosphère qui régnait sur la morgue en ce début de matinée. Il se dirigea vers la salle commune. Cette semaine, c'était une des meilleures légistes de l'Institut, le Dr Riva Mehta, qui avait la responsabilité de la répartition des autopsies. Riva, avec qui Laurie avait partagé un bureau pendant longtemps, était une collègue brillante, généreuse et très travailleuse. Des qualités qui faisaient défaut à bon nombre des légistes de l'équipe.

L'arôme du café lui chatouilla les narines dès qu'il entra dans la pièce. Jack taquinait impitoyablement Vinnie sur à peu près tous les sujets, mais il ne se moquait pas de son café. Sans jamais changer sa méthode de préparation dont il avait quasiment fait une science, Vinnie produisait chaque matin un café qui était bon pour un breuvage de collectivité et qui avait invariablement le même goût. Après sa demi-heure de vélo, Jack appréciait toujours d'en avaler une tasse.

— Bonjour ! lança-t-il à Riva en entrant dans la pièce. Il y a des cas particulièrement intéressants, aujourd'hui ?

— Hé ! s'exclama une voix rauque. Il était temps, gros paresseux !

Jack s'immobilisa, interloqué. Son vieil ami le commissaire Lou Soldano venait de poser le *Daily News* de Vinnie sur un accoudoir du fauteuil club au fond duquel il était assis. Il prit appui sur les deux accoudoirs pour s'en extraire.

Quand Lou se pointait de bon matin à l'IML, il avait la tête d'un homme qui n'avait pas fermé l'œil de la nuit. Et aujourd'hui ne faisait pas exception à la règle. Un chaume irrégulier de barbe couvrait ses joues et son cou. Il avait retiré sa cravate et déboutonné le col de sa chemise. Les cernes noirs qui bordaient ses yeux descendaient assez bas sur ses pommettes pour lui faire des yeux de chien de chasse et rejoindre les plis de son sourire fatigué. Ses cheveux courts, qu'il se donnait rarement la peine de peigner, se dressaient en épis désordonnés autour de sa tête. Jack fronça les sourcils : ce matin, à vrai dire, Lou avait l'air d'avoir passé non pas une seule nuit dehors, mais toutes les nuits de la semaine.

— Lou, mon pote, dit-il avec tendresse. Tu tombes à pic. Je voulais te voir, justement.

— Ah ouais ? Comment ça ? demanda Lou d'un ton méfiant.

Il rejoignit Jack devant la cafetière. Ils se serrèrent la main.

— Je ne t'ai pas encore présenté mes excuses pour la conversation ridicule que je t'ai obligé à avoir l'autre jour. Tu te souviens ? Sur la chiropratique, la médecine parallèle, tout ça…

— Je m'en souviens, bien sûr, mais pourquoi devrais-tu t'excuser ?

— Je m'étais lancé dans une petite croisade perso contre la médecine parallèle. Je crois que j'ai poussé le bouchon un peu loin avec plusieurs personnes. Dont toi, mon vieux.

— Tu déconnes, grogna Lou. Ça n'a aucune importance. Mais bon, si tu veux t'excuser, très bien ! *Amen.* Maintenant, demande-moi pardon de débarquer si tard. Ça fait quarante-cinq minutes que je t'attends.

— Je ne fais pas d'autopsie cette semaine.

— Ah zut ! À qui tu veux faire croire ça ? ! Tu aurais pu me prévenir, tout de même !

— Je l'aurais fait, si j'avais su que tu avais besoin d'être prévenu. Qu'est-ce qui se passe ?

— La nuit a été chaude. Et même brûlante, si je puis dire. En plus des emmerdes habituelles, il y a eu un incendie criminel, dans le West Village, qui a tué trois personnes. Dont deux de ta connaissance, m'a dit l'archevêque de New York.

— Qui ça ? ! répliqua Jack d'une voix blanche.

Mais il avait déjà la réponse à cette question. Si le drame avait eu lieu dans le West Village et si James était impliqué, cela voulait forcément dire…

— Cet incendie, s'empressa-t-il d'ajouter, était-ce dans Morton Street ?

— Ouais. Au numéro 40. Tu les connaissais bien, ces deux personnes ?

Jack était stupéfait. Il n'en revenait pas. Un léger vertige le saisit.

— L'une d'elles plus que l'autre, bafouilla-t-il. Seigneur… Je n'arrive pas à y croire ! Que s'est-il passé ?

— Nous n'avons pas encore complètement reconstitué le scénario du drame. D'où tu connaissais ces gens ?

Jack tendit à Lou la tasse de café qu'il avait à la main. Il s'en servit une autre, avant de dire :

— Je crois qu'il vaudrait mieux s'asseoir.

Quand ils eurent pris place dans les fauteuils club, il parla à Lou de Shawn et de Sana Daughtry. Il lui expliqua aussi qu'il connaissait Shawn et l'archevêque depuis la fac. Il n'évoqua pas l'ossuaire ; il préférait attendre de découvrir ce que Lou savait de son côté à ce sujet.

— J'étais chez les Daughtry samedi dernier, à Morton Street, précisa-t-il. Pour le dîner.

— Heureusement pour toi, tu n'y étais pas hier soir, dit Lou. Cet incendie, ç'a été un travail de vrai pyromane. Il y avait de l'essence comme accélérant, à la cave, mais elle n'était même pas nécessaire. La maison, qui datait du XVIIIe siècle, était entièrement en bois. Quand ces baraques-là prennent feu, il n'y a aucune chance de les sauver.

— Les trois victimes sont-elles formellement identifiées ?

— Ouais. Mais nous voulons quand même une confirmation de l'IML. Nous sommes à peu près sûrs que deux d'entre elles sont les propriétaires de la maison, mais il faut vérifier par précaution. Les trois cadavres sont calcinés. L'identification de la troisième victime, qui est un homme, a été plus difficile. Nous avons retrouvé certaines de ses affaires dans les décombres. Et c'est notre principal suspect pour l'incendie. Il s'appelait Luke Hester. Nous avons découvert qu'il appartenait à une communauté religieuse complètement frapadingue, dédiée à la Vierge Marie, qui est installée dans un monastère du nord de l'État. Le responsable, que nous avons contacté dès hier soir, nous a appris que Luke Hester était à New York pour remplir une mission un peu particulière sous les ordres de l'archevêque. Bien sûr, nous avons aussitôt tiré Son Éminence du lit. Il nous a raconté toute l'histoire. Luke Hester était bel et bien une sorte de fanatique religieux. Il séjournait chez les Daughtry. L'archevêque pense qu'il s'est suicidé en même temps qu'il a assassiné les Daughtry, en martyr de sa foi, pour les empêcher de publier des articles négatifs au sujet de la Sainte Vierge. T'arrives à croire un truc pareil, toi ? Sérieux, y a vraiment qu'à New York qu'on tombe sur des histoires aussi insensées ! Non ?

— Comment était l'archevêque, quand tu lui as parlé ? demanda Jack.

Il arrivait à peine à imaginer ce que James devait éprouver en ce moment. Il devait être catastrophé.

— Il n'était pas jouasse, c'est sûr, répondit Lou, puis il ajouta comme s'il avait lu dans les pensées de Jack : À vrai dire, il était bouleversé. Quand je lui ai annoncé la nouvelle, il n'a pas pu dire un mot pendant deux bonnes minutes.

Jack soupira profondément et secoua la tête.

— Bon, reprit Lou. Moi, j'étais venu ici pour te regarder faire les autopsies de ces trois personnes, au cas où elles nous révéleraient des trucs imprévus. Tu es connu pour savoir réaliser ce genre de tour de force, mon vieux…

Jack se retourna et demanda à Riva :

— Qui doit se charger des trois brûlés ?

— C'est moi, répondit-elle. Mais si tu en veux un ou deux, ou même trois, tu n'as qu'à le dire.

— Non merci !

Jack avait déjà pris la décision d'aider James plutôt que Lou. Il voulait rassembler au plus vite tous les éléments de l'ossuaire pour les rendre à James.

— Te voilà paré, dit-il à Lou. Le Dr Mehta est une des meilleures légistes de la maison. Je suis certain que tu la trouveras nettement plus charmante que moi, et même un peu plus rapide.

— Dans combien de temps prévoyez-vous de vous mettre au travail, ma belle ? lança Lou à Riva.

Jack fit la grimace. Riva n'appréciait sans doute pas du tout d'être appelée « ma belle » par un policier un peu macho. D'ailleurs, elle ne se donna même pas la peine de répondre. Jack regarda son ami droit dans les yeux et se passa discrètement un index sous le menton, comme s'il se tranchait la gorge.

— Évite les « ma belle », les « chérie » et autres sucreries de ce genre, murmura-t-il.

— D'accord, acquiesça Lou à voix basse.

Il reformula sa question et obtint aussitôt une réponse de Riva : un quart d'heure.

— J'ai un autre petit conseil à te donner, dit Jack. Ne perds pas trop de temps sur cette enquête. C'est juste une triste et regrettable tragédie dans laquelle chaque protagoniste faisait ce qu'il pensait devoir faire.

— C'est l'impression que j'ai eue en parlant avec l'archevêque. Le jeune moine n'avait pas de casier judiciaire et aucun antécédent. Le truc le plus étrange, peut-être, c'est l'espèce de professionnalisme dont il a fait preuve pour mettre le feu à la maison. Notre spécialiste des pyromanes était impressionné. Non seulement Luke Hester a eu l'idée d'utiliser de l'essence comme accélérant les choses, mais il s'est débrouillé pour qu'elle se vaporise efficacement. Il a même pensé à en répandre à travers toute la cave pour diriger les flammes aux quatre coins de la maison. Il avait aussi créé des appels d'air dans la charpente, à coups de hache, pour être certain que les flammes grimperaient à vitesse maximale de la cave jusqu'au toit. Ce type était un pyromane-né !

— J'ai mon portable sur moi, dit Jack. Appelle-moi si besoin est. Là, tout de suite, je cours chez l'archevêque pour le consoler. Il se sent coupable, j'en suis sûr, parce que c'est lui qui avait présenté Luke Hester aux Daughtry. Je ne comprends pas pourquoi il ne m'a pas encore appelé.

— Tu as raison, il se sent complètement coupable. Il me l'a dit. Je suis sûr qu'il sera content de te voir. Il m'a aussi raconté que vous vous étiez retrouvés récemment, après être restés longtemps sans vous fréquenter.

— Plus longtemps que je n'ose y penser, admit Jack.

Certain que le travail de Riva donnerait entière satisfaction à Lou, Jack descendit au sous-sol pour gagner le bureau du service des transports. Il voulait emprunter une des camionnettes blanches des équipes d'investigation médico-légales, avec un chauffeur, pendant une petite heure. Calvin Washington rouspéterait peut-être, mais tant pis. Jack était pressé. Quand il entra dans le bureau, cependant, il comprit qu'il n'avait pas à s'inquiéter. Les cinq chauffeurs se tournaient les pouces et bavardaient autour d'un café. Cinq minutes plus tard, il était en route avec l'un d'eux : Pete Molina, un homme qu'il connaissait assez bien et qui était récemment passé à l'équipe de jour après avoir bossé plusieurs années pendant la nuit.

Ils gagnèrent sans délai l'immeuble du labo ADN. Là, Jack ordonna à Pete de se garer devant le quai de déchargement et de l'attendre. Il se précipita dans le hall et demanda aux agents de sécurité de lui ouvrir le labo utilisé par les Daughtry au huitième étage. Dès qu'il s'y retrouva seul, il agit sans perdre une seconde. Il avait peur que les hommes de Lou chargés de l'enquête sur l'incendie de Morton Street n'entendent parler de ce labo – et n'y débarquent – avant qu'il ait eu le temps d'en évacuer l'ossuaire et son contenu. Il lui paraissait important que tous ces objets retournent à leurs véritables propriétaires. Et James était le mieux qualifié pour ce travail.

Il remit tout dans l'ossuaire : le squelette complet, les rouleaux, et même la dent utilisée par Sana pour ses analyses. Il y ajouta ensuite deux autres objets : le codex et la lettre de Satornil. Par chance, Shawn les avait apportés de son bureau, l'avant-veille, pour les avoir à disposition pendant qu'il bossait sur les papyrus.

Après avoir fait le tour des deux pièces du labo pour vérifier qu'il n'avait rien oublié, Jack chargea l'ossuaire sur le chariot avec lequel Shawn avait monté les plaques de verre au huitième étage. Il descendit au niveau du quai de déchargement par l'ascenseur de service. Pete n'avait pas bougé. Si un camion de livraison était arrivé entre-temps, il aurait été obligé de déplacer son véhicule. Jack montra sa carte de l'IML à un agent de sécurité, transféra l'ossuaire dans la camionnette blanche et l'attacha avec une sangle.

— Où va-t-on, maintenant ? demanda Pete en lançant le moteur.

— À la résidence de l'archevêque de New York, dit Jack.

Pete tourna la tête pour le regarder d'un air amusé.

— Suis-je censé savoir où ça se trouve, la résidence de Son Altesse l'archevêque ?

— Au coin de la 51e et de Madison. Vous n'aurez qu'à tourner à gauche dans la 51e et vous arrêter au bord du trottoir pour me déposer. Pas la peine de m'attendre.

Jack ne lui donna pas davantage de précisions. C'était préférable. En outre, il réfléchissait déjà à ce qu'il allait dire à James. Il savait que s'il avait été à la place de son ami, il aurait été tellement bouleversé qu'il aurait été incapable de réagir.

Ils avancèrent péniblement dans la 26e Rue, très encombrée, puis la circulation fut à peu près fluide dans Madison Avenue jusqu'à la cathédrale Saint-Patrick. Un peu moins d'une demi-heure après leur départ du labo ADN, Pete se rangea au bord du trottoir devant la résidence de l'archevêque. Jack quitta aussitôt son siège, ouvrit la portière latérale de la camionnette, détacha l'ossuaire et le souleva. À ce moment-là, Pete le rejoignit pour refermer la portière.

— Merci bien, dit Jack.

— Y a pas de quoi, répondit le chauffeur qui regardait la maison de pierres grises d'un œil méfiant.

Jack grimpa les marches du perron, posa l'ossuaire en équilibre sur un genou et actionna la sonnette. Un carillon retentit à l'intérieur de la résidence. Comme il avait des idées noires, il ne put s'empêcher d'imaginer qu'il lâchait l'ossuaire par mégarde : il vit l'objet basculer sur les marches de pierre, se briser sur le trottoir et y répandre tout son contenu – squelette, rouleaux, codex et lettre de Satornil. Par précaution, il resserra sa prise autour de l'ossuaire. Il était sur le point de le poser, lorsque la porte s'ouvrit sur le prêtre qui l'avait accueilli le jour où il était venu déjeuner avec James.

— Docteur Stapleton ! dit le père Maloney d'un air étonné. Que puis-je pour vous ?

— Vous pouvez me proposer d'entrer, par exemple, suggéra Jack d'un ton légèrement sarcastique.

— Oui, bien sûr ! répondit le père Maloney, et il fit un pas de côté. Le cardinal attend-il votre visite ?

— C'est bien possible, puisqu'il en sait davantage que moi sur certains événements qui se sont produits hier soir, mais je n'en suis pas certain. Et si je l'attendais dans le petit bureau où vous m'avez fait patienter la semaine dernière ?

— Excellente idée. En ce moment, Son Éminence est en réunion avec le vicaire général. Je vais le prévenir que vous êtes ici.

— Parfait, dit Jack.

De son propre chef, il avait déjà commencé à traverser le hall. Le père Maloney pressa le pas pour le précéder dans le couloir et lui ouvrir la porte du bureau. Jack s'y avança et posa l'ossuaire sur le parquet en prenant garde à ne pas en rayer l'impeccable surface.

— Puis-je vous apporter quoi que ce soit ? demanda le père Maloney.

— Si vous pensez que je vais attendre un moment, un journal ne serait pas de refus.

— Le *Times* vous conviendrait-il ?

— Le *Times* me conviendrait parfaitement.

Le père Maloney sortit en refermant la porte sur lui. Jack embrassa la petite pièce austère du regard. Il releva les mêmes détails que lors de sa première visite, dont l'odeur forte, mais pas désagréable, de produits ménagers et de cire à parquet. Réchauffé par ses exercices avec l'ossuaire, il retira sa veste et la jeta sur le dossier du fauteuil. Puis il s'assit au bord du minuscule canapé, tout comme il l'avait fait le jour de son déjeuner avec James, et songea avec ironie qu'il était décidément un homme d'habitudes.

Contrairement à ce qu'il craignait, il n'eut pas à attendre longtemps. Quelques minutes après le départ du père Maloney, la porte s'ouvrit tout à coup sur James. Il était habillé en simple prêtre. Il se précipita vers Jack et lui donna une accolade vigoureuse, fébrile, qui trahissait son désarroi.

— Merci, merci d'être venu si vite ! bafouilla-t-il.

Il s'écartait de Jack, lorsqu'il aperçut l'ossuaire au milieu du parquet. Il battit des mains et poussa un grand soupir de soulagement.

— Tu as déjà ramené l'ossuaire ! Oh, merci ! J'ai beaucoup prié pour le voir revenir au sein de l'Église et tu as répondu à mes prières. Dis-moi : as-tu tout remis à l'intérieur ?

— Oui, tout y est. Le squelette, les échantillons des analyses ADN, tous les papyrus, et même la lettre de Satornil et le codex achetés par Shawn au Caire. Après ce qui vient de se passer, j'ai pensé qu'il était important que je te remette le tout en main propre le plus vite possible.

— Que penses-tu de cette tragédie ?

— Je n'en reviens pas ! J'ai appris ça il n'y a même pas une heure, par mon ami le commissaire Lou Soldano.

— Je l'ai rencontré hier soir, dit James. Il est venu ici, à la résidence.

— C'est ce qu'il m'a dit. C'est un mec bien.

— C'est l'impression que j'ai eue.

— Pourquoi ne m'as-tu pas appelé, hier soir ?

— Je ne sais pas. J'y ai songé, bien sûr, mais je suis tellement secoué… tellement perplexe. Jack, je ne sais pas si je suis coupable ou innocent.

— Que veux-tu dire ? De quoi serais-tu coupable ?

— De meurtre ! De meurtre, voilà ! dit James, et il baissa les yeux. Je veux dire… Je ne sais si je ne me doutais pas, quelque part dans le recoin le plus sombre de mon esprit, qu'il y avait une petite chance pour que cette chose affreuse se produise. Quand on joue avec le feu, pardonne-moi ce mauvais jeu de mots, on se brûle ! Je savais que la personne que je voulais engager pour convaincre Shawn de renoncer à son projet serait déséquilibrée – et peut-être déséquilibrée au point de s'estimer en droit de commettre un péché pour empêcher ce qu'elle considérait comme un péché encore plus grave ! Luke Hester m'a appelé hier matin pour m'annoncer que Shawn était sur le point de changer d'avis. De renoncer à publier ses travaux, je veux dire. Il m'a affirmé qu'il était certain de réussir et qu'il s'agissait davantage d'une question de tactique que d'argumentation. J'aurais dû me douter, à ce moment-là, qu'une tragédie allait arriver. Mais non ! J'étais tellement content d'apprendre que mon plan B portait ses fruits, en définitive, que je n'ai pas réfléchi à ce que Luke sous-entendait quand il a parlé de *tactique*. Avec le recul, nous savons qu'il faisait allusion à cet abominable incendie.

— James, regarde-moi ! dit Jack d'un ton impérieux.

Il agrippa son ami par les épaules et le secoua gentiment.

— Regarde-moi !

James redressa la tête. Son expression disait toute la souffrance morale qui l'accablait. Ses yeux bleus étaient injectés de sang. Il avait le teint livide.

— Je suis impliqué dans cette histoire quasiment depuis le premier jour, dit Jack. Et je sais que jamais, *jamais* tu n'as eu la moindre intention de faire du mal à Shawn et à Sana. Et encore moins de les voir mourir ! Jamais, tu entends ? ! Ton objectif, c'était de trouver une personne passionnée par la Vierge Marie, une personne convaincante, et c'est tout ce que tu as fait ! Aller plus loin que ça et envisager de tuer quelqu'un, c'est une chose que ton cerveau et le mien sont incapables de faire. Nous ne pouvons imaginer ce genre de drame qu'après coup, lorsque nous en sommes témoins. Je t'en prie, n'aggrave pas cette tragédie en essayant d'en endosser la responsabilité. Le seul coupable, c'est Luke Hester. Mais nous ne le comprendrons jamais vraiment, nous ne saurons jamais ce qui s'est passé dans sa tête. Quelque chose l'a poussé à agir comme il l'a fait, mais toi, moi, ça nous dépasse.

— Tu penses réellement tout ce que tu dis là, ou tu essaies juste de me rassurer ?

— Je pense réellement ce que je dis. À 100 %.

— Merci de me réconforter. Ton opinion compte énormément. Et tu viens de me faire comprendre que je dois prendre un peu de temps pour réfléchir à cette affaire et prier. Je vais demander au Saint-Père de m'autoriser à passer un mois dans un monastère où je pourrai m'abandonner à la contemplation et à la prière.

— Ça, c'est un bon programme, approuva Jack. Un programme sain.

— Mais auparavant, il faut mettre un point final à cette abominable histoire.

James regarda Jack d'un air grave et ajouta :

— Je crains d'avoir encore un gros service à te demander, mon ami.

— Quoi donc ?

— L'ossuaire ! Je dois te demander de m'aider à le remettre à sa place.

— À sa place ? Où ça ?

Mais Jack connaissait la réponse à cette question. Il avait déjà songé, de son côté, que c'était la meilleure solution : l'ossuaire devait retourner à l'endroit où Shawn et Sana l'avaient trouvé. Sous le tombeau de saint Pierre.

Comme son ami ne répondait pas, Jack soupira et demanda :

— Tu veux le rapporter à Rome, c'est ça ?

— Je savais que tu comprendrais, dit James qui semblait peu à peu surmonter son désarroi. Nous sommes les seuls, toi et moi, à connaître cette histoire. Et je ne pourrai pas faire ça sans ton aide. Tu dois venir avec moi. Et le plus tôt sera le mieux.

Jack pensa tout à coup à Laurie et à JJ. Ils avaient prévu d'emmener le bébé au Memorial pour faire des analyses et voir si le traitement pourrait reprendre bientôt...

— En ce moment, je suis très occupé, marmonna-t-il. Quand envisagerais-tu de faire ce truc ?

— Ce soir, répondit James d'un ton égal. J'ai déjà réservé nos places dans l'avion qui décolle en fin d'après-midi. J'espère que tu ne seras pas agacé que j'aie eu la présomption de supposer que tu accepterais de m'accompagner. L'ossuaire voyagera avec nous. Nous serons à Rome demain matin. Je m'arrangerai pour que nous puissions remettre discrètement l'ossuaire à sa place demain soir. Tu pourras revenir à New York samedi. C'est un long voyage, je sais, mais tu ne seras parti que deux nuits. Ne me force pas à te supplier, mon ami.

Jack baissa les yeux. Une idée venait de lui traverser l'esprit. Elle était un peu saugrenue, mais elle justifiait, d'une certaine façon, ce projet de voyage en Europe et les difficultés qu'ils auraient à affronter pour replacer l'ossuaire dans sa cachette. Cette idée était liée, en outre, aux trois feuillets qu'il avait glissés dans la poche intérieure de sa veste pendant qu'il rassemblait tous les objets de l'ossuaire au labo de Shawn et de Sana. Au lieu de mettre ces feuillets dedans, il avait décidé de les empocher pour les examiner plus tard, au calme. Sur l'un des trois, il y avait le nom et l'adresse d'une patiente reçue au Centre médical Hadassah d'Ein Kerem…

— Voilà la réponse que je peux te donner, dit-il à James. Je viendrai ce soir et je t'aiderai à remettre l'ossuaire à sa place, mais à deux conditions. *Primo*, ma femme Laurie et notre bébé de 4 mois viennent avec nous si j'arrive à la convaincre de faire le voyage – ce qui n'est pas gagné. *Secundo*, je raconte toute l'histoire de l'ossuaire à Laurie.

— Oh, Jack, protesta James d'un ton geignard. Si je te demande de venir, c'est justement pour n'en parler à personne !

— Désolé, c'est à prendre ou à laisser. Mais je peux t'assurer que Laurie est aussi digne de confiance que moi, sinon davantage. Elle sait garder un secret. J'ai déjà été très embêté de ne pas pouvoir lui parler de l'ossuaire l'autre jour, et franchement, partir à Rome avec toi sans lui en dire davantage, ça ne me convient pas du tout. Enfin bon, voilà les deux conditions que je pose si tu veux que je t'accompagne ce soir.

James réfléchit quelques secondes. Quitte à prendre le risque de mettre une tierce personne au courant de leur secret… il aimait autant que ce soit la femme de Jack.

— D'accord, dit-il à contrecœur. Dans combien de temps pourras-tu me confirmer que vous venez ce soir ?

— Si tout va bien, d'ici une heure. On se retrouve ici, ou à l'aéroport ?

— Ici. Le père Maloney nous conduira à JFK avec la Range Rover.

Après avoir quitté James, Jack regagna l'IML en taxi et se rendit aussitôt au bureau de Bingham. Malheureusement, le directeur était en réunion à la mairie. Jack décida de tenter sa chance chez son adjoint, Calvin Washington, qui était disponible. Il l'informa simplement qu'il devait s'absenter de New York le temps d'un long week-end. Comme il était déjà dispensé d'autopsie, cela ne changeait pas grand-chose pour l'Institut – mais il préférait prévenir ses supérieurs qu'il débarrassait le plancher. Il descendit ensuite au garage, détacha son vélo et prit la direction de la maison. À présent, il devait convaincre Laurie. La tâche ne serait pas facile.

Quand il entra dans l'appartement, il était très excité à l'idée de partir en voyage. Il était déjà allé quatre ou cinq fois à Rome et il adorait cette ville. Par contre, il ne connaissait pas encore Jérusalem. Après avoir rangé le Trek dans son placard, il se dirigea vers la cuisine. Il était déjà midi passé ; ils n'avaient donc que trois ou quatre heures pour se préparer.

— Laurie ? ! cria Jack quand il s'aperçut qu'elle n'était pas dans la cuisine.

Il longea le couloir. Il ouvrait la bouche pour l'appeler à nouveau, lorsqu'elle apparut à la porte du salon. Elle avait un livre sur l'éducation des bébés à la main.

— Chut ! murmura-t-elle, un index devant la bouche. Il dort !

Jack rentra la tête entre les épaules, honteux d'avoir élevé la voix. Il savait pourtant qu'il ne devait pas faire ce genre de chose dans l'appartement. Il s'excusa et dit à Laurie qu'il était survolté.

— Pourquoi rentres-tu si tôt ? demanda-t-elle. Ça va ? Qu'est-ce qui t'arrive ?

— Ça va très bien. Mais… j'ai un programme carrément étonnant à te proposer !

— Un programme ? répéta Laurie. Ah…

Elle recula dans le salon. Jack la suivit. Elle se laissa tomber à la renverse sur le canapé et posa les pieds sur la table basse. Sur la desserte, à sa gauche, il y avait une tasse de thé et un pot de miel.

— Pas mal, hein ? dit-elle avec un grand sourire. Je crois que je vais prendre goût à l'oisiveté ! JJ passe à nouveau une bonne journée. Une *excellente* journée ! Jamais il n'avait fait une aussi longue sieste.

— Parfait.

Jack s'assit sur la table basse en face de Laurie ; il voulait être tout près d'elle pour lui parler.

— D'abord, je dois te faire un petit aveu. Je ne t'ai pas dit toute la vérité sur l'histoire de l'ossuaire que mon ami archéologue et sa femme ont découvert. Je dois te prévenir, c'est assez extraordinaire. Et je précise que je t'avais caché des choses parce que mon ami l'archevêque m'avait supplié de ne rien te dire. Bref ! Il a changé d'avis, le secret n'est plus d'actualité et j'ai hâte de te raconter toute cette histoire.

— Pourquoi a-t-il changé d'avis, l'archevêque ?

— Ça, c'est une histoire à part entière. Mon ami archéologue et sa femme sont morts tous les deux, hier soir, dans l'incendie de leur maison. Évidemment, ça met un terme aux travaux de recherche sur le contenu de l'ossuaire.

— Oh, c'est affreux, dit Laurie, désolée. La maison qui a brûlé, est-ce celle où nous leur avions rendu visite ?

— Oui. Quand ces vieilles baraques en bois prennent feu, il faut prendre ses jambes à son cou. Elles crament en un rien de temps.

— Quelle terrible tragédie ! En plus, tu étais juste en train de renouer les liens avec tes amis, observa Laurie. Et puis… cela signifie-t-il que tu as perdu ton nouveau sujet de distraction, celui qui remplaçait ta croisade contre la médecine parallèle ?

— Pas tout à fait.

— Ah bon ? Mais… tu viens de dire que leur mort met un terme aux travaux sur l'ossuaire.

— En effet, mais l'ossuaire doit retrouver la place qui est la sienne. En réalité, Shawn et Sana Daughtry l'avaient volé sous la tombe de saint Pierre qui se trouve sous la basilique Saint-Pierre au Vatican. Il était enterré là, avec Pierre, depuis près de deux mille ans. J'ai promis à l'archevêque de l'accompagner à Rome pour remettre l'ossuaire dans sa cachette. Dans le plus grand secret. L'archevêque, toi et moi, nous serons pour finir les seules personnes au monde à connaître l'existence de cet objet. Et maintenant, si tu veux connaître tous les détails de l'histoire, tu dois me promettre de ne jamais en parler à quiconque.

Laurie fit la moue, perplexe, puis elle ouvrit la bouche pour répondre – mais Jack enchaîna :

— Voilà ce qui va se passer. Ce soir, toi, JJ et moi nous prenons l'avion pour Rome. Avec James. Demain soir, je l'aiderai à remettre l'ossuaire à sa place. Samedi matin, toi, JJ et moi nous prendrons un autre avion, à destination de Jérusalem, pour y faire la connaissance d'une certaine personne. Et dimanche, nous reviendrons à New York. Qu'est-ce que tu en penses ?

— Tu es complètement cinglé, répondit Laurie sans la moindre hésitation. Tu voudrais que je voyage en avion toute une nuit, sans aucun préparatif, avec un enfant de 4 mois gravement malade, que je passe ensuite moins d'une journée dans une ville étrangère, et puis que je reprenne l'avion pour une autre ville, encore plus éloignée, et puis que je revienne aussitôt après à la maison ? ! Tu délires, Jack ! D'ailleurs, combien de temps prendrait le vol de Jérusalem à New York ?

— Je ne sais pas très bien. Un bon paquet d'heures, sans doute. Mais ce n'est pas le problème. Je veux que tu fasses ça pour moi. Je sais que ça paraît dingue et que ce sera difficile, probablement plus difficile que je ne peux l'imaginer, mais je sens que c'est important pour moi. Je m'occuperai beaucoup de JJ. Je le tiendrai dans mes bras presque tout le temps. À Rome, nous engagerons une infirmière pour te laisser un peu de temps libre. Pareil à Jérusalem. En plus, il va beaucoup mieux depuis trois jours. Heu… Trois jours, ou quatre ? J'ai perdu le compte.

— Ça fait trois jours qu'il a l'air d'aller mieux, précisa Laurie.

— D'accord, trois jours ! Nous pouvons faire ce voyage et être revenus à la maison dans quatre jours. Avec JJ, je t'aiderai le plus possible. Si je pouvais, je lui donnerais même le sein.

— Ouais, c'est ça, dit Laurie avec un demi-sourire. Facile à dire. Et dans l'avion, donc, tu le garderas même s'il devient nerveux et irritable ?

— Oui. Je le prendrai dans mes bras. Pendant tout le vol, si tu veux ! Dis oui, Laurie. Dis juste oui. Tu comprendras mieux quand je te raconterai toute l'histoire de l'ossuaire, ce soir, dans l'avion. D'accord ?

— Si tu veux me convaincre de me lancer dans un projet aussi insensé, il va falloir que tu me racontes dès maintenant l'histoire de l'ossuaire. Et je veux bien dire : tout de suite !

— Ça prendrait trop de temps, protesta Jack.

— Désolé, mon grand. C'est ça ou rien. Si c'est long, décris-moi au moins les grandes lignes de l'affaire.

Sans perdre une seconde, Jack lui fit le récit, sans entrer dans les détails, des événements des derniers jours – à commencer par l'étonnante invitation à déjeuner de James. Il craignait que Laurie ne trouve pas l'histoire assez intéressante pour justifier le voyage qu'il envisageait. Il eut le plaisir de voir qu'elle était fascinée. Elle l'interrompit tout à coup, avant même qu'il n'ait achevé son exposé :

— Oh, c'est bon, Jack ! Allons-y ! Je m'étonnerai sans doute que tu aies réussi à me convaincre de faire ce truc de dingue, mais c'est entendu. Et tu ne seras pas obligé de tenir JJ dans tes bras pendant tout le vol. Fais juste ta part du boulot. Et pas seulement quand il dormira, bien sûr. Tu le tiendras autant quand il rouspétera que quand il sera tranquille, d'accord ?

— D'ac' ! répondit Jack avec un grand sourire, et il se mit debout avant d'ajouter : Maintenant, j'ai des trucs à préparer et des coups de téléphone à passer. Nous devons partir pour la résidence de l'archevêque vers 15 h 00.

— Tu n'es pas le seul à avoir des trucs à préparer, dit Laurie, posant son livre à côté d'elle. Et j'espère que nous ne regretterons pas cette aventure.

Cette fois, Jack était déçu. Lors de ses précédents séjours à Rome – vers la fin du printemps, en été et au début de l'automne –, il avait eu du soleil, des températures agréables, un ciel cristallin. En décembre, l'atmosphère était maussade. Il faisait humide et froid. Une pluie crispante tombait du ciel gris. De surcroît, Jack avait cru qu'il se lançait dans une espèce de mission clandestine, délicate et périlleuse, pour rapporter discrètement l'ossuaire dans la nécropole et le remettre à sa place. Mais ce n'était pas du tout ce qui devait se passer. Il s'aperçut très vite que le Vatican était organisé comme un gigantesque club privé pour les cardinaux, lesquels y avaient pour ainsi dire tous les droits.

James ayant emballé l'ossuaire dans la caisse qui avait servi à le sortir d'Italie, tous les gens qui la manipulèrent à un moment ou un autre avaient supposé, le plus logiquement du monde, qu'elle contenait ses affaires personnelles. Aucun agent de sécurité ou des douanes, à New York comme à Rome, n'avait évoqué l'idée d'en inspecter le contenu. Et il n'y avait pas eu davantage de difficultés pour la faire entrer au Vatican.

James s'était organisé pour loger tout le monde dans l'enceinte du Vatican, à la Casa di Santa Marta – ainsi nommée en l'honneur de sainte Marthe, la patronne des hôteliers. La caisse de l'ossuaire et leurs bagages les y attendaient quand ils étaient arrivés à leurs chambres. Des employés du Vatican avaient pris le tout en charge, à l'aéroport, tandis que James, Laurie, Jack et JJ gagnaient la ville, comme avait dit James, « par le chemin des écoliers ».

La Casa di Santa Marta étant conçue pour loger les cardinaux en conclave, c'est-à-dire lorsqu'ils avaient besoin de se concentrer tous ensemble pour élire un nouveau pape, le décor était résolument austère. Pour Jack, c'était une autre petite déception. Quand James leur avait annoncé qu'ils logeraient au Vatican, il s'était imaginé roupillant au milieu des dorures d'un luxueux palais Renaissance.

Point très positif, par contre, le vol de nuit s'était encore mieux passé qu'ils ne l'avaient espéré. Non seulement JJ avait fait une longue sieste dans l'après-midi, avant le départ, mais il avait aussi dormi pendant l'essentiel du voyage, d'abord dans les bras de Laurie, puis dans ceux de Jack. Du coup, Jack avait eu amplement le temps de raconter à nouveau l'histoire de l'ossuaire à Laurie, cette fois avec tous les détails.

« Vais-je le voir, cet ossuaire ? avait-elle demandé.
— Je ne vois pas ce qui t'en empêcherait », avait-il répondu.

Pour éliminer tout risque de cafouillage le soir venu, James s'organisa pour avoir une visite guidée personnelle de la nécropole, dans l'après-midi, avec un des spécialistes de la Commission pontificale d'archéologie sacrée. Quand l'heure de la promenade arriva, JJ dormait encore. Laurie fit remarquer à Jack qu'il rattrapait le temps perdu après avoir passé des mois à pleurer toutes les larmes de son corps. Elle ne voulait pas qu'il reste seul, mais elle se laissa convaincre de descendre à la nécropole quand James annonça qu'il avait trouvé plusieurs nonnes pour s'occuper de JJ en leur absence. Ils convinrent aussi qu'une de ces nonnes viendrait chercher Laurie dès que le bébé se réveillerait.

La visite se révéla très utile. Au début, ni James, ni Jack, ni Laurie ne réussirent à déterminer à quel endroit Shawn et Sana avaient découvert l'ossuaire. Ils trouvèrent la solution quand leur guide fit remarquer que l'accès au tunnel qui pénétrait à l'intérieur du tombeau de Pierre se faisait au niveau inférieur des fouilles archéologiques des années 1950 – sous la terrasse de verre.

Quelques heures plus tard, Jack éprouvait tout de même une certaine nervosité lorsqu'il se mit en route avec James. Il portait l'ossuaire et James avait un énorme trousseau de clés à la main. Dans l'après-midi, le cardinal était allé voir l'archiprêtre responsable de l'administration de la basilique pour lui annoncer qu'il voulait visiter la salle Clémentine et le tombeau de Pierre le soir même. L'archiprêtre lui avait remis les clés sans discuter ; il avait aussi promis que la lumière serait allumée partout.

L'ossuaire était lourd. Heureusement, le trajet de la Casa di Santa Marta jusqu'à l'entrée de l'abside nord-ouest de Saint-Pierre n'était pas long – moins de l'équivalent d'un pâté de maisons new-yorkais. Quand James eut ouvert la porte, Jack pénétra le cœur battant dans la basilique obscure et silencieuse. Pour lui, cet instant serait le plus mémorable de la soirée. Une demi-heure plus tôt, comme pour le mettre de bonne humeur, les nuages s'étaient dissipés et une lune presque pleine était apparue dans le ciel. Elle projetait maintenant sa lumière argentée par les fenêtres de la base du dôme de Michel-Ange. La basilique n'en semblait que plus vaste et majestueuse.

— Magnifique, n'est-ce pas ? demanda James.

— Ce spectacle suffirait presque à me convertir au catholicisme, répondit Jack – et il ajouta en pensée qu'il ne plaisantait qu'à moitié.

James lui fit signe de le suivre, en travers du transept, en direction de la colonne de saint André – un des quatre piliers qui soutenaient l'énorme dôme. Là, il déverrouilla une porte qui donnait sur un escalier menant à la crypte.

Il leur fallut près de vingt minutes pour descendre au niveau inférieur des fouilles et trouver l'emplacement précis, dans le tunnel du tombeau de Pierre, où Shawn avait découvert l'ossuaire. Les contours de la niche étaient bien visibles à la surface du mur. Comme la terre y avait été tassée peu de temps auparavant, Jack put la creuser sans difficulté. Il tomba rapidement sur les lampes, les seaux et les autres objets que Shawn et Sana avaient utilisés puis enterrés là.

— Nous allons devoir remonter tout ce bazar, observa Jack. Mais ce ne sera pas difficile. Nous porterons ça dans les seaux. Maintenant, crois-tu pouvoir me trouver un peu d'eau ? Ce serait bien que je fabrique une sorte de mastic, avec de la terre, pour sceller le trou.

— Bonne idée, approuva James. J'ai vu un robinet en descendant. J'y vais !

Jack mit l'ossuaire dans le mur et remplit de terre le vide qui l'entourait. Quand James revint, il était prêt à travailler la façade de la niche. Il y appliqua patiemment de la terre humide qu'il tassa avec le burin abandonné par les Daughtry. Lorsqu'il eut terminé, il était presque impossible de repérer l'emplacement de l'ouverture creusée par Shawn. Il tapota une dernière fois la terre et songea avec une pointe de regret aux conséquences de ce geste : maintenant que l'ossuaire était à nouveau enseveli, le monde ne connaîtrait peut-être jamais l'Évangile selon Simon. Jack était un peu embarrassé d'avoir participé à cette opération. Avant d'entendre parler de l'ossuaire, il ne s'était jamais beaucoup intéressé à l'histoire du christianisme. À présent, il se sentait plus concerné. Et il savait qu'il se demanderait toujours quel genre d'homme avait été Simon le Magicien : le mauvais garçon que l'Église l'accusait d'être, ou un personnage bien différent ?

Autant Rome avait été pluvieuse, grise et lugubre, autant le ciel d'Israël était limpide et son soleil, éblouissant. Jack, Laurie et JJ atterrirent à Tel Aviv en début d'après-midi. Une fois encore, le comportement de JJ avait surpassé les espoirs les plus optimistes de Laurie. Dès que l'avion avait pris de l'altitude, le petit s'était endormi – et il dormait encore quand les roues de l'appareil heurtèrent la piste d'atterrissage avec un grincement sonore.

À la porte de débarquement, ils furent accueillis par le représentant d'une agence de voyage dénommée Mabat. Il les aida à récupérer leurs bagages, puis il les accompagna jusqu'à la voiture avec chauffeur qui devait les conduire à Jérusalem. Jack avait décidé de faire appel à cette agence – recommandée par une connaissance, à New York, qui voyageait fréquemment en Israël – car il voulait simplifier au maximum leur bref séjour dans le pays. Le chauffeur les conduisit sans délai à l'hôtel King David et leur présenta leur guide, un homme originaire du Midwest, expatrié depuis de longues années en Israël, qui s'appelait Hillel Kestler.

— J'ai cru comprendre que vous vouliez vous rendre au village palestinien de Sour Baher, dit-il d'un air quelque peu intrigué. J'ai déjà eu pas mal de requêtes assez étranges, dans ce pays, mais c'est bien la première fois que des clients me demandent de les emmener à Sour Baher. Puis-je savoir ce qui vous intéresse, là-bas ? Il n'y a pas grand-chose à voir, je vous préviens tout de suite.

— Je veux rencontrer cette personne, répondit Jack.

Il lui tendit le papier sur lequel il avait copié le nom et l'adresse de la femme référencée dans la base de données CODIS 6.0 et détectée par le séquenceur 3130XL.

— Djamila Mohammed, lut Hillel Kestler. Vous la connaissez ?

— Pas encore. Mais j'aimerais lui demander un service. Un service pour lequel je suis prêt à payer. Pouvez-vous nous aider ? Parlez-vous l'arabe ?

— Pas si bien que ça, admit Hillel. Mais assez correctement, sans doute, pour ce dont vous avez besoin. Quand voulez-vous aller là-bas ?

— Nous n'avons qu'aujourd'hui et demain. À moins que nous ne décidions de rester plus longtemps, précisa Jack. Si ça ne vous ennuie pas, allons-y tout de suite. Je présume que vous avez un véhicule ?

— Bien sûr. J'ai une camionnette Volkswagen.

— Parfait. En route, Laurie.

— Es-tu sûr de vouloir faire ce truc ? demanda-t-elle d'un air gêné.

À présent, elle connaissait bien l'histoire de l'ossuaire et les résultats de l'analyse de l'ADN mitochondrial de son squelette. Mais elle avait encore des doutes quant à l'intérêt du projet de Jack.

— Nous avons déjà fait un si long voyage, répondit ce dernier. Pourquoi reculer maintenant ? Hillel, s'il vous plaît, combien de temps faut-il pour atteindre ce village ?

— Vingt minutes à tout casser.

— Vingt minutes, c'est tout, dit Jack à Laurie, et il lui prit JJ des bras. Essayons ! Nous n'avons rien à perdre !

— D'accord, acquiesça-t-elle.

Dix-huit minutes plus tard exactement, la Volkswagen de Hillel Kestler pénétra dans un village qui se composait d'une unique rue en terre bordée de maisons carrées, en béton, dont les toits plats étaient hérissés de tiges en acier pour de futurs travaux d'agrandissement. Il y avait quelques boutiques, dont un marchand de tabac et une épicerie. Il y avait aussi une petite école dont la cour était pleine de gamins en uniforme.

— Le plus simple, c'est de rendre visite au moukhtar, dit Hillel en élevant la voix pour couvrir les cris des enfants.

— Moukhtar ? répéta Jack. Qu'est-ce que c'est ?

— En arabe, ce mot signifie l'*élu*, répondit Kestler, et il remonta les vitres de la camionnette pour ne plus avoir à crier. Plus couramment, c'est le titre du chef du village. Il connaîtra certainement Djamila Mohammed.

— Et le moukhtar de Sour Baher, vous le connaissez ?

Jack était assis à l'avant, à côté de Kestler. Laurie était derrière avec JJ.

— Non, je ne le connais pas. Mais ça n'a pas d'importance.

Kestler se gara, descendit du véhicule et entra dans l'épicerie. Pendant son absence, plusieurs petits écoliers s'approchèrent de la portière de Jack et levèrent vers lui des yeux intimidés. Il sourit et les salua de la main. Quelques enfants lui rendirent son geste. Un homme sortit alors de la boutique et leur ordonna de s'éloigner.

Kestler reparut quelques instants plus tard. Jack baissa sa vitre pour lui parler.

— Il y a une sorte de petit coin-salon dans la boutique, expliqua Hillel. C'est le lieu de rassemblement des villageois. Et ça tombe bien, le moukhtar est ici. J'ai demandé à voir Djamila. Il l'a envoyé chercher. Si vous voulez la rencontrer, il vous invite à le rejoindre à l'intérieur.

— Super, dit Jack.

Il descendit de la camionnette et ouvrit la porte latérale coulissante pour Laurie et JJ.

La boutique regorgeait de toutes sortes de produits entassés du sol au plafond : articles d'épicerie et jouets, ustensiles de cuisine et rames de papier pour imprimante. Le coin-salon auquel Kestler avait fait allusion se trouvait au fond : une petite pièce carrée, aux murs nus, avec une unique fenêtre qui donnait sur une arrière-cour misérable où caquetaient quelques poulets malingres.

Le moukhtar était un vieil homme à la peau parcheminée. Il était vêtu à l'arabe et tirait paisiblement sur un narguilé. Visiblement très content d'avoir de la compagnie, il ordonna que du thé soit servi à ses invités. Il fut aussi très satisfait d'apprendre que les Stapleton étaient de New York : il y avait de la famille et s'était rendu là-bas deux fois. Il parlait assez correctement l'anglais. Il était en train de leur expliquer quels quartiers de Brooklyn il avait visités, lorsque Djamila Mohammed entra dans la pièce. Elle aussi, elle portait un long vêtement arabe. Son visage n'était pas dissimulé, mais son foulard à franges était noir comme sa robe. La peau de son visage et de ses mains avait la même couleur et le même aspect que celle du moukhtar. Il était clair que cet homme et cette femme n'avaient pas eu la vie facile.

Malheureusement, Djamila ne parlait pas l'anglais. Jack put cependant communiquer avec elle par la généreuse entremise du moukhtar. Il lui demanda d'abord si elle avait la moindre expérience en tant que guérisseuse. Elle répondit que c'était le cas, mais pour l'essentiel sur ses propres enfants qui se comptaient au nombre de huit – cinq garçons et trois filles.

Il lui demanda si elle avait jamais été malade. Elle répondit que non – mais un an plus tôt, elle avait été heurtée par une voiture, à Jérusalem, et elle avait passé une semaine à l'hôpital Hadassah pour se remettre de ses blessures. Jack lui demanda enfin si elle voulait bien soigner son enfant en posant une main sur sa tête et en le déclarant guéri de son cancer. Il sortit plusieurs centaines de dollars en liquide et les posa sur la petite table basse devant Djamila. Il précisa qu'il s'agissait d'une marque de considération pour le temps et les efforts qu'elle leur consacrait. Ensuite, il prit John Junior à Laurie et l'approcha de la vieille dame.

JJ semblait apprécier d'être au centre de l'attention de tout le monde. Il gazouilla paisiblement tandis que Djamila faisait ce qui lui était demandé. Le moukhtar traduisit ses paroles : elle déclara qu'elle voulait que toutes les maladies qui affligeaient l'enfant quittent immédiatement son corps. Il était clair qu'elle n'avait pas l'habitude de ce rôle et qu'elle était très embarrassée.

Laurie observait la scène avec perplexité. Jack lui avait expliqué ce qu'il prévoyait de faire. Elle avait jugé l'opération un peu vaine, mais finalement assez inoffensive : s'il tenait à essayer ce truc, elle ne voulait pas l'en empêcher. Maintenant qu'elle voyait la scène se dérouler sous ses yeux, cependant... elle ne savait plus quoi penser.

Jack, de son côté, avait presque changé d'avis. Quand il avait eu l'idée de venir ici, il s'était dit qu'il devait mener ce projet à terme pour être sûr de n'avoir ignoré aucune piste. L'ossuaire avait quelque chose de mystique ; Jack voulait en tirer parti. À présent que l'opération de « guérison par la foi » était tentée pour de bon, il se sentait stupide. Ridicule. Comme s'il se raccrochait désespérément à un semblant d'espoir. Mais bon, c'était bien de cela qu'il s'agissait, au fond : il se raccrochait désespérément à un semblant d'espoir !

— Bien ! s'exclama-t-il tout à coup.

La scène durait un peu trop longtemps. Il écarta JJ de Djamila et le tendit à Laurie.

— C'était formidable, dit-il en souriant. Merci beaucoup !

Il prit l'argent sur la table et le donna à Djamila, puis il se leva et se dirigea vers la porte. Il avait envie d'être loin de ce village, tout à coup, et d'oublier cette situation absurde. Il savait, oui, qu'il était venu ici par désespoir - comme tant de patients désespérés qui se jetaient entre les mains des marchands de médecine parallèle. Mais il voulait aussi retourner en vitesse à la voiture pour une autre raison : il était au bord des larmes.

— Bon, dit le Dr Urit Effron, l'un des spécialistes de l'hôpital Hadassah d'Ein Kerem. Voici les images de la gamma caméra. Nous allons mieux comprendre pourquoi le taux de métabolites des catécholamines de l'urine de votre fils était normal hier.

Jack et Laurie se penchèrent en avant sur leurs chaises. Ils étaient très intrigués. La veille, après avoir quitté le village de Sour Baher, ils étaient rentrés à Jérusalem. Puis ils s'étaient rendus aux urgences de l'hôpital Hadassah. Leur rencontre avec Djamila Mohammed les avait incités à reparler sérieusement de la situation de John Junior. Ils avaient décidé de faire des analyses maintenant, pendant qu'ils étaient à l'étranger, afin de savoir s'ils pourraient envisager de reprendre le traitement dès leur retour à New York.

À l'hôpital Hadassah, hélas, ils avaient appris qu'ils devraient attendre d'être revenus au Memorial pour avoir des examens complets. Toutefois, l'oncologue pédiatrique qui les avait reçus avait proposé de faire quelques analyses réalisables dans son service pour voir comment se comportaient les tumeurs du bébé. C'était justifié, puisque JJ continuait d'être calme et semblait aller de mieux en mieux. À la plus complète surprise de tout le monde, et surtout de ses parents, les analyses avaient donné des résultats normaux. Le praticien avait alors proposé d'effectuer l'examen de détection du neuroblastome qu'on appelait une scintigraphie au MIBG.

Ayant appris pas mal de choses sur les risques et les avantages de cet examen au moment où la maladie de JJ avait été diagnostiquée, Jack et Laurie avaient accepté. Ils voulaient savoir où en était leur enfant après le premier cycle de traitement qu'il avait suivi au Memorial. De l'iode radioactive à demi-vie courte avait donc été injectée dans le petit corps de JJ, et ce matin ils étaient revenus pour la scintigraphie.

À présent, les premières images sortaient de la machine.

— Voilà, c'est très clair, dit le Dr Effron. Les taux d'acide homovanillique et d'acide vanilmandélique étaient normaux… parce qu'il n'y a plus de tumeurs !

Jack et Laurie échangèrent un regard. Ils n'osaient pas parler. Ils avaient peur de découvrir qu'ils rêvaient éveillés, peur d'être brutalement obligés de revenir à la réalité.

Apparemment, JJ était guéri !

Le Dr Effron leva les yeux de l'écran pour s'assurer qu'ils l'avaient entendu.

— C'est une très bonne nouvelle, dit-il. Un grand bravo au Memorial ! Votre fils fait partie des petits chanceux.

— Qu'est-ce que vous êtes en train de nous dire, au juste ? demanda Laurie d'une voix rauque.

— Les neuroblastomes, en particulier ceux qui touchent les très jeunes bébés comme votre fils, sont imprévisibles. Ils peuvent tout à coup se résorber – guérir d'eux-mêmes, si vous voulez. Ou ils peuvent répondre positivement au traitement. Les tumeurs de votre fils étaient-elles plutôt bien délimitées, ou largement diffuses ?

— Très largement diffuses, murmura Laurie, la gorge nouée.

Elle commençait à accepter ce qu'elle voyait sur l'écran et ce qu'elle entendait : plus de tumeurs. JJ était guéri. S'agissait-il d'une guérison spontanée, comme le Dr Effron y faisait allusion ? Était-ce l'anticorps murin du Memorial qui avait sauvé l'enfant ? Ou Djamila, peut-être ? Laurie n'en savait rien. À ce moment précis, cela n'avait aucune importance.

BIBLIOGRAPHIE

Au cours des recherches que j'ai menées pour écrire *Intervention*, j'ai été fasciné par l'histoire très riche des débuts du christianisme et par les questions que soulève la médecine parallèle. À qui voudrait en lire davantage sur ces deux sujets, je recommande :

Bausell, R. Barker. *Snake Oil Science*, Oxford, 2007.

Chadwick, Henry. *The Early Church*, Penguin, Revised Edition, 1993.

Matkin, J. Michael. *The Complete Idiot's Guide to the Gnostic Gospels*, Alpha, 2005.

Matkin, J. Michael. *The Complete Idiot's Guide to Early Christianity*, Alpha, 2008.

Pagels, Elaine. *Les Évangiles secrets*, traduction de Tanguy Kenec'hdu, Gallimard, 1982.

Singh, Simon & Edzard Ernst, M.D. *Trick or Treatment*, Norton, 2008 [cité dans le roman].

Walsh, John Evangelist. *Le Tombeau de saint Pierre*, traduction de Lorette Roux, Éditions du Cerf, 1984.

Sur la question de la sexualité et de l'Église catholique contemporaine, un article aussi bref que stimulant :

Carroll, James. « From Celibacy to Godliness », *The Boston Globe*, p. A19, 9 avril 2002.

Photocomposition Nord Compo
59650 Villeneuve-d'Ascq

Achevé d'imprimer par GGP Media GmbH, Pößneck
en mai 2011
pour le compte de France Loisirs,
Paris

N° d'éditeur : 63989
Dépôt légal : mars 2011
Imprimé en Allemagne